모데카이

DON'T POINT THAT THING AT ME &
AFTER YOU WITH THE PISTOL

모데카이

키릴 본피글리올리 | 성경준 · 김동섭 옮김

인빅투스

Don't Point That Thing at Me

그것을 나에게 겨누지 마

1

아주 오래된 이야기야, 그래서 더 잘 이야기할 수 없니?

— 피파 패시스

도금된 낡은 그림액자를 벽난로에서 태우면 쉿쉿 소리가 난다. 불꽃은 공작처럼 파랑과 녹색의 색조를 멋지게 띠게 된다. 수요일 저녁 이것을 보고 있는데, 마트랜드가 나를 만나러 왔다. 그는 매우 빠르게 벨을 세 번 눌렀다. 나는 그를 기다리고 있었다. 조금 있다가 도둑놈같이 생긴 조크가 문 밖으로 고개를 내밀었다. 나는 눈썹을 정교하게 올려서, '들어오게 해.' 라고 침착하게 표시하였다.

마트랜드는 그가 읽은 쓰레기 같은 책들 어디에선가 몸무게가 많이 나가는 사람들이 가볍고 우아하게 걸을 수 있다는 것을 읽은 적이 있다. 그래서 그는 뚱뚱한 요정이 레프러콘(아일랜드 민화에 나오는 남자 요정)에게 간택되기를 바라는 것처럼 경쾌하게 걷는다. 그는 의기양양하게 들어왔다. 조용하고 날래면서 어색한 자세로 엉덩이를 소리없이 흔들면서.

"일어날 필요없어."

내가 그럴 의도가 전혀 없다는 것을 알면서도 그는 비웃듯 말했다.

"마셔도 되겠죠. 그죠?"

그는 술탁자 위에 있는 유혹적인 것들을 무시하고 어김없이 탁자 밑에서 멋진 로드니 술병을 낚아챘다. 그리곤 테일러 31을 엄청난 양으로 따라 마셨다.(내가 한 방 먹었다.) 그 술병엔 믿기 어려울 만큼 더러운 짝퉁 술을 채워놓았기 때문이었다. 그는 개의치 않고 마셨다. (두 방이나 먹었다.) 그는 경찰이다.

그는 그 큰 엉덩이를 작고 귀엽고 고색창연한 나의 의자 팔걸이에 내려놓았다. 그리곤 그의 잔에 있는 짝퉁 빨간 술 너머로 입술을 쩝쩝거렸다. 나는 그가 능란하고 가볍게 서두를 꺼내기 위해 머릿속을 헤집고 다니는 것을 알 수 있었다. 오스카 와일드 식으로 말하자면 마트랜드의 성격은 단 두 개뿐이다. 와일드와 이요 (Winnie the Pooh에 등장하는 늙은 당나귀). 그렇지만 그는 매우 잔인하고 위험한 경찰이다.

"이런."

그가 마침내 말했다.

"이렇게 허영스러울 수가. 장작도 금박을 입혔군."

"옛날 그림액자지."

내가 솔직하게 말했다. 다 태워졌다고 생각했는데….

"너무 낭비잖아. 훌륭한 루이 16세 시대풍으로 조각된 액자인데…."

"그게 루이 뭐시냐 같은 좋은 액자가 아니라는 건, 빌어먹을 너도 잘 알잖아."

내가 호통쳤다.

"그레이하운드 로드에 있는 회사에서 나온 포도덩쿨 패턴 복제품이야. 내가 요 전번에 산 그림에서 떨어져 나온 거지."

마트랜드가 무엇을 아는지 모르는지 도통 알 순 없지만, 나는 골동품 그림액자라는 주제에 대해서는 상당히 안심했다. 아무리 마트랜드라도 골동품 그림액자에 대해 강의를 들었을 리는 없지 않는가.

"그래도 그게 루이 16세 스타일 액자라면 흥미롭다는 것은 너도 인정할 거야. 가로 50, 세로 110센티미터 정도군."

그는 액자가 벽난로 화로 안에서 거의 다 타서 사라지고 있는 것을 쳐나보며 중얼거렸다.

그때 내 폭력배 하인 조크가 들어와서 약 20파운드 정도의 석탄을 집어놓고 마트랜드에게 친근한 미소를 보낸 후 물러갔다. 조크가 생각하는 친근한 미소란 윗입술의 일부를 긴 누런 이빨 뒤로 말아 감는 것이다. 그 미소를 보면 오히려 내가 놀란다.

"들어봐, 마트랜드."

내가 차분히 말했다.

"내가 그 고야의 명화를 훔쳤다면, 또는 그걸 장물아비했다면 액자에 넣어 여기에 가져올 거라고 생각하는 건 진짜 아니겠지? 그리고 나서 그 액자를 바로 내 벽난로에서 태운다고? 난 멍청이가 아니야, 그렇지 않아?"

그는 지난 5일간 신문을 가득 채웠던 마드리드에서 '도둑맞은 그 엄청난 고야 그림' 이외에는 아무것도 생각하지 못하는 것처럼, 난처해 하면서도 그렇지 않다고 말했다. 그는 와인을 주변 러그에 조금씩 흘렸다.

"그건 귀한 사보니제 러그야. 포트와인(단맛이 나는 포르투갈산 적포도주)은 러그에 나쁘지. 게다가 그 아래에 값진 거장의 화가작품이 교묘하게 숨겨져 있을 수도 있어. 포트와인은 거기에 엄청 안 좋을 거야."

그는 내가 진실을 말하고 있다는 듯이 음흉하게 나를 쳐다보았다. 나는 그것을 알기에 내숭을 떨면서 그 시선을 되받아쳤다. 출입구 저쪽 그늘에서 내 폭력배 시종 조크가 친근한 미소를 짓고 있었다. 우리 모두는 다른 사람들의 무심한 눈으로 보기엔 모두 행복하게 보였으리라. 그곳에 그런 눈길이 있었다면.

이쯤해서, 마트랜드가 무능력한 얼간이다, 또는 얼간이였다고 생각하기 전에 그에 관한 배경지식을 조금 알려주는 편이 좋을 것이다. 당신은 아주 특이한 경우가 아니라면 영국 경찰관이 구식 나무 경찰봉을 제외하면 어떤 무기도 소지하지 않는다는 것을 잘 알 것이다. 또한 절대로 어떤 물리적인 힘을 무례하게 사용하지 않는다는 것도 알고 있을 것이다. 그들은 사과서리하다 걸린 꼬맹이 남자애들의 엉덩이도 때리지 못한다. 폭행으로 고소당할까봐. 그리고 공식조사와 국제사면위원회가 두려워서 말이다.

당신은 특수경찰그룹(SPG, the Special Power Group. 대열차강도사건 발생 후 내무부에서 만든 비밀단체.)이라는 독특한 외부 경찰조직에 대해 들어본 적이 없기 때문에 그렇게 확신할 수 있다. SPG는 위원회 지시에 의하여 창설되었는데, 내무장관과 장관들보다 오래 버티는 공무원으로부터 받은 밀봉된 칙령이라는 것을 가지고 있다. 그것에 관련된 서류는 다섯 페이지나 되며 3개월마다 계약을 새롭게 해야 한다. 가장 훌륭하고 균형잡힌 친구만이 이 SPG에 뽑히며, 일단 들어가면 결과를 내는 한 살인을 하고도 처벌받지 않을 수 있다. 이보다 더 훌륭한 훈련 일자리(Great Train Job 앞의 대열차강도 Great Train Robbery와 라임을 이루는 말로 비아냥대는 것)가 있을까? 그들의 일에는 돈이 많이 드는 법정에 세우지 않고 먼저 나쁜 놈들을 후려치는 것이 포함된다. 모든 신문사는 심지어 오스트레일리아 신문들까지 총기와 고문 부분을 없애버리는 대신 정화조에서 따끈따끈한 스토리를 얻기 위해 이 조직을 눈감아 주었다.

이 SPG라는 경찰조직은 재무부 소속의 한 왜소한 남자를 제외하고는 정부의 행정조직과 거래를 할 필요가 없다. 칙령에 따라 경찰청장은 이들이 '규제의무 또는 사무적인 형식상 절차 없이 모든 행정 시설들'을 이용할 수 있도록, 모두에게 지시한다. SPG는 검찰관을 통해 여왕의 여당대표에게만 자신들의 행동을 설명할 책임이 있는데, 이 여당대표는 띠를 두른 백작이며 추밀고문관(주요 기밀을 다루는 비밀의원)으로, 늦은 밤에 공중 화장실 주변을 어슬렁거리는 작자이다.

이 조직의 책임자는 나와 함께 학교를 다닌, 그리고 추가경찰총경이라는 흥미로운 직책을 가진 전 낙하산 부대 대령으로, 마트랜드라는 아주 능력있는 친구인데 사람을 다치게 하는 것을 좋아한다. 매우매우 말이다.

그는 분명히 그때, 거기에서 조사하는 형식을 취해서 나를 슬쩍 다치게 하고 싶어했을 것이다. 하지만 조크가 필요하면 언제든지 올 준비가 되었음을 나에게 상기시키려고, 가끔씩 점잖게 트림을 하면서 문 밖에서 어슬렁거리고 있었다. 조크는 말하자면 지브스(영국의 소설가. 주로 상류사회를 묘사하는 유머작가인 P. G. 우드하우스의 코믹 단편소설 지브스 시리즈에 나오는 재치있는 집사)의 반대이다. 조용하고, 계략이 풍부하며 기분이 나면 공손하기조차 하지만 늘 어느 정도 취한 상태이고, 사람들의 얼굴을 박살내는 것을 좋아한다. 요즘은 폭력배 없이 미술품 거래 사업을 할 수 없는데 조크는 이 분야에서 최고 중 최고이다.

 조크를 소개했으니, 그의 성은 잊어버렸다. 엄마 쪽 성이었던 것 같은데… 나 자신에 대해서도 몇 가지 사실을 알려주는 것이 좋을 듯하다. 나는 '찰리 모데카이' 이다. 내 말은, 정말로 세례받은 찰리라는 것이다. 내 생각에 우리 엄마는 아마도 좀 수상쩍은 방식으로 우리 아버지를 만난 것 같다. 나는 모데카이라는 꼬리표가 붙어 행복하다. 약간의 고풍스러움이 있고, 유대인을 암시하며, 부패의 냄새도 풍기기에 말이다. 맙소사, 어떤 미술품 수집가도 모데카이라는 이름의 딜러와 결전을 참기는 힘들 거다. 나는 내 인생의 절정기에 있다. 이 말이 당신에게 뭔가를 말해준다면 말이다. 나는 거의 평균이 안 되는 키에, 슬프게도 평균 이상의 몸무게이고 상당히 화려하고 잘생긴 얼굴의 잔재가 흥미롭게 남아있는 얼굴을 가지고 있다.

 때때로 부드러운 불빛 아래에서 불룩한 배를 안으로 들이밀고 거울에 비친 내 모습을 보노라면 나는 내 자신에게 매력을 느낀다.

 '나는 예술과 돈과 음탕한 농담과 술을 좋아한다. 나는 매우 성공했다.'

 꽤 괜찮은 이류 공립학교에 다닐 때, 나는 상대방 눈에 엄지손가락을 처넣을 준비만 되어있다면 거의 모든 사람을 싸움에서 이길 수 있다는 걸 알았다. 대부분 사람들은 그렇게 하려고 하지 않는다. 당신은 그런 사실을 알고 있는가?

 게다가 나는 모데카이 경이라는 타이틀을 가지고 있다. 우리 아버지가 랭캐스터 팔라틴 구의 최초 남작 실버데일 모데카이 버나드였기 때문이다. 그는 그가 살았던 세기에 있어서 두 번째로 위대한 미술품 딜러였다. 그는 그 분야에서 듀빈을 이겨서 쫓아버리려고 시도하다가 자신의 인생을 망쳐버렸다. 그가 남작 작위를 얻은 건 표면적으로는 나라에 30만 파운드 상당의 훌륭한, 하지만 팔 수 없는 예술품을 헌납했다는 이유지만 실제로는 누군가에 대해 알고 있던 남사스러운 일을 잊어주었기 때문이다. 그의 회고록은 내 형의 죽음 이후, 약 내년 4월쯤에 운이 좋으면 발간될 예정이다. 나는 그 회고록을 추천한다.

다시 모데카이 집으로 돌아가자. 이 늙은 별 볼일 없는 보스 마트랜드는 짜증을 내고 있었다. 그게 아니라면 짜증난 척하고 있었다. 그는 형편없는 연기자였지만, 연기를 하고 있지 않아도 어쨌든 엉망이었다. 그래서 때로 그가 진짜로 그런지, 그런 척 연기를 하고 있는지 알기 힘들다.

"오, 자, 찰리"

그가 안달하며 말했다. 나는 눈썹을 살짝 움직였다.

"'자' 란 말은 무슨 의미지?"

내가 물었다.

"내 말은 어리석은 놈들 흉내는 그만내자는 거야."

나는 그 말에 세 가지 대구를 생각했지만 거기에 신경 쓸 필요가 없음을 알았다. 마트랜드와 언쟁할 준비를 하는 때도 있었지만 이번엔 그런 경우에 해당하지 않았다.

"자네가 원할지도 모르는 그 어떤 것을 내가 줄 수 있을 거라고 생각하나?"

"어떤 종류든 고야 일에 대한 실마리 좀."

그는 패배한 이요 목소리로 말했다. 나는 싸늘하게 눈썹을 치켜 들었다. 그는 초조해하며 약간 몸을 꿈틀댔다.

"자네도 알다시피 서로간에 외교적인 고려라는 것이 있지 않은가."

그는 희미하게 신음하듯 말했다.

"그래."

나는 어느 정도 만족하며 말했다.

"나도 그런 게 있을 수 있다는 걸 알고 있어."

"이름과 주소만 주게, 찰리. 아니면 뭐라도 정말로. 자네는 뭔가 들었음에 틀림없어."

"cui bono(누가 범인일 것인가)라는 옛말을 묻는 건가?"

내가 물었다.

"잘 알려진 당근은 어디에 있지? 아니면 자네는 같은 학교 출신 이라는 것에 또 기대는 건가?"

"자네에게 평화와 고요가 올 거야, 찰리, 물론 자네가 직접 우두 머리로서 고야 거래에 참여하지 않았으면 말이지."

나는 내 잔을 채우고 있는 진짜 테일러 31을 생각에 잠겨 마시며 너무 열심인 것처럼 보이지 않도록 주의하면서 여봐란듯이 잠시 숙고했다.

"좋아."

마침내 내가 말했다.

"국립미술관에 있는 중년에 말투가 거친 친구지. 이름은 터너."

마트랜드의 볼펜이 노트 위로 행복하고 경쾌하게 달렸다.

"전체 이름은?"

그가 씩씩하게 물었다.

"조지프 말로드 윌리엄 터너(영국 최고의 풍경화가)."

그는 받아 적기 시작하다가 나를 사악한 눈빛으로 응시했다.

"1775년 출생 1851년 사망."

15

내가 빈정거렸다.

"고야를 내내 훔쳤어. 하지만 그때의 옛 고야는 별 볼일 없었지. 그렇지 않았나?"

나는 내 평생 그때만큼 주먹으로 아가리를 한 대 맞을 뻔한 적이 없었다. 다행히 조크가 때마침 아무 소리도 없이 텔레비전을 들고 들어왔다. 그것을 보자 마트랜드는 신중하게 처신했다.

그가 노트를 치우며 정중하게 말했다.

"자네도 알다시피 오늘 밤은 수요일이네."

"?"

"프로 레슬링, 텔레비전에서 해. 조크와 나는 절대로 놓치지 않아. 조크의 친구들이 많이 참가하지. 같이 보겠나?"

"잘 있게."

마트랜드가 말했다.

거의 한 시간 동안 조크와 나는 무제한급의 선수들의 투덜거림과 외침들, 그리고 캔트 왈튼의 놀랄 만큼 명쾌한 라이브방송을 마음껏 즐겼다.

"대단해, 정말 짜릿한데!"

내가 조크에게 말했다.

"예, 저기에서 저 녀석이 상대방 귀를 뜯어내는 줄 알았어요."

"아니야, 조크, 팔로말고. 캔트 왈튼."

"글쎄, 나에겐 팔로처럼 보이는데."

"아냐, 됐어, 조크."

그것은 정말로 멋진 프로그램이었다. 나쁜 놈들은 모두 속임수를 썼고 심판은 한 번도 그들의 속임수를 잡지 않았다. 하지만 좋은 놈들이 마지막 순간에 항상 누르기로 이겼다. 팔로 시합만 제외하고. 너무나도 만족스러웠다. 경찰관들 전체가 국립미술관에서 그 시간에도 터너작품을 모두 확인하고 있을 거라고 생각하니 그것 역시 만족스러웠다. 국립미술관에는 엄청 많은 터너작품이 있다. 마트랜드는 내가 자신을 놀리기 위해서 실없는 농담을 하지 않는다는 것을 알 만큼 똑똑했다. 모든 터너가 점검되었을 것이다. 경찰은 한 작품 뒤에 은밀히 꽂혀 있는 봉투를 발견할 것이다. 그 안에는 의심의 여지없이 그 사진들 중 하나가 들어있을 것이다.

마지막 시합이 끝났을 때 이번에는 극적으로 보스톤 크랩으로 끝이 났다. 조크와 나는 레슬링을 중계하는 밤에 의례적으로 위스키를 좀 마셨다. 나는 레드 핵클 드 럭스, 조크는 조니 워커를 마셨다. 그가 조니 워커를 선호하는 것은, 자기의 처지를 알기 때문이다. 물론 우리는 팔걸이 안락의자의 좌석 아래에서 마트랜드가 부주의하게 놓고 간 작은 마이크를 빼냈다. 조크가 그 위에 앉아 있어서 녹음기에는 분명히 레슬링뿐 아니라 무례한 방귀 소리들도 녹음됐을 것이다. 조크는 그 작은 도청장치를 텀블러에 떨어뜨리고 물과 알카셀처 알약을 첨가했다. 그리곤 킥킥댔다.

"진정해, 조크."

내가 말했다.

"해야 할 일이 있어. 내일 정오쯤에 내가 체포될 것으로 예상된단 말이야. 가능하면 그 일이 파크에서 일어나야 돼. 그래야 한바탕 소동을 부릴 수 있을 테니까. 내가 체포되면 즉시 이 아파트를 수색할 거야. 그때 너는 여기 있으면 안 되고, 아무것도 알면 안돼. 이전처럼 그걸 하드톱(철판 또는 플라스틱으로 된 딱딱한 지붕을 가진차)의 지붕 안쪽 덮개 안에 놓고 하드톱을 MGB(스포츠카) 위에 놓아. 그리고 그걸 스피노자에게 가져가. 네가 스피노자 씨를 직접 봐야한다는 걸 명심해. 8시 정각에 거기에 있어. 알았지?"

"예, 찰리 씨."

그 말과 함께 그는 아래층 자신의 침실로 어정어정 걸어갔다. 복도에서 여전히 킥킥거리며 행복하게 방귀를 뀌는 소리를 들을 수 있었다. 그의 침대는 깔끔하고, 간단하게 가구가 구비되어 있으며, 신선한 공기로 가득 차 있다. 당신이 당신 아들의 방이 그랬으면 하고 바라는 대로 꾸며져 있었다. 벽에는 영국군 배지와 계급 차트가 걸려 있고, 침대 옆 테이블에는 셜리 템플의 사진이 액자에 넣어져 놓여 있으며, 서랍장에는 갤리온(16세기 초에 등장한 4층 갑판의 대형 범선) 모형이 완성되지 않은 채 놓여 있었고, 모터사이클 잡지가 깔끔하게 쌓여 있었다. 나는 그가 소나무 살균제를 애프터쉐이브 로션으로 쓴다고 생각한다.

내 침실은 프랑스 혁명 정부 시대의 비싼 창녀가 제공하는 영업 장소를 상당히 충실하게 재현하고 있다. 나에게는 이 방이 멋진 기억들로 가득 차 있지만 만약 당신이 이 방을 보면 토할 수도 있다. 나는 거기에서 행복하고 꿈 없는 잠으로 빠져들었다. 동정심과 공포심으로 마음을 정화하기에 무제한급 레슬링만한 게 없다. 레슬링은 그 이름값을 하는 유일한 정신적 카타르시스이다.

그날은 수요일 밤이었고 누구도 나를 깨우지 않았다.

2

내 일은 나 자신을 개조하는 것이 아니라,
신이 만든 것을 절대적으로 최대한 이용하는 것이다.

— 블로그램 주교의 사과

아름다운 여름날 아침, 10시가 될 때까지 아무도 나를 깨우지 않았다. 이때 조크가 차와 카나리아를 가지고 들어왔다. 카나리아는 언제나처럼 활기차게 울고 있었다. 나는 둘 모두에게 아침인사를 했다. 조크는 내가 카나리에게 인사하는 것을 좋아했고, 돈도 안드는데 그렇게 사소한 것은 따라줘야지.

"신경을 진정시켜주는 훌륭한 옛 우롱차나 랍상소총(중국식 고급 홍차)!"

"예?"

"나에게 대 지팡이, 제일 노란 신발, 낡은 녹색 홈부르크(둥근테가 강하게 말아올려진 스타일의 중절모) 모자를 가져다주게."

나는 계속 말했다.

"나는 전원풍 춤을 추기 위해 파크에 갈 것이네."

"예?"

"오, 아니야, 조크, 버트램 우스터(P. G 우드하우스의 코믹 소설 주인공. 약간 덜 떨어진 귀족으로 똑똑한 집사 지브스와 환상의 콤비) 가 말하는 거야, 내가 아니라."

"알았어요, 찰리."

나는 종종 조크와 스쿼시를 시작해야 한다고 생각한다. 저렇게 농담을 못 알아듣는 것을 보면 그는 멋진 벽이 될 것이다.

"MGB를 가져왔나, 조크?"

"예."

"좋아, 모두 괜찮은 거지?"

물론 어리석은 질문이었고 나는 그 값을 치렀다.

"예, 아, 음, 있잖아요, 그러니까 그 뭐시기, 그것이 차 지붕 안에 놓기엔 좀 너무 커서 주변을 좀 잘라야 했어요."

"뭘 잘랐다고 설마 조크 네가 ⋯."

"그래, 좋아, 조크, 스피노자 씨가 무슨 말했어?"

"예, 더럽게 욕을 했어요."

"그래, 내 생각에도 그가 그랬을 거야."

"예."

나는 침대에서 기상하는 일상적이고 무시무시한 일을 시작했다. 조크의 도움을 때로 받으며 조심조심 샤워에서 면도까지, 그리고 덱세드린(중추신경자극제의 일종)으로부터 넥타이에 대해 결정을 내리는 것까지 해냈다. 그리고 40분 후 럼주와 함께 그 이름값을 하는 유일한 아침식사, 세공장식한 거대한 커피 사발이 있는 아침 식사 말이다. 나는 일어났다.

"제가 보기에 녹색 홈부르크 모자가 없는 것 같은데요, 찰리 씨."

"괜찮아, 조크."

"원하신다면 수위의 어린 딸을 로크 씨 가게에 보낼 수 있어요."

"아니야, 괜찮아, 조크."

"아마도 반(半) 크라운(지금의 12.5펜스에 해당하는 영국의 옛날 주화)이면 갈 거예요."

"아니야, 괜찮아, 조크."

"알겠습니다. 찰리 씨."

"10분 후에 아파트를 나와야만 해, 조크. 물론 어떤 총이나 그런 거를 여기에 남겨두면 안돼. 모든 알람을 켜놓고 서로 맞물려 있게 해놓아. 포토 레코다는 필름을 위로 향하게 해놓고. 너도 알고 있겠지만."

"예, 알아요."

"그래."

이 호색한이 세인트 제임스 파크에서 강렬한 모험을 위해 만반의 준비를 한 채, 거리를 소리내며 가는 모습을 그려보라. 뺨에는 작은 근육이 경련을 일으키며, 겉으로는 세련되고, 침착하고, 첫 매춘부로부터 꽃 한다발을 기꺼이 사고, 그녀에게 1파운드 금화를 던져 줄 준비가 되어있다. 입술로는 노래를 휘파람 불고, 파우더를 잘 바른 엉덩이 사이에 비단 속옷이 끼어 있는 캡틴 휴 드럼몬드 모데카이 그를 축복하라.

그들은 내가 나타난 순간부터 나를 쫓고 있었다. 글쎄, 실제로 내 '뒤'를 쫓은 건 아니다. 그들이 쫓은 것은 '앞꼬리'였고 그들은 그것을 잘하였다. 맙소사, SPG 사람들은 일 년 동안 훈련받는다. 하지만 예상한 것처럼 나를 정오에 잡으러 오지는 않았다. 나는 앞으로 갔다 뒤로 갔다 하면서 연못을 지나갔다. 내 친구 펠리컨에게 용서받을 수 없는 말들을 하면서. 하지만 그들이 한 일이라고는 자신들의 우스꽝스러운 모자 안쪽을 조사하는 척하며 손으로 서로에게 은밀한 사인을 보내는 것이었다. 나는 마트랜드를 너무 과대평가했다고 생각하며, 그 리폼 클럽에 당도해서 점심을 주문하려는 찰나였다.

그때 그들이 있었다. 내 양 옆에 한 사람씩. 거대하고, 정의롭고, 능력있고, 치명적이며, 어리석고, 부도덕하며, 위엄있고, 주의깊은, 나를 부드럽게 미워하는 그들이.

그들 중 한 사람이 내 허리에 손을 올려 나를 제지했다.

"꺼지시오."

나의 목소리가 떨렸다.

"당신들이 어디에 있다고 생각하시오?"

"모데카이 씨?"

"잘 알다시피, 바로 나요."

"그럼 저와 같이 가주셔야겠습니다, 선생님."

"예?"

"저와 같이 가셔야 합니다, 선생님."

"나를 어디로 데려가는 거요?"

"어디로 가고 싶으십니까, 선생님?"

"글쎄, 음… 집?"

"죄송하지만 그렇게는 못합니다, 선생님. 댁에는 아시다시피 필요한 도구가 없습니다."

"도구? 오, 그렇지, 알겠어, 이런."

나는 내 맥박과, 적혈구, 백혈구 숫자, 그리고 다른 필요한 부분을 체크하였다. 마트랜드와 나는 학교를 같이 다녔다. 그들은 분명히 나를 놀래키려는 중이었다.

"당신은 나를 놀라게 하는 군요."

내가 말했다.

"아닙니다, 선생님, 아직 아닙니다."

"오, 그럼 좋아요, 혹시 스코틀랜드 야드로 가는가요?"

사실은 많은 것을 바라지 않으면서 나는 명랑한 투로 말했다.

"꼭 그렇지는 않습니다, 선생님, 그렇진 않을 겁니다, 선생님도 아시지요. 거기 있는 사람들은 너무 마음이 좁아요. 우리는 아마도 이셔(잉글랜드 남동부 Surrey 주(州)의 도시) 밖의 코타지 병원이 아닐까 생각합니다."

마트랜드는 언젠가 한번 나에게 '코타지 병원'에 대해 말해주었다. 나는 그 후 며칠 동안 무서운 꿈을 꾸었다.

"안 돼, 안 돼, 안 돼, 안 돼, 안 돼, 안 돼."

내가 유쾌하게 외쳤다.

"그렇게 멀리 떨어진 곳으로 나를 데리고 가는 건 절대 안 되오."

"그럼."

옆에 있는 또 다른 못생긴 사람(플러그 어글리 투)이 처음으로 입을 열었다.

"스토크 포지스 아래에 있는 당신의 작은 시골집은 어떨까요?"

이 대목에서 내가 놀랐을지 모른다는 점을 시인해야 한다. 내 개인적 삶은 모든 사람들에게 알려져 있지만, '포제츠'는 진정으로 몇몇 친한 친구들에게만 알려진 은신처라고 생각했었다. 거기에는 불법이라고 할 만한 것은 전혀 없었지만 다른 사람들이 좀 하찮은 것으로 생각할 수 있는 도구 몇 개를 가지고 있었다.

"시골 오두막?"

내가 번개같이 응수했다.

"시골 오두막, 시골 오두막, 시골 오두막?"

"예, 선생님."

"훌륭하고 은밀한 곳이죠."

옆에 있던 사람이 빈정댔다.

몇 번 이런저런 시도 후에 나는, 이제 차분해지고 온화하고 냉정을 잃지 않으면서 가장 좋은 것은 마트랜드를 찾아가는 것임을 제안했다. 그들은 내 제안을 반갑게 받아들이는 듯했다. 우리 세 명 모두 손님을 찾아다니는 택시에 몸을 구겨 넣었다. 택시운전사 귀에 주소를 속살거리고 있었다.

"노샘프턴 파크, 캐논버리?"

내가 킥킥거렸다.

"언제부터 마트랜드가 그걸 캐논버리라 불렀나?"

둘 다 나를 향해 친절하게 미소지었다. 그건 조크의 친절한 미소만큼이나 기분 나빴다. 내 체온이 2도나 내려갔다, 나는 느낄 수 있었다. 물론 화씨이지만.

"내 말은, 그게 이스링턴조차도 아니라는 건데."

내가 점점 약하게 주절거렸다.

"당신이 나에게 묻는다면 그보다는 뉴잉턴 그린이지, 내 말은, 정말 우스꽝스러운….'

나는 이 택시의 인테리어가 보통 택시에 있는 것들이 없다는 것을 알아차렸다. 요금표, 광고, 문손잡이 같은 것들. 그 택시에 있는 것은 라디오 전화기와 바닥 링 볼트에 붙은 수갑 하나였다. 순간 나는 침묵하였다.

그들은 수갑이 필요하다고 생각하지 않는 듯했다. 앉아서 마치 내가 어떤 차를 마시고 싶은지를 궁금해 하는 이모들처럼 생각에 잠겨, 나를 쳐다보았다.

마침 바구니 세공장식을 한 마트랜드의 미니 차가 볼즈 폰드 거리로부터 들어올 때 우리는 그의 집 앞에 당도했다. 차는 솜씨 없이 주차되었다. 거기에서 화가 난 흠뻑 젖은 마트랜드가 나왔다.

이건 좋기도 하고 나쁘기도 하다.

좋은 건 마트랜드가 포위작전을 하면서 내 아파트에서 많은 시간을 머무르지 않았음을 의미한다. 조크가 지시받은 대로 모든 알람을 서로 연결시켜 놓았음이 분명했다. 그래서 마트랜드가 내집 앞문을 통해 들어오려 했을 때, 불 오 배샨 엠케이(bull O Bashan MK) 4 사이렌 소리가 울리고, 자동화재 스프링쿨러로부터 홍수세례를 받았을 것이다. 뿐만 아니라, 거리 쪽 벽 높은 곳에 엄청 귀에 거슬리는 벨 소리가 울렸을 것이다. 또한 하프문 스트리트 경찰소와 보안회사의 브루톤 스트리트 지부에서 경고등이 번쩍였을 것이다. 그리고 샹들리에 속에 교묘히 숨겨진 깜찍한 작은 일본산 '일초를 잡아라' 로봇 카메라가 마구 사진을 찍어 댔을 것이다. 가장 최악인 것은, 자기 고집만 있는 관리인이 욕을 퍼부으며 격분해 계단을 올라왔을 것이다. 그 여자의 무시무시한 혀는 보어족(남아프리카 공화국의 네덜란드계 백인)의 채찍처럼 그들을 때렸을 것이다.

스피노자 씨는 오래 전에 자기 친구 몇몇을 소위 '내 보호장치가 되길' 부탁했다. 그래서 나는 전체적으로 어떻게 되는지를 알 수 있었다. 벨과 사이렌 소음은 견디기 힘들었을 것이고 물은 피할 수 없었을 것이다. Z차(경찰 순찰차)를 모는 건장한 경찰들, 엉덩이에 털 난 보안회사 직원들, 이 모두는 무시무시했을 것이다. 그리고 이 모든 것을 참아낼 수 없는 관리인의 혀의 채찍질이 날아다녔을 것이니, 배겨낼 수가 없었겠지, 불쌍한 마트랜드. 나는 행복에 잠겨 생각했다.

아마도 내가 이것을 설명해야 할 것 같다.

(a) SPG 사람들은 어떤 신분증도 가지고 있지 않고 일반 경찰에게도 알려지지 않도록 주의한다. 그들이 하는 일 중에는 나쁜 경찰을 골라내는 일도 포함되어 있으니까.

(b) 그 지하세계의 쥐새끼 같은 놈들은 최근 SPG인 체하면서 다루기 힘든 '험악한 일들'을 의도적으로 해왔다.

(c) 일반 경찰들은 진짜 SPG대원들에게조차 특별한 관심을 가지지 않는다.

(d) 내 보안회사의 개념 없이 약자를 괴롭히는 놈들은 항상 질문을 하기 전에, 먼저 후추총을 발사하고 쌍방향 라디오를 틀거나 아닐린 염색 스프레이를 뿌리고 도버맨 핀셔 개들을 풀거나 고무곤봉을 날린다.

맙소사, 얼마나 엉망친창이었을 것인가. 그리고 그 작은 카메라 덕분에 나는 분명 아파트 전체를 누군가의 돈을 가지고 스폰 여사로 하여금 멋지게 다시 장식하게 할 것이다. 훨씬 전에 했어야 하는 인테리어 공사였는데 얼마나 잘된 일인가.

세상에, 마트랜드는 얼마나 화가 나 있을까.

그래, 물론 그건 나쁜 거였다. 그는 소리 없이 계단을 힘차게 뛰어올라가면서(뚱뚱한 사람들은 놀랄 만큼 우아하게 움직인다.) 일순간 나를 창백하게 응시하고는 열쇠를 떨어뜨리고, 모자를 떨어뜨리고, 모자 위를 밟더니, 마침내 우리보다 먼저 집에 들어갔다. 나

26

는 이것을 모데카이 씨에게 좋을 게 없는 징조라고 생각했다. 플러그 어글리 투는 내가 들어가게 옆으로 비켜서 있으면서 나를 친절하게 쳐다보았다. 난 아침식사가 소장에서 거품이 이는 것을 느낄 정도였다. 나는 용감하게 단추를 단단히 채웠다. 그리고 어슬렁어슬렁 안으로 들어가서 조금 낄낄거리며, 그가 아마도 라운지라고 부를 성싶은 곳을 둘러보았다. 나는 소년원에서 여사감을 유혹한 이후, 그런 패턴의 커튼을 본 적이 없었다. 카펫은 후진 시골 영화관 로비에서 뜯어온 것 같았고, 벽지는 작은 은회색 솜 나부랭이의 백합 문장(紋章)이었다. 정말로 그랬다. 물론 한 점의 오점도 없이 깨끗했다. 눈만 감는다면 당신은 거기에서 저녁을 먹을 수도 있을 것이다.

그들은 내가 앉아도 좋다고 말했다. 사실 그들은 그러길 재촉했다. 난 무겁고 부은 간이 심장을 밖으로 밀어내는 느낌이었다. 나는 더 이상 점심을 먹고 싶지 않았다.

마트랜드는 옷을 갈아입고 나타났다. 이제 상당히 제정신이었고 매우 즐거워했다.

"이런, 이런, 이런."

그가 손을 비비며 소리쳤다.

"이런, 이런."

"나는 이제 가야만 해."

내가 확고하게 말했다.

"아니, 아니, 아니."

그가 소리쳤다.

"방금 왔잖아. 뭘 마시고 싶나?"

"위스키 좀 주게나."

"좋지."

그는 자신에게는 많이 따르고 나에게는 아무것도 안 따랐다.

"하, 하."

내가 용기 내어 입 밖으로 크게 소리내어 말했다.

"호, 호."

그가 장난스럽게 응수했다.

우리는 그런 다음 5분 정도 침묵 속에 앉아 있었다. 분명 그들은 내가 항의하면서 지껄이기 시작할 것을 기다리고 있었다. 나는 그런 일은 절대로 안할 거라고 단단히 마음먹고 있었다. 하지만 마트 랜드를 더 화나게 할까봐 조금 걱정이 되었다. 시간이 흘러갔다. 플러그 어글리들 중 한 명의 조끼 속에서 싸구려 시계가 째깍째깍 하는 것을 들을 수 있었다. 이걸 보면 그들이 얼마나 구식인지 알 수 있다. 마트랜드의 얼굴은 긴장이 풀리고, 친구와 사랑하는 사람 들로 둘러싸여 포트와인과 즐거운 대화를 실컷 즐긴, 만족스러운 웃음을 띤 대저택 주인 얼굴이 되었다. 뜨겁고, 간지럽고, 멀리서 차소리가 웅웅대는 적막이 조바심을 치고 있었다. 나는 화장실에 가고 싶었다. 그들은 주의 깊고 정중하게 나를 계속 쳐다보았다.

마트랜드는 마침내 놀랄 만큼 우아하게 육중한 몸을 일으켰다. 그리고 천천히 걸어가서 턴테이블에 앨범을 올려놓고는 유난을 떨 며 커다란 쿼드 스테레오 스피커에 출력을 맞추었다. 그건 우리가 처음으로 스테레오를 구입할 여력을 갖게 되었을 때, 우리 모두가 샀던 그 사랑스러운 지나가는 기차소리를 녹음한 것이었다. 나는 그것에 실증난 적이 없다.

"모리스."

자신의 깡패들 중 한 명에게 공손하게 말했다.

"수고스럽지만 지하실의 충전 벤치에서 12볼트 고전압 자동차 배터리 좀 가져다 줄 수 있나?"

"그리고 알란."

"커튼을 치고 모데카이 씨의 바지를 내려주겠나?"

이런 종류의 일이 벌어지면 사람들은 도대체 무슨 일을 할 수 있을까? 몸부림? 귀족 얼굴인 내가 어떤 표정을 지을 수 있을까? 멸시? 분노? 위엄을 갖춘 태연함? 어떤 표정을 지을지 고르고 있는 동안 내 옷들이 능숙하게 벗겨졌다. 내가 나타낸 감정은 겁쟁이의 극심한 공포에 휩싸였다. 마트랜드는 약삭빠르게 등을 돌리고 스테레오 기구를 잘 달래 좀 더 큰 소리를 내게 하느라 바빴다. 모리스가 첫 번째 단자를 아늑하게 자리에 밀어 넣었고, 30초 후 마트랜드가 두 번째 단자를 클립으로 고정하도록 음탕하게 사인을 주었다. 그 때에 맞춰, 멋지게 플라잉 스콧츠맨(런던, 애딘버러 간 급행열차의 애칭)이 철도 건널목을 지나며 입체음향 효과로 와 하고 함성을 질렀다. 나는 입체가 아닌 모노 음향소리를 내며 버렸다.

그리고 그렇게 그 긴 하루가 더디게 흘러갔다. 그중 수십 분 동안은 아니었음을 인정한다. 나는 고통만 아니면 뭐라도 참을 수 있다. 게다가 누군가가 고의적으로 나를 해치고 있으며 그것을 꺼리지 않는다는 생각이 나를 몹시 기분 상하게 했다. 그들은 내가 항복을 외쳐야겠다고 결심하는 그 시점을 본능적으로 아는 것처럼 보였다. 왜냐하면 내가 전기충격 후 정신이 돌아오자 그들이 내 바지를 다시 입혔고, 내 코에서 3인치 떨어진 곳에 방울방울 거품이 잔 가장자리에서 윙크하는 멋진 위스키 잔이 있었기 때문이다. 나는 그걸 마셨고 그러는 동안 그들의 얼굴이 어질어질하다가 초점이 맞춰졌다. 그들은 친절해 보였고 나 때문에 즐거우며 나를 자랑스러워하는 것 같았다.

"괜찮나, 찰리?"

마트랜드가 근심스럽게 물었다.

"지금 화장실에 가야만 해."

내가 말했다.

"그럼 그렇게 하게, 친구. 모리스, M씨를 도와주게."

모리스는 나를 어린이 화장실로 데리고 내려갔다. 아이들은 한 시간은 더 있어야 돌아올 것이라고 그가 나에게 말했다. 나는 마가렛 타란의 다람쥐와 토끼 음악이 위로가 된다는 걸 알았다. 나는 위로가 필요했다.

우리가 라운지로 되돌아왔을 때 축음기에서는 백조의 호수가 흘러나오고 있었다. 세상에, 마트랜드는 매우 단순한 성격이다. 그는 아마도 여점원들을 유혹할 때 턴테이블에 라벨(프랑스의 작곡가)의 볼레로를 올려놓을 것이다.

"그것에 대해 내게 말해봐."

그가 부드럽게 거의 애무하듯이 말했다.

"엉덩이가 아파."

내가 칭얼거렸다.

"그래, 그래."

"하지만 그 사진."

"아."

내가 머리를 흔들며 점잖을 빼며 말했다.

"어지럽네. 자네가 빈 속에 너무 많은 위스키를 마시게 했네. 자네는 내가 점심을 먹지 않았다는 걸 알지 않는가."

그렇게 말하며 멋지게 그 위스키를 그들에게 돌려주었다. 마트랜드는 화난 것처럼 보였지만 나는 이전보다 좀 나아졌다고 생각했다. 마트랜드는 그날 아침 5시 15분에 국립미술관의 터너작품 뒤에서 사진을 발견했다고 설명했다. 그것은 〈폴리페모스(바다의 신 포세이돈과 님프 사이에 태어난 외눈박이 거인 키클로프스)를 조롱하는 오디세우스〉(번호508) 뒤에 끼어져 있었다. 그는 법정에서 말하는 듯한 목소리로 계속 말했다.

"그 사진에는, 음, 법적으로 성관계를 동의할 수 있는 나이의 두 성인 남성들이 있었어. 아, 법적으로 성관계를 동의할 수 있는."

"교합을 하고 있다는 말이지?"

"바로 그래."

"그리고 얼굴 중 하나가 오려져 나갔지?"

"두 얼굴 모두."

나는 일어서서 내 모자가 있던 곳으로 갔다. 두 막돼먹은 녀석들이 좀 경계하는 것 같았다. 나는 창문에서 다이빙할 만한 컨디션이 정말 아니었다. 나는 모자의 땀 밴드를 내려 버크램(옛 책표지 등에 쓰이던, 면이나 마를 뻣뻣하게 만든 천)의 일부를 찢어 마트랜드에게 작은 타원형 사진을 주었다. 그는 멍하니 그것을 쳐다보았다.

"자, 친구."

그가 부드럽게 말했다.

"자네는 우리를 계속 애태우면 절대 안 되네. 그 신사는 누구인가?"

이번에는 내가 멍할 차례였다.

"진짜 모르나?"

그는 다시 그걸 쳐다보았다.

"요즘은 얼굴에 털이 훨씬 더 많지."

내가 기억을 상기시켜 주었다. 그는 머리를 흔들었다.

"글록이라는 친구야."

내가 그에게 말했다.

"친구들에게는 호크보틀이라고 알려져 있지. 그 사람이 그 사진을 찍었네. 캠브리지에서."

마트랜드는 갑자기 설명할 수 없게, 매우 근심스러워 보였다. 그의 동료들 역시 근심스러워 보였는데, 그들은 오밀조밀 모여 지저분한 손들로 그 작은 사진을 돌려보고 있었다. 그런 다음 그들은 모두 처음에는 망설이며 머리를 끄덕이더니 다음엔 분명하게 끄덕이기 시작했다. 그 모습이 좀 우스꽝스러워 보였지만 나는 너무 피곤해서 그걸 즐길 수가 없었다.

마트랜드는 나에게로 홱 돌아섰다. 그의 얼굴은 이제 사악했다.

"자, 모데카이."

그가 모든 우아함이 다 사라진 채 말했다.

"이번에는 나에게 전부 말하게, 빨리, 내가 화를 내기 전에."

"샌드위치?"

내가 조심스럽게 물었다.

"맥주 한 병?"

"다음에."

"오, 좋아. 호크보틀 글록이 3주 전에 나를 보러왔네. 그는 내게 자신의 오려진 얼굴을 주면서 그걸 매우 안전하게 보관하라더군. 이것이 자신에게는 자유사면을, 나에게는 은행의 돈을 의미한다며. 그는 설명하려하지 않았지만 나는 그가 나에게 사기치는 짓은 하지 않을 거라는 것은 알고 있었네. 그는 조크를 겁내거든. 그는 자기가 그 때부터 날마다 나에게 전화를 할 것이고 만일 하루라도 거른다면 자기가 곤경에 처해 있다는 걸 의미한다고 했네. 그리고 나보고 자네에게 국립 미술관의 터너에 대해 말해달라고 했네. 그게 다야. 내가 아는 한 고야하고는 아무 관계도 없네. 나는 자네에게 그 단어를 살짝 끼워넣을 기회를 잡았을 뿐이네. 호크보틀이 곤경에 빠져 있는가? 자네가 그를 자네의 그 피투성이 코타지 병원에 잡아넣었나?"

마트랜드는 대답하지 않았다. 그는 나를 쳐다보면서 옆얼굴을 문지르며, 부드럽게 긁는 소리를 불쾌하게 내며 서 있을 뿐이었다. 나는 그가 그 배터리로 나를 구슬려 조금 더 많은 진실을 말하게 할 것인지 아닌지 고민하는 것을 알 수 있었다. 나는 그러지 않길 바랐다. 진실은 주의 깊게 일정한 간격을 두고 노출시켜야 한다. 그래야 그가 나중의 거짓말에 대해 왕성한 식욕을 느낄 테니까.

아마도 그는 그것에 관한한 내가 진실을 말하고 있다고 판단한 것 같다.

"가버려!"

그가 마침내 말했다.

나는 모자를 집어들고 단정하게 정리한 뒤 문으로 향했다.

"도시를 떠나지는 말고?"

출입구에서 내가 말을 유도했다.

"도시를 벗어나진 말고."

나는 택시를 발견할 때까지 몇 마일을 걸어야 했다. 그 택시는 손잡이가 모두 있었다. 나는 푹 잠이 들었다. 성공적인 거짓말쟁이의 잠.

맙소사! 아파트는 엉망이었다. 나는 스폰 여사에게 전화를 걸어 내가 드디어 방을 새롭게 장식할 준비가 되었다고 말했다. 그녀는 저녁식사 전에 와서 그곳을 치우는 것을 도왔다. 그런 후에 우리는 친츠(커튼, 커버에 쓰이는 화려하게 날염된 광택 나는 면직물), 벽지, 그 밖의 것들을 고르면서 벽난로 앞에서 즐거운 시간을 보냈다. 그리고 나, 조크, 스폰 여사 모두는 식탁 테이블에 앉아 어마어마한 양의 기름진 음식을 신나게 먹었다.

스폰 여사가 떠난 후 조크에게 말했다.

"너 이거 알아, 조크?"

"아니요, 뭔데요?"

"내 생각에 글록 씨가 죽은 것 같아."

"탐욕스럽죠, 예상한 대로."

조크가 앞뒤가 맞지 않게 말했다.

"선생님 생각에는 그럼 누가 그를 죽인 거죠?"

"마트랜드야. 하지만 이번에는 그를 차라리 안 죽였더라면… 하고 바랄 거라고 생각해."

"예?"

"응, 자, 잘 자게, 조크."

"편히 주무세요, 찰리 씨."

나는 옷을 벗고 내 상처에 포마드 디바인을 좀 더 발랐다. 갑자기 엄청나게 피곤이 몰려왔다. 고문당한 후에는 항상 그렇다. 조크가 내 침대에 탕파(湯婆)(몸을 덥혀 주는 뜨거운 물주머니)를 넣어놓았다. 조크에게 축복을! 역시 그는 날 위해 뭐든지 다해 놓는다.

34

3

하지만 나는 나에게 일어난 나쁜 짓의
속임수를 절반만 알아챘던 것 같다. 신은 언제인지 안다.
— 차일드 로란드

오전 10시 정각에 나의 새벽이 밝았다. 내가 가지고 놀 수 있는
특권을 가진 것중 가장 고급스런 찻잔과 함께. 카나리아는 멋진 목
소리를 냈다. 달팽이는, 또다시, 가시 위에 있었고 내려올 기미가
안 보였다. 나는 마트랜드의 배터리 때문에 생긴 물집들이 스스로
의 존재를 내게 느끼게 할 때까지 거의 눈도 깜박하지 않았다.

나는 보험 브로커들과 전화로 오랜 잡담을 했고, 나의 장식에 입
힌 손실에 대해 그들이 마트랜드의 돈을 우려먹을 수 있는 방법을
설명했다. 그리고 조크가 사진을 인화하는 즉시 침입자의 사진을
주겠노라고 약속했다.

그런 다음 존롭(영국 최고급 수제화 브랜드)제품인 근사한 소모사
(梳毛絲) 소재의 테두리가 동그랗게 말린 코커와 벅스킨을 신었다.
타이는 내 기억이 맞다면, 누르스름한 색이 주를 이루는 얇은 비단
스카프였다. 그렇게 옷을 입고 물집에 바셀린을 잘 바르고 나는 펠

35

리컨과 다른 깃털 달린 친구들을 조사하러 공원으로 어슬렁어슬렁 걸어갔다. 그들은 상태가 좋았다. "날씨가 정말 훌륭해요."라고 말하는 것 같았다. 나도 그들에게 축복을 빌어줬다.

그런 다음 나는 예술품 거래 지역을 지나 슬럼가 시찰을 갔다. 지저분한 셰어가와 저품질 쿡쿡의 상점 창문, 미술관 창문을 쳐다볼 때 조심스레 얼굴을 꼿꼿이 들었다. 잠시 후에 나는 미행이 없다는 것을, 앞에도 뒤에도 없다는 것을 확신했다. 그리고 메이슨스 야드로 불쑥 들어갔다. 물론 거기에도 갤러리들이 있지만 나는 스피노자 씨를 보고 싶은 마음이 들었다. 그는 매우 특별한 방식의 미술품 딜러이다.

모이쉬 스피노자 바질라이(Moishe Spinoza Barzilai)는 문외한 독자인 당신조차 틀림없이 들어봤을, 위대한 마차설립 회사 바실웨인 회사(Basil Wayne & Co.)이다. 사실 당신이 인도의 왕 또는 텍사스 유전의 소유주가 아니라면, 당신들 중 0.1퍼센트도 그의 사랑스런 판금 비팅을 감당할 여력이 없을 것이다. 그리고 그의 호사스러운 의자덮개는 더욱이 감당 못할 것이다.

스피노자 씨는 세상의 위대한 차들을 위해 매우 특별하고 유일한 제품견본 몸체를 만들어낸다. 그는 후퍼(Hooper)나 뮬리너(Mulliner)에 대해 들었고 그들에 대해, 약간 모호하지만, 좋게 이야기한다. 그는 하고 싶으면 가끔씩 나오는 빈티지 롤스(Rolls), 인팬터(Infanta), 메르세데스(Mercedes)를 복원하거나 새로 만든다. 부가티(Bugatti), 코즈(Cords), 히론델레스(Hirondelles), 레이랜드 스트레잇 에잇츠(Leyland Straight Eights)는 고려해 볼 것이다. 다른 차종 세 종류도 역시 고려해 볼 것이다. 하지만 그에게 미니(Mini)를 바구니세공과 은색 콘돔배출기로 요란하게 치장해달라고 요청하거나, 뒤로 젖혀지는 섹스 벤치를 재규어(Jaguer)에 넣어서 만들어 달라고 요청하면 그는 바로 당신 눈에 침을 뱉을 것이다. 진짜로, 그가 가장 사랑하는 것은 이스파노 수이자(Hispano Suiza 1904년에 설립된 프랑스 자동차 회사, 1920~1930년대 명성은 영국의 롤스로이스에 버금감)이다. 그가 왜 그걸 좋아하는지 이해할 수 없지만 어쨌든 그렇다.

그는 범죄에 손을 댄다. 그에게는 일종의 취미이다. 그에게는 그런 돈이 필요해서가 아니다.

현재, 그는 나의 최고 고객을 위해 롤스로이스 실버고스트를 다시 만들고 있다. 이것이 내가 여기 온 목적이다. 내 고객인 밀튼 크램프는 그 차가 재고트럭, 영구차, 스테이션 웨건, 슈팅 브레이크, 남작에게 어울릴 결혼선물, 움직이는 데이트 차, 등의 긴 경력을 가진 후, 물론 역순으로 농장에 처박혀 볏집 절단기와 순무 슬라이스기를 돌리고 있는 것을 발견한 악당에게서 그 차를 샀다. 스피노자 씨는 그 차에 꼭 맞는 6개의 대포 바퀴를 개당 백 파운드씩 주고 찾아서 용의주도하게 정확히 1909년형 롤스로이스 실버고스트 바퀴 오픈투어 몸체를 만들고, 사포로 매끈하게 문지른 후 앤 여왕 시대 양식의 흰색으로 열여섯 번 코팅해서 칠했다. 지금은 흐린 황록색의 질 좋은 모로코가죽 천으로 덮개를 씌우는 일을 마치는 중이고, 차체 라인에 사랑스러운 아라베스크 무늬를 긴털 족제비를 이용해 손으로만 그리는 중이다. 물론 그가 혼자 일하는 것은 아니다. 그는 앞을 못 본다.

나는 차 주변을 돌아보면서 플라토닉하게 그 차를 찬양했다. 그 차를 원하는 것은 비현실적인 꿈! 그건 부자의 차였다. 그 차는 갤론당 약 7마일을 가는데 당신이 유전을 소유하고 있다면 그건 괜찮다. 크램프는 많은 유전을 가지고 있다. 처음부터 끝까지 그 차에 약 2만4천 파운드가 들 것이다. 이 금액은 그에게는 코 파는 정도될 듯. 자신이 얼마나 부자인지를 아는 사람은 부자가 아니라고들 한다. 하지만 글쎄, 크램프는 잘 알고 있다. 매일 아침 뉴욕 증시가 문 열고 난 한 시간 후에 한 남자가 그에게 전화를 해서 정확히 얼마나 그가 부자인지를 알려준다. 그는 크게 기뻐한다.

한 못된 견습공이 스피노자가 사무실에 있다고 말해줘서 나는 그쪽으로 방향을 틀었다.

"안녕하쇼, 스피노자 씨."

내가 쾌활하게 소리쳤다.

"살아 생동하는 멋진 아침이군요!"

그는 내 왼쪽 어깨에서 3인치 더 올라간 지점을 불길하게 응시했다.

"아우 지미널 늚."

그가 침을 뱉었다. 알다시피 그는 입천장이 없다. 불쌍한 친구.

"아우 지미널 더워. 어떠게 여기 와써, 오 망알거 가튼 그거 때무네?"

나머지는 좀 무례한 단어라서 그의 말을 글자 그대로 옮길 수 없다. 그가 불쾌하게 생각하는 것은 그 전날 내가 너무 이른 시간에 두건에 싼 그 작은 특별한 것과 함께 MGB를 보냈다는 것이다. '참새방귀만큼 엄청 일찍' 그가 깔끔하게 표현한 바와 같이. 게다가 그는 사람들이 자신이 이 일을 하고 있었다고 생각할까봐 두려워했다.

그가 적당하게 말을 마무리를 지으려 했을 때 나는 그에게 준엄한 말투로 항의했다.

"스피노자 씨."

"여기에 엄마와의 관계를 의논하기 위해 온 게 아니에요. 그건 나와 내 심리치료사 둘만의 문제죠. 나는 당신이 조크에게 상스러운 말을 한 것에 대해 항의하려고 왔어요. 당신도 알다시피 그는 민감하거든요."

스피노자 씨는 훨씬 더 많은 상스러운 단어를 사용했고, 그중에 어떤 말은 내가 이해할 수 없었지만 아마도 매우 불쾌한 말이었을 것이다. 분위기가 조금 옅어지자 그는 나와 롤스로 걸어가 헤드램프에 대해 토론하자고 제안했다. 작업장에서 거대한 통속적인 듀센버그(듀센버그 형제가 만든 1930년대 프레스티지카의 대표적인 차)를 보고 슬픔을 느꼈다. 그리고 그렇다고 말했다. 스피노자 씨가 그들의 길고긴 경력을 말하자면 탁아소에서 길거리 코너까지를 설명하는 것을 막지 못했다. 나는 그의 언어 구사력을 칭찬하면서 실버고스트 옆에 기대었다. 알렉산더 포프(영국의 시인)는 〈이성의 향연과 영혼의 흐름〉이라고 요약했을 것이다.

우리가 예의바르게 대화의 공을 앞으로 뒤로 굴리고 있는 동안, '동크'라고 해야 가장 잘 표현할 수 있는 어떤 소리가 메이슨스 야드의 남쪽 편으로부터 났다. 동시에 일종의 '왱' 소리가 내 배꼽으로부터 약 3피트 북쪽에서 났고, 커다란 여드름 같은 것이 실버고스트의 문 패널 안에 나타났다. 눈 깜짝할 사이에 난 내 비싼 양복은 전혀 개의치않고 바닥에 납작 엎드렸다. 보라, 나는 경험 많은 겁쟁이이다. 스피노자 씨는 손은 도어에 있었는데 누군가가 자신의 패널 작업에 손대고 있는 걸 깨달았다. 그는 몸을 곧추세우고 '오이!'라고 소리쳤다, 아니 '왜'였을 수도 있다.

밖에서 또 '동크'라는 소리가 났다. 이번에는 왱이 아니라 일종의 바삭바삭하고 물컹물컹한 소리가 뒤따랐고 스피노자 씨의 뒷머리 많은 부분이 벽에 뿌려졌다. 다행히 그게 내 옷에 묻진 않았다. 스피노자 씨 역시 나처럼 바닥에 엎드렸지만 너무 늦었다. 그의 윗입술에 짙은 남빛 구멍이 났었고 그의 틀니 일부가 입에서 삐져나오고 있었다. 그는… 상당히 짐승같아 보였다.

그를 좋아했다고 말할 수 있으면 좋겠지만 알다시피 실제로 좋아한 적은 없다. 내 나이 또래의 혈관이 막혀 뚱뚱한 몸을 가진 신사들은 기름이 덕지덕지 붙은 차고 바닥을 네 발로 황급히 기어가는 건 거의 안 한다. 특히 비싸고 새로운 소모사 양복을 입고 있을 때는. 하지만 이건 분명 규칙을 깨는 날이었다. 그래서 나는 코를 박고 황급히 기어갔다. 성공적이었다. 내가 우스꽝스러워 보일 것임이 틀림없었지만 마당을 가로질러 오플라허티 갤러리의 출입구로 들어갔다. 오플라허티 씨는 내 아버지를 잘 알았고, 그로엔블레터 아님 그 비슷한 이름으로 불리는 나이든 유대인이고 에티오피아 흑인처럼 까맣다. 그는 날 보며 손을 뺨에 대고 머리를 앞뒤로 흔들면서 높은 도 의 음표로 믐, 믐, 믐 같은 소리를 냈다.

"사업은 잘 되시나요?"

나는 용감하지만 약간 흔들리는 목소리로 물었다.

"누가 자네를 공격했나, 찰리 보이, 누군가의 남편인가? 아니면 제발 그런 일이 없길 비네만, 누군가의 부인인가?"

"보세요, 누구도 날 공격하지 않았어요. 스피노자 씨 상점에서 약간의 문제가 있었고 나는 빨리 빠져나오는 중이에요. 그 사람은 연루되길 원했고, 나는 발이 걸려 넘어졌어요. 그게 다예요. 이제 퍼스보고 택시를 잡아주라고 부탁하세요. 난 지금 기분이 정말 별로거든요."

나는 항상 내 자신이 G씨와 이런 식으로 이야기하는 것을 발견한다.

쥐 얼굴을 가진 G씨의 작은 폭력배가 택시를 불렀다. 그는 훌륭한 큰 폭력배를 고용할 여유가 없었다. 나는 G씨에게 좋은 고객을 보낼 것을 약속했는데 이래야 그가 소문내지 않을 것을 알았기 때문이었다.

집에 도착해서야 나는 갑자기 뒤늦은 공포로 몸을 떨면서 의자 위로 무너졌다. 조크는 내게 생기를 되찾아주는 민트차를 한 컵 만들어주었는데 기분이 나아졌다. 특히 차를 마신 후 위스키 4온스(1온스는 28.35그램에 해당)를 먹으니 훨씬 기분이 나아졌다. 조크는 내가 자동차에 치었다고 말하니까 보험회사에서 새 양복을 사줄 것이라고 했다. 이것으로 나는 완전히 회복되었고, 브로커들에게 바로 연락했다. 나의 무사고 할인은 이제 어린시절의 꿈일 뿐이니까. 걱정하는 눈썹을 부드럽게 해주는 데는 소액보험만한 것이 없다. 내 말을 믿어봐라. 한편 조크는 점심을 프루니의 귀여운 작은 가자미 수플레, 다양한 자두, 각기 다른 방식으로 요리된 굴 여섯 개, 크림과 초콜릿 작은 것 두 개를 가져왔다. 나는 낮잠을 잤고 훨씬 안정된 상태로으로 일어났다. 그리고 자외선 기계와 기름진 크레용으로 알루노 디 아미코 디 산드로가 만든, 글쎄 어느 정도는 그가 만들었다고 할 수 있는, 멋진 패널 위에다가 재판(reprint)의 경로지도를 그리면서 유용한 오후를 보냈다. 그런 다음 나는 〈애슈몰린의 탤러드 마돈나〉가 조르조네(16세기 이탈리아 화가)가 그린 것이라는 점을 확실하게 증명하기 위해 벌링턴 잡지에 실을 몇 문단을 적었다.

저녁은 강낭콩을 곁들인 폭찹과 칩과 맥주였다. 나는 항상 조크에게 손잡이 달린 주전자에 담은 맥주를 가져오라고 시키고 그에게 천 모자를 쓰게 한다. 그렇게 하면 음식맛이 더 좋은 것 같아서.

물론 조크도 오케이.

저녁식사 후 스폰 여사가 쿠션 커버, 많은 장식끈과 털실방울, 크레톤 사라사 샘플들과 내 침대 주변에 두를 스탠드형 휘장으로 쓸 분홍색 모기장을 가지고 왔다. 나는 그 모기장에 대해서 단호해야 했다. 스폰 여사의 소품들이 상당히 사랑스러웠다는 것은 인정하지만 소년을 위한 푸른색이어야 한다고 나는 주장했다. 내 말은, 나만의 방식이 있지만, 관습에서 벗어나는 사람은 아니라는 것.

마트랜드가 먼지처럼 현관에 어렴풋이 보일 때, 그녀는 이미 조금 화가 나 있었다. 그들은 마지못해 서로 얼굴을 보며 아는 사이라고 인정했다. 스폰 여사는 여봐란 듯이 창가로 갔다. 나는 여봐란 듯이 걷는 남자는 많이 봤지만, 스폰 여사는 가장 그렇게 걷지 못할 여자인데 말이다. 내가 즐기는 끈적끈적한 침묵이 돌았다. "자네가 저 늙은 창녀에게 좀 나가라고 말해야만 할 것 같네." 라고 마침내 마트랜드가 속삭였는데 속삭임이라고 하기에는 너무 소리가 컸다. 스폰 여사는 그에게 화를 내면서 나가라고 말했다. 그녀의 재능에 대해 전에 익히 들었지만, 그녀가 그 단어가방을 여는 것을 직접 들을 수 있는 특권을 갖진 못했었다. 그것은 문학적이고 감정에 가득 찬 말의 향연이었다. 마트랜드는 금세 눈에 띄게 시들어 버렸다. '납세자 엉덩이 위의 사마귀' '주차 단속원의 미동(성인 남자가 섹스를 위해 노예로 부리던 소년)' '불쌍한 대령 가발'은 그녀가 차려준 훌륭한 말들의 극히 일부일뿐…, 훨씬 더 현란했다. 그녀는 마침내 사랑스러운, 자욱한 욕설 사이를 거칠게 휩쓸고 나가버렸다.

"와우."

그녀가 나가자 그가 말했다.

"그래."

"음, 이봐 찰리, 내가 말하고 싶은 것은 내가 이 모든 것에 대해 너무나 역겹고 미안하게 여긴다는 거야."

나는 그에게 싸늘한 눈초리를 주었다.

"난, 네가 지저분하고 형편없이 보낸 시간에 대해 설명해야 한다고 생각해. 너에게 일이 어떻게 돌아가는지 알려주고 싶어. 그렇게 되면 네가 그 일을 좌지우지하게 되겠지만, 이 말을 하고 나서 너에게 도움을 요청할 거야."

"염병할."

나는 생각했다.

"앉아."

"서 있는 걸 더 좋아해. 왜 그런지는 네가 알겠지만. 나는 분명 너의 설명과 사과를 들을 거야. 그 이상은 내가 아무것도 약속할 수 없어."

내가 냉담하게 말했다.

"그래."

그가 말했다. 그는 술이 권해지길 기대하는 사람처럼, 그리고 당신이 그 영광을 베푸는 걸 잊었다고 생각하는 사람처럼 약간 안절부절했다.

"자네는 왜 스피노자가 오늘 아침 총에 맞았는지 알고 있나?"

오후 내내 여러 추측을 해봤지만 알 수 없었다.

"눈곱만큼도 몰라."

"그건 자네를 향한 거였네, 찰리."

내 심장이 흉곽에서 마구마구 달그락거리기 시작했다. 겨드랑이는 차갑고 축축했다. 나는 화장실에 가고 싶었다.

전기 배터리와 기타 등등은 물론 온당한 범위 안에서 하나의 범주에 속한다. 하지만 누군가가 실제로 나를 영원히 죽이려 한다는 것은 받아들일 수 없다.

"어떻게 그걸 그렇게 확신할 수 있지?"

내가 잠시 후 물었다.

"글쎄, 정말 솔직하게 말하자면, 모리스는 자기가 쏜 사람이 바로 자네라고 생각했지. 그가 쏘려고 했던 사람은 분명 자네였네."

"모리스?"

내가 말했다.

"모리스? 다른 누구도 아닌 바로 자네 사람 모리스 말인가?"

"그가 무엇 때문에 그러길 원하겠는가?"

"사실은 내가 그렇게 하라고 시켰지."

나는 결국 앉았다. 조크의 우락부락하게 생긴 모습이 바로 문 밖 그늘로부터 부드럽게 벗어나 내 의자 뒤에 안착했다. 그는 차 엔진의 배기통에서 나는 구슬픈 휘파람 소리를 내면서 이번만은 코로 숨을 쉬고 있었다.

"벨을 울리셨나요, 선생님?"

조크는 정말 놀랍다. 내 말은, 그가 그렇게 말하는 걸 생각해보라. 스트레스를 받는 젊은 주인에게는 이게 얼마나 요령있고 수완 좋으며, 기운 북돋는 일인가. 나는 정말 훨씬 기분이 좋아졌다.

"조크."

내가 말했다.

"자네 주변에 쇠조각 한 쌍 가지고 있나? 금방이라도 마트랜드를 치라고 할 것 같아."

조크는 실제로 대답하지는 않았다. 그는 수사 의문문을 들으면 그게 수사적이라는 것을 알고 있다. 하지만 나는 그가 그의 엉덩이 호주머니를 가볍게 두드리는 걸 느꼈다. 그는 그걸 '내 쓰레기통'이라고 불렀다. 거기에는 교묘하게 빚은 6온스의 쇠조각이 그가 혹스톤에서 가장 어린 비행 청소년이었을 때부터 안락하고 냄새나는 삶을 살고 있었다.

마트랜드는 참을성 없이 머리를 흔들고 있었다.

"그럴 필요는 전혀 없어, 전혀 없고 말고, 자 이해를 해보게, 찰리."

"나를 한번 이해시켜 보시지."

내가 단호하게 말했다.

그는 한숨을 크게 내쉬었다.

"Tout comprendre, c'est tout pardonner(모두 이해하고 용서해주길 바라네)."

그가 말했다.

"근사하다고 말해야겠군!"

"이보게, 찰리. 나는 내무부의 그 피에 굶주린 작은 늙은 미치광이에게 어제 우리가 한 잡담을 말하면서 밤의 절반을 지새웠네."

"잡담은 좋았지. 그에게 자네가 이 파일에 대해 얼마나 많이 알고 있는지를 말하자, 자네를 완전히 끝장내려고 했네. '암살하라'가 그가 쓴 말이야. 어리석은 그 꼴 보기 싫은 놈. 너무 많은 스릴러물을 읽은 거지."

"아니."

내가 친절하게 말했다.

"그 사람은 선데이 타임즈를 제외하곤 스릴러물을 아직 안 읽었어. 그건 CIA에서 쓰는 은어야. 그는 아마도 그린베레(미 최강육군 특수부대) 파일을 읽었겠지."

"그렇다 쳐. 그렇다 치고, 나는 우리가 아직 자네가 무엇을 아는 지도 모르고 어디에서 그걸 입수했는지도 정확히 모른다는 걸 알 리려고 애썼네. 그리고 이 시점에서 자네를 정리하는 것은 미친 짓 이라는 것도. 아, 물론 어떤 단계에서라도 말이야. 하지만 내가 그 렇게 말할 수는 없었어, 그렇지 않나? 글쎄, 나는 장관에게 물어보 도록 그를 설득하려고 해봤지만, 그가 말하길 장관은 그때쯤이면 술이 취해 있을 것이고 밤늦은 시간에 처벌받지 않고 그를 건드릴 만큼 사신의 처지가 굳건하지 않다고 하더군. 그리고 어쨌든… 어 쨌든 내가 개입해야만 했어. 그래서 오늘 아침 이 임무를 모리스에 게 맡기고 자네에게 정당하게 살아갈 기회를 주는 것이 최상의 방 책이라고 생각했지. 찰리, 나는 그가 엉뚱한 친구를 쏴서 정말 기 쁘네."

내가 그날 아침 스피노자 씨 가게에 있는 것을 그가 어떻게 알았 는지 궁금했다.

"자네는 내가 그날 아침 스피노자 씨 가게에 있는 걸 어떻게 알 았나?"

"모리스가 자네를 미행했네, 찰리."

'빌어먹을 거짓말쟁이.' 나는 생각했다.

나는 편안한 것으로 갈아입는다는 핑계로 자리에서 일어났다. 좀 더 편안한 옷은 벨벳 스모킹 재킷이었다. 그것은 좀 불안정한 낡은 금도금된 리버보트 노름꾼의 28구경쯤 되는 리볼버를 지탱하 는, 정교하게 디자인된 튼튼한 웨빙 띠를 스폰 여사가 손수 손으로 기워 넣은 재킷이다. 나는 이 총에 맞는 공이식 화약통을 11개 가 지고 있었는데 그것이 안전한 지는 말할 것도 없고 그것의 유용함에 대해서 심각하게 의구심을 가지고 있었다. 하지만 이 총은 누구를 죽이기 위한 것이 아니었다. 나 자신이 젊고 강인하고 유능하다고 느끼게 만들기 위한 것이었다. 사람을 죽이기 위해 피스톨을 가지는 사람들은 총을 박스나 서랍에 보관한다. 총을 가지고 있는 건 남자답고 멋지게 보이려는 것뿐이다. 나는 구강 청결제를 조금 이용하고 물집에 바셀린을 다시 바르고, 내 나름으로는 가장 남자답고 당당한 포즈로 응접실로 돌아왔다.

나는 마트랜드의 의자 뒤에 잠깐 멈춰 그의 뒷머리를 내가 얼마나 싫어하는지를 반추했다. 둘둘 말린 독일식의 두꺼운 삐져나오는 돼지털 또는 그 비슷한 무엇이 있어서 그런 것은 아니었다. 그저 말쑥한, 밉살스러운 잘난 체, 정당하지 않은 난공불락의 건방짐이 있어서 그런 것이다. 나는 화낼 사치를 부릴 여유가 있다고 결정했다. 그게 내가 원하는 그림이다. 나는 그 작은 총을 꺼내 총부리를 그의 오른쪽 귓구멍에 댔다. 그는 정말로 꼼짝하지 않고 앉아 있었다.

"맙소사, 그 물건을 조심해서 다루게, 찰리, 그 공이식 화약통은 매우 불안정하거든."

마치 그가 내 권총허가서를 쳐다보고 있는 것 같았다.

"조크 나는 마트랜드 씨를 축출하려 하네."

조크의 눈이 빛났다.

"제가 면도날을 가져오죠, 찰리 씨."

"아냐, 아냐, 조크, 잘못된 단어군. 내 말은 마트랜드 씨를 창 밖으로 던지라는 말이야. 자네 침실 창문이 좋겠군. 일단 옷을 벗긴 후, 그가 자네에게 다가오고는 좌절된 사랑의 광분 때문에 창문 밖으로 뛰어내렸다고 말할 거야.

"아이구, 찰리, 정말로, 더럽고 끔찍한 생각이야. 내 와이프를 생각해 보게."

"경찰관 아내에 대해선 생각지 않아. 그들의 아름다움은 나를 와인처럼 미치게 하지. 어쨌든, 이 남색행위가 자네 장관으로 하여금 이 모든 것에 대해 기사화 금지령을 내리게 할 거야, 그럼 우리 둘 다에게 좋은 거지."

조크는 벌써 희생자의 작은 손가락을 아프게 만드는, '조용히 따라와' 방식으로 그를 데려가고 있었다. 조크는 그걸 정신과 간호사에게 배웠다.

조크의 침실은 항상 그러하듯이 신선한 공기로 가득 차 있었다. 그것은 활짝 열린 창문으로부터 안으로 들어오고 있었다.

"마트랜드 씨에게 뾰족뾰족한 난간을 보여드려, 조크."

내가 야비하게 말했다. 내가 하려고만 들면 목소리가 얼마나 야비해지는지 당신은 모른다. 나는 한때 실제 국가 경비대의 부관이었다. 조크는 마트랜드가 난간을 볼 수 있게 한 다음 그의 옷을 벗기기 시작했다. 불안정한 미소가 그의 입술 한구석에서 떨고 있었지만 그는 저항하지 않은 채 그냥 서 있었다. 하지만 조크가 그의 벨트를 풀기 시작하자 그는 빠르게 말하기 시작했다.

그의 말은 이렇다. 만일 내가 그의 말을 듣고 지금 하는 일을 멈춘다면 내가 다음의 것들을 받을 수 있도록 해주겠다는 것.

(i) 동양의 알려지지 않은 재물들.

(ii) 그의 영원한 존경과 경의.

(iii) 나와 나의 3대, 4대까지 법적 면책특권 부여.

이 지점에서 나는 귀 하나를 쫑긋 세웠다.

"이상하게도 자네 말이 흥미를 돋우는군."

내가 말했다.

"조크, 잠시 그를 내려놓게, 모든 것을 실토할 것 같으니!"

당신은 30피트 아래의 뾰족뾰족한 난간으로 떨어지는 걸, 특히 벌거벗고 떨어지는 걸 싫어한다고 해서 겁쟁이일 필요는 없다. 그의 입장이었다면 난 분명히 엉엉 울었을 것이다.

짧게 말하자면 다음과 같다. 호크보틀 글록이 굉장히 수완 없게도 자기의 옛 대학 친구, '성교하는 남성들' 스케치의 다른 한쪽 편에게 그 외설사진의 35밀리 밀착인화를 보내면서 필요한 것을 이야기했다. 이건 전혀 합의 안된 것으로 매우 화나는 일이었다. 그 친구가 몹시 돈이 필요했나보다. 불쌍한 친구. 나에게 물었더라면 좋았을 것을.

자기 와이프의 언니와 다른 친척들을 무서워하며 사는, 이제는 매우 위엄을 갖게 된 그 친구는 이 일을 처리하는데 필요한 적절한 액수를 내놓으려고 결심했다. 하지만 다른 한편 경찰부국장을 저녁에 초대해서, 예를 들어 '요즘 자네들은 협박꾼들에 대해서는 어떻게 하나, 어?' 등의 말로 그 사람에게 조심스런 촉수를 뻗쳤다. 뉴스 편집자 금고에서 그 친구에 대해 쓴 어떤 미공개된 자료를 본 적 있는 부국장은 놀란 종마처럼 겁을 먹었다. 그는 그 부분에 대해 자기가 알 수 있는 것이 없다고 생각했기에, 그 친구에게 마트랜드의 이름과 주소를 주었다.

"선생님이 아는 누군가가 혹시 괴롭힘을 당할 경우에 대비해서요."

그리고 나서 그 친구는 마트랜드를 저녁식사에 초대해서 신문에 나기 적당한 그 뉴스를 준다. 마트랜드는 말한다.

"저희에게 맡겨주십시오, 각하, 우리는 이런 종류의 비겁자들을 다루는데 익숙합니다."

다음 날 일종의 시종무관이 유격대장 수염 속에서 부드럽게 콧방귀를 꾸미며 호크보틀을 방문해서 그에게 조야한 십파운드 지폐로 가득 찬 자그만 서류가방을 넘겨준다. 5분 후, 마트랜드와 그의 동료들이 들어와서 불쌍한 호크보틀을 휙 채가서 악명 높은 코타지 병원으로 데려간다. 그는 차 배터리 맛을 보고 코 밑에 그럴 때 쓰도록 규정된 스카치 잔과 함께 기절에서 깨어난다.

"그 끔찍한 것을 치워버려. 샤르트뢰즈는 없나? 그리고 너희들이 나를 겁에 질리게 하고 있다고 생각할 필요는 없어. 나는 너희들 같은 덩치 커다란 털 복숭이 사슴들에게 학대받는 것을 아주 좋아하거든."

그는 그걸 증명해서 그들에게 보여준다. 그들은 매스껍다.

이제 마트랜드의 브리핑은 신의 공포를 호크보틀에게 집어넣고 이 사진관련 성가신 일을 이제는 멈추어야 한다는 점을 명확히 하는 것이다. 그는 꼬치꼬치 캐묻지 않도록 명확하게 명령받았고 당황스러운 이야기는 아무것도 듣지 않았지만, 본성과 오랜 습관에 의해 그는 간섭을 좋아하고, 게다가, 동성애에 대하여 건강치 못한 공포가 꽤 있었다. 그는 이 미스터리를 바닥까지 파헤쳐 호크보틀에게 모든 것을 불게 만들겠다고 다짐한다.

"아주 좋아."

그가 잔인하게 말한다.

"이번 것은 정말로 너를 아프게 할 거야."

"약속해요, 약속해요."

호크보틀은 바보같이 웃는다.

그래서 이제 그들은 그의 격막 바닥을 아프게 할 어떤 처치를 하

50

는데, 이것은 호크보틀조차도 즐기기 힘든 것이다. 이번에 제정신이 돌아오자 그는 매우 화를 냈고 자신의 잘생긴 얼굴을 잃을까 겁을 냈다. 그는 마트랜드에게 자신에겐 매우 강력한 보험인 찰리 모데카이 경이 있으니 확인해 보는 게 좋을 것이라고 말한다. 그런 후 그는 단호히 입을 다물었고 마트랜드는 이제 분노가 치밀어 지금까지 중국 이중간첩에게만 사용하기 위해 남겨두었던 다른 처치를 그에게 하게 했는데…. 낭패스럽게도 호크보틀이 죽었다.

글쎄, 사람들이 말하듯이 더 나쁜 일이 전쟁에서 일어난다. 그리고 첼시병영 출신의 몇몇 방위군을 제외하면 누구도 진정으로 호크보틀을 좋아한 적이 없다. 하지만 마트랜드는 계약서에 의하지 않는 자비를 감사하게 여길 사람이 아니다. 그에게는 이 모든 것이 철저하게 불만족스러운데, 특히 아직도 자신이 이게 도대체 다 무슨 일인지 알아내지 못했다는 점이 불만족스러웠다.

그런 후 그 친구가 심각하게 초조한 상태로 마트랜드에게 전화를 해서 그 불쌍한 호커를 데리고 즉시 잠깐 들르라고 요구했을 때 얼마나 화가 났을지 생각해 보라. 마트랜드는 분명히 예스라고 말하고 몇 분 후 가겠다고 말하지만, 음, 그건 약간, 어, 어려운 일이다. 그는 도착해서 심란하게도 매우 고통스러운 편지를 보게 된다. 마트랜드도, 취향에는 약간의 작은 결점이 있는데, 편지가 쓰여진 종이에 압도된다는 것이다. 가장자리가 원지 그대로이면서 금박을 입힌 모조 양피지인데 맨 위에는 높게 돋을새김을 한 가짜 갑옷이 있고 페이지 밑에는 다양한 컬러를 한 사막의 석양 풍경이 있다. 고어체로 새겨진 주소는 뉴멕시코였다. 간단히 말하자면 그 편지는 나의 매우 훌륭한 고객 크램프로부터 온 것이다.

그 편지에 씌어 있길, 나는 그걸 본 적이 없으니 마트랜드의 설명을 다른 말로 표현한 것이다. 크램프 씨가 그 고명한 친구를 매우 칭송하며 거의 알려져 있지 않은 그의 자서전적 자료를 상원의원들, 국회의원, 영국 헌병, 당신도 인정할 섬뜩한 '파리마치'에 배포하기 위하여 팬클럽을 시작하길 원한다는 것이다. 그는 더 나아가 호크보틀 글록 씨라는 사람이 자기와 연락하는 사이인데 '캠브리지에서의 당신들이 같이 다니던 학교시절'을 회상시키는 몇몇 삽화와 함께 팬클럽을 시작할 준비가 되어 있다고 했다. 그는 또한 세 사람이 어디서 같이 만나서 서로에게 이익이 되도록 무언가를 만들어낼 수 없는지 알아보면 어떻겠냐고 말한다. 즉, 이게 그 미끼다. 내숭을 떨며 어설픈 듯하지만, 틀림없는.

　마트랜드는 이야기를 멈추었고 나는 계속하라고 재촉하지 않았다. 왜냐하면 이것은 매우 안 좋은 소식이었으니까. 왜냐하면 백만장자들이 화나면 더 가난한 사람들이 해를 입으니까. 나는 너무나도 동요되어서 생각 없이 마트랜드에게 마실 것을 주었다. 그건 나쁜 실수였다. 나는 그가 계속 안절부절 못하게 할 필요가 있었다. 하지만 당신은 그가 그 친숙한 주스를 마시는 순간 자신감이 되살아나고 그의 머리가 그 습관적인, 미칠 듯이 젠체하는 침착함을 다시 찾게 되는 것을 볼 것이다. 그가 약자를 괴롭히며 더럽게 살금살금 지금의 위치로 올라온 것을 보면서 동료 공무원들조차 정말 그를 싫어했음에 틀림없었다. 그러나 항상 기억해야 할 것은 그는 위험하며, 보기보다 또는 말하는 것보다 훨씬 똑똑하다는 점이다.

"마트랜드."

내가 잠시 후 말했다.

"자네는 자네의 청부업자들이 오늘 아침 스피노자 가게로 나를 따라왔다고 말했지?"

"맞네."

그가 지나치게 쾌활하게 말했다. 그는 분명 다시 원기가 왕성해지고 있었다.

"조크, 마트랜드 씨가 나에게 사소한 거짓말을 하는군. 그를 살짝 쳐주게."

조크는 그늘 밖으로 천천히 나와서 부드럽게 마트랜드의 안경을 벗기고 몸을 구부려 자비롭게 그의 얼굴을 응시했다. 마트랜드는 눈을 크게 뜨고 입을 살짝 벌린 채 그 시선을 받았다. 입을 벌린 건 실수다. 조크의 거대한 손이 반원을 그리며 빙 돌아 큰 폭발음을 내며 마트랜드의 뺨을 쳤다.

마트랜드는 소파의 팔걸이 위를 미끄러지듯이 나아가 벽으로 튕겨 나갔다. 그는 잠시 앉아 있었다. 그의 작은 눈은 미움과 두려움의 눈물을 흘리고 있었다. 그의 입은 닫혔는데 극심한 고통으로 비틀어져 있었다. 내 예상에 그는 이빨을 세고 있는 중이었다.

"아마도 그건 내가 어리석었다고 생각해."

내가 말했다.

"내 말은, 너를 죽이는 건 안전하지. 영원히 일을 매듭짓는 거니까. 그렇지 않나? 그러나 자네를 해하는 것만으로는 자네를 원한에 차게 만들 뿐."

나는 그 말이 함축하고 있는 끔찍한 것에 대해 그가 생각해 보도록 잠시 내버려 두었다. 그는 거기에 대해 생각해 보았다. 그는 알아차렸다.

마침내 그는 억지웃음을 지으며 다시 앉았다.

"나는 악한 감정은 갖지 않을 걸세, 찰리. 감히 말하건대 오늘 아침 이후 내가 약간은 두드려맞아 싸다고 자네가 생각하는 거지. 아직은 자네 자신이 아니라 말이야, 내말은."

"자네가 말한 것에 뭔가가 있어."

그가 한 말에 뭔가가 있었기 때문에 나는 진심으로 그렇게 말했다.

"오늘은 경범죄와 아수라장으로 가득 찬 힘든 하루였어. 내가 더 오래 머문다면 심각한 판단의 오류를 할 것 같네. 잘 자게."

이렇게 말하며 나는 서둘러 방을 나왔다. 마트랜드의 입은 내가 문을 닫자 다시 열렸다.

따뜻한 샤워에서의 짧은 감미로운 시간, 옛 아이보리 성 주변에 값비싼 치약 털어내기, 여기저기에서 훅 밀려드는 존슨즈 베이비 파우더 냄새, 침대 시트 사이로 다이빙, 나는 다시 내가 되었다. 크램프가 어리석게 대본으로부터 이탈한 것이 나를 걱정시켰다. 이제는 이 상황이 내 목숨을 누군가가 노렸다는 것보다 더 걱정이 되었다.

나는 퍼뱅크를 몇 장 읽으면서 내 마음속으로부터 걱정을 헹궈내고 부드럽게 잠 속으로 수영해 들어갔다. 잠은, 나에게는, 단순히 스위치를 끄는 것이 아니다. 전문지식을 음미하는 매우 긍정적인 즐거움이다. 좋은 밤이었다. 애인이 싫증나지 않도록 항상 새롭고 즐거우면서도 친근하고, 또 재미있는 정부처럼 잠은 나를 소중히 보살펴주었다.

내 물집 역시 훨씬 나아졌다.

4

7시의 아침,
언덕은 이슬로 진주되고.

— 피파 패시스

조크가 나를 깨울 때 즐겁게 노래했지만, 내 마음은 그렇지 않았다. 아침은 보통처럼 10시였고, 어퍼 브룩 거리는 젖어 있었다. 모래가 섞인, 부슬부슬한 비가 오는 축축한 날이었고 하늘은 쥐흙색이었다. 피파는 침대에 머무르려 할 것이고 지각있는 달팽이라면 가시를 오르려 하지 않을 것이다. 내가 좋아하는 차는, 보통은 하늘로부터의 부드러운 비처럼 떨어지는데, 독수리 목발 같은 맛이 났다. 카나리아는 변비에 걸린 것 같았고 의례적인 두성(頭聲)이나 노래 두 개를 부르는 대신 내게 뚱한 눈길을 주었다.

"마트랜드 씨가 아래층에 와 있습니다, 찰리 씨. 30분 기다렸습니다."

나는 으르렁거리며 누구도 당신을 해칠 수 없는 자궁 같은 따뜻함 속으로 다시 파고들면서 머리 위로 실크 시트의 꺾인 자리를 잡아당겼다.

"그의 입을 보셔야 해요, 제가 친 그 곳을요. 그건 솔직히 선물이에요. 총천연색이 됐죠."

그 말이 나의 관심을 끌었다. 그날은 최소한 나에게 주는 선물이 있었다. 일어나기 싫지만 일어났다.

입을 헹구고, 덱세드린(식욕 감퇴제) 반 알, 소량의 멸치 토스트 그리고 샤르베 실크드레스 가운. 이제 아무리 많은 마트랜드가 와도 다 맞이할 준비가 되었다.

"나를 마트랜드에게 이끌어주게."

징말 사랑스럽게 보인다고 말해야겠다. 부어오른 입술은 단지 그 풍요로운 가을 색조만을 띤 것이 아니었다. 나를 매혹시킨 것은 그 입 위로 나타나는 표현의 유희였다. 이 말에서 중요한 것은 마지막 부분이다. 그레비스프 접시 안의 워체스터 소스 두 방울처럼, 조심스런 약간의 비틀어짐이 들어있는, 일종의 당황해하는 거짓 친밀감 말이다.

그는 자리에서 펄쩍 뛰어 일어났다. 그리고 나를 향해 성큼성큼 걸어와 얼굴을 쭉 앞으로 빼며 남자답게 악수하려고 손을 뻗쳤다.

"다시 친구지, 찰리?"

이번에는 내가 아래턱을 떨어뜨릴 차례였다. 나는 당황했고 부끄러움으로 땀이 났다. 진짜로 그랬다. 나는 퉁명스런 가글하는 소리 같은 걸 냈는데 이 소리가 그를 만족시킨 것 같았다. 왜냐하면 그가 내 손을 놓고 기분 좋게 소파로 돌아가 앉았기 때문이다. 당혹감을 감추기 위하여 나는 조크에게 우리를 위해 커피를 준비해 달라고 주문했다.

우리는 거의 침묵 속에서 커피를 기다렸다. 마트랜드는 날씨 내기를 하자고 했다. 그는 최근의 V자 모양 저기압이 아이슬란드를 덮을 것 같은지 아닌지를 항상 알고 있는 사람들 중 하나이다. 나는 모닝커피를 마시기 전에는 기상판단을 잘 못한다는 것을 친절하게 설명해주었다.

날씨에 대한 이 이상한 영국의 집착은 기원이 뭘까? 어떻게 제국을 세운 성인 남자들이 심각하게, 비가 오고 있는지, 왔는지, 올 것 같은지 여부를 토론할 수 있는가? 당신은 가장 척박한 정신을 가진 파리 사람들, 오스트리아 빈 사람들, 베를린 사람들이 이런 허튼소리를 하면서 스스로의 품격을 떨어뜨리는 걸 상상이나 할 수 있는가? "Ils sont fous ces Bretons(켈트인들은 미쳤다.)"라고 오벨릭스(프랑스 코믹북의 카툰 캐릭터)가 한 말은 옳다. 내 생각에는 이게 영국인들이 땅에 대해 갖는 환상의 또 다른 표현에 불과한 것으로 보인다. 가장 도시적인 시민이 가슴으로는 자작농 농부이고 가죽 각반과 엽총을 갈망한다.

커피가 도착했다. 우리는 서로에게 설탕과 크림과 다른 것들을 건네주고 때때로 거짓으로 활짝 웃으면서 잠시 동안 부드럽게 마셔댔다. 그리고 난 후 나는 다시 엄격하게 지난 일에 대해 묻기 시작했다.

"자네는 내가 스피노자 가게에 있는 걸 어떻게 알았는지 얘기하려 했었지."

"찰리, 도대체 왜 그것에 마음이 사로잡혀 있나?"

참으로 그건 매우 훌륭한 질문이었다. 나는 그를 물끄러미 응시했다.

"오, 음, 그건 진짜 꽤 간단하지. 우리는 그 늙은 스피노자가 그레이트 트레인 잡으로부터 비열한 25만 파운드 지폐를 가지고 있는 걸, 가졌던 걸 우연히 알게 되네. 그는 깨끗한 5달러로 지불하고 센트당 175파운드를 가졌지. 지독한 늙은 사기꾼. 음, 우리는 그가 곧 그 불법적인 것을 처분해야 할 것임을 알았네. 그래서 메이슨스 야드의 미술관 중 한 곳에서 일하는 작은 망나니를 고용해 그곳을 감시했네. 음, 누군가 스피노자를 보러오면 우리는 그 말을 그 망나니의 작은 워키토키로 듣네."

"정말 이제 좀 흥미가 돋는다고 말하겠네. 미술관 운영시간 전에 전화하는 사람들은 어떤가?"

"아, 그래, 음, 물론 거기에는 운에 맡겨야지. 내 말은, 이 모든 일에 교대를 붙일 자금이 없다네. 거금이 들지."

나는 그의 말을 믿고 '휴' 하고 정신적으로 안도했다.

"마트랜드, 자네의 끄나풀이 오플라허티 갤러리에서 일하는 퍼스라는 어린애인가?"

"그래, 퍼스 맞네."

나는 귀 하나를 쫑긋 세웠다. 조크는 코로 숨을 쉬며 머릿속으로 노트를 하며 문 밖에 있었다. 퍼스만 매수되었다는 것에 매우 안도가 되었다. 스피노자 씨가 나에게 장난을 쳤다면 모든 것을 잃었을 것이다. 나는 표정을 누그러뜨려야 했다. 마트랜드가 나를 흥미롭게 쳐다보고 있었기 때문이다. 이건 안 되겠다. 화제를 바꾸자.

"자 그럼, 내가 진심으로 크게 소리쳤다. 거래가 뭔가? 어젯밤 자네가 힘주어 말하던 동양의 이 재물들은 다 어디 있나? '아니, 자네의 왕국의 절반까지'가 말하던 금액이었는데?"

"오, 정말로, 자, 찰리, 어젯밤은 어젯밤이었지, 그렇지 않나? 내 말은, 우리 둘 다 너무 긴장해 있었어, 그렇지 않았나? 자네는 정말로 나를 그것에 매다는 것은 아니지…?"

"창문은 여전히 거기 있고 조크도 여전히 거기 있지. 나도 여전히 굉장히 긴장하고 있지. 누구도 이전에 나를 냉혹하게 죽이러 시도한 적이 없었거든."

"하지만 분명 난 안전책이 있네, 그렇지 않은가?"

그가 이렇게 말하고는 엉덩이 호주머니를 가볍게 두드렸다. 이것이 그의 피스톨이 어딘가에 있다면 그의 겨드랑이 아래에 있다는 걸 말해줬다.

"마트랜드, 게임을 하나 하세. 만일 조크가 자네 머리를 때리기 전에 자네가 총을 뽑으면, 자네에게 코코넛을 줄 걸세."

"오, 자, 자, 찰리, 거기에 대해 너무 신경 쓰지 말도록 하세. 나는 자네에게 이 비지니스에서 우리 편으로 일한다면 상당한 혜택과 영업권을 제공할 준비가 되어 있네. 자네는 내가 골치 아픈 상황인 걸 너무도 잘 알고 있지 않은가. 그리고 내가 자네를 선발하지 않으면 내무부의 그 형편없는 노인네가 자네의 피를 보기 위해 또다시 으르렁댈 거야. 그럼 우린 무엇으로 담판할까? 자네는 분명 우리 부서가 제공하는 그런 종류의 돈에는 관심이 없을 거야."

"나는 내가 본조 개를 원한다고 생각하고 있네."

"맙소사, 찰리, 진심은 아니겠지?"

"아니, 실제로, 그레이하운드, 자네도 알잖아, 은색으로."

"여왕의 메신저가 되고 싶다는 말은 아니겠지? 도대체 무엇 때문에? 그리고 무엇 때문에 내가 그런 일을 할 수 있으리라고 생각하나?"

"일단, 난 진담이야. 둘째로, 자네 일이나 걱정하게. 셋째, 그래야만 한다면 자네는 해낼 수 있어. 난 그와 함께 외교여권과 워싱턴 대사관으로 외교백을 가져가는 특권 역시 원하네."

그는 모든 조건을 듣고, 안도하며 의자에 몸을 기댔다.

"그럼 그 백에 뭐가 들어갈 것 같나? 내가 상관할 일 같은데?"

"실은 롤스로이스야. 음, 물론 그게 실제로 백 안에 있지는 않지만 외교인장 속에 은폐될 거야."

그는 심각하고 걱정스러워 보였다. 그가 2마력 차의 문제를 어떻게 처리할까 골몰하는 동안 그의 두뇌 엔진이 광적으로 속도를 높였다.

"찰리, 그게 마약으로 가득 찬다면 대답은 단칼에 노야. 만일 그게 상당량의 더러운 파운드 지폐라면 어떻게 해볼 순 있지. 하지만 그게 자네를 보호해주진 못할 거라고 생각해."

"둘 다 아니야."

내가 단호하게 말했다.

"내 명예를 걸고."

내가 그렇게 말하면서 그의 눈을 똑바로 솔직하게 보았다. 그래서 내가 거짓말하고 있다는 것을 확신하도록. 그는 신뢰하는 동료처럼 나를 되쳐다보고는 조심스럽게 10개의 손가락을 내려 놓고, 마치 자기가 무엇인가 영리한 일을 하는 것처럼 상당한 자부심을 가지고 그 손가락들을 쳐다보았다. 그는 열심히 생각하고 있었다.

"글쎄, 잘 해볼 수 있을 것 같은데."

"물론 자네의 협력 강도에 비례해서 자네의 요구사항도 받아들여질 걸세?"

"오, 그럼."

내가 밝게 대답했다.

"자네는 내가 크램프 씨를 죽이길 원할 거야, 그렇지?"

"그래, 맞아. 어떻게 알았나?"

"글쎄, 이제 호크보틀이, 어, 처리되었으니까, 자네는 분명히 크램프가 무엇을 하는지 알고 있으니 그를 산 채로 내버려둘 수 없을 거야, 그렇지? 하지만 그는 내 VVIP고객이기 때문에 그 일을 하는 건 좀 힘들다고 말할 수 있지."

"그래, 지금쯤은 자네도 다 알 거라고 생각했어. 그렇지 않다면 내가 말하지 않았을 거야."

"어쨌든, 자네가 크램프 같은 부자 친구에게 죽이는 것 이외에 압력을 가할 방법이 없다는 건 분명해. 또한 내가 그에게 접근할 수 있다는 것, 그리고 내게 그런 일을 시키는 것이 자네 견적을 엄청 절약해 준다는 것도 자명하지. 게다가 자네 관점으로 보면 나처럼 소모용일 수 있는 사람도 없거든. 그리고 내가 어떤 공식기관과 연결되었다고 추적하기도 거의 불가능하지. 마지막으로, 내가 그 일을 서투르게 해서 전기의자에 앉게 되면 자네는 크램프와 나를 한 방에 죽이는 거잖아."

"음, 어느 정도 맞는 말이야."

"그래."

그러고 나선 한 재치 있는 딜러가 너무 많은 돈을 지불했기 때문에 말루어 듀 쥬(malheur du jour, 오늘의 비애)라 부르는 우스꽝스러운 작은 책상에 앉아 마트랜드에게 바라는 모든 것들의 목록을 작성했다. 상당히 길었다. 읽어가면서 그의 얼굴이 어두어졌지만 그는 그것을 견디며 조심스럽게 자기 지갑에 그 종이를 끼워 넣었다. 나는 그가 어깨에 차는 권총을 지니지 않고 있음을 알아차렸다. 하지만 결코 그것이 그날 내가 최초로 저지른 실수는 아니었다.

커피가 이제 차가워져서 끔찍했다. 그래서 나는 남은 것을 예의 바르게 그에게 주었다. 장담하건데 그는 알아차리지 못했다. 그는 한두 가지 다정한 상투적인 말을 한 후 떠났다.

"조크, 난 다시 침대로 가겠네. 모든 런던 전화번호부와 잔 가득 칵테일 어떤 종류든 좋아. 한 잔. 그리고 부드러운 흰 빵으로 만든 물밤 샌드위치를 부탁하네."

침대는 오랫동안 전화할 수 있는 유일한 곳이었다. 또한 독서하고, 자고, 카나리아에 귀를 기울이기에 아주 적합한 곳이다. 섹스하기에는 전혀 좋은 곳이 아니다. 섹스는 팔걸이 의자, 화장실, 또는 깎여 있지만 너무 최근에 깎이지 않은 잔디밭, 또는 당신이 포경수술을 했다면 모래 해변가에서 해야 한다. 당신이 너무 피곤해서 침대가 아닌 곳에서 성행위를 할 수 없다면 차라리 힘을 절약해야 할 것이다. 여자들은 일반적으로 몸매가 나빠 숨겨야 하기 때문에 그리고 항상 발이 차가워 따뜻하게 해야 해서 침대에서의 섹스를 열렬하게 지지한다. 물론 남자들은 다르다.

일어난 지 한 시간 후 나는 능직물 포대 잠옷을 두르고 카나리아에게 예의 바르게 나를 대할 기회를 한 번 더 주기 위하여 부엌으로 갔다. 카나리아는 예의 바른 것 이상이었다. 모든 것의 순조로움을 맹세하듯이 자신의 작은 창자를 부수듯 힘껏 노래 불렀다.

코트와 모자를 달라고 하면서 나는 계단 아래로 발을 헛디뎠다. 나는 토요일에는 승강기를 사용한 적이 없다. 토요일은 운동하는 날이다.

관리인이 그녀의 은신처에서 나와 나에게 뜻 모를 말을 지껄였다. 나는 입에 손을 대어 그녀의 말을 그치게 했고 눈썹을 상당히 많이 치켜떴다. 이 방법은 실패하는 법이 없다. 그녀는 오만상을 찌푸리며 천천히 움직였다.

나는 소더비까지 거의 줄곧 걸었는데 이건 정말 몸에 좋다. 판매물로 나온 것 중에는 정복을 입은 곤돌라 사공들이 있는 베네치아 귀족의 바지선과 멋진 푸른 하늘을 그린 내 소유의 조그마한 그림이 있었다. 나는 그것이 피에트르 롱기(이탈리아 풍속화가) 작품이라고 나 자신을 설득하려는 희망을 품고 몇 달 전에 구입했지만 내 시도는 물거품이 되었다. 그래서 나는 그것을 소더비 갤러리로 가져갔는데, 그들은 그것을 준엄하게 '18세기 베네치아학파'라고 불렀다. 나는 내가 지불한 금액까지 올린 후 알아서 하도록 내버려두었다. 기쁘게도 350파운드나 더 올라간 후 내가 싫어하는 사람에게로 낙찰되었다. 그건 지금쯤 아마 마리살레 또는 그 비슷한 말도 안 되는 이름이 붙여져서 듀크가 윈도우 안에 있을 것이다. 나는 10분 더 머무르다가 마르스가 헬멧을 쓰고 비너스와 성교하는, 매너라고는! 바르톨로메우스 슈프랑거(플랑드르의 화가)가 그렸는지 미심쩍지만 엄청 음란한 그림에 투자했다. 그 방에서 나오면서 나는 슈플록에 있는 부자 터키농부에게 전화를 해서 현물을 보지 않는 거래로, 미공개 금액이라고 알려진 금액을 받고 그 슈프랑거를 판 후 피카딜리를 향해 걸어갔다. 약간의 거래를 하면 기운이 난다.

피카딜리를 지나서, 향기로운 냄새를 맡기 위해 포트넘을 지나 저민가를 따라 한 걸음 내디딘 후 줄스 바에서 안락하게 점심을 주문하고 다섯 째 화이트 레이디를 마시고 있었다. 진지한 미식가로서 나는 물론 칵테일을 반대한다. 하지만 또한 나는 부정직, 난잡, 음주벽, 기타 많은 것들에 대해서도 개탄한다.

지금까지는 누군가가 나를 따라왔다면 그들은 분명히 환영받았을 것이다. 하지만 그날 오후만큼은 그 SPG 애송이들로부터 방해받지 않을 프라이버시가 필요했다. 그래서 나는 먹으면서 때때로 주의 깊게 바 안을 훑어보았다. 문을 닫을 때쯤에는 내가 얼굴을 알고 있는 고정적으로 오는 한두 명을 빼고는 바에 있던 사람들이 모두 바뀌었다. 끄나풀이 있었다면 밖에 있는 것이 틀림없고 지금 쯤 아마도 매우 화가 나 있을 것이다.

그는 밖에 있었고, 화가 나 있었다.

그는 마트랜드의 사람인 모리스였다. 나는 마트랜드가 진짜로 나를 정직하게 대할 거라고는 기대하지 않았다. 우리가 같이 다녔던 그 학교는 특별히 좋은 학교가 아니었다. 동성애 같은 것이 많았고, 훌륭한 행위나 명예, 기타 다른 추가적 고귀함은 채플시간에 많이 언급했지만 실제로는 그렇지 않았다. 물론 냉수욕은 필요이상으로 많다. 하지만 한 번도 냉수욕을 해본 적이 없는 당신은 실제 냉수욕을 했을 때 당신의 동물적 격정이 더 많이 일어난다는 것을 알게 되면 놀랄지도 모른다. 심장엔 무지 나쁘다고들은 하지만.

모리스는 얼굴 앞에 신문을 놓고 그 안의 구멍을 통해 나를 쳐다보고 있었다. 소설책에 나오는 것처럼. 나는 왼쪽으로 빠르게 몇 걸음을 옮겼다. 신문이 나를 따라 휙 돌았다. 오른쪽으로 세 걸음을 가자 마치 야전포의 화기보호 장치처럼 신문이 또다시 휙 돌았다. 그는 정말 우스워보였다. 나는 그에게 걸어가서 신문의 구멍에 내 손을 찔러넣었다.

"까꿍!"

내가 이렇게 말하고는 그의 대단히 인상적인 반응을 기다렸다.

"제발 당신 손가락을 치워주세요."

내 코를 신문에 바짝 대면서 찔러넣은 손가락을 까딱댔다.

그가 얼굴이 시뻘개져서 으르렁거렸다. 그 반응이 더 좋았다.

"꺼져!"

나는 아주 기분 좋게 꺼져주었다. 당신이 요즘 너무도 자주 만나게 되는 젊고, 핑크빛의, 성난 경찰관들 중 하나가 세인트 제임스 가의 모퉁이를 터벅터벅 걸어 돌고 있었다. 야망에 차 있고, 우쭐 대는, 끝내주는 악당들.

"경관님!"

내가 화난 칠면조 같은 소리를 냈다.

"제가 방금 신문을 들고 있는 저 가증스런 녀석으로부터 외설스 런 말을 들었어요."

나는 걸어가다가 죄지은 듯이 멈춰선 모리스를 떨리는 손가락으 로 가리켰다. 그 경찰관은 입술 근방이 하얗게 되어서, 꼭 피카딜 리 서커스에 나오는 길버트의 〈에로스〉(에로스상이 알루미늄으로 만들어진 것을 아는가?)를 지독하게 패러디한 것처럼, 신문을 크게 펴놓은 채 한 발로 서 있는 모리스를 향해 돌진했다.

"40분 후에 경찰서에 갈게요."

내가 그 경찰관에게 크게 소리치고는 지나가는 택시에 뛰어들었 다. 이 택시에는 손잡이가 모두 있었다.

이제, 내가 이미 당신에게 이야기한 대로, 마트랜드의 사람들 은 일 년 동안 훈련을 받았다. 그러므로 내가 모리스를 너무도 쉽 게 찾았다는 것은 모리스가 그곳에 발견되려고 있었음을 의미하는 것. 오랜 시간이 걸렸지만 결국 나는 또 미행하는 택시를 발견했 다. 트라이엄프 헤럴드라는 건장하고, 깨끗하게 면도한, 이모 같은 차이다. 트라이엄프 헤럴드는 눈에 두드러지지 않고, 쉽게 주차할 수 있으며 런던 택시보다 회전할 때 필요한 곡선이 더 작은, 사람 들을 미행하기에 최고인 차다. 나는 피카딜리 서커스 역에서 깡총 뛰어나와 지하철 입구로 들어가서 다른 입구로 나왔다.

두 번째 택시가 나를 모든 종류의 난해한 공예품들이 쌓여 있는 멋진 곳인 쇼어디치 베쓰널 그린로드로 데려다주었다. 내가 가진 어리석은 습관이라서 운전수에게 팁을 넉넉하게 주자 그는 내게 〈캠프톤 파크의 4번에 대한 향수(鄕愁)〉를 틀어주었다. 도대체 그가 무엇을 의미했는지 의아해 하면서 나는 계단을 올라 내 라이너 원룸으로 들어갔다.

여기에서 라이너가 뭔지를 설명하는 편이 낫겠다. 대부분의 오래된 그림들은 청소하기 전에 새로운 지지대가 필요하다. 가장 단순한 형태는 오래된 캔버스를 풀, 콤포, 또는 왁스에 적셔 뜨거운 테이블과 압착기를 이용해서 새로운 캔버스에, 말하자면, 접합시키는 것이다. 때때로 옛날 캔버스 천이 너무 망가져 있거나 때로 작업 중에 그림이 떨어져나가는 경우에 그들 표현대로 하면 그림이 '폭발한다'. 두 개 중 어느 경우든 '옮김'이 요구된다. 이 말은 그림을 아래로 향하게 묶고 캔버스의 모든 조각들을 그림으로부터 제거한다는 걸 뜻한다. 그런 후 새 캔버스를 그림 뒤에 고정시키면 당신의 그림은 다시 훌륭해진다. 그림이 썩은 또는 벌레가 파먹은 패널 위에 그려져 있다면 진짜 최고의 라이너는 그림 윗부분만 남기고 나무를 모두 대패로 깎을 수 있다. 그리고 거기에 캔버스를 붙인다. 모두 매우, 매우 까다로운 작업이고 보수가 매우 높다.

훌륭한 라이너는 자신이 다루고 있는 그림의 값어치에 대해 상당히 예리하게 알고 있어서 일반적으로 그에 따라 비용을 청구한다. 그는 자기가 일해 주는 많은 딜러들보다 더 돈을 많이 번다. 그는 없으면 안 된다. 어떤 바보천치라도 그림을 청소할 수 있다. 대부분의 능력있는 예술가들은 그림을 덧칠하거나 없어진 조각들을 대체할 수 있다. 참으로 많은 유명한 화가들이 비밀부업으로 이런 일로 돈을 벌기도 했다. 배의 지붕같이 매우 섬세한 작업은 종종

66

다루기 쉽도록 광택제를 이용해서 칠해졌다. 이런 건 물론 더러운 광택제와 함께 떨어지기 때문에 깨끗하게 하기가 지독히 어렵다. 따라서 많은 바보들은 단순히 그 지붕 또는 뭐가 됐든지간에 무자비하게 떼어낸 후 사진을 보고 다시 그린다. 음, 안될 건 없지만 내가 말한 것처럼 훌륭한 라이너는 값을 따질 수 없는 진주이다.

피트는 진주처럼 보이지는 않는다. 그는 더럽고 심술궂은 작은 웨일스 사람처럼 보인다. 하지만 그는 예상외로 아름다운 매너를 가지고 있었다. 그는 의식용 스팸 깡통을 열고 근사한 진한 브룩본드 피지 팁스 홍차를 큰 쇠냄비에 끓였다. 나는 급하게 버터 바른 빵을 만들고 스팸을 자르겠다고 자청했다. 멋진 티 파티였다. 나는 스팸을 너무도 사랑한다. 그리고 차에는 농축우유가 들어 있었고 풍부한 오렌지색이 났다. 우리가 누리는 삶과 사랑스런 여왕이 누리는 삶과 얼마나, 얼마나 다른가. 나는 그에게 바르톨로메우스 슈프랑거 작품이 소더비 갤러리로부터 올 거라고 말했고, 비너스의 〈오, 즐거워라〉 위에 덮인 휘장은 더 후기 작품이며 〈수녀의 윙크〉라는 매우 훌륭한 것을 감추고 있을지도 모른다고 생각한다고 말했다.

"문질러요, 조심해서 문질러요."

우리는 진행되고 있는 작업을 보기 위해 지붕 밑 그의 원룸으로 갔다. 모두 매우 만족스러웠다. 그는 내 작은 시에나의 트립티쉬(이 철자가 맞는가요?)를 다루는데 엄청 어려움을 겪었다. 18개월 동안이나 그 작업에 대한 청구서를 받은 적이 없고 아마 앞으로 영원히 받지 못할 것 같다.

그 후 나는 그에게 스피노자 씨에 대해 말하고 어떤 새로운 협의에 대해 설명했다. 그는 전혀 그걸 좋아하지 않았지만 그의 입에

금을 가득 채워주자 곧 조용해졌다. 금을 티 캐디(잎차를 보관하는 전용 보관상자)에 숨겼다. 그의 썩은 양파 냄새나는 숨결로부터 빠져나오기 전에 행해야 할 또 하나의 시련이 기다리고 있었다.

"조율을 위해 시간이 좀 필요해."

그가 성병 예방약을 나눠주는 군수장교가 띠는 부끄럽고 멋쩍은 태도로 외쳤다.

"최고야, 멋져."

내가 위선적으로 손을 비비면서 대답했다.

그는 400파운드나 지불한다. 작은 전자 오르간에 앉아 〈돌아가라, 오, 당신의 어리석은 방법을 그만두라〉를 불러주었다. 대부분의 웨일즈 인들의 목소리에는 일종의 번들거리는 금 아래 있는 마분지처럼 흥미롭게도 뭔가 꺼림칙한 게 있는데, 이게 나를 매우 짜증스럽게 한다. 피트의 노래는 대중 바에 가득 찬 사람들로 하여금 순수한 기쁨의 눈물을 흘리게 할 수 있다. 내가 봤다. 하지만 그걸 보면 항상 내가 스팸 샌드위치를 너무 많이 먹었구나 싶은 느낌이 든다.

나는 큰 소리로 칭찬했다. 그리고 그 시점에서 당연한 것이었기에, 겸손하게 또 다른 음악을 연주해 달라고 간청했다. 그는 〈피로 가득한 분수가 있다〉를 들려주었는데, 이건 언제나 들어도 기분이 좋다. 다 끝난 후 나는 비틀거리며 층계를 내려 거리로 나갔다. 창자가 진한 차와 불길한 예감으로 묵직해진 채.

토요일 밤 6시 반에 베쓰널 그린 로드는 택시가 잡히는 곳이 아니었다. 결국 나는 버스를 탔다. 버스기사는 첫눈에 나를 미워하는 것 같았다. 내가 차에서 내린 후에도 계속 날 미워할 수 있도록 내 얼굴을 기억해 놓으려 한다는 것을 알 수 있었다.

나는 매우 침울해져서 아파트에 돌아와, 조크가 내 모자와 코트를 받아 가져가는 동안 흐느적거리며 서 있었다. 그는 내가 좋아하는 의자로 나를 데려가서 앉힌 후 힘센 짐마차용 종마를 기절시키도록 만들어진 위스키 잔을 가져왔다. 나는 아멜리타 갈리쿠르가 티토 스키파와 부른 〈운디 펠리스〉 레코드를 틀 만큼 팔팔해졌다. 벨칸토(매끄럽고 부드러운 창법을 중시하던 19세기 오페라 스타일) 부분이 나를 안심시켰고, 앨범의 나머지 음악들이 나의 불안한 예감을 거의 흩어지게 했다. 목욕을 하고 디너 재킷을 입자 나는 윌톤의 사랑스러운 아르누보 스타일의 실내장식이 생각났고 뿐만 아니라 그곳의 굴로 만든 모르네이(치즈, 우유, 버터로 만든 소스)를 먹고 싶은 마음이 들었다. 나는 딴 곳에서 먹는 것은 생각도 할 수 없는 맛있는 구운 커스터드도 먹었다.

텔레비전에서 시간에 맞춰 아주 재미있는 존 웨인 서부극을 하고 있었다. 나는 조크가 그걸 나와 같이 보도록 허락했다. 우리는 엄청 많은 위스키를 마셨다, 토요일 밤이었으니까.

5

그의 옆에 항상 있는 레오파트 개 같은 것은 무엇인가,
모든 눈 속에 비굴하게 숨어있는 음흉함과 거짓말인가?

방종한 독자인 당신은 때로 느끼겠지만, 당신이 술을 마셔 완전
히 몽롱하게 되지 않는 한, 브랜디가 잠을 불러오기보다는 쫓는다
는 것을 알아차렸을 것이다. 나는 브랜디를 마신 사람들에게서 들
었는데 싸구려 브랜디일수록 그 효과가 훨씬 두드러진다. 그렇지
않으면 스카치위스키다. 그건 정말 유순한 액체이다. 아, 최초로
그걸 발명해낸 사람에게 정말 찬양을 하고 싶다. 하지만 그것을 16
온스씩 10년 정도 매일 마시게 되면 원시적 행위를 할 열정이 줄어
든다. 나는 내가 축 늘어져 힘을 못쓰는 것이 경험 많은 바람둥이
에게 자연적으로 찾아오는 권태감과 나이 드는 것이 결합한 결과
라고 생각하고 있었다. 하지만 조크가 내 생각을 바로잡아주었다.
그는 그걸 '과음으로 인한 발기부전'이라고 불렀다.

그렇다 할지라도 12년 숙성된 좋은 스카치를 상당량 마시면 완
벽하게 6시간을 잘 잔다. 그리고 아침에 일어나 부산스럽게 움직
이고 싶은 충동이 생긴다. 따라서 나는 중국산 홍차 없이도 일어나

서는, 조크에게 일찍 일어나는 것의 장점을 지적해줄 요량으로 쿵쿵거리며 아래층으로 내려갔다. 약간은 분하게도, 그는 벌써 일어나 아파트에 없었다. 그래서 나는 스스로 내 아침을 만들었다. 벡스 맥주 한 병 말이다. 나는 진심으로 그걸 추천할 수 있다. 차를 마시고 싶지 않은 척은 하지 않겠다. 하지만 난 새 전기주전자가 조금 무섭다. 내 경험상 전기주전자는 그게 끓길 기다리며 옆에 서 있으면 사납게 뚜껑이 튀어오른다.

일요일 아침 일찍 런던에서 할 유일한 일은 로우 클럽에 가는 것이다. 나는 거기로 갔으나, 작은 마을을 밝힐 만큼 강력한 파워를 가진 조크의 거대한 오토바이는 없었다. 나는 프랑스 사람 특유의 변덕스런 윙크를 하며 지나가는 고양이에게 어깨를 으쓱했다. 조크가 또다시 사랑에 빠졌나보다.

로우 클럽은 훔친 개들을 파는 구린데가 있는 친구들이 줄지어 있었던 곳이다. 지금은 거대한 옥외 마트다. 나는 한 시간이나 어슬렁거리며 돌아다녔다. 나는 조크를 놀리기 위해 혐오스러운 플라스틱 물건을 하나 샀다. 그건 '저런 괘씸한 개'라고 불렸다. 그리고는 엄청 심란해져서 집으로 돌아왔다. 나는 기운 찬 예수회 설교를 하나 들으러 팜 스트리트에 잠깐 들를까 생각했지만 현재 내 기분으로는 너무 위험할지도 모른다는 느낌이 들었다. 혈기왕성한 예수회 설교의 달콤한 논리와 명확성은 아름다운 노래로 선원을 유혹하는 사이렌의 노래처럼 나를 유혹한다. 그리고 나는 내가 구원된다는 것이 두렵다.

조크는 집에 있었고 내가 일찍 일어난 것에 대해 애써서 놀라지 않았다. 우리는 서로 묻질 않았다. 그가 내 아침상을 차리는 동안 나는 '저런 괘씸한 개'를 카나리아 새장에 밀어 넣었다.

그리고 나서 마트랜드가 전화할 때까지 조금 잤다.

"이봐, 찰리."

그가 꽥꽥 짖어댔다.

"안 되겠어. 그 외교적인 것을 도대체 해볼 수가 없어, 외교부는 나보고 냉큼 사라져버리라고 하더군."

나는 이 세상의 마트랜드 같은 자들에게 우롱 당할 기분이 아니었다.

"아주 좋아."

내가 활기차게 힘을 주어 말했다.

"모든 걸 없던 걸로 하지."

그리고 전화를 끊었다. 그런 후 옷을 갈아입고 점심 먹으러 로얄 카페로 방향을 정했다.

"조크."

내가 떠나며 말했다.

"마트랜드 씨가 결국 모든 게 잘됐다고 말하려고 바로 전화를 다시 할 거야. 그러면 그에게 '좋아요.' 라고 말해줘. 알았지?"

"알았어요, 찰리 씨."

로얄 카페는 그곳에 자주 오는 척하는 사람들로 가득 차 있었다. 점심이 좋았는데 뭐였는지 잊어버렸다.

내가 아파트로 돌아오자 조크는 마트랜드가 캐논버리라고 부르는 먼 곳에서 직접 언쟁을 하러 왔었지만 그를 쫓았다고 말했다.

"빌어먹을, 그가 매트에 침을 뱉었어요."

이렇게 조크는 그의 심기를 요약했다.

나는 침대로 가서 잠들 때까지 외설적인 책을 읽었는데, 금방 잠이 들었다. 당신은 내가 읽은 이 책보다 더 이상 좋은 외설책들을 구할 수 없다. 요즘은 장인이 없잖아. 칼라 사진이 있는 스웨덴 책은 최악이다, 그렇게 생각하지 않는가? 산부인과 그림같다.

스폰 여사가 나를 깨웠다. 빨간색의 젖은 듯이 보이는 바지 정장을 입고 침대로 쳐들어 왔다. 그녀는 물에 빨아도 되는 부정한 여자처럼 보였다. 나는 그녀가 진 루미 게임을 하려고 여기 왔을 뿐이라고 약속할 때까지 이불 아래로 숨었다. 그녀는 진 루미 게임을 멋지게 했지만 엄청 운이 없었다. 불쌍한지고. 나는 보통 6, 7 파운드를 그녀에게서 땄지만 그런 후 그녀는 실내장식 명목으로 나에게서 엄청나게 긁어갔다. 진 루미 게임을 할 때 우연히 카드 하나를 박스에 남겨놓는 것이 내가 항상 하는 일이다. 예를 들어 스페이드 9, 하나가 없는 것이 얼마나 유리한지… 놀라울 정도다.

잠시 동안 그녀는 항상 그렇듯이 추위에 대해 불평했다. 난 중앙난방을 하지 않을 것이다. 그것은 골동품 가구들을 망치며 기관지를 마르게 한다. 그래서 그녀는 항상 그러하듯 내 옆으로 침대에 들어왔고, 맙소사 그녀는 나이가 60살인 것이 확실하다. 우리는 잠시 손으로 '잡았다' 놀이를 했다. 그러고 나서 그녀가 종을 울려 조크가 우리 사이로 칼집 없는 칼과 마늘빵, 따뜻한 파스트라미 샌드위치를 많이 가져왔다. 우리는 창자에는 지옥이지만 감미롭고 엄청 싼 발폴리카를 마시고 있었다. 나는 그녀로부터 6,7파운드를 땄다. 너무도 멋진 저녁이었다. 그때를 회상하면 눈물이 난다. 이런 순간들은 단지 기억하라고 있는 것이다.

마지막 '잡았다' 놀이를 하고 그녀가 가고나자 조크가 야식 배급을 가져왔다. 위스키, 우유, 닭 샌드위치와 위궤양에 먹을 알루미늄 수산화물.

"조크,"

내가 공손히 감사를 표한 후 말했다.

"오플라허티의 작은 재수없는 놈, 그 못된 퍼스를 어떡하지?"

"벌써 제가 처리했습니다, 찰리 씨."

"선생님이 일어나기 전에 오늘 아침에요."

"정말 그랬단 말이야, 조크? 세상에. 자넨 모든 걸 생각하는군. 심하게 다치게 했나?"

"예, 찰리 씨."

"오, 이런, 아주 심각한 건 아니겠지?"

"솜씨 좋은 치과의사가 두 달 동안 치료해도 제대로 해놓을 수 없을 정도로요. 그리고 그가 잠시 동안은 연애를 하고 싶은 마음이 날 것 같지 않은데요. 무슨 말인지 아시죠?"

"불쌍한 어린 친구."

"그렇죠."

조크가 말했다.

"안녕히 주무세요, 찰리 씨."

"하나 더."

내가 활기차게 말했다.

"카나리아 새장의 청결상태가 걱정이야. 깨끗하게 청소해줄 거지, 제발?"

"벌써 했는뎁쇼, 찰리 씨. 점심 먹으러 나가셨을 때."

"오, 다 괜찮나?"

"옛, 물론입쇼."

나는 그날 밤 잠을 설쳤다. 숙면은 취할 수가 없었다.

크램프나 글록 중 하나가 협의된 계획에서 떨어져 나갔다면 불굴의 의지로 견딜 수 있었을 것이다. 하지만 3명 중 멍청이가 둘이라니… 그건 너무 가혹하다. 나는 호크보틀 글록이 처음 나에게 접근했을 때 그에게 그의 위엄있는 친구를 공갈협박하는 걸 도울 의도가 없다고 말했다. 호크를 크램프에게 소개하는 것이 내가 준비한 최선의 것이었다. 나중에, 크램프가 나에게 그 사진을 조잡하게 돈을 쥐어짜기 위한 것이 아닌, 잘나가는 미술품을 그에게 수출하는 것을 수월하게 하는데 이용할 수 있다고 제안했다. 나는 그가 나에게서 천천히 승락을 쥐어짜내도록 내버려 두었다. 하지만, 내가 각본을 쓰고 주도적인 역할과 희극적인 기분전환, 긴장상태를 푸는 숨돌림을 하는 역할을 둘 다 맡는 조건을 달았다. 하지만 슈나즐 두란이 "모든 사람이 연극에 등장하고 싶어한다." 라고 말했듯이, 글록은 이미 이 연극에서 열병의 값을 치렀다. 그리고 크램프도 이미 견적 송장(送狀)을 받은 것처럼 보였다.

6

부드러운 은빛 감정 아래의 암류(暗流 겉으로 드러나지 않는 불온한 움직임)를 푼다면 어떻게 될까? 그 사나운 짝으로부터….

— 소르델로

월요일 무척 불편한 시간에 전화가 나를 깨웠다. 달콤한 미국 목소리가 모데카이 씨 비서와 이야기할 수 있는지를 물었다.

"자암깐만 기다리세요."

내가 노래하듯 대답했다.

"여어어어언결해 드리겠습니다~."

나는 전화기를 베개 밑에 눌러놓고 담배에 불을 붙이면서 이 전화가 걸려온 상황을 놓고 진지하게 생각해 보았다. 마침내 나는 종을 울려 조크를 불렀다. 그에게 간단히 설명한 후 전화기를 넘겨주었다. 털이 북슬북슬한 엄지와 핑크빛의 살짝 구부러진 검지로 전화기를 붙들고 그는 플룻을 불듯.

"모데카이 씨의 비서입니다."

그런 후 그는 낄낄거렸다. 전화기는 바닥으로 떨어졌다. 그 감미로운 미국 억양 목소리는 아주 기이하다고 생각했음에 틀림없다.

그 목소리는 미대사관의 블러처 대령의 비서였고, 블러처 대령이 모데카이 씨를 10시에 뵙고 싶다는 거였다. 조크는 모데카이 씨가 그 시간에 침실을 나오는 법이 없고 침대에서 신사를 맞는 법이 결코 없다고 말했다. 더 킬킬대면서. 하지만 그 목소리는 조금도 감미로움을 잃지 않은 채, 블러처 대령이 사실은 모데카이 씨가 자기에게 전화를 할 걸로 생각하고 있었고, 10시 반이 더 편하다고 말했다. 조크는 튼튼한 호위부대 액션을 취했다. 흥미롭게도 그는 나처럼 게으른 사람을 위해 일하는 것을 나름 자랑스러워한다. 그리고 그들은 마침내 12시로 흥정을 마쳤다.

조크가 수화기를 내려놓자마자 나는 그것을 다시 들어 대사관 번호를 돌렸다. 번호는 499-9000이다. 당신이 혹시 알고 싶어할까 봐서 알려준다. 이제껏 내가 들어본 목소리 중 가장 아름다운 목소리가 대답했다. 털로 뒤덮인 듯, 부드러운, 높은 목소리가 내 꼬리뼈를 곱슬머리처럼 배배 꼬이게 만들었다. 그 목소리는 딱 이것처럼 말했다.

"저를 안아주고 싶으세요?"(대사관embassy과 안아주다embrace 발음이 비슷하다.)

"예?"

말을 더듬었다.

"뭐라고요? 뭐라고요?"

"미국 대사관입니다."

이번에는 좀 더 깨끗한 톤으로 말했다.

"오. 네. 당연하죠. 제가 알고 싶은 것은 혹시 블러처 대령이 거기서 일을 하는지요?"

딸깍하는 소리, 기계의 '우웅' 거리는 소리가 들렸고, 내가 뭐라

말 하기도 전에 다시 원래의 그 달콤한 목소리와 대화를 나누게 되었다. 그녀는 이번에는 블러처 대령의 비서라고 말하지 않고 자신은 작전실, 컴퀵젝, 섹셋식스 등등의 허튼소리를 했다.

나는 블러처 대령이 실존인물인지 아니면 그저 사람을 웃음거리로 만드는 비정한 장난인지를 알아보기 위해 확인하는 것뿐이라는 말을 하지 못했다. 어떻게 할 수 있겠는가? 결국, 약간 더듬은 다음, 나는 당신의 보스와 정오쯤에 약속이 있는데 그로스베너 스퀘어의 대사관 주소가 뭐냐고 물었다. 내가 득점을 많이 해야 하는 것이었다. 멋진 대응이었다는 걸 당신은 인정해야 한다. 그러나 그녀는 재빠르고 공격적인 카운트 펀치로 내게 한 방을 먹였다.

"24번입니다."

그녀는 망설이지 않고 지저귀듯이 대답했다.

"2, 4입니다."

나는 한두 마디 예의있는 말을 중얼거리고 전화를 끊었다. 맙소사, 그렇게 진심 위대한 곳이 거리 번호를 가진 걸 생각해 보라.

조크는 시선을 돌렸다. 그는 젊은 주인이 언제 비난을 받았는지를 알고 있다. 나는 뚱해서 한동안 아침식사를 밀어 놓다가 조크에게 필요한 사람들에게 줘버리라고 말하고, 그 대신 나에게는 두 종류의 베르무트를 넣은 진 큰 한 잔과 탄산이 든 레모네이드를 가져오라고 말했다. 그는 재빠르게 행동해서 그 음료를 순식간에 가져왔다.

향기로운 커슈(구강청결제)를 빨면서 나는 그로스베너 스퀘어로 걸어갔다. 단정하게 옷을 입고 미친듯이 머리를 굴리면서. 이런 숙고는 쓸데없었다. 내 마음은 산과 황무지 위에 새롭게 부드럽게 내린 눈처럼 하얗게 텅 비어 있었다. 커슈 효과는 대사관 통로에 도착할 때까지였다. 통로 안에는 군인 하나가 쉬어 자세로 우스꽝스럽게 서 있었다.

우락부락하고 돌출된 턱의 군인이 대사관 앞에 존재하는 이유가 사회주의자나 기타 미국의 헌법을 타도하려는 녀석들을 쫓아내기 위해서라고 보였다. 나는 그의 눈을 대담무쌍하게 바라보며 여기가 24냐고 물었다. 그는 모른다고 했다. 그가 모른다는 사실에 훨씬 기분이 나아졌다.

연속해서 빌딩 안으로 들어가는 멋진 젊은 아가씨들에게 이끌려 빌딩 안으로 들어갔다. 그들은 하나같이 키가 크고 날씬하고 깔끔해 보였고 우아했으며, 엄청 큰 가슴을 가지고 있었다. 나는 돛을 내릴 시간도 없이 블러처 대령의 외부 사무실에 도착했고, 그곳에 바로 그 목소리의 비서가 앉아 있었다. 그녀는 알맞은 크기의 가장 훌륭한 가슴을 가지고 있었다. 눈 깜빡할 새에 나는 내부 사무실로 안내되었다. 그곳에서는 마르고, 건강한, 유니폼을 입은 젊은이가 나에게 의자를 권했다.

나는 궁둥이를 의자에 대자마자 그 의자를 알아보았다. 빛나는 가죽으로 덮여 있었고 앞 다리들이 뒷다리보다 5인치 짧았다. 그래서 앉아 있는 사람은 막연하게 불편함, 덧없음, 열등감 등을 느끼게 된다. 나 자신도 그런 의자가 있는데 나에게 그림을 팔려고 오는 친구들을 앉히는 용도로 쓴다. 이유 없이 이런 쓰레기에 앉을 수 없다. 나는 일어나서 소파쪽으로 갔다.

"죄송합니다."

내가 온순하게 말했다.

"제가 치핵이 있는데, 아, 치질이 뭔지 아시죠?"

그는 알고 있었다. 그가 얼굴에서 쪼개는 미소로 판단하건데, 그도 막 치질에 걸렸음을 알 수 있다. 그는 탁자 뒤에 앉았다. 내가 눈썹을 치켜뜨며.

"블러처 대령과 약속이 있습니다."

"내가 블러처 대령입니다, 선생님."

그 애송이가 말했다.

나는 여전히 의자에서 소파로 움직여 가는 중이었다. 그는 나에게 말하려면 목을 비틀고 목소리를 높여야 했다. 그는 대령이 되기에는 지나치게 어려 보였고 흥미롭게도 그의 유니폼이 몸에 맞지 않았다. 당신은 잘 맞지 않는 유니폼을 입은 미국 장교를, 아니 미국 이등병을 본 적이 있는가? 이 생각을 떨쳐버리려고 그에게 말했다.

"오, 아."

그게 내가 선택한 문구다.

시간을 더 주었다면 더 잘했을지도 모른다.

그는 펜을 뽑아들어 그의 빛나는, 아무것도 없는 책상 위에 놓여 있던 폴더를 이리저리 뒤적거렸다. 그 폴더에는 모든 종류의 색색의 표시가 붙어 있었고 그 중에 검은색으로 감탄사가 들어있는 큰 오렌지색 표시가 있었다. 아마도 그 파일이 '모데카이 경'으로 이름 붙여져 있다는 끔찍한 생각을 했지만, 그 파일은 단지 나를 놀라게 하기 위한 것이라고 생각을 고쳐먹었다.

"모데카이 씨."

그가 마침내 말했다.

"우리는 당신의 외무부로부터 당신에게 임시 외교 통행허가증을 허가해 달라는 부탁을 받았습니다. 그런데 워싱턴의 영국 대사관이나 다른 공사관이나 영사관에서 당신을 뽑아 파견할 의도가 실제로는 없는 것처럼 보이고, 당신 국가의 외무부에 있는 우리 쪽 사람들은 당신에 대해 아무것도 모릅니다. 우리는 그들이 별로 신경 쓰지 않는다는 인상을 받았다고 말할 수 있는데, 이 상황에 대하여 뭐라 하고 싶은 말이 있는지요?"

"아뇨."

내가 대답했다.

이것이 그를 기분 좋게 만든 것 같았다. 그는 다른 펜으로 바꾸고 폴더를 두드렸다.

"모데카이 씨, 당신의 '미국 방문 보고서'를 내가 작성하는 걸 감사하게 될 겁니다."

"저는 외교부 도장을 받아 귀한 골동품 자동차를 배달하려는 겁니다."

내가 말했다.

"그리고 남부와 서부 관광을 좀 하려고 합니다. 저는 옛 서부에 대해 무척 관심이 많거든요."

나에게 비책이 있음을 의기양양하게 인식하면서 나는 도전적으로 덧붙였다.

"그렇죠, 그럼요."

그가 정중하게 말했다.

"당신이 쓴 〈미국 개척지로의 19세기 영국 여행자들〉에 대한 기사를 읽었습니다. 아주 멋졌어요."

순간 내 비책을 숨겨둔 나의 소매에 분명 구멍이 있었으며 누군가가 모데카이에 대해 조사를 해왔다는 더러운 기분이 들었다.

"우리는 의아해했죠."

그가 계속했다.

"누가 빈 자동차를 외교적으로 도장을 찍어 허락하길 원하겠느냐고. 사실, 자동차 안은 텅 비어 있는 거죠, 모데카이 씨?"

"개인적 물품들. 말하자면, 신사의 말쑥한 양복들을 넣은 가방, 비싼 맞춤 남성복 가방, 그때 그때 기분에 맞출 책을 넣은 캔버스 백, 어떤 책도 아주 외설적인 건 아니에요. 담배와 오래된 스카치 위스키 같은 게 들어갈 겁니다. 원하신다면 마지막 물품에 대해서는 관세를 기꺼이 치르도록 하지요."

"모데카이 씨, 만일 우리가 당신의 외교적 위치를 받아들인다면? 그가 그 지점에서 순간 꾸물거렸다. 물론 우리는 당신의 위치를 전적으로 존중할 것입니다. 하지만 당신도 알다시피, 우리는 이론상으로 당신을 주재국의 승인을 얻지 못했다고 공표할 권리가 있습니다. 비록 당신 나라를 대표하는 분들에게 거의 적용하는 법이 없긴 하지만."

"그렇죠."

"옛날 녀석은 잘 빠져나갔죠, 그렇지 않나요?"

그는 귀를 후볐다. 나는 혀를 깨물었다.

"버거스 씨를 잘 아셨습니까?"

그가 펜이 제조상 결점이 있는지 꼼꼼하게 살피면서 물었다.

"아니요."

내가 외치듯이 말했다.

"아닙니다. 거의 만난 적이 없어요. 아마도 가끔씩 샤베트 한 그릇 씩은 먹었어요. 제 말씀은, 버거스 녀석과 같은 도시에 살면서 때로 같은 바에 있지 않을 수 없지 않습니까, 그렇죠? 확률의 문제라는 말씀이죠."

그는 폴더를 열어 기분이 상한다는 듯이 눈썹을 올리면서 몇 줄을 읽었다.

"공산주의자나 무정부주의 정당 소속인 적이 있었나요, 모데카이 씨?"

"세상에나, 아닙니다!"

내가 기분 좋게 큰 소리로 외쳤다.

"추잡한 자본주의자, 바로 접니다. 노동자들의 얼굴을 갈아버린다고 해야겠죠."

"언제 학교에 다니셨습니까?"

그가 부드럽고 신속하게 물었다.

"오, 음, 그래요, 한두 번 학교에서 하는 토론회에서 공산당 편을 들었다고 생각해요. 하지만 6학년 이하에서는 우리 모두가 종교가 공산주의로 되지요. 그건 여드름과 같이 가버려요. 제대로 된 성교를 하자마자 사라져버리죠."

"그래요."

그가 조용하게 말했다. 난 갑자기 그의 얼굴에 여드름이 난 걸 보았다. 사람들이 말하듯이, 이제 투 스트라이크다. 도대체 어떻게 하루 이틀 사이에 그들이 나에 대한 안 좋은 정보를 밑바닥까지 훑었단 말인가? 더 기운 빠지는 생각이지만, 내 정보를 며칠 동안만 훑었단 말인가? 폴더는 두툼했고 웨일즈 여자 바텐더만큼 관리가 잘된 듯 보였다. 화장실에 가고 싶었다.

침묵이 계속되었다. 나는 전혀 마음이 동요되지 않았음을 보여주기 위하여 담뱃불을 붙였다. 그는 버튼을 누르더니 비서에게 재떨이를 가져오라고 시켰다. 에어컨도 더 세게 틀었다. 스트라이크 3개. 내가 공을 던질 차례다.

"대령님."

내가 쾌활하게 말했다.

"제가 대령님께 귀족으로서 명예를 걸고 정치에는 전혀 관심이 없고, 나의 임무는 마약, 밀수, 현금, 백인 매춘부 매매, 변태, 마피아와는 아무 관계가 없고 단지 최고로 높으신 어떤 분의 이해와 관련이 된다고 말씀드린다면?"

놀랍게도 이 말이 먹힌 것 같았다. 그는 천천히 머리를 끄덕이고 파일 앞에 서명한 후 의자 깊숙이 앉았다. 미국 사람들은 흥미롭게도 구식인 데가 있다. 분위기가 누그러지는 걸 느낄 수 있었다. 에어컨조차도 곡조를 바꾼 것 같았다. 나는 한쪽 귀를 쫑긋 세웠다.

"용서하십시오."

내가 말했다.

"하지만 당신 축음기의 줄이 다 떨어진 것 같은데요."

"아, 고맙소."

그가 말하고 또 버튼을 눌렀다. 그 큰 유방 달린 비서가 미끄러져 들어와 줄을 바꾸고 나가면서 나에게 살짝, 깨끗한 미소를 던지며 미끄러져 나갔다. 영국인 비서라면 코를 훌쩍였을 것이다.

"밀튼 크램프를 아십니까?"

블러처가 갑자기 물었다. 분명히, 야구 게임은 아직도 진행중이었다.

"크램프?"

내가 말했다.

"크램프? 예, 정말 아주 훌륭한 제 고객이시지요. 며칠 그분과 같이 지내고 싶어요. 아주 상냥한 늙은이지요. 물론 약간 잘난 체하지만 그분은 그럴 만하지요, 그렇지 않나요? 하 하."

"글쎄요, 아닙니다, 모데카이 씨, 사실 저는 밀튼 크램프 주니어의 아들인 밀튼 크램프 3세 박사를 말하는 겁니다."

"아, 그렇군요."

내가 진심으로 말했다.

"한 번도 만난 적이 없습니다."

"정말인가요, 모데카이 씨? 하지만 크램프 박사는 잘 알려진 미술역사학자입니다, 그렇죠?"

"처음 듣는 소리인데요. 어느 분야인가요?"

대령은 파일을 쭉 넘겼다. 아마 그것은 크램프 파일인듯.

"그는 미국과 캐나다 잡지에 많은 논문을 발표한 것 같습니다." 그가 말했다.

"앙드레 드랭(프랑스의 야수파. 마티스의 화풍에 매료됨)의 중기 작품의 비이미지. 라울 뒤피(프랑스 화가. 빛과 색의 축제를 정열적으로 표현) 작품에서의 색·공간 관계, 페르낭 레제(프랑스의 입체파 화가)와 반상징주의 등."

"잠깐만요!"

내가 몹시 당혹해하며 외쳤다.

"충분하오. 나도 나머지 제목을 지어낼 수 있소. 나는 이런 종류의 일을 잘 알고 있소. 그리고 내가 아는 한 그건 미술역사와는 아무 관련이 없소. 내 일은 옛 거장들과 관련되어 있고, 나는 벌링톤 잡지에 발표하오. 난 이 크램프와는 상당히 다른 종류의 속물이요. 우리는 아주 방향이 다르지요."

"그렇군요."

그는 전혀 알지 못했다. 하지만 그걸 인정하느니 차라리 죽을 것이다. 우리는 한바탕 겉치레 말을 하면서 헤어졌다. 그는 여전히 젊어 보였지만 내가 들어왔을 때만큼 어려 보이지는 않았다. 나는 다시금 생각에 잠겨 집으로 돌아왔다.

조크는 나를 위해 닭간 볶음을 준비했지만 그런 사치를 즐길 위장이 아니었다. 그 대신 나는 바나나와 진 술병의 약 1/3을 먹었다. 그런 후 앉아 잠깐 졸다자다했다. 잠깐 조는 것은 문제가 있을 때 실질적으로 도움을 준다. 나에게는 잠이 내가 학교 다닐 때 다른 아이들에게 존재했던 친절하고 현명하며 담배냄새가 나는, 트위드 옷을 입은 영국 아버지 자리를 대신했다. 당신이 언덕을 넘어 오랫 동안 걸어가면서 이런저런 이야기를 같이 할 그런 아버지. 당신에게 "친구는 최선을 다할 뿐이야."라고 무뚝뚝하게 말해주며 "남자답게 행동해야 한다."고 말하면서 송어 플라이 낚시를 가르쳐줄 그런 아버지.

내 아버지는 그렇지 않았다.

나에게는 잠이 이 수수께끼 같은 사람의 자리를 대신하곤 했다. 때로 나는 위로받고 충고받고 걱정이 사라지고 내 임무를 명확하게 알게 되면서 잠에서 깨어나곤 했다.

하지만 이번에는 상쾌해지지 않은 채 머릿속에 좋은 소식들이 가득 차지 않은 채로 일어났다. 내 어깨 위의 따뜻한, 트위드 옷의 위안이 없었고, 머리 해골 아래쪽에서 진 먹은 후의 두통을 느끼며 입 속에서는 개똥맛이 날 뿐이었다.

깨끗한 셔츠와 세수한 얼굴이. 약간의 위안을 주었지만 여러 가지 조그만 걱정거리들이 여전히 있었다. 나는 우연의 일치를 싫어하고, 특히 유니폼이 잘 맞지 않을 때와 영리한 젊은 미국 대령들을 혐오한다.

당시 나는 약간의 역경이 있어도 그것을 솜씨 좋게 다루는 즐거움 때문에 역경을 항상 환영하는, 쾌활하고 걱정 없는 녀석이었다.

그래서 걱정스러워하는 내 감정에 대해 스스로 걱정이 되었다. 사람은 변비가 걸렸을 때만 곧 닥칠 불행에 대한 감각만 가져야 하는데, 나는 그렇지 않았다.

조크는 내가 나타나자 뻣뻣한 봉투를 내게 건넸다. 그것이 내가 잠자는 사이, 그가 묘사하기를, 볼링선수 모자에다 길게 눈 오줌 같이 생긴 사람이 배달해 놓고 갔다고 했다. 조크는 목적을 가지고, 그에게 1파인트 맥주를 권했는데, 무뚝뚝하게 거절당했다고 한다.

그 작자는, 다른 누군가의 비서의 비서쯤 되는 사람의 보조 개인비서로 보이는데, 나에게 L. J. 크라우치라는 사람을 만나야하니 다음 날 오전 10시 30분 새 정부 사무실 504호로 올 것을 요청하라는 지시를 받았다고 말했다.

나는 내 행동에 대해 딱 두 가지 기본규칙만 가지고 있다.

규칙 A, 내 시간과 서비스는 낮과 밤 언제고 완전히 고객 맘대로, 타인에게 이익이 간다면 어떤 어려움도 그냥 지나치지 않는다는 것이다.

규칙 B, 내가 골탕을 먹어야 된다면 나는 절대로 그 골탕을 먹지 않는다는 것이다.

나는 조크에게 그 쪽지를 주었다.

"이건 분명 규칙 B에 들어가지, 그렇지 않아, 조크?"

"정말 그렇군요, 찰리 씨."

"10시 30분이 말한 시간이지?"

"예."

"그럼 아침 11시에 나를 불러."

"알겠습니다, 찰리 씨."

그 태평하고 무관심한 표현에 기분이 좋아져서, 나는 비어래스와미(런던의 맛이 좋은 인도식당)로 천천히 걸어가서 카레를 넣은 양고기와 버터 바른 차파티를 잔뜩 먹었다. 멋지게 차려입은 도어맨이 내 호주머니에서 찾은 것 중 가장 빛나는 반(半) 크라운 금화를 준 대가로 평소대로 멋진 군대식 경례를 했다. 가격에 비해 싸다. 우울해지면 가서 당신에게 경례해줄 사람을 찾아라.

내 얼마 안 되는 경험상, 카레는 여자들로 하여금 침대에 가서 사랑을 하고 싶도록 만든다. 카레를 먹으니 나도 침대에 가서 내 뱃살을 없애고 싶었다.

나는 비참하게 그 느낌을 가지고 침대로 왔고 조크는 내 피를 식히기 위해 위스키와 소다를 갖다줬다. 나는 칼 포퍼의 〈역사주의의 빈곤〉을 잠시 읽다가 사냥모자를 쓴 펀자브 대령들에게 죄책감을 느끼게 되는, 엉큼한 꿈을 꾸며 잠들었다.

도둑이 들어왔다는 알람이 새벽 3시에 울렸다. 우리가 집에 있을 때 이건 위협적인 주파수 음높이에 낮은 징징거리는 소음의 형태를 띠는데, 침실 두 개 모두와 화장실 두 개, 응접실, 조크의 화장실에서 울린다. 알람은 우리가 둘 다 경계태세라는 것을 알 수 있도록 우리 각자가 스위치를 누르자마자 멈춘다. 나는 내 스위치를 눌렀고 알람은 즉시 멈췄다. 나는 자고 있는 모데카이인 척 보이게 하기 위하여 침대이불 아래 베개 밑에 까는 긴 베개 받침을 쑤셔넣은 후 내 위치로 갔다. 그곳은 침실의 가장 어두운 코너에 있는 팔걸이 의자이다. 팔걸이 의자 위에는 오랜 구너총이 있는데 그중 하나가 오른쪽 배럴에는 아주 작은 산탄이, 왼쪽에는 비비가 장전되어 있는 조 마톤의 8충구 엽총이다. 그 아래의 벨을 잡아당기면 그걸 벽에 받치고 있던 걸개가 풀린다. 나는 그곳에서 움직이지 않고 숨어서 문과 창문을 살펴본다. 한편 조크는 알람이 어디에서 시작했는지 확인하기 위해서 벨 받침대를 체크했다. 그리곤 퇴로를 끊고, 필요하면 내 방으로 침입자가 올라올 수 있도록 배달원이 쓰는 문에 위치한다. 나는 극도로 조용한 침묵 속에서 숨어 있었는데 그 침묵은 카레 방귀가 나올 때만 깨졌다. 카레는 마치 세탁기 속의 양말처럼 내 안에서 휘돌고 있었다.

억겁만큼이나 오랜 시간이 흐른 후 알람이 짧은 삑 소리를 냈다. 이건 아래로 내려간다는 내 신호다. 두려움에 흠뻑 젖어 나는 부엌으로 내려갔다. 거기에 조크가 손에 오래된 9밀리 반자동 권총 루거(독일에서 제작된 자동권총)를 들고 발가벗고 어슴푸레하게 서 있었다. 벨 받침대에는 앞문이라고 표시된 보라색 빛이 여전히 미친 듯이 깜박이고 있었다. 몇 번 머리를 홱 홱 움직여 우리의 작전을 대강 보여주었다. 내가 로비와 앞문을 커버할 수 있는 거실로 미끄러지듯이 움직이고, 조크는 조용하게 배달원 문의 빗장을 잡아당겼다. 나는 그가 그것을 확 비틀어 열고 복도로 튀어가는 소리를 들었다. 그런 후 그가 낮고 긴급하게 불렀다. 나는 식당을 통과해 부엌으로 들어갔다가 문 밖으로 달려갔다. 조크만 복도에 있었다. 나는 그의 눈길을 따라 엘리베이터 표시등을 보았다. 5였다. 내 층수가 맞다. 그때 엘리베이터 모터가 그르렁거렸고 5가 잽싸게 움직였고 조크가 계단 난간으로 돌진해서 일초도 안 되어 아래로 사라졌다. 당신이 조크의 액션을 봤어야 했다. 겁나는 광경이다, 특히 그때처럼 홀딱 벗었을 때는. 나는 반층을 달려 내려가다가 죽이어진 계단의 우물 속을 볼 수 있었다. 조크가 엘리베이터 도어를 커버하면서 일층에서 진지를 차지했다. 1, 2초 후 그는 뛰어올라오더니 사라졌다. 한동안 어리둥절하다가 나는 갑자기 엘리베이터가 지하로 갔음이 틀림없음을 깨달았다. 나는 전속력으로 질주해 내려가, 이제 두려움은 모두 잊은 채 3층에 도달했을 때, 엘리베이터 표시등을 힐끗 보았고 엘리베이터가 다시 올라가고 있음을 알았다.

다시 위로 날아서 숨을 헐떡이며 5층에 닿았다. 표시등이 3에서 멈췄다. 나는 아파트로 뛰어들어갔고 거실 안으로 비틀거리며 들어가 레코더 플레이어 콘솔 옆에 무릎을 꿇었다. 그 안의 버튼이 '도둑을 잡아라' 라는 경비회사와 연결되어 있었다. 나는 그런 폭력을 열망해 왔었지만 나는 버튼을 누를 수 없었다. 왜냐하면 내진(토닉워터나 과일 주스를 섞어 마시는 독한 술)을 마신 숙취가 아직도 남아있는 바로 그 해골 아래쪽을 누군가가 쳤기 때문이다. 내턱이 콘솔 모서리에 걸려 아주 우스꽝스럽게 잠시 거기에 매달려 있었다. 그런 후 그는 나를 다시 쳤고 나는 바닥으로 몇 마일을 힘없이 가라앉았다.

일생과 같은 시간이 지난 후 나는 마지못해 깨어났다. 조크의 거대한 얼굴이 걱정스런 소음을 내면서 내 위에 달덩이 같이 걸려 있었다. 내가 말을 하자 고막을 찢는 듯한 에코가 울리며 내 불쌍한 머리를 관통해 덜컹거렸다. 나는 미움과 고통으로 가득 찼다.

"그를 죽였나?"

내가 게걸스럽게 물었다.

"아니요, 찰리 씨. 잠시 동안 바닥에서 기다렸는데 엘리베이터가 3에서 멈춰 좀 더 기다리다가 버튼을 눌러봤는데 그게 빈 채로 내려와서 여기로 타고 왔더니 선생님이 밖에 없어서 선생님을 볼 수 있을까 싶어 계단 꼭대기로 갔죠. 그리고는 엘리베이터가 다시 내려가는 소릴 듣고 이제 피투성이 밤이 되겠군 하고 생각하고 선생님을 찾아 여기로 들어왔더니 여기 선생님이 계셔서 그래서 저는 생각하기를 ….”

나는 손을 기운 없이 들었다.

“그만해.”

내가 말했다.

“지금은 자네 말을 따라가기가 힘들어. 그걸 들으면 머리가 아프거든. 아파트를 수색하고, 문을 잠그고, 나를 침대로 데려다주고, 제일 큰 수면제를 찾아주게. 그리고 옷 좀 입어, 이 멍충아. 감기 걸려 죽는다고.”

이 때 나는 개인으로서의 모데카이 경에 대한 신경을 끄고 그냥 잠들었다. 누군가가 내 목을 자른다면, 그도 괜찮을 것 같았다.

7

그때까지도 몸을 굽히곤 했다. 그런데 나는 앞으로
절대로 몸을 굽히지 않기로 한다.
— 나의 전 공작부인

나는 매우 조심스럽게 눈꺼풀을 올렸다가 빠른 속도로 다시 닫
았다. 햇빛이 무자비하게 내리쬐었고 내 머리에서는 피가 났다.

시간이 한참 지난 후 다시 눈을 떠보려 했다.

햇빛은 부드러워졌고, 조크는 내 침대 발치에서 손을 떨면서 서
성이고 있었다. 그는 차 쟁반을 들고 있었지만 나는 그가 손을 떨
고 있다는 것을 알았다.

"가버려."

내가 말했다. 그는 쟁반을 내려놓고 나에게 차 한 잔을 따라 건
넸다. 내 둔한 머릿속에서는 그 소리가 꼭 에코효과를 만들어 내는
방에서 누군가가 화장실 물을 내리는 소리처럼 들렸다. 나는 다시
한 번 등을 돌려 누웠지만 조크가 내 어깨를 다정하게 흔들며 "그
래요, 그래요." 라든지. "저기요, 저기요." 같은 그와 비슷한 말을
중얼거렸다. 나는 그에게 한마디하기 위해 몸을 일으켰다. 이렇게

움직이니 내 두개골의 반쯤을 베개 밑에 놔둔 것 같은 느낌이 들었다. 나는 다친 부분을 조심스럽게 만져보았다. 약간 스펀지 같고 물컹물컹했지만 놀랍게도 피로 범벅이 되어 있지는 않았다. 내 두개골이 부셔졌다면 절대로 깨어나지 못했을 것이다.

조크가 따라준 차는 습관적으로 마시던 중국 랍상소총이나 우롱차가 아니라 트와이닝의 억센 퀸메리 혼합차였다. 상황판단이 빠른 조크. 그는 이런 아침에는 좀 더 센 것이 필요하다는 것을 알고 있었다. 나는 첫 잔을 재빠르게 마셨고, 순서대로 이야기하면, 조크는 나에게 알카셀처 감기약, 비첨 파우더 화장품, 그리고 덱세드린 구강청결제를 주었고, 마지막으로 퀸메리의 최상급 차를 한 잔 더 마셔 이 모든 나쁜 기분을 씻어내리게 했다.

이제 나는 이성적인 사고를 할 수 있게 되었고, 이성적 생각은 나를 즉시 다시 잠들게 했다. 나는 베개쪽을 향해 가라앉았지만 조크는 단호하게 나를 다시 일으켜 세웠고 내 주변을 온통 찻잔으로 도배하여 내가 움직이지 못하도록 했다.

"오늘 하루 종일 어떤 여자가 전화하고 있어요."

그가 얘기했다.

"자기가 차관인 블록의 비서인데 선생님의 여행서류에 대해 이야기하고 싶으니 일어설 수 있으면 한번 방문했으면 좋겠다고 했어요. 그리고 그녀의 보스가 네 시 반까지는 언제든지 선생님을 볼 수 있다고 했어요. 지금 거의 세 시예요."

나는 삐걱대고 투덜대며 몸을 일으켰다.

"어제는 누구였을 거라고 생각해요, 찰리 씨?"

"마트랜드 사람 중 하나는 아니겠지, 어쨌든."

내가 대답했다.

"그들은 지난 번처럼 굉장한 대접을 바랐을 거야. 뭐 없어진 거있나?"

"내가 보기엔 없는데요."

"그저 내 뒷머리를 후려치기 위해 그렇게 귀찮은 일을 할 리가 없지, 그건 분명해."

"그냥 단순한 도둑일 수도 있어요. 범행 전에 우리 집을 잘 살펴두지도 않았고, 우리 둘이 있을 것으로 예상하지 않았고, 정신없이 그저 빠르게 도둑질이 하고 싶었을 수도 있죠. 그가 앞 문 잠금장치에 이걸 껴둔 채 갔어요, 그래서 계속 경보기 불빛이 켜진 채로 있었던 거예요."

그것은 딱딱한 셀룰로이드로 만들어진 포켓 달력이었다. 카드게임할 때 사용하는 크기에다, 뒷면에는 밀크 스타우트(흑맥주의 한 종류로 우리나라에서도 현재 시판됨) 광고가 있었다. 그것을 집어넣어서 흔든다면 어떤 종류의 스프링 실린더 자물쇠든지 다 열 수 있을 것이다. 그렇지만 우리 집같이 롤러가 안에 장착되어 있는 처브의 데드록(열쇠를 넣어 열거나 잠그게 되어 있는 문)에는 무용지물이다. 누구든 버스털 소년원에서 일주일이라도 훈련을 받은 사람이라면 알 수 있었을 것이다. 나는 그것이 마음에 들지 않았다. 생짜 초보자가 아니라면 어퍼 부룩 가에 있는 아파트 5층에서 어설픈 시도를 하지는 않는다.

나는 처음으로 돌아가 생각해 보기로 했다.

"조크."

내가 말했다.

"만약 그자가 자물쇠를 따려고 할 때 우리가 방해했다면, 우리가 방해할 때 왜 그자는 거기에 없었을까? 그리고 거기에 없었는데 우리 둘이 있었다는 걸 어떻게 알았을까? 네가 나타나기 전에 그 자가 포기했다면, 왜 셀룰로이드 카드를 문틈에 끼워놓고 갔으며, 왜 재빨리 도망치는 대신에, 엘리베이터 안에서 꾸물거리고 있었을까?"

생각을 잘해 보려고 조크는 입을 살짝 벌렸다. 나는 생각하는 것이 그를 골치 아프게 만든다는 것을 알 수 있었다.

"신경 쓰지 마."

내가 친절하게 말했다.

"네가 어떤 기분인지 알아. 내 마음도 안 좋아. 내가 보기에는 그 나쁜 놈이 경보기를 울리게 하기 위해 잠금장치에 셀룰로이드 카드를 집어넣은 후 엘리베이터에서 기다렸지. 너를 피하기 위해서 말야. 네가 나왔을 때 그는 재빨리 들어왔고. 네가 아래층에서 자기를 기다리고 있을 것이란 걸 알고 다시 3층으로 올라갔지. 혼자서 나를 제압할 수 있을 것이라고 생각하고. 엘리베이터에서 나와서 5층으로 걸어갔지. 그렇게 한 다음, 그는 네가 도착하는 걸 듣고 문 뒤에 숨어서 네가 나를 구조하는 동안 조용히 있었지. 이 모든 것은 너의 방해를 잠시 받지 않으면서 문이 열린 채 나 혼자 있게 하려는 것이었어. 우리가 고민해야 하는 것은 어떻게, 누가 그랬는지가 아니라 왜 그랬냐는 거야."

"무언가를 가져가려고…."

"만약 그랬더라면, 그 무언가는 가져갈 수 있고, 쉽게 찾을 수 있는 것이겠지. 왜냐하면 그에게는 시간이 충분하지 않으니까. 그리고 매우 중요해서 상당한 위험을 무릅쓰고라도 가져갈 만한 가치가 있는 것이겠지. 최근에 도착한 무언가, 아마도. 왜냐하면 이 사건 전체에 무언가 냄새가 나거든."

"…아니면 무언가를 놓고 갔다던가."

조크는 점점 심하게 논리를 전개해 나갔다.

나는 펄쩍 뛰었는데 두통이 심하게 왔다. 그것은 끔찍한 생각이었다.

"도대체 여기에 어떤 걸 놔두고 가고 싶어하겠어?"

나는 매우 두려워하며 소리쳤다,

"그러니까, 도청장치 같은 거요."

조크가 말했다.

"혹은 헤로인 몇 온스, 선생님을 열두 달 정도는 감옥에 넣어 둘 만한 양으로. 아니면 플라스틱 폭탄 한 파운드…."

"나는 다시 자러 갈 거야."

내가 말했다.

"나는 그 어떤 것도 마음에 들지 않아. 아무도 폭탄을 주문하지 않았어."

"아니에요, 찰리 씨. 당신은 그 사람한테 가봐야 해요. 제가 차고를 빙 둘러보고 올게요."

"뭐, 그래서 나를 원격조정 폭탄이 심어져 있는 이 아파트에 혼자 놔두겠다는 거야?"

내가 울부짖었다.

하지만 그는 사라진 채였다. 씁쓸하게 투덜거리면서 나는 신사복을 마구잡이로 주워입고 아파트에서 기다시피 빠져나와 아래층으로 향했다. 내 발밑에서 아무것도 폭발하지 않았다.

조크는 일층 롤스로이스 안에서 기다리고 있었다. 나에게 특별대우를 해주기 위해 그는 기사모자를 쓰고 있었다. 우리가 그 부서에 도착했을 때는 그가 차 문을 열어주기까지 했다. 그는 이러한 그의 행동이 나에게 힘이 된다는 것을 알고 있었다.

솔직히 말하자면, 어떤 부서였는지 잘 기억이 나지 않는다. 윌슨 행정부 바로 직후였고, 당신도 기억하다시피, 그가 모든 걸 헝클어뜨리고 모든 이름을 바꾸어버렸기 때문이다. 사람들이 말하길 아직도 몇몇 공무원들은 백악관을 유령처럼 돌아다니면서 외부인들의 소매를 잡아당기며 첨단기술부서로 가는 방향을 묻는다고 한다. 그들은 지로 덕분에 여전히 월급을 받지만, 진정 그들이 가슴 아파하는 점은 자신들이 속한 부서들이 아직도 그들을 찾지 않았다는 것이다.

그럼에도 불구하고, 조크는 나를 이 부서에 남겨두고 갔다. 나는 여러 젊은 남자들의 손을 거쳐 겹겹의 문을 통과했다. 젊은 남자들은 모두 깔끔하게 차려입고 있었고, 갈수록 문은 점점 두꺼워졌고 조용해졌다. 마침내 나는 L. J. 크라우치와 대면하게 되었다. 나는 이 영국판 블러처 대령에게 방어적으로 대했다. 몸집이 크고, 행복해 보이고, 골격이 우람한, 지푸라기 색깔의 머리를 한 친구가 손질이 잘돼 보이는 탁자에서 다리를 내리고는 쿵쿵거리며 나에게 걸어왔다. 그는 기분 좋아 보였다.

"하!"

그가 소리쳤다,

"훌륭해! 회복한 걸 보니 참 다행이군요, 젊은 친구! 나쁜 상황 뒤에 가장 좋은 것이 오는 거요. '그 개자식이 널 짓밟게 하지 말라'는 말도 있지 않소? 그 개자식이 당신을 꺾도록 놔두지 마시오!"

나는 힘없이 웃은 다음 그가 앉으라고 가리키는 두꺼운 가죽 안락의자에 빠져들 듯이 앉았다. 내가 주위를 둘러보는 동안 담배,

위스키 그리고 소다가 힘없는 내 손 안으로 마법같이 들어왔다. 여기 가구는 좋은 목사관에서 가져 왔을 게 분명하다. 잘 만들어졌지만 함부로 마구 다루어져 있었다. 그 의자 위에 초등학교 졸업사진이 걸려 있었는데, 사진 속에는 쥐처럼 생긴 육십 명의 소년들이 눈을 가늘게 찡그리고 나를 보며 키득거리고 있었다. 그 위에는 에이트(8명이 한 조를 이뤄 노를 젓는 좁고 긴 보트)의 노 조각이 쪼개지고 새까맣게 탄 채 걸려 있었다. 저쪽 구석에는 놋쇠로 된 탄약통이 놓여 있었는데, 견고한 단장들과 나비와 꽃모양 장식 자루의 펜싱 검이 쑤셔 넣어져 있었다. 벽면에는 괜찮은 칙칙하고 푸르스름한 종류의 초기 영국 수채화들이 걸려 있었다. 칼 파커 경이 입버릇처럼 얘기했던 바, 어떤 그림도 초기 영국 수채화보다 더 지루할 수는 없다. 하지만 내 직업적 생각은 접어두고 나는 항상 수채화를 존경한다.

"수채화에 대해 좀 아세요?"

내 눈길을 따라간 크로우치가 물었다.

"조금요."

그의 눈을 똑바로 쳐다보면서 내가 답했다.

"당신은 조지프 말러드 윌리엄 터너의 르아르를 가지고 있군요. 그런데 이상해요. 왜냐하면 원작은 애슈몰린 미술관에 있거든요. 약 1840년 경의 훌륭한 캘로 작품. 보수가 필요한 조셉 파링턴. 여러 색채의 제임스 번. 모두 다 희귀하죠. 하늘이 다시 색칠된 피터 데 윈트의 건초지. 대단한 존 셀 코트먼. 상당히 호화로운 한 쌍의 발리, 그의 말기 작품이죠. 전쟁 전에 코니시어에서 재생산된 페인. 1940년대 쯤 사빈느가 팔려고 가지고 있었던 롤랜더슨. 바랜 핑크색의 니컬슨의 스카버러, 그는 남색을 사용했을 거예요. 값진

코젠스와 내가 본 것중 가장 아름다운 에드리지이군요."

"세상에."

그가 말했다.

"만점입니다, 모데카이 씨. 수채화에 대해 상당히 잘 알고 계시네요."

"아는 체하고 싶은 걸 참을 수 없어서."

내가 수줍게 말했다.

"그냥 제 재능이죠."

"알아두세요. 에드리지는 토마스 거틴 작품으로 내게 팔렸어요."

"항상 그렇죠."

내가 간단하게 답했다.

"음, 그러지 말고, 이것들 얼마를 줄거요?

딜러는 이런 종류의 일에 익숙해져야 한다. 예전에는 이를 불쾌하게 받아들이고는 했다. 내가 돈의 가치를 배우기 전에는 말이다.

"이천 이백 오십."

여전히 그의 눈을 똑바로 바라보면서 말했다. 그는 흠칫 놀랐다.

"파운드요?"

"기니화(영국 구 금화, 1기니는 21실링. 현재 1.05파운드 정도)요."

내가 대답했다.

"후하게 쳐준 거죠."

"세상에. 오랫동안 거래하던 워커 갤러리가 문 닫은 이후 작품 모으는 것을 그만뒀거든요. 가격이 올라간 것은 알았지만…."

"당신이 이 햇빛 드는 방에 계속 걸어놓는다면 그것들의 가격은 계속 하락할 거예요. 이미 최대치로 빛이 바랬거든요."

십분 후, 그는 내 수표를 떨리는 손으로 받았다. 나는 그가 옷방에 걸어놓았던 앨버트 굿윈 작품과 교환하는 대가로 니콜슨은 소장하도록 해줬다. 그의 바깥 문이 일부 열렸다가 클릭 하는 소리와 함께 공손하게 다시 닫혔다. 그는 죄책감을 느끼는 것 같았고 시계를 바라보았다. 4시 30분이었다.

"나를 따라 말하세요."

그가 책상 서랍에서 지저분한 카드 조각을 꺼내서 말했다.

"나, 찰리 스트라포드 반 클리프 모데카이, 영국 여왕폐하의 진실되고 충성스런 종복으로서 엄숙하게 맹세한다…."

나는 입을 딱 벌리고 남자를 쳐다봤다. 그가 내 수표를 의심하고 있는 건가?

"빨리."

그가 말했다,

"나를 따라하라니까요, 친구."

나는 그 단어 하나하나를 뱉어냈다. 앞으로 어떤 일이 있어도 여왕폐하의 메시지를 왕국 안팎으로 충실히 전달할 것을 맹세하오니 신이시여, 저를 도와주소서. 그 다음 그는 나에게 '우리 바바라 캐슬은 다음을 요구하고 필요로 하는 바입니다….' 라고 시작하는 문서와 '세인트 제임즈 법원'이라는 금색 스탬프가 찍혀있는 빨간 얇은 가죽 폴더와 함께 기괴하게 생긴 은강아지가 들어있는 조그마한 보석상자를 줬다. 나는 내 손이 아플 때까지 사인을 했다.

"이게 전부 뭐에 관한 건지 모르겠고, 알고 싶지도 않아요."

내가 사인하는 동안 그가 반복해서 말했다.

젊은 남자들은 기차를 놓치게 한 나를 노려보면서 밖으로 안내했다. 마트랜드는 본인의 직급을 이용해 교통경찰 기를 누르고 노란 두 줄 밖에 주차하고 있었다. 다른 때라면 그들에게 머리를 자르라고 훈계하고 있었을 것이다. 그는 나를 향해 뿌루퉁하게 손을 흔들어 그의 끔찍한 바구니 세공으로 치장한 미니 차 안으로 불러들이더니 미국 대사관으로 데려갔다. 거기에서 한 평범하고 지루해하고 있는 남자가 내 새로운 서류에 국무성 도장을 찍어대고는 미국 여행이 아주, 엄청나게 즐겁기를 빌어주었다. 그러고는 다시 아파트로 돌아와 나는 마트랜드에게 한잔을 건넸고, 그는 나에게 비행기 표로 가득 찬 지갑, 화물 할인권, 시간표 같은 것을 줬고 이름과 절차를 알려줬다. 이 모든 것은 순 엉터리였다. 그는 조용하고 뿌루퉁한 채로 생각에 사로잡혀 있었다. 그는 자신이 그 전날 밤 나를 쓰러뜨린 사람이 아니라고 하면서 그게 누구였든 그다지 상관하지 않는다고 말했다. 반면에 그는 딱히 놀라는 것 같지도 않았다. 오히려 짜증나 보였다. 그는 우리가 함께 짠 그 얽히고 꼬인 그물이 우리를 어렵게 만들기 시작하는 건 아닌지 의심하는 것 같았다. 나처럼 그도 결국 누가 누구를 조종하고 있는지를 궁금해 하고 있을 것이다.

"찰리."

그가 한 손을 문고리에 올린 채 육중한 목소리로 말했다.

"만약, 혹시라도 자네가 그 고야 그림으로 나에게 사기를 치려고 한다거나 크램프 일로 나를 실망시킨다면, 알고 있지? 사실이 어쨌든 나는 자네를 끝장내야 할 지도 몰라."

나는 내 뒷머리를 만져보라고 그를 불렀지만 그는 매우 불쾌한 표정으로 거절했다. 그는 문을 쾅 닫았고 그가 나가자 쌍절곤으로 맞는 듯한 통증이 다시 시작됐다.

8

사내아이의 사랑보다 더 가볍고, 죽음처럼 섬세한,
나는 너를 저쪽으로 데려가겠다.

— 파라켈수스

나는 미국으로 향했다. 내 휴가의 첫날이었다. 나는 침대를 박차
고 나와 양동이와 삽, 해변 신발과 선캡을 찾았다. 나는 아래층에
서 뛰어다녔고, 미국 여행을 위해 작은 짐을 싸고 있는 조크를 방
해하면서 캐롤을 불러댔다.

"괜찮으세요, 찰리 씨?"

조크가 고약한 표정으로 물었다.

"조크, 내가 얼마나 정상인지 얘기 못할 정도야."

나는 계속 노래했다.

좋은 아침이었다. 해는 반짝이고, 카나리아는 즐거움에 가득 차
지저귀고 있었다. 아침은 내가 멋진 식당에서 먹던 차가운 케저리
(쌀, 생선, 닭을 넣은 요리)와 맥주 한 캔이었다. 조크는 혼자 남겨
지는 것에 대해 부루퉁해져 있었지만, 실제로는 펜션을 혼자 쓰는
것을 매우 기대하고 있었다. 내가 없을 때 그는 친구들을 불러 도

미노를 하고 논다.

그리고 나는 일주일 간 쌓여있던 메일을 확인하고, 입금표를 하나 작성하고, 채권자들에게 수표를 몇 개 썼고 점심을 먹었다.

조크는 스피노자 씨 집까지 나를 태워다주었다. 우리는 실버고스트에다가 내 옷가방과 책가방을 실었다. 스피노자의 오른팔은 일본풍의 훌륭한 취향을 가졌는데, 문의 총알 자국을 망치로 두드려 편편하게 하지 않고 드릴로 파냈다. 그리고 스피노자의 이니셜이 깔끔하게 새겨져 있고, 그가 하나님을 만나러 간 날짜가 새겨져 있는 원형의 윤기나는 놋쇠를 박아 넣었다.

스피노자와 나는 옛날에 크램프가 고스트 차에다 동시기어를 장착하지 않도록 설득하는데 애를 좀 먹었었다. 이제 거기에 들어있던 모든 톱니와 기계축은 원래 것의 완벽한 짝퉁이었다. 고약한 견습공 녀석이 사랑스럽게 닦아놓은 3만 마일의 닳은 모습까지 말이다. 기어들은 캐비어를 먹을 때 사용하는 숟가락을 생각나게 했다. 그 사람은 그것을 자신이 돈을 대주고 있는 엉덩이가 가벼운 여성과의 성급한 잠자리에 비유했다. 나는 그를 빤히 쳐다봤다. 그는 거의 내 나이의 두 배였다.

"당신을 존경합니다."

나는 존경심 가득한 목소리로 물었다.

"어떻게 당신 나이에도 그렇게 정력을 유지할 수 있나요?"

"아, 그게요, 선생님."

그는 겸손하게 대답했다.

"선생님의 정력은 실제로 태어나고 번식하는 것과 관련이 있잖아요. 그것이 문제죠. 울 아부지는 섹스에는 정말 형편없었어요. 죽는 날까지 마당 빗처럼 굵고 등까지 내려오는 긴 머리를 하고 계셨죠."

그는 눈물을 재빨리 닦았다.

"가끔 내 여성 친구들이 나에게 요구하는 바를 충족시킬 기분이 안 내킬 때도 있어요. 가끔은, 선생님. 저금통에 마시멜로우를 쑤셔 넣는 것 같죠."

"당신이 무슨 말하는 지 알 것 같아요."

내가 대답했다. 우리는 감정을 담아 악수를 했고, 그는 은밀하게, 그러나 엄숙하게 10파운드를 받았다. 작업장에 있던 모든 사람들은 손을 흔들었지만 고약한 견습공만은 알 수 없는 웃음을 깔깔거리며 오줌을 지리고 있었다. 내 생각에 그는 내가 자신을 원하고 있다고 믿는 것 같았다. 맙소사.

런던 공항까지 가는 우리의 길은 매우 고풍스러웠다. 나는 엘리자베스 여왕폐하가 그렇게 멋지게 하던, 타원형으로 아래로 곡선을 그리며 내리는, 상당히 독창적이어서 흉내낼 수 없는 그 손 인사를 하고 있는 내 자신을 발견했다. 25,000파운드 가치가 있는 하얀 앤틱 롤스로이스를 타고 런던과 주변의 옛 왕실 길을 조용히 빠져나갈 땐 당연히 왕족 같은 느낌을 가질 것이다. 하지만 고백하자면, 우리가 그 길을 지나가면서 사람들이 터뜨린 즐거운 웃음은 날 놀라게 했다. 공항에 도착해서야 비로소 우리는 그 고약한 견습공이 우리의 후드걸개에다가 풍선만큼 큰 불어철자 세 개를 매달아 놓았다는 걸 알았다.

공항에서 우리는 정말로 쥐를 닮은 두 남자를 만났다. 그들은 그런 차가 없고, 그런 비행기가 없고, 심지어 그런 항공사조차 없다고 말했다. 조크가 결국 운전석 자리를 박차고 나가 그들에게 두 개의 짧고 더러운 말을 했고 그 결과 그들은 충혈된 눈으로 깜짝할 사이에 해당 문서를 찾았다. 나는 조크의 조언에 따라 그들에게 1 파운드를 줬고 그 기계가 얼마나 부드럽게 움직였는지 당신이 봤으면 아마 놀랐을 것이다. 그들은 롤스로이스에서 휘발유를 빼냈고 배터리를 분리시켰다. 긴 속눈썹을 가진 예쁘게 생긴 남자가 어떤 요새 같은 곳에서 나오더니 가죽 케이스에서 펜치 한 쌍을 꺼냈다. 그는(이미 화물 운반대에 올라가져 있었던) 고스트의 모든 열 수 있는 구멍에 조그마한 납 인장을 박았고, 조크에게 윙크한 후, 나를 비웃고 여봐란 듯이 자기 자리로 돌아갔다. 세관 담당자들은 이것을 계속 관찰하고 있다가 서류 쪼가리를 모두 가져가 버렸다. 조그마한 트랙터가 화물 운반대에 연결해서 모든 짐을 싣고 가 버렸다. 여태껏 롤스로이스가 이렇게 웃겨 보인 적이 없었다. 조크는 나를 탑승객 건물까지 데려다줬다. 그가 나에게 음료 한 잔 사줄 수 있도록 했다. 왜냐하면 그는 공공장소에서 자신의 몫을 다하는 것을 좋아하기 때문이다. 그러고 우리는 서로 걸걸하게 작별 인사를 고했다.

시끄러운 스피커에서 도날드 덕 같은 시끄러운 목소리가 비행기 안내방송을 하였다. 나는 일어나서 비행기 추락으로 죽을 가능을 생각하며 발걸음을 뗐다. 개인적으로, 이런 죽음에 대한 생각은 나에게 별로 공포감을 주지 못했다. 자동차 도로에서 포드차에 의해 떡 되어 죽는 것보다 이카로스(밀랍으로 붙인 날개로 태양을 향해 날다가 바다에 떨어져 죽은 인물)처럼 죽는편이 훨씬 낫지 않은가?

안전벨트를 풀어도 된다는 방송이 나오자, 옆에 앉아있던 착한 미국인은 나에게 멋지고 큰 시가를 권했다. 그의 행동은 매우 조심스러웠고 특히나 나를 "선생님"이라고 불렀기 때문에 나는 시가를 받을 수밖에 없었다. 그것은 정말 헨리 업만(시가cigar 브랜드의 하나)의 아틀리에에서 가져 온 것처럼 멋졌다. 그는 비행기 사고로 죽음을 맞이하는 것은 통계적으로 불가능에 가깝다고 확신에 차서 말했다.

"어, 그거 참 좋은 일이네요."

내가 킥킥댔다.

"통계적으로."

그가 설명했다,

"보험계리사에 의하면 3년된 자동차를 고속도로에서 11마일 운전하는 것이 훨씬 더 위험하대요."

"정말요?"

내가 말했다. 이 말은 친절한 미국인들이 통계에 대해 나에게 말해줄 때만 내가 사용하는 단어이다.

"장담할 수 있지요."

그가 따뜻하게 말했다.

"저는 개인적으로 매우, 매우 자주 비행기를 타거든요, 일 년에 수천 마일씩."

"아, 거봐 그렇다니까요."

내가 공손하게 답했다.

"아니면, '차라리 거봐 이렇다니까요.'라고 해야 할까요? 그 통계가 맞다는 걸 증명하려면? 그렇죠?"

"정확히 그거예요."

그가 말했다,

우리의 생각이 옳다는 것에 대해 만족하고, 젖꼭지 같이 생긴 시가에 흡족해하며, 우리는 침묵 속에 잠겼다. 비행기가 빠른 속도로 세인트 조지 해협을 넘어가면서 우리의 두려움은 사그라졌다. 잠시 후 그가 내게 몸을 기울이며 중얼거렸다.

"이륙하기 바로 직전에, 엉덩이가 조금 덜컹거리지 않아요? 아주 조금요?"

나는 그것에 대해 조심스레 생각해 봤다.

"착륙할 때 더 심하죠, 정말로."

나는 결론을 냈다.

"생각해 보면 매우 이상한 현상인데."

그도 몇 분간 생각하는 듯 보였다.

"엘리베이터 같이요?"

"정확해요."

그는 다시 자신으로 돌아와 만족스럽게 소리 내서 크게 웃었다.

우스갯소리를 한 다음, 우리는 마치 누비이불 만드는 모임의 두 노인들처럼 자기의 일에 대해 얘기했다. 나는 나폴리 18세기에 대한 음울한 독일 페이퍼백 책을 폈다. 그는 내가 절대로 이해하지 못하는 컴퓨터 종이가 가득한 문서 케이스를 열었다. 에쉴로치 교수의 어둡고 무거운 산문을 이해하기 위해 고군분투했다. 오직 독일 시인들만 명쾌한 산문을 쓴다. 눈을 감은 채 저 친절한 미국인이 나의 적들 중 어느 쪽을 위해 일하는지 씁쓸하게 고민해 보았다.

그는 자신의 완벽한 행동에 하나의 오점을 남겼다. 그는 자신의 이름을 알려주지 않았다. 미국인이랑 세 마디 이상 말을 주고받으면서 그의 이름을 듣지 못한 적이 있었던가?

나는 수요일부터 많은 적을 만든 듯했다. 가장 그럴듯하고 가장 불쾌한 가능성은 블러처 대령의 사람들이다. 마트랜드는 편협한 방법을 사용하는 소름끼치는 개차반 같은 놈이었지만, 그는 절대로 영국인 티를 털어내지 못한다. 하지만 단호하고 놀랍게도 부유한 미정부 기관들은 다르다.

소화가 잘되는 산성 주스는 불안에 의해 내 뱃속에서 철벅거리기 시작했고, 소장에서 불편한 꾸르륵 소리가 나기 시작했다. 나는 창백한 쓰레기가 담긴 쟁반을 들고 오는 스튜어디스를 기쁘게 맞이했다. 내가 굶주린 사람처럼 쓰레기를 파고드는 동안 내 친절한 미국인은 떨어져 손을 흔들며 냄새를 피했다.

뱃속으로 훈제 연어, 유리 같은 아스픽(프랑스의 냉요리. 고기, 생선, 조개, 버섯, 토마토 주스 따위를 뭉쳐 만든 차가운 젤리)을 고무 자르듯 자른 것, 폴리스테린 베이컨으로 싼 치킨 조각, 면도 크림 한 덩이 위에 얹은 듯한 반쯤 녹은 딸기 휘핑크림이 들어가자 좀 나아졌다. 나는 내가 저 남자에 대해 오해를 하고 있을 가능성에 대해 생각해 보았다. 결국 어쨌든, 그는 그저 한 건전한 미국인 얼간이 일 수도 있으니까.

왜, 어째서, 누가 저런 남자를 내 옆에 심어 두려고 하겠어? 내가 이 여행에서 무슨 일을 벌인다고? 내 자백을 받아내는 거? 비행기의 조정명령권을 빼앗고 미국 헌법을 전복시키려는 시도를 방지하는 거? 참으로, 정말, 그것은 요원을 낭비하는 것이다. 이렇게 몇 시간 동안 같이 비행한 사람의 얼굴을 내가 까먹을 확률은 극히 낮다. 아니, 이 남자는 연구소나 회사의 무심하고 솔직한 임원일지도 모른다. 나는 자신감을 가지고 그를 따뜻하고 느긋하게 쳐다보았다.

"실례지만, 무슨 일을 하시나요?"

내가 최대한 영국식으로 물었다. 다행스럽게도 그는 그가 씨름하고 있던 컴퓨터 종이를 착착 접더니 친절하게 나를 마주보았다.

"아 저는 영국의 한 멀티플렉스 소매점의 비용판매 데이터 자료를 출력한 이 인쇄물을 수집 분석하고 대조하고, 그리고 평가합니다."

그가 친절하게 대답했다.

나는 눈썹을 살짝 들고, 매우 작고 공손한 영국식 물음표가 내 머리에서 반짝거리는 것을 느끼며 그를 계속 바라보았다.

"피쉬 앤 칩."

그가 설명했다. 나는 내 입을 살짝 벌려 좀 더 영국식 발음 효과를 냈다.

"피쉬 앤 칩이요?"

"맞아요. 그걸 살까 생각중이에요."

"오. 정말요. 얼마나요?"

"음, 뭐 전부요!"

나는 무척이나 흥미롭고 궁금하다는 듯한 표정을 지었고, 그는 이야기를 이어갔다. 피쉬 앤 칩이 영국 산업에서 살아있는 마지막 100만 파운드 산업을 대표하는 것 같다고, 그는 그 산업을 조만간 해치우려는 표정이었다. 오천 톤의 물고기와 만 톤의 감자, 그리고 십만 톤의 지방과 휘발유를 사용하는 회사 말이다. 그는 그 회사의 소름끼치는 현재와 자신이 모든 상점을 사서 자기가 말한 값으로 프랜차이즈를 여는 장밋빛 미래를 그렸다.

모든 설명이 잘 맞아떨어지는 것처럼 보였기에, 나는 그가 계속 자신의 계획에 대해 이야기하는 동안, 우리가 착륙할 때까지는 그가 진실만을 말하고 있다고 믿기로 했다. 사실 우리는 그가 자신의 아파트로 날 초대할 정도로까지 친해졌다. 물론 나는 그를 그렇게 믿지는 않았기 때문에 영국 대사관에서 지낼 거라고 답했다. 그는 생각에 잠긴 듯이 나를 쳐다보다가 자신의 꿈이 공작을 그의 영국

회사 이사회 의장에 앉히는 것이라고 얘기해줬다.

"대단한 아이디어네요!"

내가 공허하게 말했다.

"공작이 아무리 많아도 부족하죠. 요즘에는 진짜 공작을 놓고 꽤나 경쟁이 벌어지고 있죠. 심지어 상업은행조차 그들을 붙들어 두고 있지 못하죠."

"만약 제가 당신이었다면 저는 후작이나 백작 한두 명으로도 만족할 거예요. 공작보다 숫자가 훨씬 많고 훨씬 덜 거만하거든요."

"백작이요?"

그가 말했다.

"혹시 스노우돈 백작을 아시나요?"

그의 눈은 순진하게 반짝거렸지만, 나는 사형집행을 기다리는 죄수처럼 놀랐다.

"아니요, 전혀요."

내가 말했다,

"그는 좀 달라요. 제가 알기론 그는 직장이 있어요. 디자인센터였던 것 같은데, 동물원을 위해 코끼리 새장을 디자인하죠. 매우 유능하고, 중요한 직책을 맡고 있고, 행복하게 결혼했고, 사랑스러운 아내가 있죠."

내가 덧붙였다. 그가 집요하게 물었다.

"실례하지만, 혹시 귀족이신가요?"

"아뇨, 아뇨. 아뇨."

내가 다시 말했다. 부끄러움으로 씰룩거리면서.

"저는 그런 사람이 아닙니다. 잘못 추측하셨네요. 저는 그저 상류층일 뿐이고 제 형님은 그 유일한 작위를 버렸죠. 아버지가 저에게 공짜로 주신 거라고 해야겠죠, 하하."

그는 혼란스럽고 약간 짜증나 보였다. 그래서 나는 다시 설명하려고 애썼다.

"영국은 미국 대륙 같지 않거든요. 이런 면에 있어서는 스코틀랜드와도 다르죠. '그의 직계 자손은 모두 귀족이다.' 는 우리가 좋아하는 주제가 아니에요. 왜냐하면 정복에 참여한 기사의 직계 자손이 아닌 집안이 허다하니까요. 제가 알기로는 그들에겐 작위가 부여되지 않았죠."

이제 그가 내 말에 멋지게 압도되고 있었기 때문에 나는 말을 이어갈 수밖에 없었다.

"일반적으로 말해서, 사실상 현재 귀족계급 중 영국 귀족은 극소수일 겁니다. 미대륙에서 사용하는 잣대를 들이대면 말이죠. 그들 중 대부분은 가족 족보를 거슬러 올라가 봐도 수도원 박멸에 기여한 촌뜨기조차도 발견하지 못할 겁니다."

이제 그는 매우 화가 났다. 그의 무릎에 있었던 인쇄물이 우리 둘의 발 사이 바닥에 떨어졌다. 우리는 그것을 집으려 상체를 웅크렸지만 내가 그보다 몇 인치 더 날씬했기 때문에 더 밑으로 웅크릴 수 있었고, 덕분에 서로 머리를 박는 것은 피할 수 있었다. 하지만 내 코가 그의 재킷에 반쯤 들어가 있었고, 그의 어깨 클립에 달린 자동권총의 검은 엉덩이에 코를 비비고 있었다.

"이런!"

내가 상당히 불안하게 소리쳤다. 그가 친절하게 그리고 크게 싱긋 웃었다.

"이 쇠붙이는 신경 쓰지 마세요. 우리 텍사스 사람들은 이것 없이는 옷을 입다만 듯한 기분이 들거든요."

우리는 두서없이 수다를 떨었지만 나는 물고기를 튀기는 좋은 방법에 집중할 수 없었다. 텍사스 회사원들이 때때로 권총을 정말 들고 다니기는 하지만 나는 그들이 작은 구경과 긴 탄창을 가진, 불편한 길이의 콜츠 우즈먼 총을 선호한다는 것을 믿기 힘들었다. 자동적으로 표적을 맞추는 전문살인자들이 사용하는 그런 총을 말이다. 그것은 절대 자신을 보호하기 위해 일반 시민이 사용할 만한 무기가 아니다. 게다가 텍사스 회사원이라면 권총을 빨리 풀 수 없는 브리슨 스프링 클립에 보관할 리가 없다.

여행이 더 길어지고 있는 것 같은 느낌이 들었다. 미국이 멀고 바람직하지 않은 곳으로 느껴졌다. 우리가 착륙할 때 그 친절한 미국인은 드디어 자신의 이름을 알려줬다. 철자는 b, r, a, u, n이지만 브라운(Brown)처럼 발음했다. 우리는 작별인사를 했고, 우리가 비행기에서 내리자마자 그는 사라졌다. 따뜻하고 뚱뚱한 존재가 사라지자마자 나는 그가 점점 더 싫어지는 걸 느꼈다.

마트랜드는 나의 지시사항을 충실하게 이행했다. 몸집이 크고 표정이 슬프게 생긴 친구가 나를 마중 나왔다. 그는 롤스로이스가 작은 휘발유통, 이국적인 자동차 번호판, 여행자 수표 책, 그 밖에 내가 잘 모르는 기타 등등을 가지고 있는 잘 모를 녀석들에 둘러싸여 화물운반대 위에서 희미하게 빛나고 있는 곳으로 나를 안내하였다. 그리고 내 여권에 고무인장을 야만적으로 찍어대는 엄숙한 표정의 친구도 있었다. 나는 군주가 전통 수공예품의 표본을 받듯이 공손하게 그들이 주는 것을 모두 받았다. 영국 대사관에서 온 작은 난쟁이도 있었다. 그렇지만 그는 철망 같은 장벽 저 건너편에 있었다. 그는 필요한 여권이나 뭐 그런 것을 가져오지 않았고, 키 크고 무표정한 미국인은 그의 횡설수설이나 투덜거림을 완전히 무시했다. 내가 그를 무시한 것처럼 말이다. 휘발유통을 가진 녀석은 차에서 납 봉인을 펜치로 떼어냈고 투덜거리는 녀석을 향해 던졌다. 마치 혀로 저속한 똑똑 소리를 내며 겨드랑이를 긁는 척하는 울타리 속의 원숭이에게 땅콩을 던져 주는 것처럼 말이다.

나는 그 무엇에도 비길 수 없는 새로운 차체와 새 가죽덮개의 냄새를 한껏 들이켜 내 폐를 가득 채우면서 롤스로이스에 올라탔다. 키 크고 슬픈 녀석은, 자신의 위치를 알기에, 나를 가이드해 주기 위해 발판에 서 있었다. 롤스로이스는 부드럽고 얌전하게 시동이 걸렸고, 어항 안의 금붕어가 만드는 소리만큼 다양하고 시끄러운 소리를 내면서 물품구역을 빠져나왔다. 거칠고 교육받지 못한 미국인들의 얼굴표정을 보면서 나는 그들이 다른 문화 속에서 자랐다는 것을 알 수 있었다.

출구에서 나는 여전히 투덜거리고 이제 거의 분노와 원통함으로 질식사할 것 같은 상태인 그 대사관 사람을 만났다. 만약 그가 다른 문화에서 자랐다면 그는 내 이마를 쥐어박았을 것이다. 나는 살살 그를 달랬고 결국 그는 거의 화가 풀렸다. 결국 이야기는 대사가 먼 곳에 떨어져 있는 제나두 같은 골프장에 가서 골프나 라운더스(미국에서 하는 야구 비슷한 경기) 혹은 무언가를 대통령 혹은 국회의원, 누구든 그들과 함께 치고 있으며 아침에 돌아올 것이고, 그때 나는 그에게 보고를 해야 하며, 그의 책망을 받고 나의 그레이하운드를 넘겨 주는 것으로 귀결되었다. 그 투덜거리던 녀석은 롤스로이스의 납빛 외국 부서 인장에 감히 손을 데려고 한 그 빌어먹을 놈의 이름을 알고자 했다. 나는 그의 이름이 멕머도라고 말했고, 그가 수일 내에 대사에게 전화를 걸 시간을 내도록 노력하겠노라고 약속했다.

그는 다시 횡설수설하기 시작했다. 그는 '이걸 아시나요?'로 모든 문장을 시작했지만 어떤 문장이든 끝마치지 않았다.

"정신 좀 차리세요."

나는 그의 손에 1파운드 지폐를 쥐어주면서 말했다. 차를 타고 가면서 백미러를 통해 그의 모습을 힐끗 보았다. 그는 어떤 것에 대해 펄쩍펄쩍 뛰고 있었다. 몇몇 외교부쪽 친구들은 너무 감정적이다.

나는 내 호텔을 찾았고, 차고에 있던 능력있어 보이는 가무잡잡한 녀석에게 롤스로이스를 건넸다. 그는 눈을 반짝이고 있었고, 나는 그가 바로 좋아졌다. 나는 그에게 차 안의 먼지털이만 사용할 수 있고 그 외의 것들은 건드리지 않겠다는 다짐을 받았다. 만약 내가 스피노자 씨의 특제비밀왁스를 세제로 씻겨지도록 하거나 실리콘으로 딱딱하게 만든다면 그가 유령이 되어 나타나 날 괴롭힐 것이다.

나는 엘리베이터를 타고 프런트데스크까지 올라가 멋진 화장실이 딸린 멋진 객실을 얻었다. 나는 진정한 영국인처럼 우스꽝스러운 에어컨을 끄고 창문을 열었다. 하지만… 15분 후 나는 에어컨을 다시 켰고 안내 데스크에 전화해서 나를 대신해 창문 닫을 사람을 보내달라고 했다. 아, 부끄러워라.

나중에 그들은 내가 싫어하는 샌드위치를 내 방으로 보내줬다.

나는 반쯤밖에 이해되지 않는 책의 문단을 읽으면서 잠이 들었다.

9

그는 앞으로 조용히 서 있을 것인가? 아니면
저속한 방해물을 짓밟으며 앞으로 나아갈 것인가?

— 크로이식의 두 시인

아침이 되자 차 한잔을 가져왔다. 그것은 행복하게 맛있었다.
그 호텔 이름을 기억할 수 있었다면 당신에게도 알려줬을 텐데.
그러곤 그들은 매우 달콤한 베이컨, 팬케이크와 시럽 등으로 정
성스런 미국식 아침을 차려줬다. 그것은 별로였다.

나는 엘리베이터를 타고 주차장으로 내려갔다. 롤스로이스에 대
해 물어보려고 했는데, 보니까 밤을 평온하게 보낸 듯했다. 가무잡
잡한 녀석은 창문을 닦고 싶다는 욕구를 떨쳐버리지 못한 듯했다.
그는 오직 비누와 물만 사용했다고 맹세했고, 나는 그를 용서해주
었다. 십분 후, 나는 에어컨이 켜져 있는 거대한 택시에 탔다. 나에
게 하루 종일 50달러에 고용된 택시였다. 바가지 썼다고 생각할 지
도 모른다. 나도 알지만, 이 동네에서는 놀랍게 돈의 가치가 매우
낮다.

택시 운전사의 이름은 버드인 듯했고 어떻게 어찌된 영문인지

그는 내 이름이 맥이라고 생각했다. 나는 친절하게 사실은 내 이름이 찰리라고 일러줬지만, 그는 다음처럼 답했다.

"아? 그래요, 그거 참 좋네요, 맥."

나는 신경 쓰지 않기로 했다. 로마에 오면 로마의 법에 따라야하는 거잖아, 그렇지? 어느새 그는 나를 태우고 워싱턴의 명소를 돌고 있었다, 그 어느 곳도 빠뜨리지 않고 말이다. 정말이지 훌륭하고 우아한 도시였다. 대부분이 싼 대리석으로 지어졌다는 것이 흠이었다. 매 순간이 즐거웠다. 어마어마한 열기가 상쾌한 산들바람으로 좀 식혀졌고, 바람은 여자 아이들의 면 드레스를 매우 기분좋게 흔들어 댔다. 미국 여자아이들은 어떻게 저렇게 부드러우며 건강하고 가느다란 다리를 가졌을까? 말이 나온 김에, 어떻게 그들은 그렇게 대단한 가슴을 가졌을까? 아마도 당신과 내가 좋아하는 것보다 더 크지만 그럼에도 불구하고 멋진 가슴을 말이다. 신호등에 걸려서 멈췄을 때 특별히 영양상태가 좋아보이는 젊은 여자가 우리 앞에서 길을 건넜고, 그녀의 거대한 가슴이 한 걸음 걸음마다 출렁거렸다.

"아이고 세상에, 버드."

내가 버드에게 말했다,

"얼마나 유혹적인 생명체인가, 진짜!"

"큰 가슴을 가진 저 여자를 말하는 건가요? 별로에요. 침대에서는 킹사이즈의 익은 계란 한 쌍처럼 푹 퍼지고 말죠."

그 생각만으로 현기증이 날 것 같았다. 그는 계속해서 이 사안에 대한 그의 개인적인 취향에 대해 말하기 시작했다. 들으면서 신기하기는 했지만, 어느 정도는 믿기지 않았다.

반 다이크(루벤스와 함께 바로크 미술을 대표하는 초상화가)가 제

노바에 있던 시기의 작품들을 세상에서 가장 훌륭한 초상화 중 하나라고 말하는데, 이는 어느 정도 진실이다. 워싱턴의 국립미술관에서 작품을 감상하면서 이런 생각을 갖게 됐다. 나는 미술관에서 한 시간만 머물렀다. 한 장소에서 예술의 풍요로움을 한꺼번에 흡수할 수 없고, 나는 오직 하나의 특정한 조르조네(이탈리아 화가. 베네치아 회화의 창시자)를 감상하려고 계획했었다.

지각 없이 뒤섞여 있는 예술품에 이미 반쯤 취해서, 나는 버드에게 시원한 맥주와 간단한 점심을 즐길 수 있는 중하위급의 식당에 데려다 달라고 했다. 입구에서 버드는 나를 미심쩍은 듯 쳐다보았고, 위 아래로 훑으며, 좀 더 '고전적인' 곳을 가보자고 제안했다.

"안 돼, 나의 버드."

내가 단호하게 말했다,

"내 복장은 패셔너블한 영국 신사의 의복이지. 워싱턴 사람들 사이에서 잘 알려진. 토비 경의 용감한 단어들로 표현하면, '이 옷은 마시기에 충분히 좋고, 이 부츠들 또한 그렇다.' 라고."

그는 미국 사람들이 잘 사용하는 몸동작으로 어깨를 으쓱하고는 내 말에 따라 차를 몰았다. 사람들이 그를 쳐다보았다. 조금 이상하게 차려입고 있었기 때문일 것이다. 반면 나는 내가 이야기했던 것처럼 대사, 은행원, 그리고 다른 고위층들과 인터뷰하는 데 딱 적합한 옷을 입고 있었다. 영국에서라면 그 누구도 우리 둘 사이의 대조적인 옷을 이상하게 바라보지 않았을 텐데 미국에는 민주주의라는 개념이 미흡해 보였다.

옛날식 런던 음식점 같은, 그렇지만 더 조잡한, 가판대나 부스처럼 생긴 곳에서 점심을 먹었다. 내 스테이크는 상당히 맛있었지만 민망하게 컸다. 소를 가로질러 잘라놓은 것 같은 크기였다. 나는 샐러드와 함께 먹었지만 버드는 감자를 시켰다. 그가 말하길 아이다오 평원에서 길러진 대단한 감자라고 했다. 나는 내 스테이크 중 10온스는 남긴 것 같았지만 버드는 아무렇지 않게 웨이터를 불러, 남은 것을 강아지 가져다주게 포장해 달라고 했다. 우리 둘 다 그게 버드의 저녁식사가 될 것이라는 것을 잘 알았지만 웨이터는 내색하지 않았다.

스테이크를 먹을 땐 버드가 나를 이겼지만, 음주에서는 내가 그를 이겼다. 거기에는, 잘 알려지지 않은, 하이볼즈라 불리는 술이 있었는데, 맥주를 마신 뒤 하이볼즈로 옮겼다. 이 게임에서 그는 내 상대가 되지 않았다, 급이 달랐다. 그는, 사실, 존경심이 가득한 눈으로 나를 바라보았다. 나는 일차에서 그에게 런던에 와서 나와 같이 살자고 제안했다고 믿는다. 적어도 그러려고 했었다.

우리가 바를 나오는데, 약간 우스꽝스럽게 생긴 녀석이 내 앞길을 흔들거리며 가로지르다가 시비를 걸었다.

"뭐야 넌, 견과류야 스머프야?"

나는 이 문장과 어울리도록 그날 버드가 친구한테 사용한 말로 대꾸했다.

"야, 뭐라고 지껄이는 거야. 바보 같은 소리 집어치워!"

적절한 때에 사용한 단어는 얼마나 좋은지!

실망스럽게도 또 의아하게도, 그 술 취한 녀석은 예외적으로 행동했다. 그는 내 얼굴을 매우 세게 쳤고, 내 코에선 피가 흘러 셔츠를 적셨고, 분노한 나는 복수해버렸다.

내가 전쟁, 제2차 세계대전의 '조크와 단검' 부대에 있었을 때 비무장 전투 코스 중 하나에 참가했는데, 그거 알아, 당신이 나를 보면 그럴 것 같지 않다고 생각하겠지만 나는 놀라 자빠질 정도로

용맹했다.

나는 손바닥으로 그의 코를 쳐올렸다, 주먹을 날리는 것보다 더 낫다. 녀석의 구두를 세게 내리찍었고 그가 통증으로 몸을 웅크렸을 때, 나는 그의 남은 불쌍한 얼굴에 무릎을 내리찍었다. 그는 쓰러졌고, 그건 이런 상황에서 결코 부자연스럽지 않다. 나는 예방책으로 그를 밟고 넘어가면서 그의 손을 밟았다. 뭐, 그가 나를 먼저 때렸잖아, 그리고 그가 그것을 인정할 거라고 믿는다. 버드는 매우 감명을 받아 내 등을 감싸며 밖으로 나갔고, 내 뒤 주점 안에 있던 사람들은 박수를 쳤다.

대사관에 있던 모든 잘생긴 젊은 남자들은 한눈에 나를 싫어했다. 하지만 못된 컵케잌들 같으니라고. 하지만 그들은 자신들이 중요한 역할을 수행하고 있다고 느끼기 위해 거드름 피우는 추가적인 지연 없이 대사를 만나도록 해줬다. 대사는 반팔차림으로 나를 맞았고 나를 별로 탐탁지 않아하는 듯했다.

이제, 매우 실질적인 목적을 위해 일반 고객은 대사들을 두 분류로 분류할 수 있다. 날씬한 사람들, 친절하고 정중하고 양반 같은 사람들, 그리고 위의 단어들에 해당하지 않는 뚱뚱한 녀석들. 현재 이 대사의 태도는 후자임을 드러냈다. 그의 풍만한 콧수염은 지방으로 주름 잡혀 있었고, 매독으로 좀먹은 듯한 뾰루지, 빨간 여드름, 트로서크스 지도의 등고선 같은 터진 모세관과 잘 어울렸다. 나는 내 마음 그 어느 구석에서도 그를 좋아할 수 없었다.

"둘러말하지 않겠습니다, 모데카이 씨."

그가 낄낄대며 말했다,

"당신은 정말 끔찍한 사람이군요. 우리는 지금 제트기 시대의 세계 어느 국가와 현대적 조건으로 경쟁할 준비가 된 최고의 선진 기술을 갖춘 영국인의 이미지를 만들려고 하고 있어요. 그런데 당신을 보세요, 마치 당신이 여행자위원회가 '오랜 영국 기찻길'을 광고하기 위해 기다려 온 사람인 양 버터 우스터식으로 옷을 입고 워싱턴을 돌아다니다니."

그가 이어 말했다,

"당신의 터무니없는 모자는 찌그러져 있고, 우스꽝스러운 우산은 구부러졌고, 당신의 셔츠는 피로 뒤덮여 있군요."

나는 밝게 조잘거리며 말했다. 그렇지만 아무런 효과가 없었다.

"내가 때려눕힌 그 사내를 보셔야 합니다."

그는 자신의 페이스를 잃지 않았다.

"엉망으로 술에 취했다는 것은 당신 나이의 남자에게 변명이 되지 못해요. 알콜중독 예술가들을 위한 집에서 도망쳐 나온 사람처럼 보이고 그렇게 행동하다니. 나는 당신이 왜 여기 있는지 모르겠고, 아무것도 알고 싶지 않아요. 나는 당신을 가능하면 도와줄 것을 부탁 받았지만, 그렇게 하도록 지시 받지는 않았어요. 내가 당신을 돕도록 지시 받지 않았음을 당신도 추측할 수 있을 꺼요. 내가 해줄 수 있는 유일한 조언은 당신이 미국법을 어겼을 때 도움을 요청하기 위하여 대사관으로 오지 말라는 거예요. 왜냐하면 나는 망설임 없이 당신을 거부하고 수감과 추방을 추천할 것이기 때문이에요. 이 방을 나가서 오른쪽으로 가면 통상부서를 볼 수 있을 겁니다. 거기에서 실버 그라운드의 영수증과 절대로 발급되지 않았어야 했던 외교용 여권 대신 임시시민 여권을 받을 겁니다. 좋은 하루를 보내시오, 모데카이 씨."

말을 마친 뒤 그는 편지인지 뭔지 대사들이 사인하는 그것에 사인하기 시작했다. 나는 잠시 그의 책상에다가 엄청 토를 할까도 생각해 보았지만 그가 나를 '짜증나는 영국 사람'으로 선언할까봐 얌전하게 방을 나왔고, 타이핑 치는 사람들과 맞닥뜨렸으며, 그들 사이를 당당하게 걸어갔다. 나는 우산을 빙빙 돌리며 〈우리에게 네 속바지를 보여주렴, 엘시〉의 몇 운율을 휘파람으로 불었다.

버드는 주차장에서 잠들어 있다가 나를 근처 주점에 데려다주었다. 사실 여러 군데에 들렀다. 내가 손을 뻗으면 닿을 것 같은 거리에서 젊은 여자가 음악에 맞춰 봉춤을 추며 옷을 벗는 곳도 있었다. 나는 여태껏 그런 스트리퍼를 본 적이 없었다. 마지막에 그녀는 일곱 개의 구슬을 제외하고 아무것도 입고 있지 않았는데, 그중 네 개는 땀방울이었다. 내 생각에 그 부분에서 우리는 같이 웃었던 것 같다.

우리가 잠을 자러 간 것까진 기억나지만 중간중간의 일들은 흐릿하다. 내가 이빨을 닦았는지조차 기억나지 않는다.

10

우리는 차를 타고 가기 시작했고, 오랫동안
접혀졌던 두루마리 종이는 바람 속에 펼쳐졌다.

— 함께 한 마지막 여행

나는 매우 쾌활하게 일어났지만, 그 기분이 계속 가지는 않았다. 옷을 갈아입고 가방을 준비하자마자 숙취가 나를 흔들었다. 호텔 바까지 쉬운 방법으로 내려갔다. 숙취 때문에, 완행 승강기를 탔다. 급행은 절대 안 된다. 바에 있던 바텐더는 순식간에 나를 진단하고 숙취를 해결해줬다. 그가 설명하길, 당신의 숙취는 금단현상에 지나지 않아요. 지금 빠져나가고 있는 것을 더 주입함으로써 빠져나가는 것을 멈춰보세요. 그러면 그 증상은 어두운 날개를 바스락거리며 사라질 거예요. 꽤나 일리 있어 보였다. 그의 처방은 단순한 스카치위스키와 맹물이었다. 그는 그 물이 매일 아침 애팔라치아 산맥에서 운반되어 오는 거라며 매우 진지하게 맹세까지 했다. 당신이라면 이걸 믿을 수 있는가? 하지만 나는 그에게 인색하지 않게 팁을 줬다.

나는 술로 잘 치료를 받고 카운터에서 비용을 지불한 후, 내키지 않아하는 가무잡잡한 피부의 녀석한테서 티끌 하나 없는 실버고스트를 넘겨받았다. 그러고는 뉴멕시코를 향해 조심스럽게 운전했다. 후손들은 내가 완벽하게 미국인처럼 변장하고 있었는지 알고 싶을 것이다. 크림색 터서실크 양복, 선글라스, 그리고 짙은 오렌지색 리본이 달린 코카콜라 색의 밀짚모자. 그 효과는 꽤 섹시했다고 말하고 싶다. 대형의류회사 사장 아베크롬비 씨가 봤더라면 동업자 피치 씨를 깨물었을 것이고, 재단사들은 울음을 터뜨렸을 것이다.

기묘하게도, 나는 다시 무서워졌다. 나는 막연하게 이 땅은 '법과 관습' 위에 건설되었지만 조심하지 않는다면, 조심한다 하더라도, 다칠 수 있는 곳이라고 느꼈다.

도시 옆의 교외 삼림에 닿았을 때쯤 차에 기름이 떨어졌다. 실버고스트는 사랑스러운 자동차이지만 아무리 이 차와 친한 친구라도 이 차의 연비가 정말 낮다는 걸 인정할 수밖에 없을 것이다. 나는 적당한 주유소를 찾았고, 그 쪽으로 차를 몰았다. 이곳은 쉐난도우 국립공원 끝자락에 위치한 샤롯스빌 근방이었다. 종업원은 나에게 등을 돌리고 서서 양손을 허리에 댄 채 말했다.

"저 녀석 왜 저래?"

그는 굉장한 속도로 도로를 질주하고 있는 연한 청색 차를 바라보고 있었다. 내가 엔진을 끌 때까지 그는 내가 있다는 걸 몰랐다. 그는 곧 내 롤스로이스를 보고 깜짝 놀라 잠시 멍해 있다가 작은 소리로 "기똥차네."를 계속 반복해 내뱉었다. 나는 그 후 며칠 동안 오클라호마의 먼지로 된 땅덩어리를 비옥하게 할 수 있을 정도로 경외에 찬 "기똥차네."를 많이 들었다. 그는 숫처녀처럼 킥킥거렸고, 기름통에 노즐을 꽂아 기름을 채워줬다. 그가 내 귀에 마지막으로 기똥차다는 칭찬을 던지는 걸 들으며 출발했다.

그 뒤 잠시 동안 길을 잃었고, 한 시간 정도 뒤 나는 렉싱턴 고속도로 81을 달리며 버지니아 주를 가로지르고 있었다. 테네시의 주 경계선을 넘은 다음 오늘은 이만 쉬기로 하고 '진짜 통나무 캐빈 모텔'에 체크인했다. 노란 머리의, 늘어진 입을 가진, 살이 한껏 찐 주인 여자가 그녀의 한껏 남는 살집을 씰룩씰룩 움직였다. 내 방의 모든 것들은 바닥에 나사로 고정되어 있었다. 주인 여자는 신혼부부들이 가끔 그들의 아파트 전체를 모텔에서 훔쳐온 것으로 가득 채우려고 온 밤을 나사 풀면서 시간을 보낸다고 수줍게 웃으며 얘기했다. 그녀는 그 시간에 다른, 더 좋은 것을 하면서 보낼 방법을 안다는 듯이 말했다.

저녁으로 옛 방식의 레시피인 옥수수를 곁들인 다진 쇠고기 요리를 먹었다. 테네시에서는 이게 맛있을 수도 있다고 생각하겠지만, 그렇지 않았다. 조크의 음식과는 비교도 할 수 없다. 내가 가진 레드 해클디럭스를 좀 마신 뒤 바로 잠에 빠졌다. 미국 모텔에서는 돈이 있다고 해도 아침에 차 한잔을 마실 수 없다. 휴대용 차 세트를 가져왔다면 얼마나 좋았을까. 기분을 북돋아주는 차 한잔의 여유도 없이 아침에 일어나서 옷을 갈아입는 게 얼마나 힘든지 상상도 못할 것이다. 나는 레스토랑으로 달려나가 커피 한 냄비를 통째로 마셨다. 커피는 꽤나 괜찮았고, 캐나다식 베이컨과 핫케이크에 시도해 볼 용기를 주었다. 그것들은 나쁘지 않았다. 나는 어제 주유소에서 보았던 그 연한 청색 차의 주인, 혹은 그 차와 매우 닮은 사람과 똑같은 모텔에서 머물렀다는 것을 알아차렸다. 하지만 그 남자 또는 그 여자를 보지는 못했다. 나는 그들도 나사 풀기를 했을지 궁금하였다. 나로 말하자면 깨끗한 양심을 가지고 체크아

웃을 했다. 난 며칠간 아무것도 훔치지 않았다.

그날 아침에 전혀 길을 잃지 않았다. 나는 US40 도로를 타고 있었고, 한 시간도 안 되어서, 아름다운 풍경을 즐기면서 테네시를 가로질러 갔다, 내쉬빌에서 저녁을 먹었다. 돼지갈비와 빵 한 조각 그리고 내가 본 것들 중 가장 좋은 쥬크박스 바로 그 앞에 앉아 있는 특권을 누렸다. 뜨거운 돼지와 데시벨에 푹 빠져서 인도에서 차도로 발을 떼었다가 연한 청색 차바퀴 아래 발을 디딜 뻔했다. 이제 미국에는 오만 대의 연한 청색 차가 있다는 것을 확신할 수 있었다. 보행자가 그들 바퀴 쪽으로 걸으려고 하면 미국 운전자들은 자기 자신들도 연한 청색이 되면서 밖으로 몸을 빼 당신에게 온갖 욕을 해대고, 만약 당신이 좀 뚱뚱하다면 '임마'라고 부를 것이다. 이 사람은 그러지 않았다. 그는 나를 못 본 체하고 계속 운전했다. 몸집이 떡 벌어진, 아래턱이 발달한, 피쉬 앤 칩스 왕자인 나의 브라운 씨 같이 생긴 녀석이었다. 그러나 얼굴을 알아볼 수 없게 모자와 선글라스를 쓰고 있었다.

나는 그날 저녁 멤피스의 외곽에 도착할 때까지 이 사건을 잊고 있었다. 그 녀석과 똑닮은 차에 의해 추월당하기 전까지 말이다.

그날 저녁 카운터에서 내 호텔 방으로 커피와 스카치위스키용 물 한 병을 가져왔다. 나는 방문을 걸어 잠그고 크램프 씨에게 전화를 걸었다. 미국인 전화교환수들은 매우 대단하다. 당신이 대화하고 싶은 상대의 이름과 주소만 가르쳐 주면 나머지를 알아서 해준다. 크램프 씨는 조금 긴장한 듯했지만 매우 친절했다. 주변에서 시끄러운 소리가 들려왔고, 그 소리로 미루어 보건대 그가 손님들과 같이 있고 그 손님들 역시 약간 긴장한 듯했다. 나는 그에게 내가 스케줄대로 행동하고 있고, 우리의 원래 계획에서 그가 떨어져

나간 것을 언급하지는 않았다.

"그래, 그거 아주 좋군."

그가 우렁차게 소리쳤다,

"아주 좋아."

그가 몇 번이고 반복해서 말했다. 그는 항상 이렇다.

"크램프 씨."

내가 방어적으로 말했다,

"제 생각에 도로에 저와 동행이 있는 거 같은데요, 무슨 뜻인지 아시죠? 연한 청색 뷰익 컨버터블요, 뉴욕 번호판을 달고 있지요. 혹시 감잡히는 거 없나요?"

긴 침묵이 지났다. 그러곤 그는 호탕하게 웃었다.

"괜찮네, 젊은이, 자네를 에스코트하는 거야. 나는 그 누구도 내 롤스로이스를 납치해가는 걸 원치 않아."

나는 안심하는 소리를 냈고, 그는 계속 말했다.

"우리가 그를 인식하고 있다는 걸 알아차리지 못하게 해. 그냥 그가 없다는 듯이 행동해, 그리고 그가 여기에 와서 나한테 당신이 한 번도 본인을 알아채지 못했다고 하면 내가 그 놈의 거시기를 따 버릴 거야, 어때."

"알겠습니다, 크램프 씨."

내가 말했다,

"하지만 너무 험하게 대하지 마세요, 그러실 거죠? 제 말은, 그냥 경계를 했을 뿐이라는 거예요, 아시죠?"

그는 흥미롭다는 듯이 웃으며, 혹은 트림이었을 지도 모른다. 전화를 끊은 직후 누군가 다시 전화를 했다. 프런트데스크 전화일지도 모른다. 하지만, 나는 전화를 받지 않았고, 트림을 한 다음 침대로 갔다.

그날 저녁에는 더 이상 아무 일도 없었다. 내가 걱정을 많이 한 것을 제외하고는. 크램프는 술 취한 어리석은 녀석일 수도 있는데… 그냥 백만장자가 된 것이 아니다. 백만장자가 되기 위해서는 명석한 두뇌, 무자비함, 그리고 머릿속에 구더기가 조금 필요하다. 크램프는 이 모든 것을 갖추고 있으며 나보다 훨씬 똑똑하고 또 훨씬 악랄했다. 이건 정말 잘못된 것이다. 내 창자가 우는 소리를 하고 툴툴거리며 집에 가고 싶어했다. 무엇보다도 내 창자들은 이 똑똑한 백만장자를, 그것도 그의 집에서 죽이는 데 어떤 작은 역할도 절대 맡고 싶어하지 않았다… 나는 간신히 잠들 수 있었다.

11

내가 미끄러져 한없이 떨어질 때,
심지어 그 전의 내 자아의 존재조차 지나서

— 사막에서의 죽음

오늘은 일요일이었다. 하지만 알칸사스의 리틀록에 내가 도착했을 때 그곳에서 일어나고 있는 광경을 보면 그렇게 생각하지 않았을 것이다. 뭔가에 대한 항의 시위가 진행되고 있었다. 평소처럼, 짙은 파란색 옷을 입은 짧은 머리 녀석들은 긴 머리의 창백한 파란색 바지를 입은 녀석들을 주먹으로 갈기고 있었다. 긴 머리들이 짧은 머리들에게 돼지라고 부르면서 돌 같은 것들을 던지고 있었다. 이 모든 것이 정말 슬프다. 백 년 전쯤 한 러시아인이 말한 것처럼, 이 사람들은 본인들이 사회를 치료하는 의사라고 믿지만 사실은 그들이 사회의 병이다. 차가 꽉 막혔다. 몇 대의 차가 내 앞에 있었고, 긴 머리 녀석들과 폭동의 무성한 막대기들이 넘실대는 바닷 속에 청색 뷰익이 빠져있는 게 보였다.

나는 엔진을 끄고 생각했다. 누군가 이 차를 훔치려는 의도가 없는데 왜 악랄한 크램프가 차 하나를 거의 대륙의 반이나 되는 거리를 에스코트하는 수고로움과 비용을 감수하는 걸까. 그리고 에스코트하는 방식이 너무 의심쩍게도 완곡하지 않나? 그가 제정신이 아니라는 매우 강한 가능성을 배제하고, 나는 그가 다른 누군가에게 차에 숨겨져 있는 캔버스의 추가조각에 대해 이야기했음이 틀림없었다. 그것이 그를 상당히 미치게 만들었고, 분명 그 사실을 후회하고 있다고 결론 내렸다. 더 나쁘게는, 그가 좀 더 깊고 더 왜곡된 게임을 하고 있는 것일지도 모른다. 왕족이나 마찬가지인 친구에게 쓴 즉흥적인 편지와 무언가 관련이 있을지도 모른다. 마트랜드가 나에게 맡긴 살인작업에 대해서 그가 추측했을 가능성은 매우 희박하다. 하지만 그는 다른 이유에서, 나를 일종의 잉여물이고 그의 안전을 위협하는 존재로 생각하게 되었을 수도 있다. "심장은 모든 것에 대해 부정직하지. 그리고 비참하게 부패했고. 누가 이해할 수 있겠어?" 라고 구약성서에서 예레미야가 울부짖는다. 그리고 당신도 알다시피, 예레미야는 그 자신이 약간 제정신이 아니긴 하지만 이러한 사안에 대해 엄청난 통찰력을 보이는 친구이다.

내 작은 걱정가게는 이 모든 이유로 더 늘어났다. 나는 조크의 튼튼한 팔과 놋쇠 같은 주먹을 미치도록 그리워하고 있는 내 자신을 발견했다. 음모는 분명한 방향으로 흘러가고 있었다. 만약 내가 젓고 있던 수저를 내 손에 쥐고 있지 못한다면, 분명한 위험이 있고 바닥으로 치달을 수도 있다. 아마도 내 밑바닥으로. 그렇다면 모데카이 경은 어디에 있어야 하는가? 여기에 결론은 암울한 대답뿐.

시위에 관련된 모든 사람들이 완전히 얻어맞고 후려쳐지고 비명을 지른 후에야 차가 움직이기 시작했다. 그리고 나는 노스캐나다

강을 가로지르는 사위니로 진입한 후부터는 뷰익을 다시 볼 수 없었다. 내가 샛길에 숨어있는 그 차를 발견하기 전까진 말이다. 나는 지나가는 그 차의 운전자한테 눈인사하기를 바라면서 다음 주유소에서 멈췄다. 내가 본 것은 나로 하여금 입을 떡 벌리고 횡설수설하게 만들었다. 분명히 똑같은 차였다. 적어도 똑같은 번호판을 가지고 있었다. 하지만 밤 동안 차 팬더에 있는 패인 자국이 사라지고 하얀 타이어와 라디오 안테나가 붙어 있었다. 운전자는 살이 빠져서 홀쭉하였고, 돼지저금통의 홈과 같은 입을 가진 성질 나쁜 녀석 같았다. 간단히 말하면, 전혀 같은 차가 아니었다. 이것이 함축하는 바는 분명하지 않았지만, 이것 하나는 명백했다. 이 상황이 더 나아질 리가 없다는것. 누군가 모데카이의 일에 많은 시간과 비용을 쏟고 있었다. 멍청한 사람은 이에 그다지 놀라지 않겠지만, 나는 그만큼 멍청하지는 않았다. 똑똑한 녀석은, 반대로, 모든 것을 그만두고 집으로 삼십육계 줄행랑을 쳤을 테지만, 나는 그렇게 똑똑하지도 않았다.

이십 마일 더 가서 아무 모텔에나 들어갔다. 모텔 침대에 앉아 제정신이 들 때까지 위스키를 마시고 있었다. 내가 겨우 한 것은 저녁 때 다시 온다고 말한 뒤 물론 돌아돌아 오클라호마 도시 중심부로 운전해 간 것이다. 도심에서 너무 가깝지 않은 곳에서 나는 밀정이나 암살자를 의도적으로 숙박시켜줄 것 같지 않은 착실한 호텔을 찾았다. 나는 지하 주차장으로 운전해 호텔로 들어갔고, 밤 근무중이던 호텔종업원이 감탄스러워하며 "기똥차네."를 충분히 내뱉을 때까지 기다렸다. 그러고 나서 그에게 롤스로이스가 다음 주 로스앤젤레스에서 열리는 'RR 엘레강스 콩쿠르' 경연대회에 참가할 것이고, 밉상인 나의 라이벌이 나의 여정이나 내 차가 승리하는 것을 방해하기 위해 무슨 짓이든지 할 것이라고 말했다.

"어떻게 할 것입니까? 만약 외부인이 당신에게 오 분만 차에 앉게 해달라고 하면서 돈을 준다면?"

"글쎄요, 선생님."

그가 말했다.

"저라면 이 렌치를 그에게 휘두르면서 그 망할 엉덩이 떨어뜨리라고 할 것 같은데요. 그러고는 위층의 프런트데스크에 전화할 거고, 아침에 그가 얼마나 많은 돈을 나에게 제시했는지 당신에게 말해 줄 것 같네요. 무슨 말인지 아시죠, 선생님."

"당연하지. 정말 똑똑한 친구군. 아무 일이 일어나지 않는다 하더라도 내일 아침에, 음, 5달러, 어때?"

"감사합니다, 선생님."

나는 엘리베이터를 타고 위층의 프런트데스크로 올라갔고, 프런트데스크 직원에게 공들이기 시작했다. 그는 말쑥했고, 직원만 입을 수 있는 혹은 원하는 슈트를 입은 콧물범벅의 꼬맹이 녀석이었다. 그의 숨결에서는 건강하지 않은, 좀 불법적인 냄새가 났다. 그는 전당포 업자처럼 내 수화물을 뒤진 후에야 욕실이 딸린 빈 방이 있다고 짜증스럽게 말했다. 그러나 내 외교여권과 내가 부주의하게 끼워 넣어 둔 오 달러짜리 지폐를 보자마자 그의 태도가 부드러워졌다. 그는 돈을 자기 쪽으로 끌고 가고 있었는데 내가 검지손가락으로 막았다. 나는 카운터로 몸을 기울였고 목소리를 낮춰 말했다.

"내가 오늘 밤 여기 있다는 걸 아는 건 당신밖에 없는 겁니다. 아시겠죠?"

그가 고개를 끄덕였다. 아직도 지폐 위에 나의 두 손가락이 있었다.

"따라서, 오늘 나에게 전화를 걸려는 사람은 내 위치를 알려고 하는 거예요. 무슨 말인지 알겠죠?"

그는 알아들은 것처럼 보였다.

"이제, 내 같은 편 친구들은 그 누구도 나에게 전화하려 하지 않을 거예요, 하지만 내 적인 다른 정파에 속하는 이들은 미국을 전복시키기 위해 헌신하고 있죠. 그렇다면 누군가 전화로 나를 찾는다면 어떻게 행동해야 할까요?"

"경찰에게 전화한다?"

진짜 화가 나서 찡그렸다.

"아니 아니죠, 절대 아니죠."

내가 말했다.

"절대로 경찰은 안 됩니다. 당신은 왜 내가 오클라호마 도시 밖이 아닌 도시 안에 있다고 생각하세요?"

그 말이 그에게 힌트가 되었다. 그의 눈은 놀라움에 커졌고 그의 입술은 작은 퐁당 소리를 내며 열렸다.

"그러니까, 선생님께 전화하라는 거죠?"

"맞아요."

드디어 오 달러 지폐에서 내 손가락을 뗐다. 그는 내가 엘리베이터 안에 들어갈 때까지 날 쳐다봤다. 나는 안심하였고, 여기에는 합당한 이유가 있는데. 전세계의 프런트데스크 직원은 두 가지 능력을 가지고 있다. 정보를 파는 것과 언제 정보를 안 팔아야 하는지 아는 것. 이 간단한 두 가지 능력이 그들의 생존전략이다.

내 방은 컸고, 안락했다. 그러나 간간이 에어컨에서 오래된 듯한 소리가 났다. 나는 룸서비스로 가장 맛있는 샌드위치와 물 한 병,

좋은 술잔을 주문했고, 경비원도 부탁했다. 룸서비스와 경비원이 동시에 도착했다. 나는 경비원과 친해지기 위해 고통스러운 과정을 거쳤다. 그는 수상해 보이는데다 키가 2미터는 돼 보이는 젊은 남자였다. 그의 어깨에는 권총집이 달려 있었다. 나는 그에게 스카치위스키를 한 잔 줬고 호텔 직원에게 했던 거짓말을 늘어놓았다. 그는 진지한 녀석이었고 나보고 증명해 달라고 했다. 내 증명서는 그를 꽤나 놀라게 했고, 그는 그날 밤 내가 머무는 층은 특별히 예의 주시하겠다고 약속했다.

그가 5달러와 함께 나간 다음, 나는 다시 기분 좋게 내 샌드위치를 음미했다. 두 종류의 빵은 온갖 좋은 것들로 가득 차 있었다. 나는 최대한 맛있게 먹었고, 스카치위스키를 조금 더 마신 다음 침대로 들어갔다. 난 내 자신을 보호할 수 있는 최선의 보호장치를 다했다고 안심하면서.

나는 눈을 감았다. 에어컨 소리가 내 머릿속에서 웅웅거렸다. 온갖 종류의 두려움과 추측, 수천 가지의 무서운 상상과 증가하는 극심한 공포를 모두 끌고 다니면서 말이다. 나는 수면제를 먹지 않기로 했다. 끝나지 않을 것 같은 생각으로 삼십 분을 보낸 후 나는 잠을 자려는 시도를 그만두고 불을 켰다. 할 수 있는 일은 오직 하나뿐. 나는 수화기를 들고 런던의 스폰 여사에게 전화를 걸었다. 그러니까 영국의 런던으로.

그녀는 이십 분 후에야 전화를 받았다. 잠을 깨운 것에 화가 나서 소리를 지르고 욕을 하면서. 나는 전화기 너머로 그녀의 불쾌한 작은 푸들 피세파트아웃의 주변소음과 그녀의 소프라노 비명이 합쳐지는 소리를 들을 수 있었다. 향수병에 걸릴 것만 같았다….

나는 몇 개의 잘 고른 단어로 그녀를 진정시켰다. 그녀는 금방 심각한 사항이라는 것을 이해했다. 나는 그녀에게, 모든 위험을 감수하고, 조크가 화요일에 랜쵸 드 로스 시의 돌로레스에 있어야만 하며 그녀가 반드시 그렇게 되도록 조치를 취해야 한다고 말했다. 그녀는 약속했다. 그녀 같은 여자에게는 몇 시간 내에 미국 비자를 받는 것은 일도 아니다. 그녀는 그저 문을 두드리고는 약속이 되어 있다고만 하면 교황과 개인면담이 가능했다. 그들이 말하길 교황이 그녀에게 시스틴 성당을 개조할 수 있는 계약권을 거의 줄 정도였다고 하니까.

조크를 만날 수 있다는 생각만으로도 엄습해 오는 두려움을 잠재울 수 있었다. 이제 나는 피의 족적을 남기지 않고 그곳에 도착하는 일만 남았다.

나는 이상하게도 야한 꿈과 뒤섞인 불편한 잠에 빠져들었다.

12

아침에 마실 차가 없었다. 하지만 나는 이제 막 옛 서부의 문턱에 다다랐으니 불편한 생활을 견디는 법을 배워야 한다고 생각했다. '개척자들! 오, 개척자들!' 지치지 않고 월트 휘트먼이 외쳤던 것처럼.

프런트데스크와 주차장에서는 보고받을 게 없었다. 그래서 시원한 공기를 마시려고 밖으로 걸어나와 내가 발견한 것은 창문에 '옛 오클라호마 목동의 특별 아침식'이라고 적혀있는 바 같은 곳이었다. 누가 거부할 수 있을까? 나는 거부할 수 없었다.

특별 아침식은 거의 날것 상태인 두툼한 스테이크와 내 팔뚝만한 크기의 베이컨, 뜨거운 시큼한 맛이 나는 비스킷 더미, 그리고 별 볼일 없는 커피와 라이 위스키 반 파인트였다. 바텐더와 할 일이 없는 주방장이 모두 바에 기대서서 내가 앞으로 어떻게 할지를 흥미롭게 바라보고 있었다. 나는 덫에 걸렸다. 그들의 얼굴은 엄숙했고 공손했지만 기대하는 듯한 표정이었다. 영국인의 명예가 내 칼과 포크에 달려있다. 나는 커피에 위스키를 조금 타서 마셨다. 그 후에는 뜨거운 비스킷을 시도해볼 힘을 냈다. 그 다음에는 다시 커피, 그리고는 베이컨 한 조각 그리고 그런 식으로 계속 먹다보니 먹는 것에 대한 식욕이 붙었고, 곧 나와 구경꾼 모두에게 놀랍게도, 스테이크 자체가 나의 활과 창에 무너졌다. 나는 바텐더가 건네는 공짜 술을 받아 마셨고, 진지하게 악수를 한 뒤 나왔다.

기운을 내서 나는 롤스로이스를 타고 위대한 미국 동화의 요람인 황금의 서부를 향해 고개를 돌렸다. 오후에는 주 경계선을 넘어 텍사스에 도착했다. 어린아이일 때부터 매 토요일마다 텔레비전에서 외로운 레인저와 친해진 남자에게는 매우 엄숙한 순간이었다.

내 자취를 쫓고 있을 뷰익 탄 소도둑을 생각하며 나는 거의 모든 주유소에서 휘발유를 몇 갤런씩 사기 시작했다. 아마릴로로 가는 길인지 물으면서 말이다. 그건 바로 그 도로의 서쪽에 있었다. 분명하게, 어디에선가 그 파란 차가 나를 추월했는데 그 운전자는 오른쪽도 왼쪽도 보지 않았다. 명백하게, 그는 내 목적지에 만족하고 있었고 나보다 먼저 아마릴로에 도착하려고 했다. 나는 그가 백미러를 통해 나의 모습을 볼 수 있도록 해줬고, 1마일 뒤에 떨어져서 달리다가, 왼쪽으로 돌아 클라우드를 향해 남쪽으로 속력을 냈다. 그 다음 클레런던을 통과해 동남쪽으로 달려서 레드 강의 프레리독 도시 분기점으로 갔다. 에스텔라인에서 그 강을 넘어갔다. 점심을 먹을 필요는 못 느꼈지만 라이 위스키를 여기저기서 조금씩 마시고 뭔가 씹기 위해 달걀을 먹으면서 체력을 보충했다. 가장 아닌 것 같은 도로를 따라가면서 나는 다시 서쪽을 향해 달렸다. 오후가 다 지나갈 때쯤 나는 뷰익을 따돌렸다고 생각하며 만족해했다. 말할 필요도 없이 나도 길을 잃은 상태였지만, 그것은 그렇게 중요한 사안이 아니었다. 나는 별 볼일 없게 보이는 모텔 하나를 찾았다. 그 모텔에 있는 13살짜리 남자아이는 자신의 만화책에서 눈을 올리지도 않은 채 나에게 객실을 빌려줬다.

나는 '만세, 당신 영웅들! 천국 같은 땅!' 이라고 말한 R.H. 혼의 말을 자유롭게 빌려서 "콜롬비아 만세! 행복한 땅!" 이라고 그에게 말했다. 소년은 거의 고개를 들 뻔했다. 하지만 나의 말에 응답하느니 〈1만 미터 깊이에서 온 늑대소년〉을 탐닉하기로 결정한 듯했다. 나는 전혀 그를 비난할 수 없었다.

나는 남은 오후를 졸면서 보냈고, 세 시간 후 참을 수 없는 갈증을 느끼며 깼다. 나는 다리 운동도 하고 달걀과 햄을 구하기 위해 밖으로 나갔다. 먼지 가득한 도로 200미터 떨어진 미루나무 계곡의 그림자 아래에, 연한 청색 뷰익이 서 있었다.

이것으로 확실해졌다. 롤스로이스에는 추적장치가 있다. 어떤 사람도 오늘처럼 미로같이 운전한 날 내 롤스를 추적할 수 없다. 꽤나 침착하게, 나는 베이컨과 구운 달걀을 먹으며 커피를 터프하게 마셨다. 그리고는 연한 청색 뷰익을 만난 적이 없는 것처럼 태연하게 다시 롤스로이스로 한가로이 걸어갔다. 트랜지스터 회로 추적 무선 송신기를 찾는데 거의 10분이 걸렸다. 내 오른쪽 앞 흙받이 안쪽에 견고하게 붙어 있었다.

나는 고스트를 출발시켜, 엉뚱한 방향으로 이동했다. 몇 마일 간 후 나는 믿기 어려울 정도로 좋은 할리 데이비슨 오토바이에 탄 경찰관에게 크게 소리쳐서 길을 잃었다고 하였다.

토박이 남자가 미국인 경찰관한테 멍청하게 길을 물을 경우 그는 부랑죄로 감옥신세를 지게 되거나, 만약 경찰관이 친절하다면, "지도를 사라" 는 이야기를 듣게 될 것이다. 이 경찰은, 맹세컨대, 내가 굉장히 아름다운 롤스로이스를 타고 영국 발음을 사용하지 않았더라면 자신을 멈추게 했다는 이유로 나를 때렸을 것이다. 그러나 이 두 요소가 잘 먹혔는지 친절하게 대했다. 나는 차에서 내려, 그가 지도 위의 몇 군데를 집어주는 동안 나는 할리 데이비슨 오토바이에 살짝 기댔다. 그리고 오토바이 엔진 공회전의 투덜거리는 소리 때문에, 그 작은 발신기의 자석이 그 오토바이의 뒤쪽 흙받이 아래에 꽉 고정될 때 나는 소리가 들리지 않게 했다. 그는 빠르게 남쪽으로 갔다. 나는 뷰익이 확신에 차 지나갈 때까지 흙길 아래 숨에 있었다. 그러고 나서는 종 속의 추처럼 북쪽, 그리고 서쪽으로 향했다.

큰 달이 텍사스 위로 떠올랐다. 나는 넋이 나간 채 몇 시간 동안 스페인풍의 베이오넷의 숲과 산쑥지대 벌판을 달렸다. 결국, 라노 에스타카도(텍사스주 서부와 뉴멕시코주 동남부에 걸쳐있는 고원지대)의 끝, 스테이크드 평원에 도착해서 롤스로이스를 협곡 안으로 천천히 운전해 들어갔고, 차 안에서 자기 위해 정차했다. 혹시나 모를 퓨마에 대비해 위스키 한 병을 손에 닿을 거리에 놓고서 말이다.

때 맞춰 코요테가 가까운 거리에서 그의 우렁찬 사랑 노래로 저녁 공기를 갈랐다. 나는 잠에 빠져들면서 멀리서 소리 죽인 천둥소리, 말발굽 소리가 들린다고 생각했다.

13

그래서 나는 그를 만났다.
나는 짧은 부서진 언덕등성이를 지났다
늙은 사자의 어금니 같은…

— 사도서간

나는 총소리에 깼다.

흥분되지 않았느냐고? 당신은 그런 식으로 잠을 깨본 적이 없을
것이다. 나는 완전히 깨기 전에 공포로 낑낑거리며, 좌석 밑에 있
는 비밀함에서 뱅커의 특수 피스톨을 찾아 미친 듯이 더듬으며 액
셀러레이터와 브레이크 페달 사이에 끼어 있었다.

아무 일도 일어나지 않았다.

나는 엄지손가락으로 해머를 뒤로 제치고 움찔하면서 창문 모서
리로 엿보았다.

아무 일도 일어나고 있지 않았다. 나는 다른 창문을 통해 보았
다. 아무것도 없었다. 그래서 총소리를 꿈에서 들었다고 판단했다.
왜냐하면 꿈에서 코만치족, 아파치족, 콴트릴(미국 남북전쟁 때의 게
릴라 지도자) 게릴라들, 기타 인간형상의 악마 같은 무서운 존재들

이 나왔기 때문이다. 나는 아프지 않았고, 옛 황홀감이 다시 회복되어서, 건강에 좋은 잠깐의 산책을 위해 밖으로 나가려는 대담함이 생겼다. 내가 차 문을 열자 또 다른 총성이 울렸고, 0.2초 후에 꽝 하고 차문이 다시 닫혔다. 역시 모테카이의 반응 시간에는 아무 문제도 없었다.

나는 주의 깊게 내 청각상 기억을 되살려 총성의 정확한 소리를 알아내려 했다.

1. 엽총에서 나는 의심의 여지없는 '빵' 소리가 아니었다.

2. 소구경 라이플총의 잔인한 '딱' 하는 소리도 아니다.

3. 45구경 피스톨의 '쾅' 소리도 아니었다.

4. 대구경 표준 라이플총이나 당신 방향으로 쏜 매그넘 피스톨의 귀를 찌르는 '꽝' 소리도 아니었다.

5. 당신 쪽으로 발사된 고속 스포츠 라이플이나 비슷한 총의 무시무시한 채찍을 휘두르는 '철썩' 소리도 아니다.

6. 그렇다면 스포츠 라이플이다. 하지만

7. 울림이 없었으니 협곡에서 발사된 건 아니다.

8. 나에게 발사된 것은 아니다. 빌어먹을, 소녀 단원조차 천천히 조준해 두 번을 쏴서 롤스로이스를 빗나갈 수는 없다.

머리를 굴려보니 그것은 어떤 정직한 농장주가 그 동네 코요테를 정신 빠지게 하기 위해 쏜 것이었다고 생각하니 만족스러웠다. 하지만, 내 몸은 평화를 되찾기에 더 오랜 시간이 걸렸다. 나는 자리로 돌아와 호밀빵을 야금야금 먹으며 15분 동안 몸을 부드럽게 움직여 보았다. 백년이 지난 듯한 시간이 흐른 뒤, 나는 사막을 가로질러 수마일 떨어진 곳에서 낡은 차에 시동을 거는 엔진 소리가 들렸다. 나는 내 비겁한 자신을 조롱했다.

"이 비겁한 녀석아."

내가 나를 비웃었다. 그런 후 설명하기 어렵게도, 한 시간을 더 잤다.

내가 늙고, 더러우며, 힘들다고 느끼며 여정의 마지막 구간을 시작했을 때도 여전히 9시밖에 안 되었다. 당신이 18살보다 나이가 많다면 그 느낌을 알 것이다.

위축된 자세로 계속 운전하는 것은 어렵다. 하지만 그럼에도 나는 롤스로이스를 운전해서 괜찮은 속력으로 스테이크드 평원을 성큼성큼 가로질렀다. 스테이크드 평원은 실제로 아주 흥미롭지는 않다. 하나의 스테이크드 평원을 보면 다 본 것이다. 나는 특히 당신에게 크램프의 목장이 어디 있는지를 말하고 싶지 않다. 아마도 지금은 과거시제가 되었겠지만 하지만 나의 야영지로부터 직선으로 200마일 떨어진 곳이며 세크라멘토 산맥과 리오 혼도 사이라는 것만 알려 준다. 그날 아침 지도 위에는 이름만 있을 뿐, 그것에서 흘러나오는 시는 모두 사라졌다. 단어로부터 광휘를 없애버리는 데에는 총소리만한 것이 없다. 나는 크레오소트 덤불, 사막갈대, 스크루빔에 곧 싫증이 났다. 그 스폰 여사가 온실에서 기르는 것과 너무도 다른 그 영원하고 거대한 선인장은 말할 것도 없다.

정오에는 괴롭힘을 당하지 않고 뉴멕시코에 들어섰다. 여전히 늙은 것 같고 더러운 느낌으로 말이다. 러빙톤(굿나잇 러빙 길을 다 태우고 다음 해 화살상처로 죽은 올리버 러빙 Oliver Loving 노인의 이름을 딴)에서 목욕을 하고 면도를 하고 옷을 갈아입고, 사랑스럽게 이름이 들리는 우에보스의 '오조스데 코멘체로'한 접시를 시켰다. 실제로 그것은 지금껏 본 것중 가장 무서운 음식이었다. 두 개의 후라이된 계란이 케첩, 타바스코소스, 다진 칠리로 장식되어 핏발이 선 눈을 닮아 있었다. 내 자신의 다리를 먹는 게 나을 것이다. 나는 그 무서운 것을 손을 흔들어 물리쳤다. '옛 오클라호마 목동'은 먹을 만하지만 이건 정말 아니다. 나는 그 대신 '칠리와 프랭크 소시지'를 시도해봤는데 꽤 좋았다, 꼭 칠리 콘 고기 같지만 간 고기 대신 살짝 짭짤한 소시지가 들어갔다. 내가 먹는 동안 다양한 농장 일꾼들이 감탄하며 자동차를 손세차하고 있었다. 물론 비누와 물만으로.

이제 갈 길이 백 마일도 안 남았다. 깨끗하고, 말쑥하며, 다시 중년이 되어, 나는 롤스로이스의 방향을 버진 세븐 소로 농장으로 향하게 했다. 여기에서 나는 순례자의 걱정의 보따리, 두려움의 주름진 모자, 불법의 지팡이를 내려놓을 것이다. 게다가 여기에서 많은 돈을 배달받을 것이고 아마도 크램프를 죽일 것이다. 또는 아닐 수도 있다. 나는 마트랜드와의 거래에서 내가 해야 할 부분을 준비하여 영국을 떠났다. 하지만 수백 마일의 미국 여행 중 많은 것을 생각했고 그와 약속을 지키는 것에 대한 반대 논리를 발전시켰다. 우리는 결코 학교에서 친구였던 적이 없다. 그는 행실이 단정치 못한 아이였고, 모든 사람들에게 '사악한 사람'으로 알려져 있었으니까. 어떤 일을 해서도 소년이 그런 이름을 얻을 순 없을 것이다.

나는 또한 더 진한 선글라스를 샀다. 내 예전 것은 레모네이드 같은 영국의 햇살을 위해 만들어진 것이라 사막의 잔인한 태양의 맹공격을 막을 수 없었다. 보라색이며 녹색인, 가장자리의 그늘조차 쳐다보기가 고통스러웠다. 나는 모든 창문을 닫고 사이드 블라인드를 내리고 운전했다. 자동차 안은 온도를 잘못 조절한 사우나 목욕탕 같았다. 하지만 밖의 건조하고 타는 듯한 공기의 분노를 안으로 들이는 것보다는 나았다. 나는 곧 괴로운 땀의 수렁 속에서 앉아 있었고, 옛 상처가 나를 괴롭히기 시작했다. 칠리와 앞일에 대한 두려움 때문에 내 소장은 엉망이 되었다. 종종 장에서 가스가 움직이는 꾸룩꾸룩거리는 소리는 차 엔진보다 더 크게 났다. 차는 방해받지 않고, 조용하게, 법정 마일당 휘발유를 마구 써대며 천천히 달렸다.

오후 중반쯤 나는 땀이 멈추고 혼자 말을 하기 시작했다. 그리고 내가 그 말에 귀를 기울이고 있다는 걸 알아차리고 놀랐다. 온몸을 비틀어대는 열기의 아지랑이 속에서 길을 알아내기가 점점 어려워 졌다. 앙상하게 말라빠진 털이 숭숭 난 다른 운전자들이 바로 내 앞에 있는지 나보다 200미터 앞서 가고 있는지 분간할 수 없었다.

한 시간 후 나는 길을 잃은 채 세크라멘토 산 돌출부 아래의 한 더러운 도로에 있었다. 나는 지도를 보려고 멈추었다. 그곳에서 거대한 침묵에 귀를 기울이고 있는 나 자신을 발견했다. '새가 죽어 있는, 하지만 무엇인가가 새처럼 노래하는 그러한 고요함'이었다.

내 위의 어디론가로부터 총이 발사되었지만 총알이 지나가는 소리가 나지 않았다. 난 하루에 두 번이나 겁나 몸을 움츠리고 싶은 생각은 없었다. 게다가 이건 누가 뭐래도 권총의 특징을 보여주고 있었다. 검은 파우더가 장전된 대 구경 피스톨에서 나는 무거운 공기에 의해 납작해진 총소리였다. 내 위의 산등성이 높은 곳에서 말 탄 사람이 넓은 챙의 모자를 흔들었다. 그 사람은 말을 타고 있다는 것에 전혀 개의치 않고 태평스러운 듯 익숙한 솜씨로 말을 몰아 내려오기 시작했다. 나중에 밝혀진 바와 같이 그건 남자가 아닌 여자이였는데, 정말 대단한 승마 솜씨였다! 나는 이전에 진짜로 오렌지 말을 본 적은 없다. 하지만 나는 보자마자 무엇인지 바로 알았다. 순수한 하얀 갈기와 꼬리를 가진 선명한 오렌지 회갈색 말이었다. 그 말은 굉장했고, 누구도 그런 말을 거세할 수 없다는 건 확실하다. 울퉁불퉁한 바위 비탈을 마치 평평한 황야를 걷듯이 내려왔다. 뿔 모양 돌기가 있고, 말에 묶는 뱃대끈이 이중으로 된 텍사스 안장은 정교하게 무늬가 상감 세공되어 새겨진 가죽 위에 은빛 조가비들로 장식되어 있었다. 말을 탄 소녀는 옛 텍사스를 보여주는 박물관 전시품처럼 옷을 입고 있었다. 방울뱀 밴드와 여러 띠를 두른 춤(그릇, 신, 모자 따위의 높이)이 낮은 검은 색 카우보이 모자와 거의 허리까지 끝이 내려오는 두건, 믿기 어려울 정도로 멋진 저스틴 부츠 안으로 집어넣은 갈색 리바이스 바지를 입었다. 그 부츠는 안장 양쪽에 달린 옛스러운 은색 스페인 등자에 딱 붙은 듯 보였고 겉보기에 금으로 만든 것 같은 켈리식 박차(신발 뒤축에 댄 톱니 모양의 쇠)로 장식되어 있었다.

그녀는 고삐를 느슨하게 한 채, 단단한 허벅지를 안장에 딱 붙인 채, 작은 산사태를 일으키며 비탈 아래에 도착했다. 그리고 그 종마는 돌을 튀기며 드라마틱하게 롤스로이스 옆에 왔다.

나는 창문을 내리고 공손한 표정으로 밖을 살폈다. 내 코앞에 말 얼굴에서 나오는 질질 흐르는 거품이 뿜어져 나오고 있었다. 그 말은 거대한 누런 이를 보여주면서 내 얼굴을 깨물어 버릴 듯했다. 그래서 나는 창문을 다시 닫았다. 그 소녀는 롤스로이스를 살펴보고 있었다. 그녀의 말이 차 창문을 지나 움직이면서 나는 1840년대식 종이 탄약통과 그보다 20년 후에 나온 루이스 콤포트 티파니 손잡이가 있는 구식 용무늬 패턴의 콜트권총 한 쌍을 담은 버스카데로 총집이 달린 멋진 멕시코 총 벨트를 볼 수 있었다.

그녀는 그것들을 남서부 식으로 제대로 차고 있었다. 뭉툭한 끝부분을 앞으로 매었는데 물론 꽉 매지는 않았다. 할리우드 영화를 흉내 내는 것이 아니라 완벽한 역사적 재현이었다. 허벅지에 총집을 매고 피스톨을 넣은 채 총집을 열고 말을 타보거나 걷기라도 해보라. 어찌되는지. 안장 칼집에서는 그 칼집에 유일하게 맞는 총인 윈체스터 연발총의 끝부분이 밖으로 툭 튀어나와 있었다.

모자부터 말굽의 편자까지 그녀는 엄청 부자임이 확실했다. 이것이 나에게 돈의 쓰임새에 대한 새로운 비전을 보여주었다. 여기에는 그녀라는 멋진 존재는 들어있지 않았는데, 그녀 자체는 그녀가 가지고 있는 것보다 훨씬 더 값어치 있어 보였다. 나는, 당신이 추측했겠지만, 평범한 섹스, 특히 여자와의 섹스를 아주 좋아하지는 않는다. 하지만 이러한 미의 화신은 나의 축 늘어진 욕망을 명백히 흔들었다. 실크 블라우스가 섬세한 땀으로 인해 그녀의 완벽한 몸체에 들러붙어 있었고, 리바이스 바지는 그녀의 골반을 적나라하게 드러내는 즐거움을 주고 있었다. 그녀는 기수가 되기에 완벽하게 둥그렇고 단단한 엉덩이를 가졌지만 너무 어려서 승마를 시작한 소녀의 엉덩이처럼 넓지는 않았다.

나는 차의 다른 쪽 문으로 나와서 후드 넘어 그녀에게 말을 걸었다.

"안녕하세요."

내가 대화를 시작하려고 말했다.

그녀는 나를 위 아래로 쳐다보았다. 나는 숨을 들이마셔 배를 들어가게 했다. 내 얼굴은 할 수 있는 한 아무 표정을 짓지 않으려 했지만 그녀는 알았다. 알고 있다, 당신이 알다시피.

"안녕."

그녀가 말했다. 나는 호흡이 거칠어졌다.

"혹시 랜쵸 디 로스에시테 돌로레스를 어떻게 가는지 말씀해 주실 수 있나요?"

내가 물었다.

그녀의 벌이 문 것 같은 도톰한 입술이 벌어지고 작고 하얀 이들이 살짝 보였다. 아마도 일종의 미소였다.

"그 골동품 차는 얼마나 하죠?"

그녀가 물었다.

"미안합니다만 판매용이 아니에요, 정말로."

"당신은 어리석어요. 그리고 뚱뚱하죠. 하지만 귀여워요."

그녀의 목소리에는 외국인 억양이 약간 들어 있었지만 멕시코 억양은 아니었다. 아마도 비엔나나 부다페스트 같았다. 나는 길을 다시 물었다. 그녀는 승마용 아름다운 가죽 채찍 손잡이를 눈가로 들러올려 서부 지평선을 훑어보았다. 한 조각의 구멍 난 뿔이 손잡이에 들어 있는 그런 채찍이었다. 이런 날씨에는 망원경보다 더 유용하다.

"저기를 가로질러 저 길로 가세요."

그녀가 가리켰다.

"사막이 저 도로보다 더 나쁘지 않아요. 뼈들을 보게 되면 그 뼈들을 따라가세요."

나는 다른 대화거리를 생각해보려 했지만 그녀가 수다쟁이가 아닌 것 같은 느낌이 들었다. 내가 그녀를 잡아두는 방법을 생각해내고 있을 때조차도 그녀는 채찍 가죽끈으로 종마의 배 아래를 가볍게 쳤다. 그녀는 타는 듯이 더운 바위가 뒤섞여 빛나고 있는 곳으로 멀어지고 있었다.

20분 후에 나는 그녀가 말하던 뼈들 중 첫 뼈를 만났다. 길이 살짝 나 있는 오솔길 옆에 예술적으로 놓여진 텍사스 롱혼의 탈색된 해골이었다. 그리고 나서 또 하나 그런 후 또 하나를 만났고, 결국 외떨어진 곳의 거대한 농장 문에 도착했다. 햇볕에 바랜 가로대가 고뇌하는 마돈나를 다양한 색채의 멕시코 식으로 새긴 거대한 조각품을 지탱하고 있었다. 그 아래의 간판에 농장의 이름이 새겨 있었다. 두 개의 스페인 글자 같은 것이었다. 나는 거기에 농담이 암시되어 있는지 의아해했다. 만일 농담이 숨어있다면 그건 크램프 씨가 만든 것이 아니라고 생각했다.

문을 지나 오솔길은 눈에 잘 띄었다. 버팔로 잔디가 200미터 갈 때마다 더 무성해졌다. 미루나무 아래 모여 있는 팔로미노즈, 아팔로사스, 기타 내가 모르는 종류의 말 무리, 마간즈가 눈에 띠기 시작했다. 때때로 말을 탄 사람들이 내 뒤나 옆으로 붙기 시작했다. 내가 거대한, 제멋대로 뻗어나간 대농장 건물에 도착했을 때에는 멕시코 카우보이 민속의상인 차로 복장의 수십 명의 악당들에 의해 에스코트되었다.

집은 놀라울 정도로 아름다웠다. 기둥과 포르티코(건물 입구에 기둥을 받쳐 만든 현관 지붕)은 모두 하얀색이었다. 집 밖의 정원은 녹색 풀밭들, 분수대들, 패티오들, 꽃핀 아가베와 유카들로 이루어진 미로였다. 간이차고의 문이 예상 밖으로 올라가 있어서 나는 부가티와 코드 사이에 내 롤스로이스를 부드럽게 집어넣었다. 내가 손에 가방을 들고 나타나자 나를 호위하던 노상강도들이 들리지 않는 어떤 명령을 받자 곧 사라졌다. 작은, 무례해 보이는 소년만 눈에 들어왔다. 소년은 무슨 말인가를 스페인어로 하고는 내 손에서 짐을 재빠르게 잡아챈 후 그늘진 패티오 쪽을 가리켰다. 나는 내 고문받은 바지가 허락하는 한 가장 우아한 걸음으로 그곳으로 향했다.

나는 대리석 벤치에 앉았다. 몸을 쭉 뻗어보고는 초록 그늘 속에 반쯤 가려진 동상에 감사의 눈길을 던졌다. 다른 것들보다 풍파에 더 낡은 동상이라고 생각했던 것이 알고 보니 손을 무릎에 접고 나를 무관심하게 쳐다보고 있는 움직이지 않는 한 늙은 여인이었다. 나는 벌떡 일어나서 절을 했다. 그녀는 사람들이 항상 절을 할 것 같은 그런 종류의 여인이었다. 그녀는 머리를 조금 숙였다. 나는 안절부절했다. 분명히 크램프의 어머니임이 틀림없었다.

"제가 크램프 여사께 인사드릴 영광을 가졌던가요?"

내가 마침내 물었다.

"아닙니다, 선생님."

그녀는 잘 배운 외국인이 조심스레 영어로 말하는 식으로 대답했다.

"그레트하임 백작부인입니다."

"죄송합니다."

내가 진심을 담아 말했다. 크램프가 아닌 우리 중 크램프로 오인되는 걸 바라는 사람이 누가 있으랴?

"크램프 씨 부부가 댁에 계신가요?"

내가 물었다.

"글쎄요…."

그녀가 차분하게 대답했다. 그 주제는 분명히 물 건너갔다. 침묵이 지속되었고 내가 침묵을 깨뜨리기 위해 무엇인가를 해야 할 지경을 넘어서고 말았다. 만일 그 노부인의 일생의 미션이 나로 하여금 아늑함을 느끼지 않게 만드는 거라면, 그녀는 성공가도를 달리고 있었다. 나는 동상들을 다시 바라보았다. 거기에는 비너스 칼리피기아('엉덩이가 아름다운 비너스'란 뜻의 대리석 소녀상)를 훌륭하게 모사한 작품이 있었다. 나는 감사해하며 그 시원한 대리석 궁둥이를 오래 바라보았다. 허둥지둥하지 않으리라 결심한 것을 너무도 잘 실천했더니 햇볕에 따가웠던 내 눈꺼풀이 감기기 시작했다.

"목마르지 않나요?"

할머니가 갑자기 물었다.

"예? 오, 글쎄요, 어…"

"그런데 왜 종을 울려 하인을 부르지 않나요?"

그녀는 내가 왜 하인을 부르지 않는지 너무도 잘 알고 있었다. 나쁜 할망구 같으니라고. 나는 하인을 부르러 종을 울렸다. 그러자 건장하고 제멋대로인 여자가 낙하산 끈 같은 것이 달린 블라우스를 입고 나타나 뭔가 맛있는 것이 가득 담긴 큰 유리잔을 가져왔다.

나는 입에 대기 전에 그 백작부인을 향해 공손하게 몸을 굽혔다. 이것 역시 실수임이 드러났다. 왜냐하면 그녀는 마치 내가 '건배, 귀염둥이.' 라고 말한 것처럼 흉악하게 날 바라보았기 때문이었다.

그녀에게 내 이름을 말해야겠다는 생각이 들어서 이름을 말했다. 그러자 차가운 분위기가 녹았다. 분명 이름을 좀 더 전에 말했어야했다.

"나는 크램프의 장모입니다."

그녀가 갑자기 말했다. 그녀의 톤 없는 목소리와 표정 없는 얼굴이 왜 그런지 크램프라 불리는 사람들에 대한 경멸을 담고 있었다. 또한 바로 그것 때문에 모데카이라 불리는 사람들에 대한 경멸도 담고 있었다.

"그렇군요."

내가 정중하지만 약간 믿기 힘들다는 투로 말했다.

내가 음료를 다 마시고 또 한잔을 더 청하기 위해 종을 울릴 용기를 모으는 것 말고는 잠시 동안 아무 일도 일어나지 않았다. 그녀는 이미 나를 하류층으로 단정해버렸다. 그녀가 나를 술고래로 생각하는 편이 낫다고 생각되었다.

시간이 더 지난 후, 맨발의 심부름꾼이 기어 들어와서 그녀에게 빠른 스페인말로 중얼거리더니 다시 기어나갔다. 잠시 후 그녀가 말했다.

"내 딸이 지금 들어왔는데 당신을 보고 싶어합니다."

그러고 나서 그녀의 양피지 눈꺼풀을 완전히 감아버렸다. 나는 퇴출되었다. 내가 패티오를 떠날 때 나는 분명히 그녀가 "당신이 서두른다면 저녁 전에 그녀와 한번 짝지을 시간이 있을 거예요." 라고 말하는 것을 들었다. 나는 등에 총을 맞은 것처럼 멈췄다. 모데카이가 할 말을 잃는 경우는 많지 않다. 하지만 바로 그때 할 말을 잃었다. 눈을 감은 채 그녀는 계속 말했다.

"그녀의 남편은 상관하지 않을 거예요. 그 자신이 직접 그걸 하는 걸 원하지 않지요."

난 여전히 할 말이 없었다. 나는 조용히 거기를 떠나면서 그 단어들이 정체된 공기 속에 반향하도록 내버려 두었다. 내가 집에 들어서자 한 하인이 나를 깔끔하게 인도해서 일층에 있는 양탄자가 걸린 작은 방으로 안내했다. 나는 당신이 상상할 수 있는 가장 사치스러운 소파에 푹 파묻혀 내가 일사병에 걸린 건지 아니면 그 노친네가 미친 건지를 알아내려 애썼다.

통찰력 있는 독자인 당신은 양탄자를 가르며 방에 들어온 소녀가 내가 사막에서 본 그 소녀임을 알고 놀라지 않을 것이다. 하지만 나는 매우 놀랐다. 왜냐하면 2년 전 런던에서 크램프 부인을 마지막으로 보았을 때 그녀는 생강색 가발을 쓰고 약 열여섯 개의 돌

150

만큼이나 무게가 나가는 몹시 불쾌한 여자였기 때문이다. 누구도 좀 더 최신 모델이 있다고 나에게 말해주지 않았다.

교회 모자걸이처럼 튀어나온 내 눈을 걷어 들이면서, 나는 짧은 다리와 비이성적으로 깊은 소파 때문에 좀 웃기게 허둥지둥 일어나기 시작했다. 마침내 일어나서, 좀 뚱하지만, 그녀를 보니 그녀는 '가짜 미소'라고 기술할 수밖에 없는 미소를 띠고 있었다. 그녀의 미소는 진주 같은 이들 사이로 빨간, 빨간 장미가 상상될 정도의 아름다운 미소였다.

"당신이 나를 '아미고(친구)'라고 부른다면."

내가 짧게 말했다.

"나는 소리를 지를 거예요."

그녀는 갈매기의 날개 모양의 눈썹을 치켜떴다. 미소도 사라졌다.

"하지만 모데카이 씨, 난 그렇게 할 의도가 없었어요. 이 멕시코 야만인들의 말을 흉내내고 싶지도 않아요. 그렇게 뻐기는 권총강도로 위장한 건 내 괴짜 남편의 변덕 때문이에요."

그녀는 미국식을 매우 세심하고 꼼꼼하게 이용했다.

"그리고 그 피스톨은 거세 콤플렉스와 관계가 있죠. 나는 이해하고 싶은 마음도 없고 프로이드 박사와 그의 불결한 정신에 대해서도 아무 관심이 없어요."

나는 이제 그녀가 어떤 사람인지 알았다. 이 세상에서 가장 사랑스럽고 똑똑한 오스트리아 빈의 유대인 여성이었다. 나는 정신을 차렸다.

"실례합니다."

"다시 시작하도록 합시다. 내 이름은 모데카이입니다."

나는 뒤꿈치를 붙이고 그녀 손 위로 고개를 숙여 인사했다. 그녀는 길고 사랑스러운 손가락을 가지고 있었고 그것들은 못처럼 단단했다.

"내 이름은 조한나예요. 내가 결혼으로 얻은 이름은 뭔지 아시죠?"

나는 그녀가 이름을 최대한 띄엄띄엄 발음한다는 인상을 받았다. 그녀는 나에게 소파로 되돌아가라는 몸짓을 했다. 그녀의 모든 제스처는 아름다웠다. 그리곤 양쪽으로 두 다리를 벌리고 거기에 섰다. 그 빌어먹을 깊숙한 소파로부터 그녀를 위로 올려다보는 것은 부자연스러웠다. 내 눈길을 낮추니 내 코에서 14인치 떨어진 곳에 그녀의 청바지가 꽉 쥐어 잡고 있는 사타구니가 있었다. 물론 소설가 호르헤 루이스 보르헤스 식으로 말해서 14인치라는 거다.

"그것들은 멋진 피스톨이군요."

내가 절망에 빠져 말했다. 그녀는 오른손으로 뭔가 놀랄 만큼 재빠르고 정교한 행동을 했다. 그와 동시에 티파니 총의 개머리가 내 얼굴에서 6인치 떨어진 곳에 있었다. 나는 그녀로부터 공손하게 그걸 받았다. 보라, 그 드라군 콜트식 자동권총은 30센티가 넘고 4파운드 이상 무게가 나갔다. 한번이라도 이걸 다뤄본 적이 없는 한 당신은 아무렇지도 않은 듯 그 권총을 잽싸게 움직이는 것이 얼마나 많은 힘과 기술을 요구하는지 이해할 수 없을 것이다. 이 여자는 겁나는, 젊은 여자였다.

그건 정말 매우 아름다운 피스톨이었다. 나는 실린더를 돌렸다. 모든 곳에 장전이 되어 있었다. 하지만 정확히도, 격발 해머를 올려놓기 위한 니플 접속관 하나가 미개봉되어 있었다. 엄청 멋들어지게 뭔가가 새겨져 있었는데 J.S.M이라는 이니셜을 보고 깜짝 놀랐다.

"이것이 존 싱글톤 모스비(남북전쟁시 기병대 사령관. 회색유령이라 불림) 것은 아니겠죠?"

내가 경이로워하면서 물었다.

"그게 그 사람 이름인 것 같군요. 기갑부대 급습자라나 뭐 그런 종류의 사람이죠. 내 남편은 이걸 사기 위해 얼마나 많은 돈을 썼는지를 지치지도 않고 말했죠. 나로 말하자면, 난 잊었어요, 하지만 엄청 많은 돈이었던 것 같네요."

"그렇겠죠."

내가 말했다. 탐욕이 나를 칼처럼 찔러댔다.

"하지만 여성에게는 좀 큰 무기 같지 않나요? 제 말은 당신은 그걸 멋지게 다루지만 콜트 라이트닝이나 웰스 파르고 모델 정도가 적당하다고 생각했을 것 같은데요?"

그녀는 그 총을 받아 격발 해머를 확인한 후 다시 총집에 집어넣었다.

"내 남편은 이런 큰 총들을 소유하자 주의죠."

그녀가 따분하다는 듯 말했다.

"거세 콤플렉스 또는 기관 열등감 뭐 그런 불결한 것과 관계가 있죠. 아무튼 당신은 틀림없이 목이 마를 거예요. 내 남편이 말하길 당신이 자주 목이 마른다고 하더군요. 마실 걸 좀 가져다 드리죠."

그렇게 말하며 그녀는 자리를 떴다. 나는 약간 거세된 듯 느낌이 들기 시작했다. 그녀는 약 2분 후에 돌아왔는데 단순한 장식의 면 드레스로 갈아입고 마실 것을 잔뜩 든 하인을 대동하고 있었다. 그녀의 매너 역시 바뀌어서 상냥한 미소를 띠며 내 옆에 같이 앉았다. 내 옆에 가까이. 나는 아주 조금 물러났다. 그녀로부터 몸을 움츠려 떨어지는 것이 더 나을 것이다. 그녀는 잠시 나를 흥미롭다는 듯 쳐다보더니 낄낄거렸다.

"알겠네요. 우리 엄마가 당신이랑 이야기하셨죠. 내가 17살 때 드레스 밑에 아무것도 안 입고 있는 걸 잡은 후 그녀는 내가 발정난 암말이라고 확신하셨죠. 그건 사실이 아니에요."

그녀는 나를 위해 강한 음료를 한잔 만들고 있었다. 하인은 물러가게 했다. 그녀는 눈부신 미소를 띠며 나에게 잔을 건네면서 계속 말했다.

"나는 당신 나이와 체격의 남성들에게 설명할 수 없는 열정을 느껴요."

나는 그 말에서 농담과 약간의 놀림을 감지했다는 걸 명확히 보여주면서 히죽 웃었다.

"히히. 당신은 한잔 안 하시나요?"

"저는 술은 마셔본 적이 없어요. 내 감각이 무뎌지는 걸 좋아하지 않으니까요."

"와."

내가 되는대로 지껄였다.

"하지만 당신에게는 참 안됐군요. 술을 못하는 것 말이에요. 내 말은, 하루 종일 더 나아지지 않을 거라는 걸 알면서 아침에 일어나는 걸 상상해보세요."

"하지만 나는 하루 종일 기분이 좋은 걸요, 날마다요. 나를 만져보세요."

나는 마시던 걸 꽤 많이 흘렸다.

"아뇨, 진짜로, 느껴보세요."

나는 조심스럽게 금색의 둥근 이마를 손가락으로 쿡 찔렀다.

"거기 말고요, 바보같이. 여기요!"

그녀는 단추를 휙 젖히며 가슴을 열었고, 거기에서 단단하며, 풍요로운 젖꼭지가 달린 세상에서 가장 아름다운 가슴 두 개가 튀어올랐다. 예의상 나는 가슴 하나를 움켜잡는 걸 거절할 수 없었고, 정말로 내 손이 나를 위해 그렇게 결정해 주었다. 내 거세 콤플렉스는 사악한 꿈처럼 사라졌다. 그녀는 내 머리를 자신에게로 잡아당겼다.

내가 보통 여자의 젖꼭지에 키스하는 걸 즐기는 만큼이나 그런 것에 대해 약간 멋쩍음을 느낀다는 걸 말해야만 하겠다. 당신은 안 그런가? 나는 젖꼭지 같은 시가를 즙이 많은 듯이 빨던 뚱뚱한 노인들이 생각났다. 하지만 내가 그녀의 초원에 처음에 임시로 살짝 풀을 뜯어먹은 것에 대한 조한나의 반응이 너무 호사스러워서 내 마음으로부터 당황스러움은 없어졌다. 그 대신 내 자신의 건강에 대한 두려움이 생겼다. 그녀는 고문받는 고양이처럼 분연히 일어서서는 익사할 때 마지막 몸부림치듯이 나를 자신의 몸으로 감쌌다. 그녀의 가느다랗고 못이 박힌 손가락이 감미로운 강도로 나를 움켜쥐었다. 나는 곧 그녀의 속옷에 대한 규칙이 17살 이래로 변하지 않았다는 걸 확신했다.

"기다려요."

내가 급하게 말했다.

"먼저 샤워를 해야 하지 않을까요? 나는 지저분한데."

"알아요."

그녀가 고함쳤다.

"너무 좋아요. 당신에게선 말에서 나는 냄새가 나요. 당신은 말이에요."

고분고분하게 나는 그녀의 따그닥따그닥하는 뒷굽의 재촉을 받아 말이 되었다. 그녀가 박차를 벗은 게 다행이었다.

중년 미술품 딜러가 황홀한 시간을 갖는 것을 묘사하는 건 교육적이지도 교훈적이지도 않다. 그렇기 때문에 그 뒤에 발생한 그 엄청난 장면에 드리운 샤워커튼에서 나는 것 같은 일련의 '떨림' 을 그리겠다. 이렇게··········

나는 가죽 끈 블라우스를 입은 그 맨발의 제멋대로인 여자에 의해 방을 안내 받았다. 그녀는 나에게 부드럽게 미소 지으며 피스톨 한 쌍 같은 그녀의 풍요로운 가슴을 가리켰다.

"당신이 농장에 머무르는 동안 제가 시중을 들 겁니다, 선생님."

그녀가 순진하게 말했다.

"제 이름은 죠세피나예요. 그러니까 조세핀 같은 거죠."

"상황에 정말 잘 들어맞는군."

내가 중얼거렸다.

그녀는 이해를 못했다.

그 백작부인이 예견한 대로, 나는 마침 저녁시간에 꼭 맞추었다. 옷을 갈아입고 목욕을 한 후 우리가 알고 사랑하는 그 모데카이가 된 느낌을 더욱 받으며 자리에 앉았다. 하지만 그 노부인의 눈과 마주치는 게 약간 꺼려지고 부끄러웠음을 시인한다. 눈이 마주쳤을 때 그녀는 내 눈을 보는 것을 피했다. 그녀는 음식을 먹는데 열심이었고, 그녀 앞에 앉아 먹는 것이 즐거웠다.

"말해 봐요."

내가 두 번째 코스가 나왔을 때 조한나에게 말했다.

"당신 남편은 어디 있죠?"

"그는 침실에 있어요. 내가, 음, 당신을 소개 받았던 그 작은 드레스룸 옆방이죠."

나는 그녀를 공포에 차 응시했다. 음, 감각있는 인간이라면 누구도 우리가 짝짓기할 때의 그 동물원 같은 시끄러운 소리에 깨지 않고 잠잘 수는 없었을 것이다.

"걱정하지 말아요. 그는 아무 소리도 못 들었어요, 몇 시간 전에 죽었거든요."

나는 저녁으로 무엇을 먹었는지 정말 기억이 나지 않는다. 맛이 좋았다는 것은 확실하지만 삼키기가 어려웠던 것 같다. 그리고 계속해서 칼과 포크 기타 다른 것들을 떨어뜨렸던 것 같다. '전율하기'가 내가 하고 있던 것을 표현할 유일한 단어이다. 내가 기억하는 것이라고는, 나와 마주한 그 늙은 백작부인이 오랜 항해를 위해 요트에 먹을 걸 쌓는 사람처럼 식료품을 그녀의 몸에 쑤셔 넣고 있던 장면이다.

호두를 먹을 때 나는 감히 또 다른 질문을 해볼 만한 침착함을 회복했다.

"오, 예."

조한나가 무심하게 대답했다.

"내 생각에 그건 그의 심장 때문이었을 거예요. 의사가 30마일 떨어져 살고 있고 술이 취해 있어요. 그는 아침에 올 거예요. 왜 그렇게 조금 먹죠? 운동을 더 해야 해요. 아침에 암말을 하나 빌려주죠. 말타기가 몸에 좋을 거예요."

나는 얼굴이 붉어져 입을 다물었다.

그 노부인은 그녀가 있던 곳 옆에 달린 은색 종을 울렸다. 그러자 파랗게 질린 안색의 신부가 살그머니 들어와서 라틴말로 긴 축복의 말을 했다. 두 여인은 머리를 숙이고 그 말에 귀 기울였다. 그런 후 그 백작부인이 일어나서 약간은 위엄있게 문쪽으로 걸어가다가 너무도 엄청나게 놀라운 힘과 떨림이 있는 방귀를 꾸어서 나는 그녀가 무슨 나쁜 짓을 한 건 아닌가 두려웠을 정도였다. 그 신부는 테이블 끝에 앉아서 마치 자신의 목숨이 거기에 달린 듯 땅콩을 게걸스럽게 먹고 와인을 마구 마셔댔다. 조한나는 꿈꾸듯이 허공을 향해 미소지으며 앉아 있었다. 아마도 크램프가 없는 축복받은 미래를 그려보고 있었을 것이다. 나는 그녀가 가까운 미래에 나의 참여가 포함된 어떤 황홀한 행복도 머릿속에 떠올리지 않길 바랐다. 내가 원하는 것은 스카치위스키 약간과 커다랗고 두꺼운 수면제뿐이었다.

그렇게 되지는 않았다. 조한나가 내 손을 잡고, 마치 영국인 집의 장식 물새를 보러가는 것인냥 나를 이끌어 시체를 보게 했다. 크램프는 스릴러 작가들이 말하듯이 대규모 관상동맥 폐색증의 모든 증상을 보이면서 발가벗고, 야비하게, 물론 완전히 죽은 채로 누워 있었다. 대규모 관상동맥 폐색으로 인한 사망은 어떤 외부 징후도 없다. 그의 침대 옆의 카펫에는 내가 기억하는 작은 은색 상자가 놓여 있었다. 거기에는 항상 그의 심장약이 있었다. 크램프는 호크보틀을 보러 갔다. 둘 다 위태위태한 심장들이다.

그의 죽음으로 몇 가지 문제가 해결됐으나 그보다 더 많은 문제를 만들어냈다. 그날 저녁 그 단계에서, 이 상황은 내가 꼭 집어 말할 수 없는 무언가가 있었다. 나는 '문제'라는 단어가 그곳 어딘가에 들어있음을 알았다. 조한나가 개의치 않을 것이 확실하기에 나는 그를 덮고 있던 시트를 벗겼다. 그의 번질번질한 몸에는 어떤 폭력의 흔적도 없었다. 그녀는 침대 다른 편으로 와서 섰고 우리는 냉정하게 그를 내려다보았다. 나는 부자 고객을 잃었다. 그녀는 부자 남편을 잃었다. 우리의 슬픔은 양적으로는 거의 다르지 않았다. 하지만 질적인 차이점이라면 아마도 그녀는 많은 돈을 얻을 것이고 나는 약간의 돈을 잃을 것이다. 크램프가 살아 있었다면 두 도둑 사이의 예수 그리스도 같은 느낌이었을 것이다. 진짜로 죽음이 그에게 어떤 정신적인 것, 어떤 밀납된 성스러움을 주었다.

"그는 더러운 원숭이였어요."

그녀가 마침내 말했다.

"또한 비열하고 탐욕스러웠죠."

"내가 그렇소."

내가 조용히 대답했다.

"하지만 나는 크램프와 같다고는 생각하지 않소."

"아니에요."

"그는 구차하고 인색한 방식으로 비열했어요. 당신이 그처럼 비열하다고 생각하지 않아요. 왜 부자는 비열해야 하는 거죠?"

"내 생각에 그건 그들이 계속 부자이고 싶기 때문일 겁니다."

그녀는 거기에 대해 생각했지만 그 대답이 맘에 들지 않았다.

"아니에요."

그녀가 다시 말했다.

"그의 탐욕은 그런 종류가 아니에요. 그가 탐욕을 부린 건 다른 사람들의 생명이에요. 그는 동료들을 마치 우표처럼 수집했어요. 그는 당신이 롤스로이스 외장에 가지고 있는 그 훔친 그림을 진정으로 원하지는 않았어요. 그가 산 건 당신이었어요. 당신은 이 거래 후에 그로부터 절대로 자유롭게 놓여나질 못할 거예요. 당신은 죽을 때까지 그의 여드름 난 엉덩이에 키스를 했어야 했을 거예요."

이 말이 나를 매우 불쾌하게 했다. 첫째로, 아무리 크램프라도 고야가 어디에 숨겨져 있는지 알 수 없을 것이고, 알아서는 안 되었다. 둘째로 여기에 분명히 내가 조종하는 것이 아니라 나를 조종하는, 또 다른 사람이 있는 것이다. 셋째로 맙소사, 이 여자는 그 음모에 깊숙이 관여하고 있으며 위험한 사실들을 지껄이고 있다. 크램프는 항상 무분별했지만 악당의 기본 규칙을 알고 있었다. 도대체 어떻게 그가 여자에게 이런 말들을 할 정도로 타락했단 말인가?

크램프의 죽음으로 전체 양상이 변했다. 이전에는 극도의 어색함이었다면 이제는 위험이었다. 이 모든 위험한 지식들이 그렇게 자유로이 돌아다니는 상황이 되니 이전에는 그를 죽일 이유가 마트랜드가 유일했다면 지금은 수십 개의 동기가 있게 되었다.

게다가 크램프를 죽이겠다고 마트랜드와 맺은 계약을 시행하지 않기로 그날 아침에야 결심했었다. 나는 요즘 사람의 목숨에 바쳐지는 그 어처구니없는 존경을 참을 수 없다. 정말, 우리의 주요 문제는 주변에 너무 많은 목숨이 있다는 것이다. 하지만 나이가 들어가면서 내 스스로 사람을 죽이는 일에 점점 더 흥미를 잃게 된다. 그들이 나의 최고의 고객일 때는 더욱이 그렇다.

"언제 그가 극도로 화가 났지, 베이비?"

내가 부드럽게 물었다.

"글록이라는 남자와 계획을 짜기 시작했을 때 엄청 화를 냈죠."

내가 움찔했다.

"그래, 알 만하군."

크램프의 외양은 멀쩡했다. 하지만 나는 이제 그가 살해당했다는 걸 확신했다. 너무도 많은 동기가 있었다. 또한 심장질환으로 죽음을 가장하는 방법도 너무 많다. 그리고 이미 심장이 약한 사람에게 심장병을 유도하는 방법은 훨씬 더 많다.

나는 싸우는 두 세력 사이에 끼어 있었고 그건 무시무시한 일이었다. 죽음과 나 사이에는 마트랜드의 말만이 존재했다. 마트랜드의 말은 그의 보석금만큼 좋았지만, 그의 보석금은 단순히 모노폴리 게임머니였다. 나는 마음을 다잡았다.

"자, 조한나. 이제 자러가야겠어."

"그래요. 우리 자야지요."

"이봐, 달링, 나는 정말 지독하게 피곤해, 알지? 그리고 난 더 이상 젊지가 않다고…."

"아, 하지만 난 그 두 가지 것을 치유할 방법을 알고 있어요. 와 보세요."

나는 정말로 약한 것은 아니다, 당신도 알다시피, 단지 나쁘고 쉽게 빠질 뿐이다. 나는 어기적거리며 그녀를 따라갔다. 내 남성성은 움츠러들었다. 그날 밤은 참을 수 없이 더웠다.

그녀의 방은 수증기 찌는 듯이 더운 열기로 우리를 맞이했다.

나는 그녀가 나를 안으로 들이고 문을 잠그자 공포에 질렸다.

"창문이 밀폐되어 있어요."

그녀가 설명했다.

"커튼이 내려져 있고, 중앙난방이 높게 틀어져 있죠. 보세요, 나는 벌써 땀이 나요!"

나는 쳐다보았다. 그녀는 땀을 흘리고 있었다.

"이것이 그걸 하는 가장 좋은 방법이죠."

그녀가 내 흠뻑 젖은 셔츠를 벗기며 말을 이었다.

"그리고 당신은 젊고 혈기왕성하게 될 거예요, 내가 장담하죠, 절대로 실패하지 않아요. 우리는 열대 늪 속의 동물들처럼 될 거예요."

나는 임시방편으로 쾌락의 우렁찬 소리를 내보려 했지만 확신이 별로 없었다. 그녀는 베이비 오일 병에서 오일을 따라 나에게 잔뜩 바르고, 나에게 오일 병을 주고, 마지막 옷을 벗고, 그녀의 놀랄 만큼 멋진 몸에 오일을 바르라고 했다. 나는 오일을 발랐다. 어떤 생각지도 않았던 내 몸의 저수지로부터 성욕의 중력탱크가 점점 더 크게 펌프질을 해댔다.

"거봐요, 맞죠?"

그녀가 나를 가리키며 즐겁게 말했다. 그리고 나를 무시무시한 물이 가득 찬 플라스틱 침대로 이끌었다. 그녀는 녹아내리는 몸으로 나를 서서히 잠식하면서, 서로의 우리 몸에서 나는 물기 머금은 소리를 일으키면서, 오랫동안 죽은, 강철같이 딱딱한 청소년 모데카이를 은밀한 성욕으로 발광시켰다. 모데카이 소년. 자위행위의 비운을 맞을 가능성이 가장 높은 후보자.

"오늘 밤은 당신이 피곤하니, 나는 더 이상 암말이 아니에요. 당신은 게으른 서커스 말이고 나는 고등마술로 당신을 가르칠 거예요. 뒤로 누우세요. 이걸 아주 좋아할 거예요. 약속해요."

나는… 좋았다.

14

우리는 살해된 시체를 마주한다,
당신은 왜 계속 생각하고 있나요?

— 피파 패시스

천천히, 그리고 고통스럽게, 나는 눈을 떴다. 방은 아직도 완전히 어둠 속에 잠겨 있었고, 염소 냄새가 났다. 시계는 어디에선가 시각을 알리고 있었다. 하지만 나는 몇 시인지, 심지어 무슨 요일인지조차 몰랐다. 내가 간헐적으로 잠을 잤다고 할 수 있지만 내가 재충전되서 일어난 척할 수는 없다. 사실은 더 피곤했다. 나는 꼼지락대며 찌는 듯이 더운 침대에서 나왔다. 그리고 창문이 있던 곳으로 내 자신을 질질 끌어갔다. 나는 백 살이었고 내 전립선이 예전과 같지 않을 것이란 걸 알았다. 시원한 샘을 찾아 헐떡거리는 수사슴처럼, 내가 갖고 싶어 헐떡였던 것은 깨끗한 공기이다. 나는 무거운 커튼을 힘껏 열어젖혔는데, 놀랍게도 밖에는 축제가 한창이었다.

집의 한쪽 창문들은 사막을 향해 있었다. 집에서 몇백 미터 떨어진 곳에서 각 방향으로 반 마일정도 타오르는 색색의 불이 열십자

163

로 줄지어 어둠 속에서 밝게 빛났다. 나는 이해하지 못해 입을 떡 벌리고 바라보았다. 조한나는 내 뒤에 스르륵 다가와 그녀의 끈적거리는 몸을 사랑스럽게 내 등에 갖다댔다.

"그들은 활주로에 불을 밝혔어, 나의 작은 종마."

그녀가 내 어깨 날 사이에서 부드럽게 중얼거렸다.

"비행기가 도착하고 있을 거야. 누구인지 궁금하네."

그녀가 진짜로 궁금해 하는 것은, 명백하게도, 절름발이 모데카이가 순종엉덩이로 향해 전속력으로 질주할 기력이 남아 있는가였다. 하지만 부끄럽게도 그에 대한 답은 뻔했다. 그녀의 사랑스러운 태도가 찡그린 얼굴로 바뀌었지만 그녀는 나를 비난하지 않았다. 그녀는 숙녀였다. 이것이 웃기게 들린다는 걸 알지만, 그게 내가 아는 전부이다.

기운이 빠져 있든 아니든 간에, 나는 애매한 상황에 놓여 있는 시골집에 비행물체들이 예상치 않게 아침 일찍 착륙하는 것에 대해 강렬한 감정을 갖고 있다. 그런 상황에서는 이 기계의 점유자들과 만날 때는 옷을 제대로 갖춰 입고 내 허리끈에 소총이나 비슷한 기계를 넣은 채 반기는 것이 내가 늘 하는 방식이다. 그들이 나에게 해로운 존재로 판명되지 않을까 두려워하면서.

따라서 나는 샤워를 했고, 옷을 갈아입었다. 뱅커 스페셜을 그 편안한 둥지에 집어넣었다. 아래층으로 내려가, 거기에서 데킬라라고 불리는 엄청나게 고약한 술을 발견했다. 그것은 괜찮은 빈티지식 배터리 산성 액체 맛이 났다. 나는 조한나가 내려오기 전에, 목이 말라, 꽤 많이 마셨다. 그녀는 공손하고 친절해 보였지만 냉담해 보였다. 그녀의 사랑스러운 얼굴에서는 우리가 최근에 가졌던 친밀함의 흔적을 찾아볼 수 없었다.

농장 일꾼이 펄럭거리며 들어왔고 그녀에게 극도로 불쾌한 은어, 여기서는 스페인어로 열변을 토했다. 그녀는 놀라움을 예의바르게 숨긴 채 나를 돌아봤다.

"스트랩 씨가 도착했다네요."

그녀가 의문스럽게 말했다.

"그리고 당신을 즉시 만나야 한다는군요. 당신이 그가 오길 기다리고 있을 거라고 했다는데요…?"

나는 잠시 주춤했다. 그 어떤 스트랩도 모르는 바라고 부정하려는 찰라 페니가 떨어지면서 정신의 화장실 문이 벌컥 열리듯 생각이 났다.

"아, 그렇지, 당연하지."

내가 소리쳤다.

"오랜 친구 조크잖아! 까먹고 있었네. 나도 참 멍청해라. 일종의 내 하인이라 할 수 있지. 그가 여기에서 나를 만날 거라고 미리 말해줬어야 하는데. 그는 아무 문제가 되지 않을 거야, 침구더미와 먹을 것좀 부탁해. 미리 알려줬어야 하는데. 미안해."

내가 횡설수설하는 동안 조크의 거대한 몸집이 문가를 채웠다. 그의 엉터리로 잘라진 마름모꼴 머리가 양쪽으로 흔들리고, 눈은 불빛에 반짝이면서. 나는 감격의 눈물을 흘렸고, 그걸 보고 그는 송곳니를 내보이며 히죽 웃었다.

"조크!"

내가 소리쳤다.

"네가 와서 정말 너무 감사해."

조한나는 왜 그런지 알 수 없지만 킥킥댔다.

"잘 있었지? 조크. 그리고, 음, 건강하지?"

그는 내 말을 이해했고 긍정의 의미로 눈을 깜박였다.

"가서 씻고, 먹어. 그런 후 여기서 다시 만나, 제발, 한 삼십 분쯤 후에. 우리는 떠날 거야."

그는 어기적거리며 여자 하인에게 이끌려 나갔고, 조한나는 나에게 벌컥 화를 냈다.

"당신이 어떻게 떠날 수 있어? 나를 사랑하지 않는 거야? 내가 무슨 짓을 한 거야? 우리 결혼 한 거 아니었어?"

오늘은 내가 입을 크게 벌리는 날인가 보다. 나는 그랬다. 내가 입을 떡 벌리고 있는 동안 그녀는 장황한 비난을 계속했다.

"당신은 내가 동물처럼 만나는 남자마다 몸을 준다고 생각한 거야? 어젯밤 당신이 내 처음 그리고 유일한 열정이라는 것, 그리고 내가 당신의 것, 내가 당신의 여자라는 것을 깨닫지 못한 거야?"

허클베리 핀의 말이 내 머릿속에서 떠올랐다.

"그 말들은 흥미로웠지만, 어려웠다."

하지만 지금은 인용구를 생각할 때가 아니었다. 그녀는 내가 한마디만 잘못하면 드라군 콜츠를 찾아 안방으로 쏜살같이 올라갈 듯했다. 내 턱은 자물쇠를 풀어 열렸고, 나는 빠르게 쓸데없는 말을 계속했다. 마치 내 목숨을 구하려는 듯이.

"그런 생각한 적 없어… 그러기를 감히 바라지도 않지… 남는 시간의 놀잇감 같은 거야… 너무 늙고… 너무 뚱뚱하고… 기력이 다했지… 어리벙벙한… 아직 차를 못 마셨어… 매우 위험한 상태이지…."

마지막 부분이 그녀를 조금이나마 흥미롭게 했다. 나는 어설프게 두려움의 근원에 대한 추가적인 설명을 했다. 예를 들어 몇몇만 말하자면. 마트랜드, 뷰익, 블러처와 브라운 같은 위험요소들에 대해.

"알겠어."

그녀가 드디어 말했다.

"그래, 그런 상황 속에서는 잠깐 떠나는 게 더 나았을 수도 있어. 만약 당신이 안전하다면, 나에게 연락을 해. 그러면 내가 당신을 데리러 갈게. 그 다음 우리는 영원히 행복하게 같이 있는 거야. 롤스로이스를 가져가. 그 안에 들은 것들과 함께. 그게 당신을 위한 내 약혼선물이야."

"좋아, 좋아."

내가 놀란 상태로 떨며 말했다.

"그걸 내게 줄 수 없어, 내 말은, 엄청 비싼 거잖아, 그건 좀…."

"난 돈이 매우 많아."

그녀가 단순히 말했다.

"나는 당신을 사랑해. 거절함으로써 나를 무안하게 만들지 말아 줘. 내가 당신 것이라는 것을 이해해 줘. 그러니 당연히 내가 갖고 있는 것은 모두 당신 거야."

"세상에나."

나는 생각했다. 명백하게, 나는 어떤 복잡한 방법으로 놀림 당하고 있는 것이었다. 내가 알 수 없는 이유로. 혹은 정말 그런가? 그녀 눈의 반짝임은 진실로 위험했다.

"아, 그렇다면, 그런 경우라면."

내가 말했다.

"내 안전을 위해 진짜로 필요한 게 하나 있어 사진 네거티브 같은 건데, 내가 알기론, 그리고 그걸 인쇄한 건데 누구의 것이냐면, 음."

"두 탈선자들이 불도저에서 노는 거? 그거 알아. 얼굴이 잘려나 갔지만 내 남편의 말에 의하면 그 중 한 명은 불쾌한 글록 씨이고, 나머지 한 명은 당신의 처남."

"맞아, 맞아."

내가 끼어들었다.

"그거 맞아. 바로 그거야. 당신에게는 필요가 없어, 당신도 알다 시피. 당신의 남편은 도난 당한 사진으로 외교적 시설을 얻으려고 했지. 너무도 위험하게. 아무리 그 사람이라 해도. 내 말은, 그 사 람을 봐."

그녀는 나를 보았다. 궁금증 가득하게 잠시 바라보다가 소화되 지 못한 부가 난무하는 크램프의 서재로 안내했다. 그 서재의 중심 매력, 소위 주요 특징물이라는 것이 루이 14세 조각 장식 판자를 맞보고 걸려 있었다. 내가 본 것 중 가장 끔찍한 티파니 등으로 조 명을 받고 있는, 장 자끄 에네르(감각적인 누드화가. 감미로운 육체 표현에 비범)가 그린 거대한, 누드의, 털이 많은 창녀 그림이었다. 내 생각에 그것을 말할 때 나는 이미 말을 다한 것 같다.

"제기랄."

내가 경이로워하며 말했다.

그녀는 중후하게 고개를 끄덕였다.

"아름답죠. 그렇지 않나요. 우리가 처음 결혼했을 때 내가 그 를 위해 디자인했던 거예요, 내가 아직 그를 사랑한다고 생각했을 때."

그녀는 크램프의 개인 화장실을 통해 갔는데 그곳에는 멋진 윌 리엄 아돌프 부그로(프랑스의 아카데미 회화를 대표하는 화가. 인상 주의를 반대함) 작품이, 섹시한 유두와 엉덩이가 도자기 비데의 고요한 물 속에서 반짝이고 있었다. 이 비데는 기분이 안 좋을 때의 예카테리나 2세를 위해 디자인했을 것 같은 비데였다. 교활하게도 그림이 금고를 숨기고 있는 게 아니라 그 바로 옆에 있는 조각된 패널이 금고를 숨기고 있었다. 문이 활짝 열리면서 대단히 조야한 1파운드들로 가득 차 신음하는 선반들이 드러나기 전까지 조한나는 다양하고 복잡한 방법으로 고생해야 했다. 나는 여태까지 그렇게 저속한 광경을 본 적이 없다. 거기에는 전 세계 은행의 통장과 가죽 수트케이스 손잡이 몇 개도 있었다. 나는 그것들이 플래티넘으로 만들어졌다는 것을 알기 위해 그것들의 무게를 잴 필요가 없었다. 내가 크램프에게 그렇게 하도록 생각을 심어준 사람이니. 좋은 방법이었다. 세관은 아직 이를 파악하지 못했다. 괜찮다. 나는 더 이상 그것이 필요하지 않을 것이다. 그녀는 금고 옆 벽에 감춰진 서랍을 열었고 봉투 한 다발을 내게 던져줬다.

"당신이 원하는 게 그 안에 있을 거예요."

그녀가 무관심하게 말한 후 비데 가장자리로 가서 우아하게 걸터앉았다. 나는 봉투 다발을 넘겨보았다. 봉투 한 개는 탐욕이 꿈꿀 수 있는 정도를 넘는 보험금에 대한 것이었고, 다른 것은 유언과 유언보증서의 다발이었다. 또 다른 것은 이름이 적힌 목록이었는데 각 이름마다 암호로 언급이 되어 있었다. 크램프의 성향에 비추어 볼 때, 조금만 시간을 할애한다면, 저 목록 하나에만도 엄청난 부가 있었을 것이지만 나는 그렇게 용감한 사람이 아니다. 다음 봉투에는 조그마한 봉투들이 가득 들어 있었는데, 각각의 것마다 오른쪽 위 모퉁이에 희귀한 외국 도장이 찍혀 있었다. 부유하고 사기를 치는 독자들은 무슨 뜻인지 알 것이다. 희귀한 것 위에 단순히 평범한 새 우표를 붙인 다음 해외 수도에 있는 당신 자신이나 당신의 에이전트한테 보낸다. 큰 수수료를 들이지 않고도 많은 돈을 전세계로 옮길 수 있는 방법이다.

　마지막 봉투가 내가 원했던, 필요로 했던 것이었다. 그리고 순서대로 있는 듯했다. 얼굴들이 잘려져 나간 그 걸작 프린트가 있었고 미사용 영국 필름에 35mm짜리 네거티브 필름 조각이 있었다. 아마추어 같은 프린트는 거의 대부분 케임브리지 대학의 뒤편 캠 강가의 아름다운 풍경밖에 포착하지 못했으나 중간 프레임은 앞모습도 잘 보여줬다. 호크보틀이 그날을 지휘하는 사람이었던 것 같고, 처미가 빈털터리일 차례인 듯했다. 카메라를 정면으로 보고 짓는 그의 낯익은, 활짝 웃는 웃음은 그가 전혀 신경 쓰지 않는다는 걸 보여줬다. 나는 거리낌 없이 그것을 태워버렸고 불쾌한 비데 안으로 그 재를 던져버렸다. 그건 많은 돈을 상징했지만, 내가 얘기했던 것처럼, 나는 용감한 남자가 아니다.

　나는 다른 프린트들이 존재할지도 모른다는 사실에 대해서는 문제를 느끼지 못했다. 크램프는 경솔했을 수도 있지만, 내 생각에 완전히 미치지는 않았었다. 그리고 어떤 경우든, 요즘 프린트들은 너무 쉽게 위조된다. 사람들은 네거티브 필름, 오리지널 네거티브 필름을 보고 싶어한다. 오리지널과 프린트된 사진에서 만들어낸 네거티브 필름은 쉽게 분간해 낼 수 있다.

　그녀는 몸을 돌려 비데 안에 던져진 재를 빤히 쳐다보았다.

　"이제 만족해, 찰리? 이게 진짜 당신이 원했던 건가요?"

　"맞아, 고마워. 내 생각에 이게 더 안정감을 주거든. 그러나 많이는 아니지, 그저 조금의 안정감이야. 매우 고마워."

　그녀는 일어나서 금고로 갔다. 그리고 화폐 몇 다발을 손에 든 다음 판넬을 부주의하게 닫았다.

"여기 여비 좀 줄게, 제발 가져가. 아마도 안전하게 가기 위해서
는 돈이 좀 필요할 거야."

그녀가 건넨 건 아직 포장지로 쌓여 있는, 두 묶음의 두꺼운 지
폐였다. 하나는 영국 것이고 하나는 미국 것이었다. 총 금액은 꽤
컸다.

"아, 하지만 난 이걸 가져갈 수 없어."

내가 소리쳤다,

"너무 많은 금액이잖아."

"하지만 계속 말하듯이, 나는 이제 엄청나게 많은 돈이 있어. 금
고에 들어 있는 것쯤은 아무것도 아니야, 그저 상원의원한테 뇌물
을 조금 주기 위해 그리고 예상치 못한 여행을 하기 위해 약간 현
금을 모아둔 것뿐이야. 제발 가져가 줘. 당신이 그 불쾌한 남자를
피하는데 충분한 자금이 있다는 걸 알 수 있기 전까지 나는 불행할
거야."

나는 더 거절했지만, 아래층에서 나는 공포에 찬 비명소리에 말
이 잘렸다. 으르렁거리는 낮은 고함소리가 더해졌다. 우리는 계단
으로 달려가 홀 아래에서 벌어지는 검투사의 한 장면을 내려다보
았다. 조크가 양손에 각각 농장 일꾼 하나씩을 잡고 규칙적으로 그
둘을 심벌즈 한 쌍처럼 치고 있었다. 다른 사람들은, 남녀 할 것 없
이, 그의 주위를 둘러싸고 그의 머리를 잡아 뜯고, 팔에 매달리고,
멀리 떨어져서 욕을 날리고 있었다.

"그만둬!"

조한나가 날카롭게 소리쳤고 사람들의 행동은 정지되었다.

"그 사람들을 내려놔, 조크."

내가 심각하게 말했다,

"너는 그들이 어느 편인지 모르잖아."

"저는 그들이 당신에게 무슨 짓을 했는지 알아내고 싶었어요, 찰리 씨 당신이 삼십 분 전에 그렇게 말했잖아요, 안 그래요?"

나는 모든 사람들에게 사과를 했다. 그들은 내 정중한 카스티아 말을 이해하지 못했지만 모두 괜찮다는 것을 알았다. 많은 사람들이 "별 거 아니에요."라고 공손하게 중얼거리면서 절하고 긁적이며 머리를 조아렸다. 그리고 그들은 엄청 기뻐하며 각자 1달러를 받았다. 어떤 이는 자신의 코가 펄프처럼 찌그러져 있었기에, 다른 사람들보다 조금 더 많은 사례비를 받아야 한다는 걸 공손하게 넌지시 나타낼 정도로 나가기까지 했다. 조한나는 그에게 돈을 더 이상 주지 못하게 했다.

"1달러로도 충분히 술에 취할 수 있을 거예요."

그녀가 설명했다.

"하지만 2달러를 주면 그는 뭔가 바보 같은 짓을 할 거예요, 예를 들면 도망가서 결혼을 한다든지."

그녀는 이것을 농부에게도 똑같이 설명했다. 그는 그녀의 설명을 천천히 듣고는 마지막에는 우울하게 동의했다. 그들은 꽤 이성적이었다.

"이성적인 사람이야, 조크, 그렇게 생각하지 않나?"

내가 나중에 물었다.

"아뇨, 제가 보기에는 지랄 맞은 사람들이에요."

해가 중천에 뜨기 전에 우리는 떠났다. 나는 아침을 가볍게 먹고 데킬라를 조금 더 마셨다. 데킬라는 마치 내 안에서 자라나는 야수와 같았다. 나를 맹목적으로 사랑하는 조한나와 작별인사를 하는 것을 피하기 위한 방법을 고민해 보았다. 그녀는 아주 설득력 있게 두 눈 가득 눈물을 담고 있었다. 넋이 나간 듯했으며, 내 메시지를 받기 위해서만 살 것이고 나중에 나를 다시 만나 영원히 행복하게 살 것이라고 말했다.

"그럼 이제 어디로 가나요, 찰리 씨?"

"떠나면서 생각해 보자, 조크. 여기에는 도로가 하나밖에 없어. 출발하자고."

하지만 우리가 운전하면서 정확히 말하자면 조크가 운전하면서, 그는 비행기에서 잠을 잤으니까. 나는 조한나에 대해 골똘히 생각해 보았다. 그녀의 터무니없고 비현실적인 태도가 어떤 목적을 갖고 있는 걸까? 과연 그녀는 약간 뚱뚱하고 한물간 모데카이에게 빠졌다고 내가 믿을 수 있을 거라고 생각한 것인가? '농담마' 라는 단어가 계속 머릿속을 맴돌았다. 그러면서. 그러면서… 칼포퍼는 우리 시대에 유행처럼 퍼지는 병에 대해 계속 주의하고 방어하고 있어야 한다고 주장한다. 모든 사항들이 액면 그대로 받아들여질 수 없다는 것, 그래서 눈에 보이는 삼단논법은 비이성적인 동기에 대한 합리화이고, 인간의 고백은 이기적인 천박함을 숨겨야 한다는 주장이다. 프로이드는 레오나르도의 세례 요한은 동성애의 상징이고, 하늘을 가리키는 검지손가락은 우주의 근본을 관통하려고 하는 노력이라고 우리에게 확신에 차서 말한다. 예술사학자들은 이것이 성상연구에 있어서 기독교의 오래된 상투적인 말이라는 것을 안다.

아마도 모든 것이 보이는 대로 뜻밖의 횡재일 수도 있었다. 아마 크램프가 정말로 책상에 앉아서 보내는 시간이 과했기 때문에 심장마비로 죽었을 수도 있다. 통계적으로 그는 그만큼 많은 시간을 앉아서 보낸다. 혹은 조한나가 나에게 열렬하게 사랑에 빠졌을 수도 있다. 나는 친구들이 때때로 내가 꽤나 잘생겼다고 말해줄 만큼 친절했고, 매너도 능숙했다. 아마 두 번째 연한 청색 뷰익과 그 운전자는 크램프가 고용한 녀석일 수도 있다. 나는 그와 뷰익이 연결되었는지 생각해볼 기회가 없었다. 마지막으로, 나는 내 장기들이 그 기능을 다할 때까지 그녀와 그리고 그녀의 수백만 달러의 돈과 함께 안락하고 편안한 삶을 살지도 모른다.

이런 식으로 생각하면 할수록 모든 것들이 더 합리적으로 다가왔고, 햇빛이 더욱 부드럽게 내리쬐었다. 나는 부유한 냄새를 풍기는 롤스로이스의 가죽에 우아하게 기댔다. 그러고는 만족스러운 휘파람을 조용히 불었다.

분명히 마트랜드는 크램프의 심근경색이 자연적이었다는 걸 믿지 않을 것이다. 그는 내가 주문받은 대로 그를 살해했으며 악마처럼 똑똑하게 일을 진행했다고 생각할 것이다.

오직 조한나만이 내가 네거티브 필름을 불태웠다는 것을 알고 있다. 그래서 마트랜드에게 내가 그것을 태우는 것을 깜박했다는 힌트를 약간만 흘려도 그는 사냥개로 나를 덮치지 않을 것이며, 자신이 뱉은 말을 존중해서 나를 다른 귀찮은 방해로부터 지켜줄 것이다. 예를 들어, 죽음 같은 것들로부터 말이다.

나는 마음에 들었다. 모두 마음에 들었다. 다 잘 맞아떨어졌고, 내 두려움이 모두 터무니없게 느껴졌다. 이제 다시 태어난 듯한 기분이 들었다. 다시 돌아가서 조한나에게 작은 작별의 징표를 주고 싶다고 생각할 정도로 젊어진 것처럼 느껴졌다. 종달새가 빠르게 나는 동안 달팽이는 가시나무를 타고 올라가고 있었다.

사실 내 행복을 짓밟는 한 마리의 파리가 있었다. 나는 이제 5십만 파운드만큼의 가치가 있는 세상에서 가장 멋진 재산 중 하나인,

유명한 고야의 자랑스러운, 하지만 수줍은 주인이었다. 일요일 신문에서 읽는 것과는 다르게 미국은 당신이 훔친 걸작을 사려고 열광하는 백만장자들로 들끓지 않았다. 사실 죽은 크램프가 내가 아는 유일한 사람이었고 그와 같은 사람을 한 명 더 알고 싶지는 않았다. 돈을 더할 나위 없이 잘 쓰기는 했지만, 내 신경계에 고통을 안겨 주기 때문이다.

그림을 손상시키는 것은 여지 없이 불가능했다. 내 영혼은 흡연자의 콧수염처럼 죄로 점철되어 있지만 나는 예술작품을 망가뜨리지는 못한다. 물론 즐겁게 훔치기는 하지만. 그것은 사랑과 존경의 표시이다. 그러나 망가뜨리는 것은 절대 그렇지 않다. 나쁜 놈들도 규칙은 가지고 있다.

가장 좋은 방법은 영국으로 다시 가져가서 보험사와 은밀한 거래를 할 수 있는 전문가 친구들과 연락하는 것이었다. 어쨌든 지금 그 어느 때보다 잘 숨겨져 있으니까.

알다시피 남 프랑스에서 끊임없이 훔쳐지는 음울한 핑크색의 르노아르 작품들은 보험업자들에게 보험금액의 20퍼센트로 재판매되거나, 회사들은 직업윤리 때문에 한 푼도 더 내려고 하지 않는다. 혹은 주인의 요구에 의해 훔쳐지고 즉각 폐기처분된다. 프랑스 야심가들은, 속물근성에 빠져 계속 고통받으며 살기 때문에 3년 전에 산 자신의 르노아르 작품을 감히 공공 경매에 내놓아 자신이 약간의 자금난을 겪는다는 것을 알리고 싶어하지 않는다. 그는 그 작품이 자신의 끔찍한 친구들에게 말한 값보다 더 적은 가격에 팔리는 위험 역시 감수하려 하지 않는다. 그는 차라리 죽으려고 할 것이다. 좀 더 현실적으로 말하자면, 그는 차라리 그림을 암살하고 누보프랑을 모을 것이다. 영국의 경찰들은 그들의 입을 닫고 도둑

들로부터 훔친 물건들을 구매하려는 보험회사에 손가락을 흔드는 경향이 있다. 그들은 그 방법으로는 악행을 막을 수 없다고 생각한다. 사실 이 모든 과정은 법에 위배된다.

나는 이제 한없이 낙천적인 방식으로 사물을 받아들이는 데에 익숙해졌다. 모든 것이 설명 가능했다. 얽히고설킨 그물은, 결국에는, 햇빛에서 보면 모두 이해 가능한 패턴이었다. 그리고 어쨌든 마트랜드, 블러처, 크램프, 그리고 다른 멍청이들 모두는 모데카이 한 명으로 충분했다.

내 빈약한 아침을 완벽하게 만들기 위해서, 그리고 멍청이들에게 승리한 것을 축하하기 위해서, 12년산 스카치위스키를 열어 막내 입으로 들어올리는 순간 연한 청색 뷰익을 보았다. 그것은 우리 앞의 소협곡에서 나오고 있었다. 그 차는 빠른 속도로, 엔진이 저속 기어에서 윙윙거리며, 우리 옆으로 돌진했다. 우리의 반대쪽은 수백 피트의 날카로운 낭떠러지에서 1미터도 떨어져 있지 않다. 목숨이 위태로웠다. 조크는, 나는 필요할 때 그가 얼마나 빠를 수 있는지 당신에게 얘기해 줬다. 왼쪽으로 운전대를 확 비틀어 브레이크를 밟은 다음 롤스가 서기 전에 최저속 기어로 바꿔서, 뷰익이 우리를 칠 때 오른쪽으로 돌았다. 뷰익 운전자는 빈티지 롤스로이스가 얼마나 튼튼한지 모르는 듯했다. 또는 조크의 뛰어난 두뇌에 대해서도 말이다. 우리 차의 라디에이터의 앞면이 무시무시한 쇳소리를 내며 그의 차의 측면을 처참하게 베어냈고 뷰익은 팽이처럼 돌다가 아슬아슬하게 도로 가장자리에 걸쳐졌다. 차의 뒷부분은 벼랑 쪽으로 나가 있었다. 운전자는 운전석에서 벗어나기 위해서 문 손잡이를 잡고 낑낑대고 있었다. 그의 모습은 불쾌한 피의 마스크를 뒤집어쓰고 있었다. 조크가 밖으로 나가서 생각에 잠긴 듯 그 쪽으로 걸어갔다. 그를 쳐다보고, 눈을 들어 위를 봤다가, 다시 도로 아래를 쳐다봤다. 그러고는 만신창이가 된 뷰익 앞에 가서 손잡이를 찾은 다음 엄청난 힘으로 들어올렸다. 뷰익이 기울어졌고, 뷰익의 앞 부분이 올려져 차가 천천히 시야에서 사라지기 전에 조크는 창문으로 가서 운전자에게 친절하게 활짝 웃어줬다. 운전자는 사라지기 전에 우리에게 그의 이빨을 모두 보여주고 비명을 모두 들려줬다. 우리는 뷰익이 세 번 튀는 소리를 들었고, 놀랍게도 큰 소리가 났지만 운전자의 비명은 하나도 들을 수 없었다. 당신이 생각하는 것보다 뷰익의 방음이 좋은 가보다. 나는 운전자인 친절한 브라운 씨가, 나에게 비행 물체 안에서 죽을 확률이 통계적으로 매우 낮음을 증명해준 거라고 생각한다.

나는 이런 와중에 스카치위스키 병을 놓치지 않았다는 사실에 놀랐다. 나는 한 모금 마셨고, 이 상황이 매우 예외적이었기 때문에, 조크에게 병을 넘겼다.

"그건 약간 보복성이었어, 조크."

내가 꾸짖듯이 말했다.

"화를 참지 못했어요."

그가 인정했다.

"빌어먹을 똥개 같으니라구."

"그가 우리에게 나쁜 짓을 했을 수도 있어."

내가 동의했다. 그런 다음 그에게 몇 가지에 대해서, 특히 옅은 청색 뷰익에 대해서 그리고 최근에 짧지만 사랑스러운 애정행각, 안전, 그리고 영원한 행복의 환영에도 불구하고, 끔찍한, 이 단어가 그렇게 진부한가? 내가, 우리가 처한 위험에 대해서 말했다. 내가 그렇게 몇 분 전까지 안전하다고 생각하고 있었다는 것에 대해 믿을 수 없었다.

위스키를 마시면서 신경을 가다듬은 다음 병에 코르크 마개를 다시 채웠다. 그런 다음 차 밖으로 나가 차체에 흠집이 생겼나 확인했다. 영국 운전자라면 분명, 이런 일이 생긴 운명에 분노하면서 흠집 확인을 먼저 했겠지만, 우리 롤스 주인들은 더 근엄한 사람들이다. 라디에이터가 살짝 기울어진 채 흠집이 생겼고, 헤드램프와 사이드램프도 꽤나 망가졌다. 오프사이드 흙받이는 심하게 구겨져 있었지만 타이어 가죽을 벗길 정도는 아니었다. 조크가 차가 망가진 것에 대해 투덜대는 동안 나는 차에 타서 생각했다.

아무도 그 길을 지나가지 않았다. 그 어느 방향으로도. 메뚜기가 끊임없이 울어댔다. 처음에는 신경에 거슬렸지만 점차 익숙해졌다. 나는 내 생각을 모든 방향으로 처음부터 끝까지 다시 확인했다. 계속 똑같은 해답이 반복적으로 나왔다. 그 해답이 마음에 들지 않았지만 그 외에 방법이 없었다.

우리는 롤스를 벼랑 너머로 밀었다. 메뚜기는 정말이지 끊임없이 울어댔다. 그러면서 이 강하고 우아하며 역사가 가득한 아름다운 아이를, 변기통에 몸을 내던진 시가 꽁초같이 건조한 협곡에 버려야 한다는 서글픔에 살짝 눈물을 흘렸다. 죽는 순간까지 그 차는 우아했다. 우아한 곡선을 그리면서 아래로 튕겼고, 거의 유희하는 듯 보였다. 바위바위마다 박은 다음 휴식이 찾아왔다. 저 먼 아래에서 갈라진 틈의 입구에 위 아래로 뒤집혀서 그 사랑스러운 하부가 햇빛의 섹스에 발가벗겨졌고. 그것도 잠시⋯ 수백 톤의 자갈이, 차의 낙하에 따라 무서운 기세로 무너져 내려와 그것을 덮었다.

뷰익 운전자의 죽음은 이거에 비하면 아무것도 아니었다. 텔레비전 열성 시청자에게 현실에서의 인간의 죽음은 별 것 아닌 것으로 받아들여진다. 하지만 노련한 독자인 당신들 중 누가 롤스로이스 실버고스트가 뒤집어져서 죽는 걸 본 적이 있는가? 나는 말할 수 없을 정도로 슬펐다. 조크는 나의 비통함을 눈치챈 듯 나에게 다가와서 위로의 말을 건넸다.

"종합보험을 들어놨어요, 찰리 씨."

"맞아, 조크."

내가 거칠게 대답했다.

"너는, 언제나 그랬듯이, 내 마음을 읽지. 하지만 지금, 바로 지금, 중요한 것은 롤스를 어떻게 구조할 수 있냐는 거야."

그는 희미하게 빛나는, 돌로 흩뿌려진 아지랑이를 곱씹으며 내려다보았다.

"저기 내려가려고요?"

그가 말을 꺼냈다.

"이쪽은 모두 산사태고 다른 쪽은 절벽이에요. 매우 위태롭죠."

"맞아."

"그렇지만 저 틈에서 저 걸 빼내야겠죠, 그렇죠?"

"어."

"매우, 매우 위험하죠."

"그래."

"그리고 다시 올라와야 해요, 그렇죠?"

"그렇지."

"도르래를 작동시키는 며칠 동안 이 길을 폐쇄해야 돼요, 제가 생각하기론."

"나도 그렇게 생각했어."

"생각해 보세요, 만약 저기 박혀 있는 게 멍청한 등산가라든지 혹은 뭐 늙은 바람둥이 여자의 아기 강아지 같은 것이었다면, 당신이 기침을 하기도 전에 그들이 그걸 건져내겠죠. 그렇지만 저건 그저 낡은 잼통에 불과해요, 그렇죠? 당신이 어설프게 저기로 내려가려면 당신은 그걸, 혹은 거기에 들어있는 것을 엄청, 매우 많이 원해야만 해요."

그가 나를 슬쩍 찌르면서 엄청나게 윙크를 했다. 그는 절대 윙크를 잘하지 않았고 윙크는 그의 얼굴을 일그러지게 만들었다. 나는 그를 찔렀다. 우리는 둘 다 능글맞게 히죽 웃었다.

우리는 길을 다시 터덜터덜 걸어올라갔다. 조크는 우리의 필수품들이 담긴 여행가방을 들고 있었다. 롤스가 눈 깜빡할 사이 절벽 아래로 떨어지기 전에 그가 현명하게 챙긴 물건이다.

"어디로 가시나요, 모데카이 씨?"

구불구불하고 먼지 가득한 도로 위에서 그와 같은 단어가 내 머릿속에 떠올랐다. 일단 뉴멕시코의 미세한 흰 모래들이 바지통을 기어오르고 사타구니의 땀에 가세하면 건설적인 방향으로 생각하기 어렵다. 내가 판단할 수 있는 것은 우리의 여정에 있는 별들은 엄청 모데카이에게 불리한 것이었다. 고상함을 제쳐놓고서, 내가 북아메리카 대륙에서 아마도 가장 눈에 띄는 자동차를 없애버린 건 잘한 일이었다.

한편 뉴멕시코에서는 대부분의 자동차보다 보행자가 더 눈에 띈다. 우리가 온 방향에서 오던 차가 우리를 지나쳐가는 것을 보며 깨달았다. 자동차에 타고 있던 사람들은 우리가 외계에서 온 십대인 것마냥 우리를 보며 낄낄댔다. 공무수행 중인 차이거나 그런 종류 같아 보였다. 검정색과 하얀색 구식 슈퍼 88이었는데 멈추지 않았다. 그래야 할 이유가 없었으니까. 미국에서 걸어서 어딘가를 간다는 것은 비이성적일 뿐 비합법적인 게 아니다. 당신이 부랑자가 아니라면 당연히 영국이랑 똑같다. 정말로! 당신이 되돌아갈 집이 있다면 얼마든지 야외에서 숙박하거나 여기저기를 떠돌아다녀도 된다. 돌아갈 곳이 없을 때만 위법적이다.

엄청 많은 시간이 흐른 것 같은 시간이 지난 후 우리는 야윈 나무들이 있는 그늘을 찾았고, 아무 말도 나누지 않은 채 그들의 빈약한 그늘 아래에 주저앉았다.

"우리와 방향이 같은 차가 지나가면 우리는 펄쩍 뛰면서 소리쳐서 불러야 해."

"그래요, 찰리 씨."

말이 끝나자마자 둘 다 잠으로 빠져들었다.

15

그의 입에 사갈이 물려지고
그의 다리가 묶여진다면
어떻게 저항할 수 있을까?

— 이단자의 비극

몇 시간 뒤, 우리와 방향이 같은 차가 무례하게 빵빵거리는 소리
에 잠에서 깼다. 그 차는 전에 본 차와 비슷하게 공무를 수행하는
중인 듯했다. 차 안에서 거대한 몸집의 남자 네 명이 나왔다. 그들
은 권총과 수갑을 들고 있었고 한눈에도 그들이 치안관련 업무를
한다는 것을 알 수 있었다. 한순간 우리는 차 안에서 수갑이 채워
진 채로 보안관 대리들에게 둘러싸여 앉아 있었다. 상황을 알아챈
조크는 으르렁거리는 소리를 내며 그의 근육을 팽팽하게 긴장시키
기 시작했다. 그 옆에 앉아 있던 보안관 대리는, 재빠르게 손을 놀
려, 조크의 윗입술과 콧구멍 사이를 검은 가죽을 싼 철제곤봉으로
내리쳤다. 그것은 매우 정교하게 아프다. 조크가 순간 조용해지면
서 눈물을 쏟아냈다.

"저기, 이봐요!"

내가 분노에 가득 차서 소리 질렀다.

"닥쳐."

나도 조용해졌다.

우리가 텅 빈 도시의 먼지 가득한 일방통행 도로에 위치한 보안관 사무실에 도착했을 때 그들은 조크를 다시 한 번 때렸다. 그는 보안관 대리의 거들먹거리는 손을 대수롭지 않게 취급했고 조크는 다시 으르렁거리는 소리를 냈다. 그래서 그들 중 한 명이 때때로 그의 무릎 뒷부분을 세게 내려쳤다. 그것도 상당히 고통스러웠다. 그가 사무실 안으로 걸어갈 수 있을 때까지 우리는 꽤 기다려야 했다. 그는 끌고 들어가기에 너무 몸집이 컸다. 그들은 나를 때리지는 않았다. 나는 얌전했다.

보안관 사무실에서 그들은 당신을 다음과 같이 대한다. 그들은 당신의 손에 걸린 수갑을 이용해 당신을 문가에 매달아둔다. 그 다음 조금 점잖게, 그렇지만 계속해서 아주 오랜 시간 동안 아랫배 신장 부분을 때린다. 당신이 알고 싶을까 말하는 건데 이건 눈물이 날 정도로 아프다. 오랜 시간이 지난다면 누구든지 울 것이다. 그들은 당신에게 그 어떤 질문도 하지 않고, 당신에게 어떠한 흔적도 남기지 않는다. 단지 수갑을 찬 곳의 살점이 좀 패이고 그것은 수갑 벗어나려고 움직인 당신 자신이 저지른 일이다.

그랬지?

얼마나 지났는지 모르지만, 드디어 보안관이 방 안으로 들어왔다. 그는 마르고 신중해 보이는 남자였다. 똑똑해 보였으며 불쾌한 눈빛으로 나를 쏘아보았다. 보안관 대리들은 우리의 신장을 때리는 것을 멈추고 곤봉을 그들의 주머니 속으로 넣었다.

"왜 이 자들이 기소되지 않았지?"

그가 차갑게 물었다.

"내가 몇 번이나 반복해서 말해야겠어. 용의자들이 완전히 입건되기 전에는 심문하면 안 된다고 했지."

"저희는 이들을 심문하지 않았습니다, 보안관님."

한 명이 불복종하는 듯한 목소리로 말했다.

"만약 저희가 이들을 심문하고 있었더라면 그들은 반대 방향으로 매달려 있었을 것이고 저희들은 그들의 불알을 때리고 있었겠죠. 알잖아요, 보안관님. 저희는 이들이 보안관님의 질문에 대답할 준비가 되도록 정신교육을 시키고 있었습니다."

보안관은 뺨이 돌아가도록 그를 때렸다. 완전히 뺨이 돌아가도록. 늙은 여자가 애완 두꺼비를 애무하는 듯한 순하고 반쯤 들리는 소리를 내면서.

"그들을 내 앞으로 데려와."

그가 돌아서면서 말했다.

'데려와.' 가 맞았다. 우리는 스스로의 힘으로 그의 사무실까지 갈 수 없었다. 그는 우리에게 의자에 앉도록 했다. 우리가 서 있을 상태가 아니었기 때문에 자동적으로 그렇게 됐다. 갑자기 나는 극심한 분노를 느꼈다. 나에게는 매우 희귀한 감정이고 내 끔직한 어릴 적부터 기피하도록 교육받아온 감정이다.

내가 목메임과 슬프게 우는 것에서 벗어나 똑바로 말할 수 있게 되자 나는 그에게 자초지종을 설명했다. 특히 외교여권에 대해서도. 그것은 효과가 있었다. 그 사람도 꽤나 화나 보였고, 조금 겁도 나는 듯 보였다. 그들은 우리의 수갑을 풀어줬고, 짐도 되찾게 해주었다. 내 뱅커스 스페셜 피스톨만 제외하고. 조크의 루거(독일에서 제작된 자동권총)가 여행가방 안에 있었는데, 가방을 열어본 흔적이 없어 그것이 있다는 것을 확인한 후 나는 안심했다. 조크는 현명하게도 열쇠를 삼켰고, 그들은 우리를 괴롭히느라 바빴기 때문에 여행가방에 달린 열쇠도 없는 자물쇠를 풀려는 노력을 하지 않았다. 그것은 좋은 자물쇠가 달린 단단한 슈트케이스였다.

"앞으로 이 예외적인 처우에 대해서 설명해야 할 일이 있을 겁니다. 선생님."

나는 할 수 있는 한 최대한 더러운 눈빛으로 그를 쏘아보면서 말했다.

"왜 내가 대사에게 당신과 이 불한당들을 처벌하라고 요구하지 않아야 하는지 이유를 제시하십시오."

그는 나에 대해 오랫동안 생각하는 듯이 쳐다보았고, 그의 현명한 눈은 머리를 굴리느라 반짝였다. 어떤 경우든, 나는 그에게 골칫덩어리였다. 엄청난 서류작업을 해야 하고 최악의 경우 엄청난 슬픔에 잠길 것이다. 나는 그가 어떤 결론을 내릴까 생각하며 마음속으로 떨었다. 그가 입을 떼기 전 내가 다시 한 번 공격했다.

"당신이 이유를 알고 싶다면, 당연히, 저는 대사관에 전화해서 있는 그대로 사실을 전달할 수밖에 없어요."

"너무 나가지 마십시오, 모데카이 씨. 저는 당신들 둘 다 살인용 의자로 감방에 넣으려고 합니다. 그리고 당신의 외교적 위치는, 이러한 상황에서, 쥐만큼도 쓸모가 없어요."

나는 실망을 감추기 위해 영국식으로 더듬거리며 말했다. 아무도 조크가 잠깐의 분노를 이기지 못하고 뷰익을 밀어버린 것을 보지 못했을 것이다. 그리고 어찌되었든, 한 발자국 떨어져서 보았을 때 그가 불쌍한 자를 구해주려고 했던 것처럼 보일 수도 있다.

"내가, 우리가 누구를 살인했겠어요?"

"밀튼 퀸터스 데지르 크램프."

"데지르요?"

"제가 알기로는 그런데요."

"맙쇼샤샤샤. 착오가 아니라고 확신하세요?"

"네."

글자 그대로, 반쯤 미소를 띠면서 그가 말했다.

"데지르, 라고 적혀 있습니다."

만약 그가 영국인이었다면 그가 내가 말한 '맙쇼샤샤샤'를 따라 말했을 거라는 인상을 받았다. 동시에 그가 본인이 영국인이 아니라는 사실에 꽤 만족하는 듯한 느낌도 받았다. 적어도 지금 자신 앞에서 용감한 척하고 있는 뚱뚱한 겁쟁이 같은 영국인은 아니라는 것에.

"계속 말씀하세요."

내가 말했다.

"겁줘 보세요."

"그러려고 하는 거 아닙니다. 제가 사람들을 다치게도 하지만 그건 제 직업의 일부분일 뿐입니다. 저는 몇몇을 죽이기도 합니다. 이것도 제 직업이죠. 꼭 필요했으니까요. 하지만 이유없이 왜 겁을 주겠어요? 저는 그런 경찰 아닙니다."

"당신이 당신의 심리치료사를 겁줬다는 것은 알 것 같네요."

내가 빈정거리며 말했고, 말을 내뱉자마자 후회했다. 그는 나를 차갑고 공허하게 쳐다보지 않았다. 오히려 그는 나를 아예 쳐다보지도 않았다. 그는 파일과 종이들이 놓여있는 책상만 빤히 바라보다가 서랍을 열어, 얇고 검정색을 한 울퉁불퉁한 권련을 꺼낸 다음 불을 붙였다. 심지어 그는 내 얼굴에 연기를 뱉지도 않았다. 그는 그런 경찰이 아니었다. 하지만 그는 나를 겁주는 데 성공하였다. 내 신장이 아프기 시작했다.

"신장이 아파 죽을 것 같군요."

내가 말했다.

"그리고 화장실에 좀 가야 할 것 같아요."

그가 문을 향해 간단하게 손동작을 했다. 나는 조용히 밖으로 나와 화장실 문 앞에 도달했다. 화장실은 매우 좁고 작았다. 나는 차가운 타일 벽에 기대 머리를 식히며 녹초가 되어 소변을 보았다. 조금 놀랍게도 실제로 피가 섞여 나오지는 않았다. 눈높이에 누군가 그들이 방해하기 전까지 '어머니, 아'라고 긁어놓았고, '버지?'인가 생각했다. 하지만 조크의 곤경을 생각하며 내 자신을 가다듬었다.

"네 차례야, 조크."

내가 다시 방으로 들어가면서 단호하게 말했다,

"너를 먼저 생각했어야 했었는데."

조크는 어기적거렸다. 보안관은 침착했고, 그는 사실 어떤 것도 보고 있지 않았다. 나는 그가 좀 봤으면 좋겠다고 생각했다. 나는 목을 가다듬었다.

"보안관님, 저는 어제 크램프 씨의 시체를 봤습니다. 맙소사, 그게 어제였다니! 그리고 그는 아주 명백하게 일반적인 심장질환으로 사망했습니다. 어째서 살해라는 이야기가 나오는지 모르겠습니다."

"모데카이 씨. 저는 많은 교육을 받지는 않았지만 책은 많이 읽는답니다. 크램프 씨는 심장에 깊게 구멍이 뚫려 그 상처로 인해 사망했습니다. 누군가, 제가 짐작하기에 당신이 그의 다섯, 여섯 번째 갈비 사이에 매우 길고 가는 기구를 집어넣어 그를 죽인 뒤

뒤따라 일어난 표면 출혈을 살짝 닦아냈습니다."

"그것은 우리 서부 해안에서는 희귀한 방법이 아닙니다. 중국인들은 6인치 못을 즐겨 사용했고, 일본인들도 날렵하게 간 우산살을 사용했습니다. 다 똑같은 시실리아 단도인 셈이죠. 제가 추측하건데, 차이가 있다면 시실리아 인들은 보통 횡경막을 아래서 위로 찌르죠. 크램프 씨의 심장이 젊고 건강했었다면 미세한 구멍에는 끄떡없었을 것입니다. 주위 근육들이 스스로 구멍을 꽉 물었을 거예요. 하지만 그의 심장은 건강하고는 거리가 멀었죠. 그가 가난한 사람이었다면 약한 심장을 가지고 있다는 병력이 그의 죽음이 눈에 띄는 걸 피하게 만들 수도 있었겠지요. 하지만 그는 전혀 그런 남자가 아니었습니다. 그는 억만장자였습니다. 이 나라에서는 그것을 다시 말하면 보험에 대한 압박이라고 할 수 있죠. 모데카이 씨, 그리고 미국의 보험 조사원은 시카고의 악동경찰을 걸 스카우트처럼 보이게 합니다. 심지어 아무리 만취한 의사도 일억 달러의 가치가 있는 죽은 살들은 매우 자세히 살펴봅니다."

나는 살짝 고민을 했다. 날이 샜다.

"그 늙은 여인!"

내가 소리쳤다.

"그 백작 부인! 모자 핀! 그녀가 크램프 반대자들을 이끌고 있었고 그 모자 핀의 주인이에요, 본 적이 있죠!"

그는 그의 머리를 천천히 저었다.

"어림도 없어요, 모데카이 씨. 당신이 그 다정하고 순수한 작은 노인에게 당신의 죄를 뒤집어씌우려고 한다는 게 놀랍네요. 게다가, 이미 확인했어요. 그녀는 교회에서 머리를 솔 같은 걸로 감싸고 있어요. 그 노인은 모자나 모자 핀 같은 것은 가지고 있지 않아

188

요. 우리가 봤어요. 어쨌든, 한 일꾼은 그가 죽은 시각과 비슷한 때 당신이 크램프의 개인 스위트룸에 술 취한 채 들어간 것을 본 적이 있다고 맹세했어요. 그리고 당신의 시종 스트랩이 당신이 목장을 방문했을 때 살인에 미친 마니아처럼 행동했다고 하더군요. 그 일꾼의 코를 부러뜨리고 다른 사람들을 마구 폭행하면서 말이에요. 게다가 당신은 크램프 부인의 애인으로 알려져 있더군요. 우리는 그녀의 침구를 정리하는 사람으로부터 놀라운 이야기를 들었어요. 결국 범죄동기가 있는 거네요. 섹스와 돈, 그리고 기회. 이제 슬슬 말할 때가 되었다고 생각해요. 일단 범죄도구를 어디에 숨겼는지부터 시작하시죠. 당신을 취조하지 않아도 되도록."

그는 '취조' 라는 단어를 좋아하는 듯이 반복해서 사용했다. 두려움 때문에 피가 차게 식는 듯한 느낌이라고 말하는 것은 느슨한 표현이다. 피가 이미 바람기 있는 여자의 키스만큼이나 차가웠다. 만약 내가 유죄였다면 이 보안관 대리들을 정면으로 다시 대면하는 대신에 '속마음을 털어놨'을 것이다. 겨울이 왔는데 봄이 멀 수 있을까? 내 마음속의 잔잔한 작은 목소리가 내 귀에 '멈춰' 라고 속삭였다.

"그러니까 당신은 벌써 조한나 크램프를 체포했다는 건가요?"

내가 소리를 질렀다.

"모데카이 씨, 당신이 그런 척하는 것처럼 그렇게 단순할 수는 없지요. 크램프 부인은 이제 그녀 스스로 수백만 달러를 가지고 있습니다. 가난한 보안관은 수백만 달러를 체포하지 않습니다. 그들은 티 하나 없기 때문이죠. 이제 당신이 진술할 수 있도록 속기사를 불러야 할까요?"

내가 잃을 게 뭐가 있는가? 어쨌든 누구도 나를 예쁘고 귀여운 속기사 앞에서 음란하게 괴롭힐 수는 없다.

그는 버튼을 눌렀고 두 명 중 더 끔찍한 보안관 대리가 문을 쾅 열고 들어왔다. 한 손에 연필을 들고 다른 한 손에 노트를 들고.

나는 찍 소리를 냈을 것이다. 잘 기억나지도 않고 그다지 중요하지도 않다. 나는 실망감을 감출 수 없었다.

"어디 아프세요, 모데카이 씨?"

보안관이 친절하게 물었다.

"아닙니다."

내가 말했다.

"그저 직장통입니다."

그는 그게 무슨 뜻인지 묻지 않았다.

"모데카이에 의하면…."

그가 깡패 같은 속기사에게 활기차게 말했다.

"정말 정말 많은 시간이 주어졌음에도 불구하고, 또 많고 많은 목격자들이 존재함에도 불구하고."

그렇게 말하면서 그는 손가락을 내게 뻗어 보였다. 마치 텔레비전 속 녀석들이 그러듯. 나는 망설이지 않았다. 개같이 행동할 때였다.

"저는 크램프를 죽이지 않았습니다. 그리고 누가 그를 죽였는지 저는 전혀 알지 못합니다. 저는 영국 외교관이고 이러한 부당한 처우에 강하게 항의하는 바입니다. 저를 즉시 석방시키든지 가장 가까운 영국 영사에게 전화할 수 있도록 해주기를 요청드립니다. 당신의 직업을 회복 불가능하게 망가뜨리기 전에. '회복 불가능'의 맞춤법을 아나요?"

나는 내 어깨 너머 속기사에게 물어보았다. 하지만 그는 내 말을 받아 적고 있지 않았다. 그는 털복숭이 손에 곤봉을 들고 나에게 다가오고 있었다. 내가 움츠리기도 전에 문이 열렸고, 거의 똑같이 생긴 남자 두 명이 들어왔다.

이 마지막 카프카적인 부조리가 나에게는 너무 과했다. 나는 터져 나오는 웃음을 참지 못하고 히스테리컬하게 웃었다. 그 누구도 나를 쳐다보지 않았다. 보안관 대리는 슬쩍 나가고 있었고 보안관은 두 남자의 자격증을 확인하고 있었다. 두 남자는 보안관을 빠르게 슥 훑어보았다. 그 다음 보안관도 슬쩍 자리를 떴다. 나는 내 정신을 가다듬었다.

"이 침입의 의미가 뭐죠?"

미친 사람처럼 낄낄 웃으면서 내가 물었다. 그들은 매우 친절했고, 내 말을 못 들은 척하며 보안관의 책상 뒤에 나란히 앉았다. 그들은 놀랍게도 닮았다. 같은 양복, 같은 머리, 같은 깔끔한 서류가방, 그리고 심지어 산뜻하게 재단된 왼쪽 겨드랑이가 살짝 튀어나온 것까지 같았다. 그들은 블러쳐 대령의 어린 남동생들처럼 생겼다. 그들은 어느 정도는 조용한 방식으로 놀라운 사람들이었다. 나는 자제하고 웃음을 멈췄다. 나는 조크가 그들을 싫어한다는 것을 알 수 있었다. 그는 으르렁대며 코로 숨을 쉬기 시작했다. 확실한 증거이다.

그들 중 한 명은 작은 와이어 녹음기를 꺼냈다. 잠시 성능을 확인한 다음 그것의 전원을 껐고, 뒤로 앉아 팔짱을 끼었다. 나머지 한 명은 얇은 마닐라 파일을 꺼내 적당한 관심을 가지고 그 내용물을 읽은 다음 뒤로 앉아 마찬가지로 팔짱을 끼었다. 그들은 서로를 바라보지도, 조크를 바라보지도 않았다. 처음에 그들은 천장을 잠시 동안 바라보았고, 마치 그것이 신기한 양, 그 다음에는 나를 바라보았는데 너는 아무것도 아니야 라는 눈빛으로 보았다. 그들은 마치 매일매일 나와 비슷한 사람을 만나고, 따라서 나에 대해 별로 흥미 없다는 듯 행동했다. 그러나 예기치 않게, 둘 중 한 명이, 마침내 말을 시작했다.

"모데카이 씨, 저희들은 당신이 한번도 들어보지 못한 조그마한 연방기관의 구성원입니다. 저희들은 부통령께 바로 보고를 올리죠. 저희들은 당신을 도와줄 수 있습니다. 저희는 당신이 급하게 도움이 필요할 거라고 생각합니다. 그것은 매우 바보 같았던 당신의 최근 행동들을 유심히 관찰함으로써 이런 결론에 도달할 수 있었습니다."

"아, 아."

내가 약하게 말했다.

"저희는 법 집행에 전혀 관심이 없다는 것을 분명히 밝혀드립니다. 사실 그러한 관심은 저희의 구체적인 임무에 어긋날 수도 있습니다."

"혹시 블러처 대령이라는 사람 아시나요? 혹은 마트랜드라는 친구를 아시나요?"

"모데카이 씨. 저희는 이 시점에서 당신이 질문할 것이 아니라 저희의 질문에 답해주시는 게 이 상황에서 벗어나는 데 유리할 것이라고 생각합니다. 올바른 대답을 하신다면 여기서 10분 안에 나가실 수 있습니다. 잘못된 답을 하시거나 수많은 질문을 던지신다면, 당신에 관한 저희들의 관심은 현저하게 떨어질 것이고, 저희는 그냥 보안관계 당신을 다시 맡길 것입니다. 개인적으로, 그리고 비공식적으로 말씀드리자면, 저는 당신이 미국에서 살인자라는 타이틀로 억류되는 것을 좋아하지 않습니다. 당신은 어때요, 스미스?"

스미스는 입술을 딱 붙인 채 공감하며 그의 머리를 끄덕였다.

"물어보세요."

내가 떨리는 목소리로 말했다,

"저는 숨길 것이 없어요."

"음, 벌써부터 솔직한 것에서 멀군요. 선생님, 하지만 이번에는 그냥 넘어가도록 하겠어요. 이제 말해주시겠어요, 예전에 밀튼 크램프의 소유물이었던 특정 사진의 네거티브 필름과 프린트를 어떻게 했는지?"

옛날에 선원이 배에서 죽으면 돛 수선하는 사람이 그를 방수포와 닻 족쇄에 꿰매는데, 그를 깊은 곳에 빠뜨리기 전, 마지막 바느질은 의례적으로 시체의 코를 통과한다는 것을 알고 있었는가? 그것은 그가 다시 살아나 소리칠 수 있도록 마지막 기회를 주는 것이었다. 나는 그 순간 그 선원 같은 느낌이 들었다. 나는 다시 살아나 소리쳤다. 마지막 바느질은 지난 며칠 동안 강박증 환자 같았던 나의 정신을 드디어 깨워주었다. 너무 지나치게 많은 사람들이 내 작은 일에 대해서 너무 지나치게 많이 알고 있다. 게임이 시작되었고, 모든 것은 알려졌다. 그리고 모데카이는 멍청하게 굴었었다. 바보였다.

"무슨 네거티브 필름이요?"

내가 밝게 물었다.

그들은 서로를 지친다는 듯이 쳐다보았고 그들의 물건들을 챙기기 시작했다. 나는 아직도 멍청하게 행동하고 있었다.

"잠깐만요!"

내가 소리쳤다.

"내가 이렇게 멍청해요. 그 네거티브 필름 말씀하시는 거죠? 맞아, 그렇지. 그 사진의 네거티브 필름. 맞아요. 오 맞아, 맞아, 맞아. 사실 제가 태워버렸어요. 그것을 가지고 다니는 것은 너무 위험하거든요."

"당신이 그렇게 얘기해서 너무 다행이네요, 선생님, 저희는 그것이 사실임을 믿을 이유가 있거든요. 크램프 씨의 개인 화장실에 있는 흥미롭게 생긴 발 욕조에서 재의 흔적을 찾았거든요."

"어, 그렇군요."

내가 말했다.

"프린트는 몇 개였나요, 모데카이 씨?"

"제가 네거티브 필름과 함께 2개를 태웠습니다. 저는 오직 하나밖에 더 모릅니다. 런던에 있는 것. 얼굴이 잘려져 나가 있는데, 그것에 대해서는 여러분들도 다 알고 계실 거라고 생각합니다."

"감사합니다. 저희는 당신이 자신을 보호하기 위하여 다른 것들에 대해서도 안다고 이야기할까봐 걱정했습니다. 그러한 짓은 당신을 보호하기는커녕 저희들을 꽤나 당황스럽게 만들었을 것입니다."

"오, 세상에."

"모데카이 씨, 당신은 살해사건 후 저희가 어떻게 이렇게 빨리 이곳에 도착했는지 스스로에게 물어보신 적 있습니까?"

"보세요, 저는 제가 당신들의 질문에 대답하겠다고 말했습니다. 그렇게 할 것입니다. 만약 내가 해야 할 말이 있다면 저는 언제든지 하겠습니다. 저는 숨기는 것이 없습니다. 하지만 제 자신에게 질문할 것을 요구하신다면, 그 전에 무언가 먹을 것과 마실 것을 주셔야 합니다. 제 음료는 킹콩과 고질라가 훔쳐 가지 않았다면 밖의 사무실에 있습니다. 아, 그리고 제 시종도 뭔가 먹을 것이 필요

합니다."

한 명이 밖으로 머리를 내밀어 중얼거렸다. 내 위스키가 너무 많이 줄어들지 않은 채 나타났다. 나는 허겁지겁 그것을 마신 다음 조크에게 넘겨주었다. 브룩스 브라더스 양복을 입은 남자들은 위스키를 전혀 마시고 싶어하지 않았다. 그들은 얼음물과 주석 압정을 먹고 사나보다.

"제 자신에게 그런 것을 물은 적이 없습니다. 만약 저에게 지난 36시간 동안 일어난 일에 대해 묻는다면 저의 결론은 세계적인 규모의 반 모데카이 음모가 있다는 것입니다. 말해주세요. 좋은 답변인가요?"

"저희는 그다지 말씀해 드리고 싶지 않네요, 모데카이 씨. 저희는 그저 당신이 무슨 말을 하는지 듣고 싶습니다. 아직까지는 당신의 대답이 맘에 드네요. 자 이제 당신이 어떻게 롤스로이스를 잃어버렸는지에 대해 말씀해 보시죠."

이 때 그는 와이어 녹음기의 전원을 켰다.

나는 충돌에 대해 솔직하게 말해 주었지만 그 다음에 일어난 일들은 살짝 바꾸어 뷰익이 벼랑 끝에 살짝 걸치게 되자 조크가 그를 구하기 위해 노력했다고 이야기했다. 롤스를 다시 도로 위로 올려 놓으려고 했지만, 바퀴가 잘못 돌았고, 차받침대가 바스라지면서 차가 뷰익과 동참하기 위해 떠났다고 말했다.

"당신의 여행가방은 어떻게 된 거죠, 모데카이 씨?"

"조크의 똑똑한 머리 덕분에, 마지막 순간, 간신히 여행가방을 꺼낼 수 있었습니다."

그들은 다시 녹음기를 껐다.

"저희는 당신의 말 중 그 어떤 부분도 믿지 않습니다. 모데카이 씨. 그렇지만 당신의 이야기는 저희가 원하던 것과 같군요. 혹시 당신이 지금 가지고 있는 것들 중 크램프 씨에게 전달하려고 했던 물건이 있나요?"

"아니요. 전혀 없습니다. 저희를 뒤져보셔도 좋습니다."

그들은 다시 천장을 쳐다보기 시작했다. 그들은 매우 느긋했다. 이후, 문을 두드리는 소리가 들렸고 보안관 대리가 음식이 든 종이봉투를 들고 들어왔다. 나는 햄버거와 커피의 향긋한 냄새에 거의 쓰러질 뻔했다. 조크와 나는 각각 햄버거를 2개씩 먹었다. 우리의 취조자들은 햄버거를 좋아하지 않았다. 취조자들은 그것들을 손가락 뒤쪽으로 섬세하게 밀어 치워버렸다. 마치 리허설이라도 한 것처럼 동시에. 햄버거에 바를 칠리소스가 많지는 않았다. 나는 칠리소스를 많이 발라 먹었지만, 위스키와 어울리지는 않았다.

나는 나머지 질문은 정확하게 기억하지는 못한다. 그러나 그들은 꽤 오랜 시간 동안 질문을 이어갔고, 그 질문은 놀랍도록 애매모호하고 일반적인 것이었다. 그 질문을 하는 동안 와이어 녹음기가 켜졌다 꺼졌다 했다. 아마도 하나는 서류가방 안에서 계속 켜져 있었을 것이다. 나는 그들도 이 일을 점점 지루해하고 있다는 인상을 받았다. 하지만 나는 음식과 술, 그리고 피곤함 때문에 너무 졸려서 집중하기 힘들었다. 대부분 나는 그들에게 온전히 진실만을 말했고 핸리 오튼 경은 자신의 적을 헷갈리게 하기 위해 이 방법을 추천했다. 또 다른 친구는 "만약 당신이 비밀을 보존하고 싶다면, 솔직함으로 감싸라."고 말했다. 나는 솔직함으로 포장했다. 풍부하게 포장했다. 하지만 당신도 짐작하겠지만 진실로 그런 푸가를 계속 연주할 경우 거짓은, 일정 시간이 지난 다음, 당신의 현실감각을 잃게 만든다. 나의 아버지는 항상 솔직함이면 충분할 상황에서 거짓말을 하는 것에 대해 경계를 가지라고 말씀하셨다. 그는 거짓말을 하기 위해 꼭 필요한 도구, 내 기억이 정확하지 않다는 것을 일찍부터 알고 계셨다.

"게다가."

그가 말하곤 했다.

"거짓말은 예술의 하나이다. 우리는 예술작품을 판매하지 그냥 나눠주는 게 아니야. 거짓됨을 피하렴, 아들아."

그래서 나는 예술작품을 판매할 때 절대로 거짓말을 하지 않는다. 예술품을 구매하는 것은 당연히 또 다른 이야기이다.

내가 말했듯이 그들은 또다시 엄청난 양의 애매모호한 질문들을 던졌다. 그들 중 어떤 질문들은 사건과 밀접한 연관성을 갖고 있지 않았다. 그렇지만 나는 그 사안에서 어떤 점이 포인트인지를 몰랐기 때문에 적절히 판단할 수는 없었다. 그들은 호크보틀에 대해서 알고 싶어했는데 그들이 나보다 그를 더 잘 아는 듯했다. 그들은 그가 죽었다는 사실을 듣지 못했던 것 같다. 나는 블러처 대령의 이름을 대화로 몇 번 끌고 들어왔지만, 블루쳐로 발음해보기 조차했지만, 그들은 전혀 신경 쓰지 않았다.

드디어 그들은 슬슬 그들의 장비들을 챙겨 똑같은 서류가방 안에 넣으면서 끝나는 듯한 분위기를 조성했다. 여기서 예상치 못하고 일상적인 투로 큰 질문이 날아들어올 것만 같아서 나는 긴장하고 있었다.

"말씀해 주세요, 모데카이 씨."

그들 중 한 명이 일상적인 투로 즉흥적으로 물었다.

"당신은 크램프 부인에 대해서 어떻게 생각하시나요?"

"그녀의 마음은."

내가 씁쓸하게 말했다,

"마치 타타르족이 때리는 손바닥 위의 침과 같아요. 어느 방향으로 튈지 아무도 모르죠."

"그거 괜찮네요, 모데카이 씨."

한 명이 말했다, 긍정적으로 고개를 끄덕이면서.

"M. P. 쉴의 소설에 나온 말 맞죠, 아닌가요? 그러니까 당신은 당신의 현재 곤경에 대해 그 여자에게도 어느 정도 책임이 있는 것으로 생각한다고 내가 이해해도 되나요?"

"당연히 그렇죠, 저는 완벽한 바보가 아니에요. 이쪽에서는 '누들누들하다'라는 단어를 사용하는 것 같더라고요, 제가 알기로는."

"그것은 잘못 알고 있는 것 같네요."

다른 한 명이 부드럽게 말했다.

"당신은 크램프 부인이 당신을 향해 가지고 있는 감정이 진심이 아니라고 추측할 타당한 이유가 없어요. 그녀가 당신을 모략했다고 생각할 필요는 더더욱 없죠."

나는 으르렁거렸다.

"모데카이 씨, 무례함을 무릅쓰고 질문 드리겠습니다. 혹시 여성 경험이 많으신지요?"

"제 친한 친구들 중 몇몇은 여자입니다."

내가 대답했다,

"하지만 분명히 저는 제 딸이 그들 중 한 명과 결혼하지는 않았으면 좋겠어요."

"그렇군요. 이제 당신의 여정을 더 이상 방해하지 않겠습니다, 선생님. 보안관은 당신이 크램프 씨를 죽이지 않았다는 보고를 받을 것입니다. 이제 더 이상 당신이 미국 워싱턴에게 골칫거리가 아닌 듯 보이기에 저희들은 더 이상 당신에게 관심이 없습니다. 하지만 만약 저희가 틀렸다는 것이 밝혀진다면, 어, 저희들은 당연히 당신을 찾아낼 수 있을 것입니다."

"당연하죠."

내가 동의했다.

그들이 방을 가로지르는 동안 나는 내 불쌍하고 무질서한 머릿속을 절박하게 뒤져서 여태까지 묻지 않았던 가장 큰 질문을 했다.

"누가 크램프 씨를 죽였나요?"

내가 물었다.

그들은 잠깐 멈춰서 우두커니 나를 바라보았다.

"전혀 감도 잡히지 않습니다. 저희는 직접 그 일을 수행하기 위해 내려왔기 때문에 누가 그랬는지는 그다지 중요하지 않습니다."

아름다운 퇴장이었다.

"위스키 좀 더 마실 수 있을까요, 찰리 씨?"

"그럼, 당연하지, 조크, 그러렴. 위스키를 마시면 다시 볼이 건강한 핑크빛을 띨 거야."

"타, 꿀꺽, 쭉쭉, 아. 그럼 다 좋은 거죠, 그렇죠, 찰리 씨?"

나는 그를 호되게 혼냈다.

"당연히 안 괜찮지 이 빌어먹을 멍청아, 그 두 악당들은 우리가 여기를 나가자마자 우리를 짓밟을 계획이야. 봐봐, 너는 저기 밖에 있는 보안관 대리인이 돼지라고 생각해? 게다가 이 둘은 솔직하지 않은 살인자들이라고. 그들은 진짜로 대통령의 문제를 해결하는 사람들이고, 우리가 그 문제이지."

"이해가 안 돼요. 그렇다면 그들은 왜 우리를 쏘지 않았나요?"

"오, 제발, 조크, 봐봐, 좋은 생각이라고 해서 마트랜드가 우리를 쏘겠어?"

"네. 당연하죠."

"그렇지만 그가 하프문 스트리트 경찰서에서 일반 경찰들이 보는 앞에서 그 짓을 할까?"

"아니요, 당연히 아니죠. 아, 이제 이해했어요, 아."

"빌어먹을 멍청이라고 불러서 미안해, 조크."

"괜찮아요, 찰리 씨, 좀 흥분한 상태였잖아요."

"맞아, 조크."

보안관이 다시 들어와서 우리 물건들을 되돌려줬다. 내 뱅커스 스페셜 피스톨까지도. 탄창은 별개의 봉투에 담겨 있었다. 그는 더 이상 점잖지 않았고, 우리를 매우 많이 혐오했다.

"저는."

그가 마치 물고기 뼈를 뱉어내는 사람처럼 말했다,

"당신이 어제 저지른 살인에 대해 당신을 체포하지 말라는 지시를 받았습니다. 바로 밖에 택시 한 대가 있는데 저는 당신이 택시를 탄 후 이 나라를 떠나서 두 번 다시 돌아오지 않았으면 좋겠습니다."

그는 그의 눈을 견고하게 닫았고 마치 모데카이와 스트랩이 태어난 적 없는 다른 시간대에 깨기를 바라는 듯 눈을 감은 채 있었다.

우리는 조심스레 밖으로 나갔다.

보안관 대리들이 바깥 사무실에 서 있었고, 그들 특유의 조롱 담긴 웃음을 짓고 있었다. 나는 두 명 중 가장 크고 불쾌한 놈에게 가까이 다가섰다.

"당신의 엄마 아빠는 오직 한 번밖에 안 만났지."

내가 조심스레 말했다.

"그리고 돈은 돌고 돈다. 아마 십 센트짜리겠지."

우리가 문을 열고 거리로 나서면서 조크가 말했다.

"십 센트를 영국 화폐로 환산하면 얼마예요, 찰리 씨?"

커다랗고 지저분하게 생긴 차가 바깥 커브에 서서 빵빵거리고 있었다. 택시 운전사는 술에 취해 있어 보였고, 그는 좋은 저녁이라고 말했다. 나는 그 말을 완전히 부정할 수 없었다. 우리가 차에 올라타자 그는 가는 중에 다른 탑승자가 더 있다고 설명했고, 저기 바로 옆 코너에 있는 여자를 태워야 한다고 했다. 그 여자는 누구나 꿈꿀 만큼 달콤하고 섹시하게 생겼다.

그녀는 우리 사이에 앉아 자신의 섹시한 허벅지 위로 짧은 프린트 스커트를 잡아당겼고, 마치 하늘에서 떨어진 천사처럼 우리에게 웃어줬다. 한 남자의 걱정을 덜어내는 데 예쁜 여자만큼 좋은 것은 없다. 그렇지 않은가? 특히나 그녀를 가질 수 있을 것 같을 땐. 그녀는 자신의 이름이 신데렐라 고태쵸크라고 했고, 우리는 그녀를 믿었다. 내 말은, 그녀가 자신의 이름을 그렇게 지어냈을 리가 없다는 것이다. 그렇지 않은가? 조크는 그녀에게 남아있는 마지막 위스키를 마실 수 있게 해줬다. 그녀는 술을 마시는 것은 정말 미친 짓이라고 말했다. 그녀는 그녀의 작고 귀여운 가슴을 턱 아래까지 끌어올려 옷을 입었다. 기억하는지 모르겠지만, 마치 1950년대 사람들이 했던 것처럼. 간략하게 말해서, 우리는 친한 친구들이 되었다. 도시를 10마일 벗어났을 때쯤, 뒷차가 사이렌을 울리며 옆으로 나와 우리와 나란히 달렸다. 택시 운전사는 낄낄 웃으며 길 옆에 차를 세웠다. 그 공무수행 차는 우리 차 앞머리 건너로 날카롭게 끼이익 소리내며 흔들흔들 멈췄다. 이전과 동일한 두 보안관 대리들이 여전히 비웃는 듯한 웃음을 지은 채, 같은 권총을 겨누며 차에서 나왔다.

"오 세상에."

조크가 중얼거렸다. 내가 계속 사용하지 말라고 했던 말이었다.

"이게 뭐야, 아마 내 머리를 어디서 했는지 물어보려는 건가?"

내가 용감하게 말했다. 하지만 그런 상황이 아니었다. 그들은 문을 열어젖힌 후 우리의 귀여운 서부 신데렐라에게 말을 걸었다.

"실례하겠소, 숙녀분, 나이가 어떻게 되시능가?"

"왜, 제드 터틀."

그녀가 킬킬거렸다.

"당신은 제 나이를 잘 알잖아요, 당신이…."

"나이요, 신디."

그가 딱 잘라 말했다.

"이제 14살이 돼요."

그녀가 내숭 없이 히죽 웃었다.

내 심장이 가라앉았다.

"알겠습니다, 이 더러운 범죄자들! 나와!"

보안관 대리가 소리쳤다.

그들은 우리를 사무실로 다시 데려갔지만 이번에는 우리를 때리지 않았다. 그들의 근무시간이 끝나갔고, 우리에게 낭비할 시간이 없었다. 단지 우리를 탱크 철장 안에 던졌을 뿐.

"아침에 보자구."

"저는 전화하고 싶은데요."

"내일 아침에요, 아마도, 당신이 제정신 차렸을 때."

그들은 잘 자라는 말도 하지 않은 채 우리를 놔두고 갔다.

탱크는 쇠창살로만 만들어진 정사각형 모양이었다. 토사물의 흔적이 남아 있는 바닥 타일만을 제외하고는. 최근에 비워지지 않은 플라스틱 양동이가 그 안에 있는 유일한 가구였다. 천장에서 몇 킬로와트인지 형광빛 조각들이 무자비하게 떨어져 내렸다. 나는 적당한 단어를 찾을 수 없었다. 하지만 조크가 적당한 말을 찾아냈다.

"이딴 다트 게임따위 엿 먹으라고 해."

"꼭 맞는 말이야."

우리는 양동이와 가장 멀리 떨어진 구석으로 가서 철장에 우리의 지친 몸을 기댔다. 한참 후에 야간근무 보안관 대리가 등장했다. 거대한, 늙은 풍뚱보였고, 장기판 비숍의 밑바닥처럼 얼굴이 넓적하고 빨갰으며 동그랗고 뜨거워보였다. 그는 탱크 옆에 서서 코웃음을 쳤다. 그는 코가 아픈 것 같아 보였다.

"너희들은 돼지나 개처럼 고약한 냄새가 나."

그는 거대한 머리를 흔들었다.

"어떻게 다 큰 남성들이 그런 상황에 자신을 내맡길 수 있는지 모르겠어. 나도 때때로 술에 취하기는 하지만, 나는 돼지나 개처럼 행동하지는 않아."

"저희 냄새가 아니에요."

내가 공손하게 대답했다.

"양동이 냄새에요. 혹시 저것 좀 치워주실 수 있나요?"

"아니. 우리는 그런 잡일을 하는 청소원이 따로 있어. 아마 지금쯤 그녀는 집에 갔겠지. 어쨌든, 내가 양동이를 치운다면 너희들은 어디로 내뿜을 건데?"

"토하지 않아요. 술 취하지 않았거든요. 우리는 영국 외교관이고 이러한 부당한 대우에 강력하게 항의합니다. 우리가 여기서 나가

203

면 큰 추문이 있을 거예요. 전화하게 해주면 당신에게도 좋은 일이 있을 거예요."

그는 자신의 큰 얼굴을 여기저기 조심스럽게 어루만졌다. 꽤 오랜 시간이 걸렸다.

"안돼."

그가 결론을 내렸다.

"보안관에게 문의를 해야 하는데 지금쯤이면 집에 계실 거야. 그는 집에 있을 때 방해받고 싶어하지 않으시거든. 백인 살해에 대한 것이 아니라면."

"그렇다면 앉을 것 좀 갖다 주세요, 그러실 수 있죠? 바닥 좀 보세요 제 말은, 이 양복을 사는데 어, 400달러가 들었다고요."

양복 이야기가 그의 공감을 얻었다. 그는 가까이 다가와서 내 옷을 주의깊게 살펴보았다. 그의 동정을 얻기 위해, 나는 똑바로 서서 두 팔을 벌린 채 발 한 쪽을 들고 한 바퀴 돌았다.

"이봐, 자네."

그가 결론을 내렸다.

"바가지 썼어. 그런 옷이라면 알부케르크에서 185달러면 충분해."

그렇지만 그는 자리를 뜨기 전 쇠창살을 통해 신문 한 뭉팅이를 넘겨주었다. 그는 신사였다.

우리는 그나마 깨끗한 바닥에 신문지를 깔았고 그 위에 누웠다. 바닥에서 나는 냄새가 그다지 심하지 않았다. 감사하게도. 내일을 두려워하기도 전에, 잠이 나를 덮쳤다.

16

나의 첫 번째 생각은
그의 모든 말은 거짓말이라는 것이었다.

— 차일드 롤란드

마치 탄광 안을 노려보는 술꾼의 거대한 빨간 얼굴처럼 해가 떴
다. 좀 더 가까이 살펴보자, 그건 내 얼굴을 바라보는 거대한 빨간
얼굴이었다. 그 얼굴은 또한 끈적거리게 웃고 있었다.

"일어나지."

야간근무 보안관 대리가 말했다.

"방문자가 있어. 당신, 보석으로 풀려날 거야!"

나는 벌떡 일어났으나 신장에서 비롯되는 고통에 소리를 지르면
서 금방 다시 앉았다. 나는 조크로 하여금 내가 일어서는 것을 돕
도록 했다. 하지만 조크 역시 가까스로 일어섰다. 그는 경찰관에게
어떠한 도움도 받지 않을 것이다. 보안관 대리 뒤에는 길고 슬프게
생긴 남자가 서 있었다. 외상을 거절하도록 만들어진 입으로 웃음
을 지으려고 노력하면서. 그는 울퉁불퉁한 손을 길게 뻗어 악수를
하며 내 손을 흔들었다. 한순간 나는 그가 누군지 알아봤다고 생각

했다.

"크램프."

그가 말했다.

나는 그 단어를 머릿속에서 굴려보았지만 그 이름을 사용하여 일상적인 대화를 만들어 낼 수 없었다. 결국 꺼낸 말이 "크램프라고요?"였다.

"밀튼 크램프 3세 박사입니다."

"아 죄송해요. 모데카이입니다⋯."

우리는 서로의 손을 놔주었지만 공손한 인사를 계속 나눴다. 한편, 야간근무 보안관 대리는 내 주변을 어슬렁거리며 내 양복에 묻은 먼지를 털어주었다.

"꺼져."

내가 결국 그에게 짜증냈다. 짜증내기에 딱 적합한 말이다.

조크와 나는 씻을 필요가 있었다. 크램프는 우리가 씻는 동안 자신이 보석서류 작성을 마치고 우리의 짐을 챙기겠다고 했다. 화장실에서 나는 혹시 여행가방의 열쇠를 되찾았는지 물었다.

"세상에, 찰리 씨. 저는 저녁에 그걸 삼켰어요, 그렇죠, 그 이후에 단 한 번도 화장실에 간 적이 없어요."

"아, 맞구나. 그렇지만 지금 시도는 할 수 있잖아, 그렇지?"

"아니요, 그럴 수 없어요. 지금 막 그럴 수 있는지 생각 중이었는데, 그럴 수 없을 것 같아요. 제 생각에는 물갈이를 하는 것 같아요. 항상 저를 괴롭히죠."

"형편없어, 조크, 너는 네가 물을 마시지 않았다는 걸 알잖아. 햄버거 먹을 때 칠리소스 많이 먹었어?"

"뭐, 그 매운 거요? 네."

"그래, 좋아."

야간근무 보안관 대리는 사죄하기 위해 고통 속에서 몸부림 치고 있었다. 아침에 법의학 연구소에 맡기기 위하여 보안관 대리 중 한 명이 내 권총을 가져간 것 같았다. 이건 나쁜 소식이었다. 우리의 유일한 무기는 여행가방 안에 있는 조크의 루거였고, 여행가방의 열쇠는 아직도 조크 몸 속에 있었다. 그는 전화해서 되찾을 수 있는 지 알아보라고 했지만, 나는 더 이상 지체하고 싶지 않았다. 바깥 사무실에는 전신 타자기가 있었고 누군가가 순조롭게 집어넣은 질문에 이제 곧 언제든지 영국 대사관은 대답할 것이다. 대사는 분명히 말했다. 당신도 기억날 것이다. 위대한 영국 국기를 보호하는 것은 나를 위한 것이 아니며, 한 번 거절당한다면, 내 외교여권은 9실링 지폐만큼의 가치밖에 없게 될 것이라고.

밖은, 어두웠고 비가 세차게 내리고 있었다. 비가 오면, 때때로, 일에 골몰하게 된다. 우리는 크램프의 커다랗고 창백한 차 안으로 뛰어들어갔다. 그는 조크를 여행가방과 함께 뒷좌석에 앉혔다. 나는 그에게 친절하게 물었다. 우리를 어디로 데려갈 것이냐고.

"저와 함께 있으실 거라고 생각했어요."

그가 쉽게 대답했다.

"걸프 해안에 개인 여름별장이 있어요. 이제 제 것이겠죠. 거기에 그림들이 다 있어요. 특히나 특별한 그림들. 아시죠? 그것들이 보고 싶으실 거예요."

나는 생각했다.

'오, 제발' 늙은 주인과 섹시하고 젊은 정부가 있는, 미치광이 백만장자의 비밀 은신처….

내가 말했다.

"그렇게 하면 참 좋겠네요. 어떻게 그렇게 시의 적절하게 저희를 구해낼 생각을 하셨는지 여쭤 봐도 될까요, 크램프 박사님?"

"그것은 참 쉬웠죠. 어제까지 저는 부자 아버지를 둔 젠체하는 미술전문가였어요. 평생 동안 제 삶을 통틀어 미술사로 번 돈은 백 달러에 불과할 거예요. 이제 저는 1억 달러를 가지고 있죠. 조한나에게 몇 백만 달러를 주든지 간에, 그리고 여기서는 그런 돈으로 누구든 감옥에서 꺼낼 수 있죠. 매수나 뭐 그런 걸 하라는 말은 아니지만. 아, 어떻게 거기에 갈 생각을 했는지를 물으시는 건가요? 그것도 쉬웠죠. 저는 시체 운송 문제를 정리하기 위해 정오쯤 비행기를 타고 목장에 갔죠. 경찰이 장례식이 끝나자마자 그걸 이동시킬 거예요. 가족묘는 버몬트에 있어요. 지금이 여름이라서 참 다행이죠. 겨울이었다면 바닥이 얼었기 때문에 시체의 한쪽을 날카롭게 만든 다음 그냥 땅 속으로 박았을 거예요, 하하."

"하하."

나도 따라 웃었다. 나도 내 아버지를 한번도 좋아한 적이 없다. 그렇지만 나라면 그가 죽은 다음 날 아버지를 '그것'이라고 말하지는 않았을 것이다.

"목장에 있는 경찰들도 롤스에 대해서 들었어요. 그리고 그 다른 차도 같이 쌓아진 것도요. 그리고 나중에 그들은 당신이 체포되었다는 소식을 들었죠. 경찰들이 가자 FBI인가 다른 연방부서에서인가 나온 두 남자들이 왔었어요. 그들은 우연히 들렀다고 했어요. 나는 일이 끝나는 대로 그들을 뒤따랐죠. 혹시 그들이 뭔가 멍청한 짓을 할까 봐요. 그러니까, 조르조네에 대해 당신 같은 시각을 가진 사람은 완전히 나쁠 수는 없다는 것은 알지만요, 하하. 저는 당신의 솜씨를 알죠. 저는 매달 벌링턴 잡지를 읽거든요, 이건 꼭 읽어야 해요. 제 뜻은, 예를 들어, 당신처럼 안드레아 만테냐가 어떻게 몬드리안을 위해 길을 닦아 놓았는지 알지 못한다면 몬드리안의 업적을 완전히 이해할 수 없다는 거죠."

나는 조용하게 웃었다.

"아, 그러니까 생각나네요."

그가 말을 이어갔다.

"제 아버지에게 어떤 그림을 가져다주시던 중이었죠? 어디 있는지 저에게 말씀해 주실 수 있나요? 이제 제 것인 듯싶은데."

나도 그렇게 생각한다고 말했다. 물론 스페인 정부는 다른 시각을 갖고 있을 것이다. 하지만 그들은 자신들이 지브롤터(스페인 이베리아 반도 남단에서 지브롤터 해협을 향해 남북으로 뻗어 있는 반도로 영국의 직할식민지)도 소유한다고 생각하잖아! 그렇지?

"롤스 안에 있어요. 지붕 덮개에 보관되어 있죠. 그것을 회수하는데 좀 어려움이 있을 것 같네요. 하지만 그 동안은 안전하게 보관될 거예요. 그렇죠? 아, 그리고, 당신의 아버지가 생전에 마치지 못한 형식상 절차가 있어요."

"예?"

"네. 한 오만 파운드 정도."

"너무 싸지 않나요, 모데카이 씨?"

"어, 글쎄, 원래 그걸 훔친 친구는 이미 돈을 받았어요. 오만은 그냥 제 팁 같은 거죠."

"이해했어요. 아, 어디로 어떻게 원하세요? 스위스 은행 번호계좌인가요?"

"세상에, 아니요. 그 돈이 초콜릿과 끔찍한 그뤼에르 치즈, 그리고 알프스 산에 놓여 있을 것을 생각만 해도 혐오스럽네요. 혹시 저를 위해 그걸 일본에 갖다 주실 수 있으신가요?"

"당연하죠. 나가사키에 개발회사가 있어요. 당신을 미학자문으로 오 년 계약사원으로 해놓을 게요, 어, 일 년에 11,000프랑 정도로, 괜찮죠?"

"육 년에 10,000프랑이 더 나을 것 같네요."

"좋습니다."

"감사합니다."

그는 솔직한 눈으로 나를 쳐다보았고, 나는 그가 진심이었다고 생각했다. 나는 그가 내 오만 파운드를 아까워한다고 생각하지 않는다. 그는 돈에 인색해질 만큼 오랫동안 부자가 아니었다. 내 말은, 꽤 명확하게도, 나는 이제 그에게 어느 방면에서든 잉여물에 불과했다. 나를 더 오랫동안 살게 하는 것은 그의 프로그램에 들어 있지 않았다. 조르조네에 대해 훌륭한 시각을 가지고 있다는 것만으로 살 수 있는 특권이 딸려오지 않았다. 나는 몇 년 동안 더 생명을 부지할 수는 있겠지만, 그것은 나 자신에게도 비참하고 다른 이들에게 짐을 지우는 일일 것이다.

우리는 계속 떠들었다. 그는 안감을 다시 대는 절차에 대해서 잘 모르는 듯했다. 현대 그림들은 평균적으로 페인트가 마른 다음 오 년 내에 관리를 받아야 한다는 사실을 감안하면 현대미술의 권위자가 그러한 것도 모른다는 사실은 정말이지 놀라웠다. 사실 오 년이 되기도 전에 대부분은 균열이 생기거나 캔버스에서 조각들이 떨어져 나온다.

그들이 적절한 기술을 배우지 않았다는 것은 아니다. 내 생각에는 그들은 후대가 자신의 작품을 본다는 것에 대해서 무의식적으로 부끄러워하는 것 같다.

210

"확실하세요?"

크램프가 계속 물었다.

"어, 이 작업이 그림을 망치지 않는다는 걸?"

"이봐요."

내가 결국 말했다.

"그림들은 그런 방식으로 망가지지 않아요. 그림을 완전히 망가뜨리기 위해서는 암모니아 묻힌 걸레나 메틸화된 주류, 혹은 그림을 지우는 액체를 든 멍청한 사람이 필요하죠. 그림을 리본으로 묶어 훌륭한 라이너와 복원가에게 갖다준다면 그들은 당신이 기침도 하기 전에 새 것처럼 좋은 상태로 만들어 그림을 돌려줄 거예요. 이해되나요?"

"네."

그가 말했다.

"당신은 다른 그림을 거기에 덮어 그릴 수 있고, 복원가는 아마도 수십 세기 뒤에 원본을 복구해낼 거예요. 별일 아니죠. 당신 아버지의 크리벨리 기억하죠?"

그의 귀가 쫑긋 세워졌고, 차가 흔들렸다.

"크리벨리요? 어떤 크리벨리죠? 아버지가 크리벨리 작품도 가지고 있었나요? 좋은 건가요?"

"매우 상태가 좋은 것이에요. 버나도 테티 말에 의하면 말이죠. 당신 아버지가 1940년인가 50년에 베네토에서 사셨을 거예요. 이탈리아에서 좋은 작품들을 파는 거 알잖아요. 중요한 작품들은 상업적인 갤러리를 거의 거치지 않죠. 부호가 자신이 좋은 작품들을 찾고 있다는 정보를 시장에 흘리면, 그는 주말에 바로 궁정에 초대될 거예요. 작위가 있는 주최자는 자신이 가까운 미래에 많은 세금을 지불해야 한다는 것을 세심하게 인지시켜 줄 거예요. 이탈리아에서는 그것이 농담이죠. 그래서 좋은 작품을 할 수 없이 한두 개 정도 팔 수밖에 없다고 말하죠.

당신 아버지는 카를로 크리벨리를 그런 방식으로 구매하셨죠. 위대한 전문가들의 증명서를 가지고 있었죠. 항상 그러듯이, 당연히. 아시죠? 주제는 처녀와 아랫도리를 입지 않은 어린이, 그리고 많은 배와 석류 그리고 멜론이었어요. 꽤나 사랑스럽죠. 프릭 크리벨리와 같지만 더 크기가 작죠."

"공작이나 백작은 그림에 대한 자신들의 권리를 완전히 확신하지는 못한다고 넌지시 말했지만, 그들은 당신의 아버지가 그런 사소한 것으로 문제를 일으킬 사람이 아니라는 것을 알고 있었죠. 어떤 일이 있더라도 몰래 빼내야 했죠. 예술작품의 수출을 금지하는 법 때문이지요. 당신의 아버지는 로마에 있는 예술가 친구에게 그것을 가지고 갔고, 그는 표면에 칠을 한 후, 그 작품 위에 미래주의, 소용돌이파의 형편없는 작품을 덧발랐죠 그것이 당신의 분야라는 것을 까먹었네요, 죄송해요. 1949년이라고 써 있고 크게 사인되어 있었죠. 덕분에 눈길조차 받지 못하고 세관을 무사히 거쳤습니다.

미국에서 그는 뉴욕에 있는 가장 능숙한 복원자에게 그 작품을 보냈습니다. '덧댄 작품을 지워내서 원본을 복구해 달라.' 라는 쪽지와 함께요. 몇주 후 그는 그 복원자에게 전보를 보냈죠. 즉시 '현대 그림의 진척 상황에 대한 보고' 요망. 복원자는 전보에 답장했어요, 현대 그림 제거했음. 〈크리벨리의 마돈나〉 제거했음. 무솔리니의 초상화까지 나옴. 나는 어디에서 멈춰야 함?"

크램프 박사는 웃지 않았다. 그는 전방을 주시했고, 그의 손은 운전대를 꽉 쥐고 있었다. 조금 있다가 나는 조심스럽게 말을 꺼냈다.

"당신의 아버지는, 처음에는 충격받으셨지만, 그 이야기가 매우 재미있다고 생각하셨나 봐요. 그리고 당신 아버지는 그리 쉽게 즐거워하지는 않으셨죠."

"제 아버지는 단순한, 섹스에 미친 놈팡이었습니다."

그는 목소리 하나 바꾸지 않고 말했다.

"그가 그림을 위해 무엇을 주었나요?"

내가 대답해 주었고, 그는 움찔하고 놀랐다. 대화가 시들해졌다. 차가 좀 더 빠르게 달리기 시작했다.

조금 있다가 조크가 멋쩍게 목소리를 가다듬었다.

"실례합니다, 찰리 씨. 크램프 박사에게 어디 이 근방에 차 좀 멈춰달라고 할 수 있나요? 저 화장실에 좀 가야 할 것 같아요. 용변을 봐야 해서요."

"정말?"

내가 기쁨을 숨기기 위해 딱딱하게 말했다.

"나오기 전에 그 생각을 했었어야지. 칠리소스 때문이야, 내가 생각할 때엔."

우리는 모텔에 붙어 있는 24시간 운영하는 식당에 갔다. 이십분 후, 맛없는 달걀 후라이로 배를 가득 채운 우리들은 거기서 밤을 보내기로 마음먹었다. 조크는 여행가방 열쇠를 내게 건네줬다. 새 것처럼 깨끗했다. 나는 그의 강력한 소화액에 의해서 때문고 부식되었을 것이라고 생각했었는데.

나는 크램프가 우리를 그의 비밀스러운 여름별장에 데려갈 때까지 알맞은 때를 기다리고 있을 것이라 믿었지만, 방문을 걸어 잠갔다. 나는 침대 안에 기어들어가서 생각했다. 사실 그 자체에만 비추어서 현재 내가 처한 상황에 대해 세심하고 객관적인 분석을 해야겠다고.

"만약 희망이 사기였다면."

내가 내 자신에게 말했다.

"두려움은 거짓말쟁일 것이다."

분명 레이저만큼 날카로운 모데카이의 두뇌로 이 불쾌하고 원초적인 혼란에서 벗어날 수 있을 것이다. 불행하게도 레이저만큼 날카로운 두뇌는 머리가 베개에 닿자마자 잠에 빠졌다. 나중에 밝혀진 바와 같이 이건 정말 가장 불행한 일이었다.

17

그래서 우리 절반 인간들은 싸웠다. 결국에는,
맙소사, 우리는 결론을 내고, 보상하고, 벌준다.
— 안드리아 델 사토

마시는 차 없이 아침을 맞는 것이 뱀의 이빨보다 얼마나 더 날카로운지! 순진한 친구인 조크는 모텔에서 제공하는 모든 종류의 음식을 가져왔다. 그 중에 차는 없었다. 만약 파리가 유럽의 카페라면, 갈리아가 말했듯이, 미국은 세계의 핫도그 가판대일 것이다.
"칫."
나는 짜증났지만 조크를 만족시키기 위해 조금 먹었다.
잠에서 깨어났을 때는 거의 정오에 가까웠다. 여덟 시간을 아주 잘잔 것이었다. 목욕하고, 면도하고 가장 말끔한 옷으로 갈아입은 다음에, 모데카이 경의 정신으로 가득 차서, 진홍색 새싹처럼 아침 햇빛으로 걸어갔다. 나무랄 데 없는 내 자보 모슬린 레이스에 묻은 콧물 자국을 닦아내면서.
바깥에는 연한 청색 뷰익이 서 있었다.
A. L. 로우즈는 역사적으로 중요한 발견을 하는 것은 무의식적

으로 고양이 위에 앉는 것과 같다는 말을 한 적이 있다. 나는, 그 순간, 그런 역사가처럼 느껴졌다. 그리고, 참으로, 그 고양이처럼 느껴지기도 했다. 크램프 박사는 운전석에 앉아 있었고, 그는 내가 놀라 팔짝 뛰고 꺽 소리를 낸 것을 못 보았을 리가 없었다. 그는 전혀 놀라는 기미를 보이지 않았다. 조크와 나는 차에 올랐탔다. 분명히 우리가 타고 온 차였기 때문에 아침인사를 나눈 다음 우리는 출발했다.

이리저리, 마치 오디세우스가 많은 경우에서 그러하듯, 나는 내 머리를 굴리기 시작했다. 조크의 정직한 노력의 결실인 여행가방 열쇠는 우리를 두 배로 행복하게 해주었다. 가방은 나에게 깨끗한 속옷을 주었고 조크에게는 그의 루거를 주었다. 우리 둘은 꽤 죽이 잘 맞는다. 조그마한 공항이라면 내 외교여권은 아마도 앞으로 24시간 정도는 문제없이 통과될 것이다. 우리는 둘이고, 크램프는 현재 혼자이다. 그가 나를 제거할 계획을 세우고 있다는 것은 꽤나 명백했다. 연한 청색 뷰익을 모는 사람들은 내 친구가 될 수 없다. 그리고 나는 그가 최근에 물려받은 컬렉션의 출처에 대해 그리고 누가 자신의 아빠를 죽였는지 같은 사소한 일에 대하여 지나치게 많이 알고 있었다. 하지만 그는 우리가 이 사실을 알고 있다는 것을 확실하게는 모를 것이다. 그는 우리를 시멘트 안에 처박기 전에, 그의 영역 안으로 끌어들이고 싶어했다. 이제 우리는 그를 만류해야 되는 처지이다.

우리는 남쪽과 동쪽으로 계속 갔고, 포트 스톡톤이라고 불리는 곳에서 끔찍한 점심을 먹었다. 그곳에서 나는 은밀하게 지도를 손에 넣어 길을 연구했다. 다 먹은 맥주통에 지도를 집어넣었다. 조금 더 운전해 페코스 강을 건너 소노라로 향했다. 이제는 그저 지

216

명에 불과하다. 마술이 모두 사라졌다. 소노라에 도착하기 직전, 크램프에게 말했다.

"죄송하지만, 친구여, 이번 주말 내내 당신과 같이 지낼 수 없게 됐어요."

그는 운전대에 올려놓은 손을 움직이지 않았지만 내 쪽을 쳐다보았다.

"무슨 말이신가요?"

"일이 생겼어요."

"이해가 되지 않네요. 무슨 일이 생길 수 있나요?"

"그게, 사실은, 방금 전보를 받았어요."

"방금 뭘 받았다고요?"

"네, 받은 전보를 보고서 다음 약속이 생각났죠. 그래서 말인데, 혹시 소노라에서 북쪽으로 가 주실 수 있나요?"

"모데카이 씨, 이게 일종의 농담이라는 거 알아요. 그래서 저는 계속 걸프를 향해 가겠어요, 하하."

그가 웃었다.

"만약 당신의 권총이 법의학 연구실에 있다는 사실을 몰랐더라면 당신의 말을 꽤나 진지하게 받아들였을 거예요, 하하."

"조크, 크램프 박사에게 루거를 보여드려라."

조크는 뒷좌석에서 앞으로 몸을 내밀며 내 말에 따랐다. 크램프는 그걸 조심스럽게 살폈다. 그는, 만일 루거에 대해 안다면, 그 조그만 표시계가 약실 위로 튀어나온 걸 보았을 것이다. 그는 액셀러레이터를 밟았다, 똑똑한 행동이었다. 왜냐하면 아무도 시속 70마일로 달리는 녀석을 신뢰하지 않기 때문이다.

"조크, 왼쪽 어깨를 부탁해."

조크의 거대한 놋쇠 같은 주먹은 증기 해머처럼 내려왔다. 크램프의 팔이 사용 불가능한 상태가 되는 동안 내가 운전대를 잡고 있었다.

그는 속도를 줄였고 결국은 멈춰 섰다. 울고 있을 때는 올바르게 운전할 수 없다. 나는 재빨리 그와 자리를 바꿨고 우리는 계속 갔다. 내 생각에는 주간 고속도로 10에서 어정거려서는 안될 것 같았다. 그는 아무 말 없이 내 옆에 얌전히 앉아 자신의 팔을 보살폈다. 눈물 그렁그렁한 눈으로 앞만 똑바로 쳐다보면서. 이러한 그의 태도는 그가 나쁜 의도를 갖고 있었음을 확신하게 해줬다. 만약 그가 결백했다면, 그는 큰 목소리로 반항하고 있었을 것이다. 그렇지 않나?

아빌레나는 소노라에서 북쪽으로 150마일 떨어져 있다. 우리는 두 시간 동안 많이 달려왔고, 크램프는 그 자리에 얌전하게 앉아 있었다. 두려워하는 것같아 보이지는 않았다. 그의 1억 달러에 대한 신념은 아직 흔들리지 않았다. 산 안젤로를 지나가면서 나는 〈별은 빛나건만〉을 불렀다. 오페라를 좋아하는 사람들은 왜인지 알 것이다. 저녁이 시작되고 있었기 때문에 나는 그럴싸한 장소를 찾기 시작했고, 그리고 콜로라도를 지난 직후 물이 마른 강 바닥을 따라가는 번호표시가 없는 비포장도로 하나를 발견했다. 아무도 우리를 볼 수가 없다는 점에 만족하면서, 나는 크램프를 앞장세워 차 밖으로 나왔다.

"크램프, 유감스럽게도 당신은 내가 아프길 바라는 것 같아요. 난 당신은 물론이고 그 누구의 피도 볼 생각이 없어요. 그래서 난 당신의 계획을 저지하려고 해요. 제 말 이해하시나요? 저는 당신을 여기에 두고갈 생각이에요. 안전하게 묶어서, 그리고 따뜻하게

218

천으로 덮긴 하지만 돈 없이 말입니다. 제가 공항에 도착한다면 어디에서 당신을 찾을 수 있는지 경찰들에게 알려주려고 해요. 당신의 돈도 함께요. 저는 도둑이 아니거든요. 그렇지만 그들이 당신을 찾기 전에 당신이 죽을 가능성이 있죠. 질문 있나요?"

그는 나를 차분하게 쳐다보았다. 자신의 손톱으로 내 간을 뜯어낼 수 있는지 궁금해 하면서. 그는 아무 말도 하지 않았고, 침도 뱉지 않았다.

"지갑."

손가락을 까딱거렸다. 그는 뱀가죽으로 된 얇은 지갑을 내 발치에 건방지게 던졌다. 나는 그것을 주웠다. 나의 그 행동이 자랑스럽지는 않다. 그 안에는 운전면허증이랑 몇 개의 유용한 신용카드, 못되게 생긴 아이들의 사진과 메디슨의 초상화가 들어 있었다. 초상화는, 물론, 천 달러 지폐 위에 있었다.

"잔돈은 없나요? 아마 없겠지요? 당신은 잔돈 만지는 것을 싫어하잖아요. 당신은 그게 어디 있었는지 알 거예요. 그리고 그다지 팁을 많이 줄 것처럼 생기지는 않았거든요."

"찰리 씨."

조크가 말했다.

"이 지역의 부자녀석들은 지갑에 일반지폐를 넣고 다니지 않아요. 금으로 만들어진 클립 같은 것에 집어서 바지 속에 넣어두죠."

"네 말이 맞아, 조크, 훌륭해. 크램프, 그 지폐클립을 주시지."

그는 뚱한 표정으로 그의 엉덩이 주머니로 손을 뻗었다. 너무나 뚱한 표정으로, 그러자 갑자기 나는 내가 또 해야 하는 일이 생각났다. 나는 그의 고환을 발로 찼다. 그는 뒷걸음을 치다가 넘어졌고, 그가 넘어지면서 릴리퍼트 피스톨을 꺼냈다. 총소리를 듣지는 못했지만 내 팔이 찢겨지는 듯했고, 나는 넘어지면서 조크가 부츠로 크램프의 머리를 내리찍는 것을 보았다.

나는 잠시 기절해 있었던 것 같다. 고통이 극심했다. 내가 정신을 차렸을 때, 조크가 차에 있던 응급처치 도구를 사용해 응급치료를 하고 있었다. 조그마한 총알이 내 겨드랑이를 통과해 지나가면서 끔찍하게 짓이겨 놓았다. 그렇지만 다행스럽게도 겨드랑이 동맥을 몇 mm 차이로 피해갔다. 응급처치 도구는 뛰어났다. 출혈을 막고 적절히 붕대를 감은 다음 우리는 움직임이 없는 크램프를 쳐다보았다.

"그를 묶어놔, 조크, 그가 아직 정신없을 때."

긴 정적이 흘렀다.

"어, 찰리 씨, 그를 좀 보시겠어요?"

그를 봤다. 그의 옆머리는 마치 스미스 감자칩 봉지 같았다. 또 다른 크램프 세대가 채점관, 신과 말을 나누기 위해 점수표를 들고 영원의 전당으로 갔다.

"정말이지, 조크, 너는 너무 나빠."

"이틀에 벌써 두 번이잖아. 내가 수십 번 이야기했잖아. 나는 네가 사람들 죽이고 다니는 것을 보고 싶지 않다고."

"죄송해요, 찰리 씨. 그렇지만 그럴려는 의도는 없었어요, 정말로요. 제 말은, 저는 당신의 목숨을 구하려고 했던 것뿐이에요."

"맞아, 조크. 분명히 그랬겠지. 내가 너무 성급하게 말했다면 미안해. 너도 알다시피 좀 고통스러워서 그래."

우리는 그날 밤 그를 몰래 묻었다. 그 다음 우리는 꽤 오랜 시간 동안 귀를 기울였고, 아빌레나를 향하는 도로에 다시 올라탔다.

220

그날 밤 아빌레나에는 덴버랑 캔자스시티로 가는 비행기가 있었다. 우리는 각각 다른 비행기를 탔다.

"그럼, 퀘벡에서 만나자, 조크."

"네, 찰리 씨."

18

나는 내일 짐승들과 싸운다고
똑같은 것을 믿는 자에게 말하리라.

— 사막에서의 죽음

여태까지 내 뒤틀린 이야기가 비극에 필요한 요소들을 어느 정도 포함하고 있다는 것을 깨달았을 것이다. 나는 내 상식 밖의 일일 경우 다른 사람이 이야기하고 생각하는 것을 말하지 않으려고 노력하였다. 나는 적합한 이동수단 없이 당신을 사방팔방으로 데리고 다니지도 않았고 '며칠 후'로 시작하는 문장을 사용하지 않았다.

만약 내가 이러한 사건들의 근거를 확실하게 만들어 놓지 않았더라면 그것은 당신이 나보다 그러한 일에 능숙하기 때문이기도 하다. 그리고 다른 한편으로는 가끔 내가 사건을 지배하고 있다고 생각하지만 사실은 사건이 나를 지배하고 있었다는 것을 깨닫고 어리벙벙해지기 때문이라고 고백한다.

지난 몇 주 동안 내 기억을 잘 통솔된 거푸집에 주조하는 것에 즐거움을 느꼈지만 이러한 멍청한 행동들을 이제 멈춰야 한다. 날이 점점 짧아지고 있고 시간의 헬리콥터가 내 머리 위에서 강하게 공기를 치고 있었던 것처럼 시간이 없기 때문이다. 사건들이 문학을 추월했다. 여유 있게 몇 페이지를 더 쓸 시간이 있다. 그리고 나면 일지를 간단히 적을 시간이 조금 있을 수도 있다. 그 다음에, 내가 생각하기에는, 시간이 없다. 전혀.

아이러니하게도 내가 혐오하는 어린 시절의 모습이 보이는 곳에서 죽기 위해 집으로 돌아온 것처럼 보인다. 섭리의 작동 방식은, 언젠가 펫이 브로드웨이 아님 오코넬 거리를 걸어가면서 마이크에게 말했던 것처럼, 정말이지 철저하지 못하다.

여기에 오는 것은 쉬웠다. 우리는 퀘벡에서 에이레로 비행기를 타고 왔지만, 같은 비행기를 탄 것은 아니었다. 쉐논에서, 조크는 여행자 여권을 사용해서 출입국 심사를 무사히 통과했다. 그들은 그의 여권을 쳐다보지도 않았다. 그는 여행가방을 들고 있었다. 그는 국내선을 타고 더블린의 콜린스타운 공항으로 가서 칼리지 그린에 있는 '배심원'이라는 괜찮은 술집에서 나를 기다렸다.

나는 위스키 한 병과 함께 쉐논의 화장실에서 조용히 시간을 보냈고, 다양한 여행객들과 섞여서, 모든 사람들에게 내 아내와 아이들과 짐이 더블린, 벨파스트, 코크로 향하는 비행기에 있다고 말했다. 그리고 나는 끊임없이 울었으며 술독에 빠져 있다가 밖으로 뛰쳐나가 택시를 탔더니 그 누구도 여권을 달라고 하지 않았다. 그들은 오히려 내가 사라진 것에 안심하는 듯했다. 택시 운전사는 머링가까지 가는 내내 내게서 체계적으로 돈을 빼내갔다. 나는 거기에서 면도를 하고 옷을 갈아입은 다음 발음을 바꾸고 다른 택시를 잡아타고 더블린으로 향했다.

미리 약속했던 것처럼 조크는 '배심원'에 있었다. 거의 간신히 거기에 있었다. 내가 몇 분만 더 늦게 도착했더라면 그는 술집에서 쫓겨났을 것이다. 그가 푸딩처럼 짜증나 있어서 〈보니의 옷〉인가 뭔가 하는 노래에 어스어에서 만난 어떤 사람이 알려준 더러운 말을 넣어 계속 노래를 부르고 있었기 때문이다.

우리는 블랙풀로 향하는 값싼 야간 비행기를 탔고, 다른 승객들과 어울릴 만큼만 취한 척을 했다. 승무원들은 우리에게 등을 돌리고 있었다. 우리는 각각 다른 택시를 타고 조그마한 호텔로 향했다. 나는 저녁으로 감자파이를 먹었는데 조크가 무엇을 먹었는지는 알지 못한다.

아침에 우리는 각각 다른 기차를 타고, 약속대로, 칸포스역의 뷔페에서 만났다. 당신이 칸포스에 대해서 들어본 적이 없을 수는 있지만, 예전에 본 적은 있을 것이다. 특히나 그 뷔페는. 왜냐하면 그곳이 바로 〈밀회〉를 찍은 장소이고, 셀리아 존슨을 기억하는 신성한 장소이기 때문이다. 요즘의 칸포스는 다른 방법으로 유명해지기 힘들다. 예전에는 번성하는 철강도시로 중요한 철도의 중심지였지만 요즘에는 아주 특이한, 분명히 의도적으로 만든 못생긴 건물들과 거기에 사는 친절한 사람들로 유명할 뿐이다. 심지어 은행 직원들까지 친절하다. 나는 거기서 5마일 떨어진 실버데일이라는 곳에서 태어났다.

칸포스는 랑카셔의 가장 북서쪽에 위치하고 있고, 디스트릭트 호수로 가는 길목이라고 종종 불렸다. 그다지 해안가에 있지 않고, 사실 별 게 없다, 정말로. 몇 개의 좋은 술집들이 있기는 하다. 내가 어렸을 때까지만 해도 극장이 하나 있었다. 나는 빙고를 하러 가는 것 이외에는 한번도 거기에서 영화보는 걸 허락받지 못했고, 거긴 이제 문을 닫았다.

호텔 중의 하나는 디노 뭐시기라고 불리는 늙은 이탈리아인에 의해서 운영된다. 내가 어린아이였을 때부터 그는 나를 알았다. 나는 그에게 방금 미국에서 돌아왔다고 말했다. 그리고 거기서 적을 좀 만들었기 때문에 조용히 숨어 있어야 한다고 했다.

"걱정하지 마세요, 찰리 씨, 그 망할 시실리안 자식들은 여기서 당신을 찾지 못할 거예요. 만약 그들이 이 주변에서 얼쩡거리는 것을 본다면 저는 경찰을 재빠르게 부를 거예요. 여기 경찰들은 좋은 녀석들이야, 냄새 나는 마피아 단원들을 두려워하지 않지."

"사실 꼭 그렇지는 않아요, 디노. 제 생각에는 당신이 만약 누군가를 보면 저에게 조용히 말해주는 게 더 나을 것 같아요."

"알았어요, 찰리 씨."

"감사합니다, 디노. 에비바 나폴리!"

"아바사 밀라노!"

"카조네 팬던트!"

우리는 합창했다.

오래 전에 우리가 사용하던 슬로건이었다.

조크와 나는 내 겨드랑이가 다 낫고 상당히 그럴싸한 수염을 기를 때까지 그곳에서 약 5주 동안 꼼짝 않고 지냈다. 디노는 우리가 무언가를 잘못했을 것이라는 생각을 전혀 안했다는 점을 분명히 해두고 싶다. 나는 머리염색과 탄수화물 음식을 먹는 것을 그만두었다. 그러자 곧 나는 젊어 보이는 70살 노인처럼 보였다. 마지막으로, 다시 모험하기 전에, 나는 와이어 클립에 고정된 위 송곳니를 제거했다. 앞니가 아랫입술에 살짝 닿으면 나는 노망든 사람처럼 보였는데, 이건 항상 스폰 여사를 소리 지르게 만들었다. 이제 나는 내 구불구불한 머리를 길고 지저분하게 자라도록 놔두었다.

225

나는 쌍안경을 사서 조류 관찰자들 사이에 섞여 들어갔다. 요즈음 조류 관찰자들이 얼마나 많은지를 안다면 놀랄 것이다. 조류학은 세상에 적의를 품은 교사들이 갖는 불가사의한 취미였다. 약간 모자란 노처녀들, 혹은 외로운 어린 소년들이 주를 이루었지만 요즘에는 카펫 만들기나 아내 바꾸기와 같은 주말 심심풀이처럼 흔해졌다. 나는 학교를 다닐 때 그걸 너무 좋아해서 어떤 새의 울음인지를 잘 알고 있었다. 사실 이제 또 다시 그게 좋아져서 이렇게 새를 관찰하러 나가는 것을 꽤나 즐겼다.

랑카서의 이 지역은 영국에서 가장 좋은 조류 관찰장소 중 하나로 꼽힌다. 수많은 바다 새와 해안 서식 새들이 모어캠브배 만의 거대한 소금 습지나 조습지에 서식한다. 영국왕립조류보호협회(RSPB)의 성지인 라이톤 모스의 갈대밭은 수많은 오리, 백조, 갈매기 그리고 심지어 해오라기까지 있어서 생동감에 넘친다.

나는 디노에게 300파운드를 건넸고, 그는 나에게 그의 명의로 된 어두운 초록색 중고 미니를 사줬다. 나는 그 차에 몇 개의 스티커를 붙였다. 〈레븐스 홀을 구해주세요〉, 〈보수당에게 투표합시다〉, 〈스팀 타운을 방문하세요〉. 위장하기에 딱 좋은 재료라는 것을 인정할 수밖에 없을 것이다. 나는 조크를 위해 컬러 렌즈를 사야겠다고 생각했다. 그의 놀랍게도 파란 눈을 지저분한 갈색으로 만들 것이다. 그는 컬러 렌즈를 매우 마음에 들어 했고, '내 그림자'라고 불렀다.

한편 이제 칸포스가 남부쪽에 있으니, 런던에 전화를 몇 통 걸어도 안전했다. 런던에서는 몇몇 못된 친구들이 많은 돈을 받고 나와 조크를 위해 새로운 신분을 만들어 내고 있었다. 우리가 호주에 가서 새로운 인생을 살 수 있도록 말이다. 새로운 신분은 매우 비싸고 만드는 데에 많은 시간이 걸린다. 하지만 요즘에는 훨씬 쉬워졌다. 왜냐하면 사방팔방에 마약이 있기 때문이다. 그저 헤로인의 'ㅎ'자에만 관심이 있고 이 세상에는 관심이 없는 녀석을, 웬만하면 당신을 좀 닮은 녀석으로, 찾아내기만 하면 된다. 당신은 혹은 당신의 말 안 듣는 친구들이 그 녀석을 보살피고 재워주면서 헤로인을 공급해주고 먹을 것을 준다. 그 다음 그의 건강 보험료를 납부하고, 그에게 여권을 사준다. 그리고 그의 이름으로 우체국 은행계좌를 만들고, 운전시험에 통과한 다음 현실세계에서 가상의 직업을 준다. '고용자'는 그의 월급의 두 배를 현금으로 받는다. 그런 다음 매우 비싼 손재주 있는 사람에게 새로운 여권에 당신의 사진을 넣어달라고 부탁하면 된다. 새로운 사람이 된 것이다.

물론 마약 중독자는 이제 잉여인간이 되어버린다. 그를 전문적으로 해치워버릴 수도 있지만 그것은 그저 추가적인 사항이다. 그리고 요즘 같은 시대에 꽤나 비싸다. 가장 싸고 좋은 방법은 삼사일 동안 그의 약을 빼앗아 그가 이성을 잃게 만든 다음, 사람이 많은 공중 화장실에 과도한 양이 담긴 주사기와 함께 놓고 오는 것이다. 피카딜리 지하철 화장실이 가장 선호되는 장소이다. 그 다음에는 자연스럽게 이 일이 해결되길 기다리면 된다. 검시관은 그를 제대로 쳐다보려고도 안 할 것이다. 그에게는 그 상황이 더 나을 수도 있다. 그가 죽음을 몇 년 동안 질질 끌어왔을 테니까.

짧게 말해서, 윌리엄 히키나 그 칼럼니스트 중 한 사람이, 높은 곳에 있는 어떤 사람들이 호크보틀의 예술작품과 관계가 있을 수도 없을 수도 있는 어떤 사진을 받았었다는 힌트를 한두 번 미묘하게 주었다는 점을 제외하고는 모든 것이 잘 되어가는 것 같았다. 나는 이 일을 벌이고 있는 사람이 누구인지 알 수 없었다. 그렇다면 조한나가 아닌 건 확실한가? 호크보틀의 끔찍한 친구 중 한 명인가? 마트랜드인가? 나는 그것을 걱정하지 않기로 했다.

지난 밤, 상쾌한 공기로 가득 찼고 엄청난 식욕을 돋우는 밤에, 디노의 호텔 바에 걸어 들어갔을 때, 나는 누구에게라도 이상하리만큼 모든 일이 쉽게 진행되어 간다고 말했을 것이다. 나는 모스에서 오후를 보냈고, 몇 분 동안이었지만 내 쌍안경을 통해 수염박새를 관찰할 수 있을 만큼 운이 좋았다. 만약 그런 새가 없다고 생각한다면 조류도감을 찾아봐도 좋다. 그렇지만 어젯밤뿐이었다.

어젯밤 내가 바에 들어갔을 때, 바텐더가 웃으면서, "좋은 저녁입니다, 잭슨 씨, 무엇을 드릴까요?"라고 했어야 했다. 지난 몇 주간 그가 내게 한 말이었으니까. 근데 그 대신 그는 나를 적대적으로 바라본 다음 "음, 페디, 늘 하시던 걸로 드릴까요?"라고 말했다. 나는 완전히 놀랐다.

바텐더가 불쾌하다는 듯이 말했다.

"뭘 주문할지 결정하세요. 다른 사람들도 주문하려고 기다리고 있다고요."

바 끝에 앉은 두 낯선 사람들이 장식된 병들 뒤에 있는 거울을 통해 나를 관찰하고 있었다. 나는 그것을 간파했다.

"알게써, 알 것다구."

나는 굵은 목소리의 아일랜드 억양으로 소리쳤다.

"물론이지, 매일 먹던 걸로 줘, 이 심술쟁이 자식아."

그는 바 너머로 나에게 더블 제임슨 아일랜드 위스키를 밀어서 주었다.

"그리고 말조심하세요."

그가 말했다,

"싫으면 나가시든지."

"헛소리 마."

나는 위스키를 무자비하게 되던져줬다. 나는 손등으로 내 입술을 닦았고, 트림을 한 다음 위풍당당하게 나갔다. 다행스럽게도 조류학자가 현장에서 입는 옷이 아일랜드 해군의 옷과 비슷했다. 내가 위층으로 올라가니 조크가 침대에 앉아 비노를 읽고 있었다.

"일어나."

내가 말했다.

"그들이 달라붙었어."

우리는 비상사태에 대비하여 항상 준비된 상태를 유지했다. 내가 바를 떠난 지 구십 초 만에 우리는 주방입구를 통해 호텔을 빠져나가서 내가 미니를 주차해 놓은 역앞 공터로 향했다. 나는 엔진에 시동을 걸었고, 자리에서 철수했다. 나는 꽤나 침착했고, 그들이 나를 의심할 이유는 전혀 없었다.

그 다음 난 실망으로 뻣뻣하게 굳은 채 욕을 하면서 자동차 시동을 껐다.

"뭐가 문제예요? 찰리 씨, 뭐 잊은 거라도 있나요?"

"아니야, 조크. 뭔가가 기억나서 그래."

나는 위스키 값을 지불하지 않았다는 것을 기억해냈다. 그리고 바텐더도 돈을 요구하지 않았다는 것을. 술 취한 아일랜드 해군들은 지역 호텔에서 절대로 외상을 하지 않는다.

나는 다시 시동을 걸었고, 기어를 무자비하게 바꿔 공터를 빠져나와 도로로 향했다. 코너에 서 있던 남자가 뒤로 돌더니 다시 호텔을 향해 뛰어가기 시작했다. 나는 그들의 차가 다른 방향으로 향하기를 빌었다.

나는 조그마한 미니를 끌고 도시를 빠져나와 밀헤드 도로를 타고 북쪽으로 향했다. 두 번째 철도다리가 나오기 직전에 나는 불빛을 껐고, 헤그 하우스와 습지를 향해 황급히 왼쪽으로 갔다. 도로는 걸을 수 있을 정도로 좁아졌다가 젖은 길이 되었다. 우리는 가시 돋힌 철망을 와이어를 짓누르고 제방 아래로 향했고, 비현실적으로 부드러운 도로를 미니를 반쯤 든 채 지나갔다. 욕하고 기도하면서, 그리고 추격자들의 소리가 들리는지 귀기울이면서. 우리의 왼쪽에서 그리스 신화의 케르베로스의 머리 세 개 달린 개가 미친 듯이 소리 지르고 소란을 피기 시작했다. 개를 마음 깊은 곳에서부터 혐오하면서 우리는 계속해서 서쪽으로 향했고, 키어 강에 처박이게 되었다. 정확히 말하자면, 미니가 제방 아래로 떨어졌고, 코를 아래로 박은 채로, 강바닥 수로 옆의 질척질척한 모래 안으로 박혔다. 물이 빠져 나갔기 때문이다. 나는 거의 텅 빈 여행가방을 붙들었고, 조크는 배낭을 붙잡았다. 우리는 차가운 물이 사타구니 높이까지 닿으면서 충격으로 입이 떡 벌어져서 재빨리 개울 안으로 움직여 갔다. 우리는 제방을 올라가 우리의 모습을 스카이라인에 드러내기 전 건너편에서 멈췄다. 우리 반마일 뒤에서 엔진이 저속 기어상태에서 으르렁거리는 소리가 들렸다. 하늘에서 두 줄기의 헤드램프 불빛이 흔들렸으나, 갑자기 빛이 나갔다.

별빛이 밝았지만 추적자들이 우리를 발견하기에는 너무 멀리 떨어져 있었다. 우리는 제방을 기어 올라갔다. 나는 처음으로 발견한 내 운동신경에 감사했다. 그리고 나서 그 반짝이는 개펄에서 6마일 떨어진 그레인지 오버 샌즈의 불빛을 향해 북서쪽으로 달아났다.

그건 여태까지 나에게 일어난 일들과는 무척 달랐다. 내가 해본

230

모험 중 가장 이상했다. 어둠, 들리지는 않지만 가까운 바다, 놀란 새들무리의 날개 소리와 호각 소리, 젖은 모래를 찰싹찰싹 때리던 우리의 발들. 그렇게 멀리 만 너머에서 꿈틀거리는 빛을 향해 우리를 내몰던 두려움 말이다.

하지만 나는 다시 친숙한 분야로 돌아왔다. 내 계획은 2마일에 걸친 위험한 석초 퀵샌드 풀의 가장 위험한 지점에 닿은 다음 북동쪽으로 돌아 그 가장 좁은 지역까지 가는 것이었다. 그 지점에서 정북쪽으로 2마일 떨어진 곳에 잔잔한 실버데일 해변이 있을 것이다. 이러한 계획은 우리가 키어 강을 올바른 지점에서 건넜다고 믿고, 그리고 내가 그럴 거라고 믿는 곳에 조수가 있다는 것에 달려 있었다. 나는 이 두 사항에 대해 내가 옳다고 믿을 수밖에 없었다.

거기에서 악몽이 시작되었다.

조크는 내 왼쪽에서 몇 야드 떨어져서 성큼성큼 걷고 있었는데 어느 순간 둘 다 모래 늪에 빠져 있다는 것을 깨달았다. 나는 그런 상황에서 내가 해야할 일을 했다. 계속 빠르게 움직이지만 다시 원점으로 둥글게 돌아오는 것. 조크는 그러지 않았다. 그는 멈췄고, 툴툴거리면서, 자신을 잡아당기려고 하고, 여기저기를 쳐댔지만, 그럴수록 더욱 깊이 빠질 뿐이었다. 나는 여행가방을 팽개치고 그가 나를 부르는 동안 어둠 속에서 그를 찾기 위해 노력했다. 그의 목소리는 내가 여태껏 들어본 것들 중 가장 두려움으로 가득 차 있었다. 나는 그의 손을 잡았고, 나도 가라앉기 시작했다. 나는 엎드렸지만 이제 모래 늪에 팔꿈치가 닿을 뿐이었다. 마치 떡갈나무를 잡아당기는 것 같았다. 나는 더 잘 잡기 위해 무릎을 꿇었지만, 공포스럽게도, 내 무릎이 계속해서 아래로 가라앉을 뿐이었다.

"앞으로 누워."

내가 그에게 소리쳤다.

"그럴 수 없어요, 찰리 씨. 벌써 배까지 가라앉은 걸요."

"기다려, 가서 여행가방을 가져올게."

나는 젖은 모래와 별빛이 감질나게 아른거리는 속에서 애타게 여행가방을 찾기 위해 성냥을 켰고, 조크을 찾기 위해 또 하나를 켰다. 나는 여행가방을 앞으로 던져서 그의 팔 위에 올려놓았다. 그는 여행가방을 가슴으로 올려 가방을 진흙 속으로 짓눌렀다.

"소용없어요, 찰리 씨."

"이제 겨드랑이까지 빠졌고 이제 슬슬 숨쉬기가 힘들어요."

그의 목소리는 두려움 그 자체였다. 우리의 뒤에서 그다지 멀지 않은 곳에서 젖은 모래를 밟는 율동적인 발소리를 들었다.

"가세요, 찰리 씨, 도망가요!"

"세상에, 조크, 날 어떻게 생각하는 거야?"

"멍청한 짓하지 마세요."

그가 헐떡거렸다.

"가세요. 그렇지만 그 전에 부탁 하나만 할 게요. 있잖아요, 저도 이렇게 되길 바라지 않아요. 삼십 분 넘게 걸릴 수도 있어요. 자 하세요."

"세상에, 조크."

내가 놀라면서 다시 한 번 말했다.

"시작하세요, 오랜 친구여. 빨리!"

나는 창백하게 질려 허둥지둥 일어났다. 그런데 그가 내는 그 소음을 더 이상 참을 수 없었고 내 왼발로 여행가방을 밟고 오른발로 그의 머리를 밟았다. 그는 무서운 소리를 냈지만 그의 머리가 아래로 내려가질 않았다. 나는 소리가 멈출 때까지 미친 듯이 그의 머리를 차고 또 찼다. 그리고 나선 여행가방을 건져내서 공포와 두려움과 사랑으로 울면서 무작정 달렸다.

내 아래에서 물이 낄낄대는 소리를 들었을 때 나는 내 위치를 짐작하고 그것이 건너는 장소인지 아닌지 상관하지 않은 채, 그 수로로 몸을 던졌다. 그리고 나는 오른쪽 신발을 진흙 속에 남겨두고 매번 숨쉴 때마다 폐가 터질 듯이 전속력으로 북쪽으로 달렸다. 한번은 넘어져서 일어설 수 없었다. 내 뒤와 왼쪽으로 횃불이 깜박거리는 것이 보였다. 아마도 그들 중 한 명이 조크와 같은 상황이 된 것 같았다. 모르겠다, 그건 중요하지 않다. 나는 다른 쪽 신발도 벗어던지고 일어나 다시 달렸다. 저주하며 울며 배수로 속으로 떨어지고, 돌과 조개껍질로 발이 찢어지고 여행가방이 내 무릎을 난타했다. 그리고 나는 마침내 제니 브라운 포인트의 방파제 잔해에 부딪혔다.

거기에서 나는 여행가방 위에 앉아 잠깐 나 자신을 추스르며 침착하게 생각하려고 노력했다. 이미 일어난 일 아니, 내가 했던 일, 내가 한 일과 같이 살아가는 방법을 배우기 시작하면서. 부드러운 비가 내리기 시작했고 나는 얼굴을 들어 비가 열기와 사악함을 헹궈내 버리도록 했다.

배낭은 퀵샌드 풀에 남아 있었다. 모든 필수품은 거기에 있었다. 여행가방은 약간의 현금다발을 제외하면 거의 비어 있었다. 나는 무기와 신발, 마른 옷, 음식, 술, 머무를 곳, 그리고 무엇보다도 누군가, 아무나로부터 듣는 따뜻한 말이 필요했다.

낮은 석회암 절벽을 오른쪽에 유지하면서 나는 그 해변을 거의 1마일을 비틀거리고 걸어 노우앤드 포인트까지 갔다. 그곳에서 제대로 된 해수 소택지(바닷물에 의해 침수되어 있는 지대)가 시작된다. 영국 최고의 양들이 풀을 뜯는 곳이다. 바다에 씻긴 펫장과 배수로와 번쩍이는 섬광이 있는 이상한 경치가 있는 곳이기도 하다.

내 위와 오른쪽으로 실버데일의 정직한 방갈로 주민들의 불빛이 비쳤다. 나는 그들을 통렬히 부러워하는 나 자신을 발견했다. 행복의 비밀을 알고 있는 사람은 그들과 같은 사람들이었다. 그들은 행복의 기술을 항상 알고 있었다. 행복은 연금이며 또는 주택금융조합의 지분들이며, 행복은 국가연금이고 푸른 수국이다. 그것은 놀라울 정도로 똑똑한 손주들이며, 위원회의 일원이 되는 것이며, 채소밭에 이른 시기에 난 몇 안 되는 채소이며, 살아있는 것이다. 그것은 늙은 누구누구는 흙에 묻혀 있는데 그 나이에도 정정하게 사는 것이며, 식사를 조금씩 나누어하는 것이며, 당신이 지역 매니저에게 어디에서 손을 떼야 하는지를 말해주던 잘나가는 시절을 전기화로 옆에 앉아 기억하는 것이다. 행복은 쉽다. 나는 왜 더 많은 사람들이 행복에 마음을 붙이지 않는지 모르겠다.

나는 해변에서부터 이어진 길을 따라 살금살금 걸었다. 내 시계는 11시 40분을 가리키고 있었다. 금요일이었다, 따라서 11시에 벌써 주류 판매 시간이 끝났을 것이다. 다 마실 시간을 주기 위해 십 분 더 그리고 어지러움을 없애기 위해 십 분 정도 더 추가되기도 하겠지만. 내 젖고 다 해진 양말은 인도 위에 젖은 발자국을 남겼다. 호텔 밖에는 차 한 대도 세워져 있지 않았고, 프론트의 불도 꺼져 있었다. 나는 추위에 몸이 덜덜 떨리기 시작했다. 어두운 주차장을 가로질러서 부엌 유리창으로 뛰어가면서 나를 구해줄 사람이 있기를 간절하게 빌었다.

나는 주인이, 혹은 그가 선호하는 단어를 사용하자면 공동 소유주가, 부엌 문 옆에 서 있는 것을 발견했다. 그는 오래되고 이상하게 생긴 모자를 쓰고 있었다. 그는 지하 저장고에서 일할 때 그 모자를 항상 썼다. 그리고 그의 얼굴은, 항상 그랬듯이, 교수형을 좋아하는 잔혹한 재판관과 같았다. 그는 내 경력을 편견의 시선으로 거의 25년 동안 때때로 지켜보았고, 감명받지 않았다.

그는 부엌문을 열고 냉담하게 나를 위 아래로 훑어보았다.

"좋은 저녁이에요, 모데카이 씨. 살이 좀 빠진 것 같아 보이네요."

"해리, 저를 도와주셔야 해요."

내가 재빠르게 지껄였다.

"모데카이 씨, 운영 시간 이후에 술을 달라는 것에 대한 부탁했던 건 1956년도였어요. 그리고 여전히 제 대답은 항상 변함없이 안 된다는 거예요."

"아니에요, 해리, 정말. 저는 진짜 곤경에 처해 있어요."

"맞아요, 선생님."

"네?"

"저는 '맞아요, 선생님'이라고 했어요."

"무슨 말씀이세요?"

"당신이 지난 저녁 어디에서 무엇을 했는지 묻는 두 신사 분들이 왔다갔다는 뜻이에요. 그들은 자신들이 특수부대 소속이라고 했죠. 그들은 매우 친절하게 말했지만 증명서를 보여 달라고 했더니 매우 주저했죠."

그는 항상 이런 식으로 말했다.

나는 더 이상 말을 하지 않았다. 그저 그를 애원하다시피 쳐다보았다. 그는 웃지는 않았지만 눈빛이 부드러워졌다. 약간. 내 생각에는.

"이제 그만 가시는 게 좋을 것 같아요, 모데카이 씨, 아니면 제 생활 패턴이 망가질 거예요. 그렇다면 저는 정원문의 빗장을 치는 거나 다른 무언가를 잊어버리겠죠."

"네. 어, 감사해요, 해리. 잘 자요."

"잘 자요, 찰리."

나는 스쿼시 연습장의 어둠 속으로 다시 돌아왔다. 나는 그 곳에 쭈그려 앉아 비를 맞으면서 내 생각을 정리했다. 그는 나를 찰리라고 불렀다. 여태껏 한 번도 그런 적이 없었다. 그것은 기록적인 사건이었다. 그 단어는 매우 친근한 단어였다. 조크는 마지막에 나를 그의 오랜 친구라고 불렀다.

호텔의 불이 하나씩 꺼졌다. 교회 시계가 익숙한 지루한 소리를 울리면서 12시 30분을 알리자 나는 다시 그 건물로 살금살금 다가 갔다. 돌 테라스를 지나고, 정원문을 끈으로 묶었다. 누군가가 부주의하게 문 잠그는 것을 깜빡한 것이 분명하다. 안으로 들어가자 두 개의 안락의자가 있는 응접실이 나왔다. 나는 흠뻑 젖은 옷을 껍질 벗듯이 벗어내고, 안락의자 위에 던져 놓은 다음 다른 하나에 내 몸을 던졌다. 끙 앓는 소리를 내면서. 내 눈이 점점 어둠에 익숙해지면서 나는 두 안락의자들 사이에 있는 테이블 위의 물체들을 구별해낼 수 있었다. 누군가가 부주의하게 따뜻한 톱코트와 모직 속옷, 그리고 수건을 놔뒀다. 그리고 빵 한 조각과, 차가운 닭고기 3/4, 그리고 담배와 타쳐스 위스키 한 병, 테니스 신발 한 켤레가 있었다. 이 호텔 경영자의 부주의함은 경이롭기 그지없었다. 사람들이 항상 불평불만을 하는 이유가 다 있었다.

내가 안락의자에서 몸을 일으킨 것은 새벽 4시쯤이었을 것이다. 달이 하늘에 떠 있었고, 빛나는 구름들이 빠르게 흘러가고 있었다.

나는 호텔을 빙 둘러갔고, 호텔 뒤에서 생기있는 잔디로 덮여 있는 이상한 모양의 낮은 석회암 구릉지대인 랏츠를 가로질러 나 있는 오솔길을 찾았다. 나는 어둠 속에서 어린 암소들 사이를 뛰어갔고, 그들은 아마 그들 인생 중 가장 깜짝 놀랐을 것이다. 예전에 퍼니스로부터 온 배들이 라이톤 벡 용광로에 쓸 광석을 하차하던 코브까지 오직 몇백 야드밖에 되지 않는다. 이제는 수로가 바뀌면서, 그곳은 한 달에 두세 번 정도 몇 인치의 바닷물로 덮이는 거의 관심을 받지 못하는 풀밭이다.

게다가 그 절벽에는 한 동굴이 있다. 그 밑에서 불가해하게도 담쟁이넝쿨이 동굴까지 기어 올라간다. 그다지 매력적인 동굴은 아니다. 심지어 아이들도 그 동굴에 들어가고 싶어하지 않는다. 그리고 그 끝에 깊이를 알 수 없는 급작스러운 경사가 있다고 알려져 있다. 내가 그 속으로 기어 들어갈 때 동쪽에서 새벽이 어슴푸레 밝아오기 시작했다.

진한 피로 때문에 나는 정오까지 잠을 잤다. 일어난 다음 빵과 닭고기를 조금 먹고 스카치위스키를 조금 더 마셨다. 그 다음 다시 잠에 들었다. 나쁜 꿈을 꿀 것이다, 나도 안다, 하지만 깨서 생각하는 것이 더 최악일 것이다. 나는 늦은 오후에 일어났다.

빛이 빠르게 희미해지고 있다. 오늘 밤 늦게 나는 내 친형을 방문할 것이다.

정확히 말하자면, 일요일 아침 이른 시간이 돼서야 나는 동굴에서 빠져나와 어두울 때 마을까지 올라갔다. 마지막 텔레비전 수상기는 마지못해 꺼졌고, 마지막 푸들은 마지막 오줌을 누었다. 코브거리는 마치 잘 가꾸어진 무덤 같았다. 남편과 부인들은 누워서 과

거의 여유와 미래에 올 커피 마시는 아침을 꿈꾸고 있었다. 그들은 미동조차 없었기에 그들이 거기에 있다는 것을 믿기는 힘들었다. 자동차 한 대가 다가왔다. 취한 운전자가 안전하게 운전하려고 의식적으로 노력하는 것 같았다. 나는 어둠 속으로 들어가 차가 지나갈 때까지 서 있었다. 고양이 한 마리가 내 발에 자신의 얼굴을 비볐다. 며칠 전이라면 나는 고양이를 죄책감 없이 차 버렸겠지만, 이제 나는 차 버릴 수 없었다.

고양이는 나를 따라 왈링 길을 올라왔다. 나에게 질문하는 듯 미야옹 소리를 내면서. 하지만 유령 딕 터핀처럼 울타리 아래 웅크리고 있던 수컷 고양이가 등장하자 그 쪽으로 달려갔다. 예우바로에는 불빛이 타 오르고 있었고, 뉴올리언스 재즈 음악이 나무들 사이로 흘러나오고 있었다. 예전 같으면 밤새도록 위스키를 마시면서 포커를 칠, 그런 밤이었다. 내가 실버 리지에서 오른쪽으로 돌자 세인트 버나드의 작고 깊은 만이 있었다. 엘름슬랙을 걸어가는 내 발자국의 속삭임 이외에는 어떤 소리도 나지 않았다. 누군가가 정원 쓰레기를 태웠고, 그 냄새가 귀신처럼 머물렀다. 세상에서 가장 가슴 저미는 냄새이다. 한편으로 야생적으로 느껴지지만 다른 한편으로는 집의 냄새가 난다.

도로를 벗어나 눈으로 거의 보기 힘든 오솔길을 따라 걷기 시작했다. 우드필드 힐의 뒷벽, 두 번째 모데카이 남작 로빈이 있는 곳으로 향하는 길이었다. 세상에, 무슨 이름이 그러한가. 그는 1차 세계대전 직후에 태어났다. 그 시절에 자기의 아들을 로빈이라고 부르는 것은 사회 관습상 필요했고, 내 어머니는 무자비하게 그렇게 불렀다. 모든 사람들이 동의할 것이었다.

내가 어디에서 이 글을 쓰고 있는지 당신은 짐작도 못할 것이다.

나는 앉아서, 내 무릎을 턱에 붙인 채 쭈그려 앉아 있다. 내 형의 집 어린이 방에 있는 내가 어린 시절 사용하던 어린이용 변기 위에서. 그곳은 내 아버지의 탐욕과 만성적인 질투, 구제불능인 놈과 결혼했다는 내 어머니의 엄청난 후회, 그리고 이제는 형에 대한 혐오로 뒤덮여 있던 그 집의 어느 곳보다 나에게 행복한 기억을 주는 곳이다. 내 형은 자기 자신을 포함하여, 특히나 나를 혐오한다. 그는 내 얼굴이 불타고 있다고 해도 침조차 뱉어주지 않을 것이다.

내 옆의 벽에는 부드럽고 분홍색인 화장실 휴지가 걸려 있었다. 우리의 보모는 절대로 그것을 허용하지 않았다. 그녀는 상류층 아이일수록 스파르타식 검소함을 배워야 한다고 생각했고, 따라서 우리는 오래된, 딱딱한 것을 사용해야 했다.

나는 방금 내 옛 침실에 있었다. 내 침실은 항상 나를 위해 준비되어 있어서 모든 것이 제자리 그대로, 손 댄 흔적 없이 놓아져 있었다. 내 형은 그것에 대해 냉소적으로 비웃으면서 엉뚱한 말을 하고는 한다. 그는 때때로 "네가 항상 집이 있다는 것을 기억하렴, 찰리." 라고 말한 다음, 내가 싫어하는 표정을 지으면 그것을 구경했다. 내 방의 마룻장 아래에는 커다란 방수포 상자가 있다. 나는 그것을 찾아서 꺼냈다. 그 안에는 내가 최초로 가진, 그리고 가장 사랑하는 권총이 들어 있다. 1920년대 경찰과 군인 모델 스미스 앤 웨슨 455로 여태까지 만들어진 회전식 연발권총 중 가장 아름다운 기종이다. 몇년 전, 내가 위스키를 실내 스포츠로 시작하기 전에, 나는 이 권총을 사용해서 카드게임을 하는 흥미로운 짓들을 할 수 있었다. 그리고 나는 아직도 밝기만 괜찮다면 더 큰 타깃을 맞출 수 있다고 생각한다. 예를 들자면, 마트랜드 같은.

그 총을 위한 군용탄약이 한 상자 있다. 니클로 싸여 있고 매우 시끄러운, 그리고 저 발사화약이 손으로 충전된, 내가 머릿속에 그리는 일을 하는데 훨씬 더 유용한, 평범한 납으로 된 표적 재료상자가 있다. 당신은 그것을 전쟁에서 사용하지 못한다. 그 부드러운 납알은 그게 치고 지나가는 모든 것에게 암울한 짓을 할 것이다. 나에게는 매우 행복한 일이다.

나는 죽은 지 오래된 보모가 나를 찾을까봐 문을 조심스럽게 바라보면서 내 티쳐즈(Techer's 블렌디드 스카치 위스키)를 마저 다 마실 것이다. 그리고는 아래층으로 내려가서 내 형을 만날 것이다. 나는 내가 어떻게 집 안으로 들어왔는지 말해주지 않을 것이다. 나는 그저 그가 내가 어떻게 들어왔는지에 대해 걱정하게 놔둘 것이다. 그는 이런 종류의 일에 대해서 걱정한다. 나는 그를 쏘려는 의도를 전혀 가지고 있지 않고, 그를 쏘는 것은 변명할 여지가 없이 제멋대로식의 행동일 것이다. 어떤 경우에도, 그를 쏘는 것은 그에게 친절을 베푸는 행위일 것이다. 나는 그에게 진 빚이 많지만, 그에게 친절을 베풀어야 할 빚은 없다.

나는 그를 형, 영국인, 그리고 친구! 라고 불렀다.

나는 서재로 조용히 들어갔다. 내 형 로빈은 나를 등진 채 앉아 있었고, 사각거리는 소리를 내면서 그의 회고록을 적고 있었다. 뒤로 돌거나 종이에 글씨 쓰는 것을 멈추지 않은 채로 그가 말했다.

"안녕, 찰리, 네가 들어오는 소릴 듣지 못했네."

"나 기다리고 있었어, 로빈?"

"다른 사람들은 문을 두드리거든."

잠깐 말을 멈췄다.

"부엌 정원으로 들어오면서 개들과 문제 없었어?"

"봐봐, 그 강아지들은 흙 멧돼지의 젖꼭지 같은 존재야. 만약 내가 절도범이었다면 그들은 내 손전등을 들겠다고 나섰을 거야."

"한잔 마시고 싶겠네."

그가 말했다. 심드렁한 목소리로. 나를 모욕하는 톤으로.

"이제 안 마시기로 했어, 고마워."

그는 글씨 쓰는 것을 멈추었고 뒤돌아보았다. 나를 위아래로 훑어보았다. 천천히, 그리고 달래듯이.

"쥐 잡으러 가?"

그가 물었다.

"아니, 오늘 밤에는 걱정할 필요 없어."

"뭐 먹을래?"

"응, 좋아. 하지만 지금은 말고."

그가 벨에 손을 갖다대자 내가 덧붙였다.

"내가 나중에 알아서 찾아먹을 게. 최근에 누가 나를 찾으러 왔는지 좀 말해줘."

"올해는 아기를 팔에 안은 단정치 못한 마을 여자들은 없었어. 그저 외무부의 이상한 부서에서 나온 몇몇 코미디언들만 왔을 뿐이야. 나는 그들이 뭘 원하는지 묻지 않았어. 아, 그리고 얼굴이 굳은 한 여자가 와서 네가 레이크랜드 여성동판화협회인가 뭔가 하는 곳으로 우편물을 보내도록 말 좀 전해달라고 했어. 실버데일에서 만난 여자일 텐데?"

"알겠어. 형, 그들한테 뭐라고 했어?"

"나는 네가 미국에 있는 걸로 알고 있다고 했어, 맞지?"

"맞아, 로빈. 고마워."

나는 그에게 내가 미국에 있었다는 것을 어떻게 알았는지 묻지 않았다. 그는 나에게 답해 주지 않았을 것이고 그가 어떻게 알았는지는 그다지 중요하지 않다. 그는 내 행동을 파악하기 위해 그의 귀중한 시간을 조금 사용한다. 내가 언젠가 그에게 구멍을 보이기를 바라면서. 그는 항상 그렇다.

"로빈, 나는 국가공무를 수행하고 있어. 형한테 자세한 사항을 말해줄 수는 없지만, 그 임무 때문에 디스트릭트 호수에 조용히 올라가야 해. 그리고 지난 며칠간 힘들게 살았는데 나는 몇 가지 것들이 필요해. 침낭, 통조림 음식, 자전거 한 대, 손전등, 배터리, 그런 종류의 것들."

나는 그가 현실적으로 얼마나 많은 물건들을 없다고 말할 수 있는지 고민하는 것을 지켜보았다. 나는 내 코트의 단추를 풀었고, 코트가 무심결에 열렸다. 내 허리띠에서 스미스 앤 웨슨의 손잡이가 강아지 다리처럼 튀어나왔다.

"따라와."

그가 다정하게 말했다.

"우리가 얼마나 찾을 수 있는지 보자."

결국 우리는 모든 것을 찾았다. 비록 내가 무엇이 어디에 있는지 그에게 계속 알려줘야 했지만. 나는 내 거짓말을 믿도록 하기 위해 디스트릭트 호수의 1인치짜리 육지측량부 지도 한 장과 블랙라벨 위스키 2병을 챙겼다.

"술 끊었다고 했잖아! 녀석아."

"이건 그냥 상처를 씻어내기 위한 용도야."

내가 정중하게 설명했다.

나는 테레빈유(페인트를 희석하는 데 사용함) 한 병도 챙겼다. 똑똑한 독자인 당신은 왜인지 알 것이다. 그러나 내 형은 그 용도를 파악하지 못한 듯했다.

"봐봐."

나가면서 내가 말했다,

"내가 여기 왔었다고 제발 아무한테도 말하지 마, 아무에게도. 그리고 내가 어디로 가는지도. 그래 줄 거지?"

"당연히 말 안 하지."

그가 따뜻하게 말했다. 그는 내 눈을 똑바로 쳐다보면서 그가 거짓말을 하고 있음을 말해줬다. 나는 잠시 멈췄다.

"그리고 찰리…."

"응."

내가 멍한 얼굴로 말했다.

"네가 항상 집이 있다는 것을 기억하렴."

"고마워, 친구."

내가 투덜거리며 대답했다.

헤밍웨이가 어디에선가 말했던 것처럼. 당신이 편지에 답신하지 않아야 한다는 것을 알더라도, 당신의 가족은 여러모로 위험할 수 있다.

보이스카우트 같은 짐이 너무 무거웠기 때문에, 나는 비틀비틀하며 묘지로, 그리고는 보톰레인 아래로 자전거를 몰고 갔다. 그린에서 왼쪽으로 돌아 크랙 밑자락에 도착할 때까지 레이톤 모스의 외곽을 따라갔다. 나는 강아지들이 크랙까지 가는 내 길을 방해할까봐 두려워서 농장을 지날 때 매우 조심스럽고 조용하게 자전거를 몰았다.

크랙은 험준한 바위 모양을 한 석회암이다. 미네랄이 풍부하고 '틈'이 많다. 지도 위에는 1마일 크기의 정사각형으로 표시되어 있다. 하지만 그것를 넘어가려고 할 때 보면 그 크기는 1마일보다 훨씬 거대하게 느껴진다.

크랙은 여러 종류의 구멍, 개구멍, 요정구멍, 행상인 구멍과 과거 언젠가 미네랄들을 파기 위해 만들었던 잊혀진 수직갱들, 가늠할 수도 없이 오래된 돌 오두막 터, 그리고 가장 높은 곳에는 고대 영국인들이 만든 방어요새로 인해 벌집같이 구멍이 숭숭 나 있었다. 다리가 부러지기 가장 적합한 장소이다. 밀렵꾼들조차 저녁에는 그런 위험을 감수하지 않는다. 앞에는 소금습지와 바다가 있고 뒤에는 고딕 양식의 아름다운 레이튼 홀이 서 있다. 오른쪽으로는 레이튼 이끼의 우거진 안식처가 내려다보이고, 왼쪽으로는 황량한 칸포스가 보인다.

여기서 오래 전에는 구리를 많이 채굴할 수 있었다. 내가 목표로 하는 것은 어떤 페인트 광산이었다. 정확히 말하자면 철단 작업. 철단이나 홍토채광은 과거에 크랙에서 번성하는 산업이었다. 황폐한 갱에는 아직도 저속한 스위스 노을과 같은 빨간 색이 남아 있었다. 내 기억을 더듬어 갱에 도달하는 데에 거의 한 시간이 걸렸다. 급작스럽게 10피트 정도 꺼져 있고, 매우 축축하고 빨갛게 보였다. 하지만 곧 평평한 길이 다시 나오고, 오른쪽 방향으로 예각으로 돌면 꽤 건조하고 바람이 잘 통한다. 검은 딸기나무가 그 입구를 가리고 있었고, 나는 그 안으로 들어가기 위해 고군분투해야 했다.

19

나는 그 사람을 없애기 위해
맑은 정신으로 마지막 계획을 세웠다.

— 인스탄드 티라누스

행복은 배(과일)모양이다. '배모양으로 처리해라'가 조크가 좋아하던 표현이었다. 솜씨 좋게 상황을 자기에게 유리한 쪽으로 바꾸라는 말이다. 유리한 기회를 잡는 것. 원하는 것을 얻기 위해 교묘하게 행동하는 것.

그래서 이제 새로워진, 지략있는, 배모양의 모데카이는 정오에 일어나서 작은 부탄 캠핑 스토브에다가 오늘의 차를 끓였다. 상당히 성공적이었다.

차를 홀짝이며 잠시 동안 상황을 조심스레 생각해보려 했다. 벌려진 틈이 있는 가를 보기 위해 말이다. 하지만 소용이 없었다. 일요일 정오는 어떤 사람에게는 특별한 의미가 있다. 당신도 알다시피 술집이 문 여는 시간이다. 실버데일과 와튼의 바 카운터로 직행하는 그 모든 행복한 술꾼들에 대해 생각하면 내 머릿속에서 모든 배모양에 관한 생각들이 사라졌다. 진정, 위스키가 있었지만, 안식일의 정오는 병맥주에게 바쳐지는 시간이다. 나는 맥주를 원했다.

하루 종일 크랙에는 한 사람도 없었다. 나는 이 모든 멋진 신선한 공기와 경치가 모두 공짜인데, 병맥주를 마시며 사람들이 많이 모인 술집의 탁한 공기를 견딜 수 있는지 이해할 수 없다. 캠핑하는 사람들조차 없었다. 그들의 번쩍번쩍한 텐트와 우아한 파스텔 색상의 이동식 주택들이 용의 이빨처럼 주변 풍경 속에 오돌오돌 솟아나 있었는데, 사람들은 전혀 눈에 띄지 않았다. 그들은 아마도 이동식 텔레비전 앞에서 자연을 다룬 프로그램을 보면서 소박한 삶을 살고 있을 것이다, 그들에게 축복을.

나는 자전거를 분해해서 용케 그 모두를 동굴로 가지고 내려갔다. 나는 또한 거대한 두개의 석회석 판 사이의 조그만 협곡 안으로 흐르는 차가운 샘으로 내려갔다. 추위로 덜덜 떨면서 몸을 다 씻었고, 그 물을 조금 마셔보기까지 했다. 물맛이 좋았지만 여기로 다시 올라왔을 때 그 맛을 없애버리기 위해 블랙라벨을 마셔야했다. 내 나이에 수치료법을 시작하는 건 전혀 좋지 않다. 공수병, 그래, 아마도 그것일 수도 있다.

내가 있는 곳은 누구라도 접근이 힘든 장소였다. 나는 들킬까봐 조심하며 모닥불을 작게 피웠고 그 위에 구운 콩 통조림을 데웠다. 내가 앉아 있는 곳에서 나는 모어컴비의 불빛이 긴 목걸이처럼 늘어져 있는 것을 볼 수 있었다.

그 후에. 나는 이곳의 '궂은 날씨, 황야, 잡초들'을 매우 좋아한다. 조용하고 누구도 가까이에 없다. 나는 매우 행복하게 잠잤다. 순수한 꿈을 꾸고, 일어날 때마다 붉은발도요새의 달콤한 황야의 울음소리에 귀를 기울이면서. 지금처럼 그 어느 때보다 죽는 것이

246

달콤하게 느껴진 적이 없다. 무덤이 이곳보다 더 어둡거나 더 고립될 수 없다. 바람이 입구의 가시밭을 은밀하게 흔들어 나를 놀라게 하는 때를 제외하면 이곳만큼 고요한 곳도 없다.

또 다른 날, 이제는 언제인지 잘 모르겠다. 오늘 아침 나는 개구리매를 보았다. 모스의 갈대밭에 잠시 머물다가 슬록우드 농장을 가로질러 강하게 날아올라 플리가스 숲으로 사라졌다. 플리가스에 새로운 텐트가 있었다, 그것은 처음보는 텐트였다. 그건 보통 아무데서나 볼 수 있는 끔찍한 야광 오렌지색이었다. 내가 소년이었을 때는 텐트 색이 카키, 흰색, 녹색 등 적절한 색깔이었다. 나는 새 관찰용 쌍안경, 오듀본으로 그 아무것도 모르는 단순한 인생을 사는 사람들을 연구했다. 그들은 살찐 엉덩이의 아버지, 팔다리가 긴, 근육질의 엄마, 그리고 길고 호리호리한 성인 아들이었다. 나는 그들이 늦은 휴가를 즐기기를 기원하였다. 왜냐하면 나직하게, 하지만 단호하게 비가 내리기 시작했기 때문이다. 알반리 경은 자신의 가장 큰 즐거움은 클럽 창문에 앉아서 "그 빌어먹을 사람들에게 비가 뿌려지는 것을 지켜보는 것이다." 라고 말하곤 했다.

나는 내 작은 부탄 스토브에다가 프랑크푸르트 소시지 깡통을 끓이고 있다. 소시지를 끼어넣을 약간의 자른 빵이 있지만 머스터드와 병맥주를 가져왔더라면 좋았겠다고 생각했다. 그래도 식욕과 신선한 공기가 반찬이다. 나는 보이스카우트처럼 먹을 것이다.

'입천장이여, 맛있는 욕망의 장식장이여, 와인으로 헹구어지길 원하지 말지어다.'

내 생각에, 같은 날 나는 위스키를 엄청 자제해왔다. 난 아직도 그 사랑스런 골목대장이 한 병하고 1/4이 있다. 이것들이 없어지면 출격해서 다시 축적해 놓아야만 한다. 음식이 부족해지고 있다. 두 개의 큰 콩 깡통, 두 개의 큰 콘비프 깡통, 슬라이스 빵 1/3 덩어리, 베이컨 5장(이건 생으로 먹을 수밖에 없다. 베이컨 굽는 냄새는 수마일 간다. 당신은 이걸 알고 있었나?) 미안하게도, 지역 거물이 조만간 한두 마리의 꿩을 잃을 것이다. 그것들은 대개 총에 맞아본 적이 없기 때문에 아직도 상당히 온순하다. 내 말은 꿩 말이다. 나는 그것들의 털을 뽑고 요리할 생각을 하니 두렵다. 예전에는 개의치 않았지만 요즘 내 위장이 좀 떨린다. 아마도 난 그저 황야에서 소처럼 먹고 산 바빌론의 왕 네부카드네자르와 경쟁하며 풀을 먹을 것이다. 이건 좋은 소식이다. 풀이 엄청 많다.

화요일인 것 같다. 하지만 틀릴 수도 있다. 얼음같이 찬 물로 아침 목욕을 한 후 나는 우회적으로 지도에 '요새'로 표시된 크랙의 가장 높은 곳으로 올라갔다. 저 멀리 발밑으로 사냥터지기의 랜드로버가 반쯤 홍수가 난 방죽 길을 따라 철벅거리고 있고, 영국왕립조류보호협회(RSPB) 관리인은 스크레프에서 배를 타고 빈둥거리고 있는 것이 보였다. 사람들은 때로 사냥터에 성공적인 조류 보호 지역이 존재한다는 것에 대해 놀라워한다. 하지만 그다지 모순적이지는 않다. 겁이 많은 새들에게 사냥시기가 잘 지켜지는 사냥터보다 더 좋은 번식장소는 어디에 있겠는가? 사냥은 번식시기보다 훨씬 늦게 시작되기 때문에, 어쨌든, 그리고 진지한 스포츠맨은 거의 모두가 동식물학자들이다. 희귀한 새를 쏘느니 차라리 자신의 아내를 쏠 것이다. 이따금씩 실수로 희귀종의 새를 쏠 수도 있지만, 생각해보면 우리는 종종 우리의 아내도 쏜다. 심지어 의도적으로, 그렇지 않은가?

나는 이 숨어 사는 기간을 일종의 휴가로 간주하기로 했다. 그리고 이 기간은 나에게 매우 멋진 시간이다. 나를 위협하는 사람들은 몇 마일 떨어져 있어서 나를 찾기 위해 디스트릭트 호수를 뒤지며 거기에서 텐트를 치고 있는 사람들을 위협하고 있을 것이다. 그들은 내가 조크와 함께 죽었다고 생각할 지도 모른다. 그들은 다 철수했을 수도 있다. 나에게 맥주 몇 병만 있었더라면 나는 더욱 긍정적으로 평온을 느꼈을 것이다.

오전. 나는 또다시 내 자신을 달래고 있었다.

내가 화장실로 사용하는 황폐한 수직의 갱으로 나가기 십분 전, 나는 평소처럼 쌍안경으로 사전조사를 했다. 플리가스 텐트에는 사람이 없어보였다. 또는 아마도, 텐트 안에 들어가서 모두 편안한 게임을 하고 있을 수도 있다. 나는 자연 화장실 쪽으로 삼십 야드 정도 기어가고 있었다. 그때 미국 파이프 담배에서 나는 달콤한 초콜릿 향 냄새를 맡았다. 검은 딸기나무를 양쪽으로 가르자 나는 나에게 등을 대고 서 있는 길쭉하고 호리호리한 젊은 남자를 보았다. 그는 내 변소를 사용하고 있었다. 사실 그는 변소를 사용하고 있지 않았다. 보고 있었다. 그는 계속 변소를 바라봤다. 그는 미국식 머리스타일을 하고 있었다. 어울리지도 않는 끔찍한 버뮤다 머리를 하고 있었다. 나는 그가 돌아보기를 기다리지 않았다. 나는 젊은 미국인들 얼굴을 구별할 수 없었다. 나는 그저 조심스럽게 뒤로 후퇴해 내 페인트 광산으로 돌아왔다.

나는 그가 플리가스에서 캠핑하는 사람들 중 한 명이라고 확신할 수 있었다. 그가 거기서 무엇을 하고 있었을까? 그가 지질학자일 수도 있다. 혹은 비효율적인 오소리 관찰자일 수도 있고 그냥 머저리일 수도 있다. 하지만 이러한 가설은 내 뱃속 깊은 곳에서 요동치는 고통스러운 감정을 완화시킬 수 없었다. 내 배는 플리가스에 반 모데카이 분대가 있을 것이라고 확신하고 있었다. 그들이 어떤 그룹인지 궁금했다. 내가 이번 주 만난 사람들 중 반 모데카이가 아니었던 사람들은 거의 생각해낼 수 없었다.

그 후. 이게 끝이다. 네가 원하는 곳에서 잘라라, 게임은 끝났다. 방금 몇 분 동안 나는 플리가스 무리를 내 작은 망원경으로 쳐다봤다. 검정딸기나무 방어막 틈을 통해서. 마른 미국인은, 내가 그를 관찰할 때마다 그 어깨가 점점 넓어지는 것 같았다. 내가 뉴멕시코 보안관 사무실에서 본 스미스와 존스처럼 코믹했던 녀석들 중 한 명일지도 모른다. 그가 블러처 대령 본인일 수도 있다. 상관없다. 아마 그들의 엄마들조차 그들을 구별해낼 수 없을 것이다.

나와 같이 늙자. 당신이 서두른다면 아직 최고의 시절이 오지 않았기 때문이다. 이도저도 아닌, 지방이 볼록 튀어나온 아빠 같은 형상은 아, 당신도 추측했을 것이다. 맞다. 마트랜드이다. 나를 제외하고, 나는 여태까지 그처럼 죽음을 향해 농익은 사람을 본 적이 없다. 나는 내가 그를 왜 이렇게 싫어하는지 모르겠다. 왜냐하면 그는 나에게 심각한 해를 입히지 않았기 때문이다, 아직은.

최근의 내 오후 정찰은 오래 가지 못했다. 내가 내 검정딸기나무 출입구를 떠나기 전 나는 물소들이 늪을 마구 짓밟으며 지나가는 소리를 들었다. 그것은 바로 마트랜드였다. 네 발로, 인도 목공품이 되어 자취를 쫓고 있는. 나는 다시 돌아가면서 희미하게 웃었다. 나는 그를 언제든지 죽일 수 있었다. 나는 거의 그랬다. 나는 그가 구부릴 때 그의 엉덩이로 날카롭게 돌진할 수 있었다. 나는 그것을 종국에는 실행할 것이다. 지금이라고 안될 게 뭔가?

하지만 나는 탄약과 총알을 나중을 위해서 아껴두는 것이다. 나중에 그들이 내가 숨은 구멍을 발견할 때를 대비하여. 이 좁은 광산 갱에서 발포되는 스미스 앤 웨슨 총은 마치 밀렵꾼의 12구경 산탄총과 같은 소리를 충분히 낼 것이다. 관리인과 주먹을 꽉 쥔 그의 동료들이 오도록. 나는 이 시점에서 마트랜드와 그 회사의 단호한 관리인과 대적하는 기회를 주지 않을 것이다. 불쌍한 마트랜드, 그는 전쟁 이후로 교통 관리인보다 더 거친 일과 씨름해본 적이 없다.

그들은 모두 플리가스의 텐트 밖으로 나와 차갑고 연기 나는 장작불 옆에 앉아 코코아나 무언가를 마시고 있었다. 나는 작은 망원경으로 그들을 조심스럽게 관찰했고, 아무런 속임수도 없는 듯했다.

뭐라고, 42살에 아직도 살아 있어? 너처럼 강직한 녀석이? 어, 맞아. 단지 내 원고는, 스폰 여사에게로 가는 길에, 파운드화와 유용하게 섞여서 와튼 원통 우체통 안에 놓여 있다. 나는 누구의 눈이 마지막 메모를 읽을지, 누구의 가위가 무분별하게 잘라낼지, 누구의 손이 그것을 태우기 위해 성냥을 그을지 궁금하다. 아마 블러처 당신의 눈만이 읽을 것이다. 마트랜드 당신의 눈이 아니길 바란다. 왜냐하면 나는 못된 예술품 상인이 죽을 때 가는 곳으로, 그곳이 어디든지 간에, 마트랜드 당신이 나와 동행하게끔 할 작정이거든. 나는 당신이 내 손을 잡지 못하게 할 거야.

내가 와튼에서 돌아왔을 때 그들은 다들 어둠 속에 크랙으로 나와 있었다. 그것은 악몽과 같았다. 그들에게도 그랬다. 내가 생각하기에는. 나는 오직 기어다니고 흔들고, 스토킹하고 반대로 스토킹 당하는, 어둠으로 아픈 귀를 혹사시키고 예전보다 많은 소리를 듣는 혼란된 기억밖에 없다. 결국, 내가 패했다는 것을 깨달음으로써 마음이 멍한 패닉에 빠진 것이다.

슬프게도 고갈된 내 정신상태를 다시 가다듬었다. 그리고 내가 내 자신을 정돈하고 내 신경이 평온해지도록 구멍에 쭈그리고 앉아 있었다. 내가 존경할 만한 대시우드 '미친 잭' 모데카이로 거의 돌아왔을 때 내 옆의 목소리가 다음과 같이 말했다.

"찰리?"

나는 내 심장을 토해냈다. 사납게 그것을 다시 씹은 다음 삼켰다. 나는 재빨리 눈을 감았다. 나를 쏘기를 기다리면서.

"아니야."

내 뒤에서 속삭임이 들려왔다.

"나야."

내 심장이 심각하게 요동쳤다. 자신 없이 조금 두근거리다가 불안정한 리듬으로 쿵쾅거렸다. 마트랜드와 여자는 조금 부스럭거린 다음 버둥거리며 조용히 경사를 타고 내려왔다.

미국인은 어디 있었는가? 그는 다시 내 변소에 있었다. 그는 거기에 있었다. 아마도 건드리면 터지는 위장폭탄을 설치하고 있을 수도 있었다. 그는 내가 가는 소리를 듣고 움직임을 멈춘 듯싶었다. 나는 몸을 바닥으로 납작하게 한 다음, 엄청 조심하면서, 하늘을 향해 8피트 높이로 우뚝 선 그의 모습을 볼 수 있었다. 그는 소리 나지 않도록 나를 향해 한 발자국 걸어왔다. 그 다음 한 발자국 더 다가왔다. 놀랍게도, 이제 나는 꽤 차분해졌다. 이 남자를 죽이려고 하는 시시한 복수자, 하지만 내 권총은 페인트 광산에 있었다. 다행스럽게도. 일단, 고환을 차기로 결정했다. 그 다음, 무릎 뒤에서 다리를 쓸어내린다. 셋째로, 부드러워질 때까지 돌로 머리를 내려친다. 만약 돌이 없다면 무릎으로 얼굴을 내려찍고, 손으로 목구멍에 있는 설골을 부러뜨린다. 그러면 될 것이다. 나는 그의 다음 행동을 유심히 바라보았다. 비록 나는 천성적으로 폭력적인 남자는 아니지만.

장끼가 시끄러운 소리를 내며 그의 발밑에서 날아올랐다. 날아가는 장끼는 시골에서 자란 모데카이를 놀래키지 못한다. 하지만 미국인에게는 다르다. 그는 놀라 소리 지르며 뛰었고, 쭈그리고 앉아 굉장히 긴 물체를 끌어냈다. 그것은 소음기가 장착되었을 때만 자동일 것 같아 보였다. 나는 그가 어둠 속에서 고통스럽게 헐떡이는 것을 들을 수 있었다. 결국 그는 일어서서 권총을 치운 다음 경사로를 내려갔다. 자신을 부끄러워하면서.

나는 광산으로 돌아와야 했다. 권총, 음식, 여행가방, 그리고 자전거는 아직도 여기에 있었다. 나는 모든 것들이 필요했다. 자전거만 제외하고.

벌써부터 이 작은 묘지에 대해 안전하고 안락한 느낌을 받는다. 그렇지만 거기에 있으면 그들은 나를 발견해낼 것이다. 어찌 됐든, 이곳보다 더 밑으로 파고 들어가야 한다. 어딘가에는 우리 모두를 위한 스탈린그라드가 있다.

어떤 경우이든 그들이 고른, 내가 별로 좋아하지 않는 어떤 장소로 지금 뛰어나가는 것은 더 일찍 죽는 방법일 것이다. 나는 이곳에 있는 것을 선호한다.

당신은 이, 내 지하 은신처로 돌아온 이후 줄곧 내가 내 형의 맛있는 위스키를 한 번 이상 마셨다는 걸 믿기 어렵지 않을 것이다. 나는 몇 모금 더 마신 다음 현명하게 잠들 생각이다.

잠깐 뒤, 우리는 사형선고를 받는 남자의 일생에 관한 이야기를 즐긴다. 그리고 우리는 사형판결이 나는 것에 대해 애석해 한다. 왜냐하면 우리와 같은 평범하고 괜찮은 녀석들은 극적인 것들에 대해 좋은 감정을 가지고 있기 때문이다. 우리는 비극이 9년의 편안한 투옥생활과 감옥 빵집에서 만족스럽게 일하는 것으로 끝날 수 없다는 것을 알고 있다. 우리는 오직 죽음만이 예술적인 끝이라는 것을 안다. 자신의 아내를 목 졸라 죽인 자는 교수형을 받는 그 순간에 그의 일생일대의 화려함의 정점을 찍는다. 단순 강도처럼 그에게 우편가방을 꿰매게 하는 것은 범죄이다.

우리는 교수대에 관련한 이야기를 좋아하는데, 이러한 이야기가 길고 멍청한 노년기, 아름다운 손자손녀, 인생보험 프리미엄에 관한 요령 있는 질문 등 해피 엔딩의 폭정과 저속함으로부터 우리를 해방시켜 주기 때문이다.

아마도 마지막 날, 이제 흡연 자유 음악회를 예약하고 있다. 아무런 도움도 없으니 이제 와라. 키스하고 헤어지자. 무언가 잘못되고 있다. 나는 내 권총을 쏴서 그 어떤 도움도 유도해낼 수 없다. 왜냐하면 오늘이 명백히도 9월의 첫날이기 때문이다. 오리 사냥이 시작되었고, 해가 지기도 전에 이끼와 해안가는 스포츠용 머스킷 총 소리로 가득 찼다.

마트랜드가 나를 찾았다. 나는 그가 언젠가 나를 찾을 것이라는 걸 알고 있었다. 그는 내 광산의 입구로 와서 아랫쪽에 있는 나를 불렀다. 나는 답하지 않았다.

"찰리, 우리는 네가 그 아래에 있는 거 알아, 네 냄새를 맡을 수 있어, 맙소사! 이봐, 찰리, 다른 사람들은 내 목소리를 들을 수 없어. 나는 너에게 휴식을 주려고 해. 그 빌어먹을 그림이 어디에 있는지 얘기해줘. 나를 곤경해서 구해줘. 그러면 나는 너를 밤에 이곳 위쪽으로 뛰어올라오게 해주지. 너는 멀리 도망갈 수 있을 거야."

그는 설마 내가 그 말을 신뢰할 것이라고 믿는 건 아니겠지.

"찰리, 우리는 조크를 데리고 있어, 그는 살아 있고…."

나는 그것이 거짓말이라는 것을 알았다. 순간적으로 그의 비열한 모습에 분노가 들끓었다. 나 자신을 드러내지 않고, 내 455를 입구 주변의 암석 혹에 조준했다. 그러고는 한 발을 쏘았다. 소리에 의해 순간적으로 귀가 멀었지만, 아직도 총알이 마트랜드를 스치고 튕겨나가는 소리를 들을 수 있었다. 그가 다른 곳에서 다시 말했을 때, 그의 목소리는 두려움과 혐오로 가득 차 있었다.

"알겠어, 모데카이. 다른 제안을 하나 하지. 그 빌어먹을 그림이 어디에 있는지 알려줘. 그리고 다른 사진들도. 그렇다면 나는 너를 깨끗하게 죽여줄 것을 약속해주지. 그게 이제 네가 바랄 수 있는 최선이야. 그것만큼은 나를 믿어야 할 거야."

그는 즐기는 듯 보였다. 나는 다시 한 번 총을 쐈다. 총알이 그의 얼굴을 박살내기를 바라면서. 그는 내가 내 인생을 단념했고, 이제 그의 삶을 바란다는 것을 모르고 있었다. 그는 내가 죽기를 바라는 사람들의 목록을 일일이 읊조려줬고, 스페인 정부로부터 '귀족의 날 준수협회'까지. 나는 내가 벌인 일이 꽤 큰 범위에 영향을 미치고 있다는 것에 꽤나 우쭐했다. 그 다음 그는 사라졌다.

그 후 그들은 나에게 소음기를 단 권총으로 한 삼십 분 동안 발포했다. 발포 중간 중간 나의 항복이나 고통스러운 울음소리를 들으려고 하면서. 그들이 내는 소리는 거의 나를 미치게 만들었지만, 오직 한 가지가 내 마음을 안정시켰다. 그들은 갱이 왼쪽으로 도는지 오른쪽으로 도는지를 모른다. 운 좋은 한 발은 내 두피를 스쳤고, 눈으로 피가 흘러 들어갔다.

다음엔 그 미국인이 나를 구슬리려고 했으나 그 또한 내가 제공할 정보와 자필자백에 대한 대가로 나에게 빠른 죽음 외에 제안할 것이 아무것도 없었다. 그들은 협곡에 있는 롤스의 무덤에서 차를 들어올린 게 분명하다. 왜냐하면 그는 고야가 지붕덮개에 있지 않다는 것을 알고 있었다. 스페인은, 내가 추측하기로는, 미국과 함께 스페인에 위치한 전략적 공군기지에 대한 협약을 갱신할 예정이다. 하지만 미국이 그 사실을 상기시킬 때마다 스페인 사람들은 그 주제를 고야로 옮겼다. 미국인에 의해 훔쳐져서 미국에 반입되었다고 알려진 〈웰링턴 공작부인〉. 그는 내가 살아날 확률이 있다는 것을 알았다면 나에게 말하지 않았을 것이다, 그렇지 않은가?

나는 귀찮아 답하지도 않았다. 나는 테레빈유로 바빴다.

그는 나에게 또 다른 대안인 더러운 죽음에 대해서 이야기했다. 그들은 여기서는 토끼한테 사용하지만 저기서는 사람들에게 사용하는 청산가리 통을 가지러 갔다. 나는 마트랜드가 여기로 내려와서 나를 데리고 갈 것을 기대할 수 없다. 내가 스스로 그에게로 나가야 했다. 그것은 그닥 중요하지 않았다.

나는 테레빈유 일이 끝났다. 위스키와 섞었는데, 내 여행가방의 안감을 아름답게 녹여주었다. 이제 고야는 내 앞의 벽에서 그녀가 그려진 날처럼 신선하고 사랑스럽게 나를 향해 웃어준다. '비교

불가능한, 나체의 〈웰링턴 공작부인〉,' 내가 남은 일생 동안 보관할 나만의 것.

해가 질 때까지 기다릴 만큼 충분한 양의 위스키가 남았다. 해가 지면 나는 옛 서부의 너저분한 영웅처럼 내 식스건을 마구 쏘며 나갈 것이다. 나는 내가 마트랜드를 죽일 수 있을 것을 안다. 그러면 다른 사람들 중 한 명은 나를 죽일 것이고, 나는 저녁의 밝은 안개처럼 예술도, 알코올도 없는 지옥으로 떨어질 것이다. 왜냐하면 어찌됐든, 이건 꽤나 도덕적인 이야기니까. 당신은 그렇다는 걸 알 수 있지, 그렇지 않은가?

After You with the Pistol

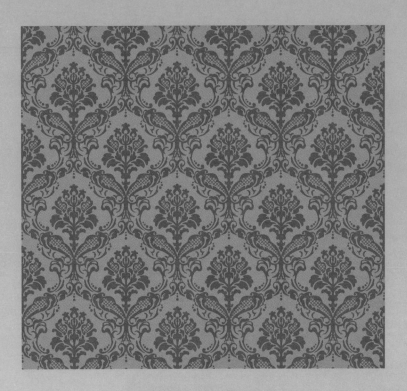

피스톨을 가진 당신 뒤에

20

정원으로 오라, 모드여,
나는 여기 문가에 혼자 있으니…

— 모드

그래, 그거였다. 나는 목숨을 부지했다.

마지막 위스키를 마셨다. 발가벗은 공작부인을 사랑을 담아 다시 한 번 마지막으로 보았다. 그리고 기어 올라가기 전에 자기연민의 눈물인지를 흘렸다. 마지막 사치리라. 육중하고 친근한 스미스 앤 웨손 권총은 모든 탄창이 장전되었다. 공이치기를 약간 뒤로 잡아당겼더니 탄창 실린더가 회전하였다. 총의 기어가 내는 둔탁한 소리를 들으며 그것을 돌렸다.

그런 후 다시 앉았다.

병에는 딱 한 모금의 스카치만 남아 있었다. 술이 조금만 더 있었더라면 늙은 회색 곰처럼 냄새나는 동굴에서부터 으르렁거리면서 나갔을 것이다. 그러나 아직 맨 정신이 내 목덜미를 잡고 있었다. 나는 총알이 영양섭취를 잘한 내 몸의 어디를 뚫고 들어올지를 생각하기 시작했다. 어떤 뼈들이 산산조각 날지, 뼈들의 어떤 조각들이 내 연약한 장기들을 관통해서 쪼개질 것인지 생각했다. 그리고 죽음의 신이 영원히 내 눈을 감기기 전에 그 으스러짐이 얼마나 오래 지속될 것인지를.

맞지? 질문 있어요? 그래서 내가 거기 있는 거야. 나가서 그러한 지저분한 죽음을 맞이할 준비를 하고 있었지.

나는 술병을 거꾸로 들어 서너 방울을 모아서 마셨다.

"침착해, 모데카이. 인생에서 떠나는 것처럼 너한테 적절한 것이 없었어. 지금 하는 것이 훨씬 더 좋은 거야. 너는 준비가 되었고 죽을 때가 되었어. 하늘에 가면 좋아할 거야."

나는 생각했다.

"위로? 저 위로?"

그런 다음 그려진 공작부인을 다시 바라보았다. 그림이 수직갱도 벽에 받쳐져 있었다. 모나리자처럼 미소 짓고 있었다. 육감적이지만 섹시하지는 않았고, 내가 결코 닿을 수 없는 수준으로만 야한 모습이었다.

"오, 아주 좋아."

나는 광산입구로 기어갔다. 밖에는 아무 소리도 안 들렸다. 어떤 움직임도 없었다. 하지만 그들은 거기 있었다. 나는 숨어 있던 곳에서 나가 모습을 드러냈다.

갑자기 엄청난 서치라이트의 빛이 터졌다. 이유는 알 수 없지만, 그것은 내가 아니라 반대쪽을 향하고 있었고 창백하고 놀란 마트랜드를 비추고 있었다. 최소한 나는 내 계획의 한 부분은 이룰 수 있었다. 그는 손을 빠르게 움직이더니 나를 쳐다보았다.

"마트랜드."

나는 말했다. 나는 한번도 그런 목소리로 말한 적이 없었다. 그러나 그 한 단어밖에 더 필요가 없다는 것을 알았다.

그는 입을 열었다. 그렇게 하는 것이 어려워 보였다. 아마도 우리가 함께 학교를 다녔다는 것을 상기시키려는 것 같았다. 나는 그처럼 감상적인 사람을 쏠 마음이 없었다. 하지만 내 오른손 집게손가락에 자체의 생명이 있었다. 내 손에서 권총이 세게 튀어 올랐다. 그리고 그의 허리띠 버클 아래 바지에서 먼지가 뿜어져 튀어 올랐다.

나는 황홀해서 그곳을 바라보았다. 피가 흐르지 않았다. 구멍조차 볼 수 없었다. 마트랜드는 당황한 것 같았고, 심지어 화난 것처럼 보였다. 엉덩이를 깔고 앉아 화가 나고 실망한 표정으로 나를 바라보았다. 그런 다음 그는 죽어가기 시작했다. 그건 상당히 끔찍하였다. 그래서 내가 그랬던 것보다 더 아픈 것처럼 느끼게 만들었다. 하지만 그것이 그를 죽지 않게 막을 수는 없는 것 같았다.

그것을 참을 수 없어 계속해서 쏘았다. 서치라이트를 움직이고 있는 사람이 누구였는지 그 광경에서 방향을 돌려 불빛을 나에게 고정시켰다. 나는 마음이 텅 빈 채로 그 쪽을 향해 리볼버 방아쇠를 서너 번 당겼다. 열심히 총을 쏘았지만 빗나갔다.

"모데카이 씨."

미국인의 목소리가 공손하게 말했다.

나는 어둠을 바라보면서 이리저리 몸을 피하였다.

"아니오, 모데카이 씨. 제발 고정하세요. 오늘 밤에 다른 사람은 죽이지 않습니다. 다 괜찮을 겁니다. 정말 괜찮아요."

죽음에 대한 모든 대비를 해놓고, 한순간, 오늘 밤 전기의자로 처형되지 않을 것을 알게 된다는 것이 얼마나 실망스러운지 상상할 수 없을 것이다. 나는 뭐랄까 갑자기 앉아서 꺽꺽 울어대는 나

자신을 발견했다. 울음이 총알처럼 내 가슴을 찢어놓았다.

그들은 나에게 위스키를 한 병 주었다. 계속 역겨움을 느꼈지만 조금씩 안정을 찾아갔다. 마트랜드의 방향에서 둔탁하고 조용한 퍽 하는 소리가 났다. 그리고 그가 죽어가며 내는 소리가 멈추었다. 그런 다음 여자가 나를 일으켜 세웠다. 그리고 나를 도와 언덕을 내려가 플리가스 숲으로 가서 자기네 텐트로 들어가게 해주었다. 그녀는 아주 힘이 셌고 오래된 모피 코트 냄새가 났다. 나는 바닥에 까는 방수포에 몸을 던지며 잠이 들었다.

21

죽을 수 있는 힘을 가진 행복한 자들의
집들 주변에 벌판으로부터 안개가 피어오를 때…

— 티쏘누스

그 여자는 잠시 뒤에 나를 깨웠다. 그 잠시가 실제로 몇 시간이
었음에 틀림없었다. 축축한 새벽이 텐트 안으로 스며들어 오고 있
었다. 나는 화가 나서 꽥꽥거렸고 다시 슬리핑백 안으로 쑤시고 기
어 들어갔다. 거기에서는 여자 경찰들의 냄새가 났지만 나는 그것
이 좋았다. 거기에는 아무도 없지 않은가. 그녀는 내 귓불을 검지
와 엄지손톱으로 살살 만져가며 나를 깨웠다.

그녀는 캠프 요리사 배지를 달고 있었다. 그것은 맞는 것 같았
다. 왜냐하면 내 손가락 사이로 넣어 준 머그잔 속의 차는 풋내기
가 만든 것이 아니었기 때문이었다. 나는 개인적으로 인공연유에
대해서 아무런 불만이 없다. 그건 싸구려 차에도 육감적인 진한 풍
미를 주기 때문이다.

그런 다음 그녀는 나를 씻고 면도하게 하였다. 그녀는 나에게 분
홍색 플라스틱 손잡이가 달린 작은 면도칼을 빌려 주었는데 그것

을 '야옹'이라고 불렀다. 왜 그럴까? 그런 다음 그녀는 나에게 엘산이 있는 곳을 보여주었다. 그 후 우리는 숲속을 지나 아래쪽으로 갔다. 엄청나게 큰 미국산 캠프용 밴이 도로를 막 벗어난 곳에 주차되어 있었고 우리는 밴에 들어갔다. 다른 사람 둘이 이미 거기 있었다. 한 사람은 몸 전체가 담요에 싸여 들것 위에 놓여져 있었다. 음, 마틀랜드지, 분명히. 나는 거기에 대해 아무런 느낌이 없었다. 다른 한 사람은 미국인이었는데, 그는 무전기에 대고 횡설수설하며 빠른 말로 지껄이고 있었다. 그 무전기는 그에게 되받아치며 꽥꽥대고 있었다. 그는 누군가에게 어쩌고저쩌고 할 권한을 부여할 다른 누군가에게 연락하라고 참을성 있게 말하고 있었다. 그는 꽥꽥대고 있는 사람에게 아주 공손했다. 마침내 그는 "알았다, 오버" 같은 허튼소리를 하더니, 무전기에 있는 작은 동그란 버튼들을 껐다. 그리고 돌아서서 나에게 꽤 부적절한 미소를 지었다. 그는 블러처 대령이라고 불리는 사람으로 밝혀졌는데, 나는 그를 전에 만난 적이 있다. 우리는 사실상 서로를 때린 적은 없었다.

"좋은 아침이에요. 모데카이."

여전히 부적절한 방식으로 미소를 지으며 그가 말했다.

"꿀꿀."

내가 말했다. 내가 아직도 틀림없이 뭐가 잘못되었다. 나는 그것보다는 약간 더 공손하려고 했는데 '꿀꿀'이라는 말이 튀어나왔기 때문이었다.

그는 눈을 껌벅이더니 악의로 받아들이지 않았다.

"이렇게 일찍 깨워서 정말로 죄송합니다. 모데카이 씨. 제가 기억하기로는 일찍 일어나시는 분이 아니었으니까요. 아직도 매우 피곤하시지요?"

"꿀랑 꿀꿀."

나는 공손하게 말했다. 정말 아주 이상한 느낌이었다. 내 머릿속에서는 말이 명확히 떠올랐다. 하지만 내가 할 수 있는 말이라고는 농장 안마당에서 나는 소리들을 흉내내는 것뿐이었다. 완전히 제정신이 아닌 채로 펄썩 앉아서 머리를 두 손으로 감쌌다. 내 밑에서, 뭐랄까, 주스 소리가 나고 울퉁불퉁한 부드러움이 느껴졌다. 나는 내가 마트랜드를 깔고 앉아 있었다는 것을 깨닫게 되었다. 나는 비명을 지르며 다시 펄쩍 뛰어올랐다. 블러처는 걱정스러워 보였다. 주먹을 한번 휘둘렀지만 내가 엎어졌을 뿐이었고, 나는 다시 울기 시작했다. 나는 엄마를 너무나 원했지만 엄마가 올 수 없다는 것을 알고 있었다. 엄마는 결코 오지 않았는데, 엄마는 살아 있을 때도 나한테 안 왔다.

블러처가 와서 나를 팔로 감싸더니 내가 일어서는 것을 도와주었다. 나는 다시 소리를 질렀다. 모래 수렁 속 무덤에서 다시 살아 돌아온 조크를 보았다고 생각했기 때문이다. 그래서 그는 바지 뒷주머니에서 무엇인가를 꺼내 무한한 연민의 표정으로 조심스럽게 내 귀싸대기를 쳤다. 이것이 훨씬 나았다.

"알았다, 오버."

사랑스러운 어둠이 나를 감싸는 동안 나는 감사하게 생각했다.

22

우리의 모든 것을 빼앗기고
끔찍한 과거의 일부이자 부분이 되네.

— 연근 먹는 사람들

오늘날까지 아직도 내가 깨어난 곳이 어디인지 모른다. 또한 얼마나 오랫동안 내가 나의 인지능력에서 분리되었는 지도 모른다. 하지만 나는 거기가 프레스턴이나 위건, 또는 촐리 같은 영국의 북서부에 있는 어떤 곳이었음에 틀림없다고 생각한다. 시간의 경과는 삼사 주였음에 틀림없었다. 나는 내 발톱을 보고 알 수 있었다. 그건 아무도 깎으려고 생각하지 않았기 때문이었다. 그들은 끔찍하다고 느꼈다. 나는 짜증이 났다.

"신경쇠약에 걸렸네."

나는 자신에게 짜증내며 말했다.

"숙모들이 크리스마스 때 걸리는 거와 같은 거."

오랫동안 꼼짝없이 누워 있었다. 그건 그들을 속이기 위해서였다. 그들이 누구였든지 간에 그 모든 것에 대해 생각할 시간을 갖기 위해서였다. 나는 곧 그 방 안에는 그들이 없다는 것을, 그리고 내가 원하는 것은 커다란 술 한잔이라는 것을 깨닫게 되었다. 또한 그들이 나를 살려 주었으므로 나한테서 원하는 것이 있을 것이라는 판단을 내렸다. 술 한잔 마시는 것은 그 어떤 것에 대한 보상으로서 불합리한 것은 아니라고 판단했다.

한잔 마실 수 있는 방법은 백묵처럼 얼굴이 하얗고, 검정색 제복을 입고, 나를 지키고 서 있는, 암울하게 보이는 여자 경찰관을 부르는 것뿐이라는 생각이 들었다. 나는 누를 벨이 없어서 침대 밖으로 나를 던지고 마루 위에 터무니없이 앉아 화가 나서 울었다.

내가 침대에서 나왔기 때문에 어떤 종류의 알람이 시작되었음에 틀림없었다. 왜냐하면 회전문들이 돌아갔고 유령 같은 인물이 나타났기 때문이었다. 나는 그 인물을 면밀히 살펴보았다. 그건 명확히 백묵처럼 흰 얼굴에 검은 제복을 입은 여경과는 꼭 반대였다.

"당신은 정확히 반대군. 가버려!"

그녀의 얼굴은 아주 까맸고 그녀의 제복은 아주 흰색이었다. 그녀는 48개의 커다란 흰 이를 드러내며 낄낄거렸다.

"아니지, 이 남자야. 틀렸어. 나는 덜 발달된 게 아니라, 제대로 대접을 못 받고 있는 거지."

나는 다시 보았다. 그녀는 진실을 말하고 있었다. 그녀가 나를 재빨리 들어올려 침대로 데려갔을 때, 그녀의 멋진 백 와트짜리 머리에 내 코가 납작해진 것은 분명했다. 내 무력한 상태에도 불구하고 나는 내 허벅지에서 마구 원죄가 올라오는 것을 느꼈다. 나는 이 세상 그 무엇보다도 밖에 나가서 그녀를 위하여 용을 한두 마리 죽이고 싶었다. 그 생각이 너무나 멋져서 나는 다시 울기 시작했다.

그녀는 술을 한잔 가져다주었다. 좀 약하긴 했지만 의심할 여지없이 술이었다. 나는 음미하면서 좀더 울었다. 술에서는 죽은 암돼지에서 나온 젖맛이 났다. 아마도 술은 버본이거나 그런 종류였을 것이다.

한참 뒤에 그녀는 활짝 미소를 지으며 다시 들어왔다. 그리고는 등을 열린 문을 향한 채 섰다.

"팔브스타인 박사님께서 진찰하러 오셨어요."

그녀는 그것이 농담인 것처럼 깔깔거리며 웃었다. 몸집이 거대하고 유쾌하며 턱수염이 난 작자가 그녀의 엄청난 가슴을 스치며 지나서 왔다. 그들은 분명히 부딪혔다. 그리고는 내 침대 위에 앉았다.

"가 버려."

나는 약하게 새된 소리로 말했다.

"꽤 아팠지요."

그는 얼굴을 계속 똑바로 세우고 염려하는 것처럼 들리게 하려고 애쓰며 말했다.

"아직도 많이 아파요. 그리고 내 발톱이 의료보험부서에서 보기에는 치욕이겠네요. 이 사이비 의료구치소에 내가 얼마나 오래 있었지요?"

"오래인 것 같은데요."

그는 쾌활하게 대답했다.

"때때로 사람들이 당신이 발정했다고 말해 주면, 내가 들어와서 당신이 간호사들을 따라다니지 못하도록 주사를 잔뜩 놓았지요. 그런 다음 나는 당신을 며칠간 잊어버렸지요."

"그리고 내가 뭘 먹었지요?"

"글쎄요, 많은 건 아니고요, 내 생각에. 퀴클리 간호사가 당신 환자용 변기에 먼지가 두껍게 쌓였다고 말했으니까요."

"체!"

내가 말했다. 그때 내가 정말 회복중이라는 것을 알았다. 왜냐하면 튼튼한 남자가 '체'라는 말을 적절하게 말하고 윗입술을 적절하게 비죽거리려면 시간이 걸리기 때문이다.

"당신이 정말 의사라면, 당신 고용인이 누구인지 말해 주실 수 있습니까?"

그는 내 침대 위로 몸을 낮게 숙이고는 천사같이 미소를 지었다.

"스메르시(2차 세계대전 중 소련군의 방첩부서)."

그는 속삭였다. 그가 숨쉴 때 나는 마늘냄새가 아세틸렌 같았다.

"점심은 어디서 드셨지요?"

내가 쉰 목소리로 말했다.

"맨체스터에서요. 서유럽에 있는 유일하게 괜찮은 미국 음식점 두 개 중의 하나에서요. 다른 하나도 맨체스터에 있지요."

"나한테도 미국 음식을 좀 들여보내 주세요. 지체 없이요. 후무스(병아리콩 으깬 것과 오일, 마늘을 섞은 중동지방 음식)가 많은지 확인하세요. 당신은 정말 누구를 위해 일하는 겁니까?"

"당신은 끔찍하게 아플거요. 알기 원하다면 말하리라, 나는 동북 맨체스터 대학병원의 정신과 교수를 위해 일합니다."

"내가 아픈 것은 개의치 않아요. 내가 많이 아파야 저 간호사들에게 할 일을 제공하겠지요. 그리고 나는 동북 맨체스터 같은 헛소리를 조금도 믿지 않아요. 모두 알다시피, 런던만이 중요한 그런 것을 하도록 되어 있어요. 당신은 명백히 사기꾼들 중 하나야, 아마도 소독되지 않은 단추걸이를 사용해서 의사명부에서 제명되었을 걸."

"똥구멍 같은 놈."

그는 나에게 가까이 기대며 중얼거렸다.

"너도 마찬가지야."

나는 응수했다.

우리는 그 시점에서 약간 친해졌다. 그것이 그가 말한 혐오감 요법이었던가? 그는 약간의 후무스와 뜨거운 미국 빵과 병아리콩을 곁들인 맛좋은 샐러드 약간을 들여보낼 방법을 알아볼 수 있을 것이라는데 동의했다. 그는 또한 나에게 방문객이 허용될 수 있을 것이라고 말했다.

"누가 나를 방문할까요?"

또 눈물을 흘리며 내가 물었다.

"무리들이 있지요."

그는 음흉하게 웃었다.

"오, 멍청한 놈들."

내가 말했다.

"망할 놈들."

그가 응수했다. 대지의 소금이라는 의사놈들. 그는 여러 가지를 해결하더니 비즈니스를 시작했다.

"당신한테 무슨 문제가 있는지 말해서 신경 쓰이게 하고 싶지 않습니다."

그는 활기차게 말했다.

"당신이 그것을 철자로 쓰라고 하면 나는 할 수 없죠. 만약 30년 전 시골의사였다면 정신적 외상에 의한 심각한 무기력증이라고 불렀을 거요. 당신 나이의 사람이라면 신경쇠약이라고 부르겠지요. 그것은 정신적으로 문제가 있는 사람들이 지친 표시나 증상을 나타내는 상태를 묘사할 때 사용하죠. 자신이 감정적으로 소화할 수

있는 것보다 더 많은 것을 상처받았을 때 사람들에게 나타나는 것
이지요."

"그 문제에 대한 해답은 여러 가지군요."

나는 거기에 대해 생각해 보고 마침내 말했다.

"당신이 옳을 수 있겠군요."

그가 사려 깊게 말했다.

"하지만 중요한 것은 내가 당신에게 오랫동안 강한 진정제를 투
여했고, 지금은 꽤 건강이 좋아졌다고 생각해요. 어쨌든 당신이 그
전처럼 괜찮아졌다는 거지요. 자신이 때때로 울고 있다는 것을 알
게 되겠지만 그건 지나갈 겁니다. 이제 나는 당신에게 흥분제를 줄
겁니다. 그게 곧 당신 문제를 해결해줄 거니까요. 그냥 질질 짜며
화장지를 사용하세요. 하하, 실컷 우시라구요."

내 아랫입술이 떨렸다.

"안 돼, 안 돼!"

그가 소리쳤다.

"지금은 안 돼! 왜냐하면 여기에."

그리고 이 말을 하면서 그는 노출증환자가 우비를 열어젖히는
것처럼 문을 활짝 열었다.

" 당신 방문객이 있어요."

출입구에 서 있는 것은 바로 조크였다.

나는 뇌에서 피가 빠져나오는 것을 느꼈다. 비명을 질렀던 것 같
다. 기절을 했다. 의식이 돌아왔을 때는 여전히 조크가 출입구에
있었다. 너무나 명확하게도 몇주 전에 조크가 수렁에 빠졌을 때 내
가 그의 머리를 찼던 것을 기억하는데 말이다.

그는 머뭇거리며 소리 없이 웃고 있었다. 마치 환영받을 것을 확

신하지 못하는 것처럼. 그의 머리에는 붕대가 감겨 있었고 한쪽 눈에는 검은 안대가 있었고 몇 개 안 되었던 튼튼하고 누런 이에는 새로이 공백이 생겼다.

"괜찮으세요? 찰리 씨?"

그가 물었다.

"고마워, 조크, 그래….'

내가 팔브스타인 박사를 돌아보았다.

"이 구역질 나는 녀석아, 네가 의사라면서 환자한테 이렇게 예상 밖의 일을 불쑥 말하느냐? 뭘 하려는 거야? 날 죽일 건가?"

그는 면역주사 맞은 소처럼 소리를 내며 만족스럽게 웃었다.

"심리요법."

그는 말했다.

"충격, 공포, 분노. 아마도 당신에게 아주 좋았을 거요."

"저 자를 때려, 조크."

내가 애원했다.

"세게."

조크가 고개를 숙였다.

"저 분은 괜찮아요, 찰리 씨. 솔직히 저는 저 분과 매일 진 루미 카드게임을 했거든요. 몇 파운드는 땄어요."

팔브스타인은 슬며시 나갔다. 좀 나아진 것 같아 내가 말했다.

"자, 조크…."

"그건 잊으세요, 찰리 씨. 단지 제가 그렇게 해달라고 했기 때문에 그렇게 하신 거예요. 제 엄마라도 거기 계셨다면 똑같이 하셨을 거예요. 정말 부츠를 신고 있지 않으셔서 운이 좋았지요."

나는 약간 놀랐다. 무슨 말이냐 하면, 조크에게 어느 단계에서 엄마가 있었을 것이었지만 그 분을 그려볼 수 없었다는 것이다. 특히 장화를 신은 모습은. 갑자기 너무나 피곤해지더니 잠이 들었다.

깨어나 보니, 조크가 내 침대 끝에 예의 바르게 걸터앉아 있었다. 창문 너머로 지나가는 간호사들이 킥킥대는 것을 게걸스럽게 바라보면서.

"조크, 도대체 어떻게 저들이….."

"레인지 로버. 저 사람들은 차축에 일종의 윈치가 있어요. 그걸로 저를 감아서 꺼냈어요. 심하게 다치지 않았어요…. 어깨가 탈골되었고, 갈비뼈 두 대가 부서졌고, 사실상 사타구니 두 군데가 파열되었어요. 지금은 모두 치료되었지요."

"눈을 심하게 다쳤나?"

"그것은 갔어요."

그는 쾌활하게 말했다.

"눈을 가죽으로 찰싹 때리셨는데 제가 콘택트렌즈를 끼고 있었어요. 간호사들은 제 안대를 좋아해요. 낭만적이라나요. 나는 유리 눈알은 끼지 않아요. 삼촌이 그것을 끼고 있었는데 삼켰다가 다시는 못 찾았지요."

"맙소사, 어떻게 하다 그렇게 됐나?"

"삼촌은 그것을 따뜻하게 하려고 입에 넣었지요. 그렇게 되면 눈에 잘 들어가거든요. 그런데 딸꾹질을 했고, 목구멍 속으로 들어가 버렸죠. 딸꾹질은 고쳤지만 눈알은 다시 볼 수 없었어요."

"알겠어."

길고 행복한 침묵이 둘 사이에 있었다.

"결국 못 찾았다고?"

"그래요. 삼촌은 설사약을 먹고 똥 속에서 그것을 찾으려 했죠.

그러나 아무것도 찾을 수 없다고 말했어요. 삼촌은 말했죠, '웃긴다고.' 그러면서 '의사 선생님, 모든 것이 너무나 잘 보여요.' 라고도 말했고요."

"조크, 이 망할 놈의 거짓말쟁이 같으니라구."

"찰리 씨?"

"그래."

"저한테 봉급의 반은 안 주셔도 됩니다."

"미안하네, 조크. 내가 수표를 들 힘만 있으면 주겠네. 이제 생각해 보니, 내가 자네에 대한 두둑한 고용주 책임보험증권을 갖고 있어. 한쪽 눈에 대해서 이천 파운드라고 생각되는데, 내 호주머니를 털어 자네에게 그 돈으로 살 수 있는 최고의 유리알 눈을 사주겠네. 내가 현금으로 대금을 치루어도 말일세. 그건 집에서 하고 있게나. 자네의 낭만적인 검은색 안대는 뒀다가 계집질 원정을 나갈 때나 하고."

조크는 경외심에 조용해졌다. 그 세계의 사람들은 감옥에서 5년을 썩는 고도의 불법적인 일들을 해도 이천 파운드밖에 못 번다. 나는 다시 잠들었다.

"찰리 씨?"

나는 심통사납게 눈꺼풀을 열었다.

"응, 이건 여전히 나야."

"미국 대사관에 블러처 대령을 만나러 가셨던 거 기억나세요?"

"생생하게 기억하지."

"저, 그 분이 여기 계세요. 저, 여기 거의 매일 오세요. 그 분은 팔브스타인 박사님 빼고는 모든 사람들을 펄쩍 뛰게 만들었어요. 팔브스타인 박사님은 그 분이 독일 놈이라고 생각해요."

"생각한 대로군."

"웃기는 건 그 분은 저에게 아무것도 묻지 않아요. 블러처 말이에요. 묻는 거라고는 그들이 저를 잘 돌봐주는지, 간호사들과 함께 할 모노폴리 세트가 있으면 좋겠다는 거예요."

나는 그가 속수무책으로 낄낄거리는 동안 기다렸다.

"조크."

그가 웃음을 멈추자 나는 다정하게 말했다.

"나는 블러처 대령이 여기 있는 줄 알아. 사실, 바로 네 뒤에 계시거든, 출입구에 서서."

그랬다. 또한 아주 크고 검은 색 자동피스톨도 거기 있었는데, 그것은 정확히 조크의 골반을 향해 있었다. 정말 훌륭하다, 정말 전문가이다, 골반 부분은 머리나 목처럼 많이 돌아가며 움직이지 않는다. 거기에 총을 맞으면, 방광이나 성기나, 다른 모든 도살장에서 오물이라고 불리는 것을 뚫게 된다. 그 모든 것들은 골반 부분에 있어서, 눈 사이에 총을 쏜 것만큼 확실하고, 내가 듣기에는 훨씬 더 고통스럽다고 들었다.

블러처는 여봐란 듯이 안전장치를 손가락 끝으로 튀기고 있었고, 요술을 부리듯 그 권총을 자기 바지의 허리띠 속으로 사라지게 했다. 그곳은 당신의 허리선이 살아 있을 때는 피스톨을 가지고 다닐 수 있는 좋은 곳이다. 나이 먹으면 튀어나와 약간 애매해진다.

"연극 같은 행동을 해서 죄송합니다, 신사분들. 하지만 지금이 당신들이 살아 있다는 것을 상기시켜 줄 좋은 때라고 생각했소. 왜냐하면 나는 당신들을 위해 이 총을 요청한 거니까. 나는 그래야 한다고 느끼면 언제고 마음을 바꿀 수 있소."

"음, 정말!"

나는 물론 움찔했다. 하지만 단지 일정 부분에 대한 두려움이었다. 나머지는 그의 나쁜 취향에 대한 당황스러움이었다.

나는 용감하게 물었다.

"당신은 제가 다른 용도로 사용하는 공간을 점유하고 계시다는 것을 알고 계십니까?"

"나도 P. G. 우드하우스(영국의 소설가. 주로 상류사회를 묘사. 유머작가로 유명)를 좋아합니다."

그가 응수했다.

"하지만 나라면 당신이 처한 상황에서는 어떤 경솔한 말이나 행동도 조심하겠습니다."

입을 딱 벌리고 그 남자를 바라보았다.

"정확히 제가 뭘 하기를 바라세요?"

내가 물었다.

"음, 누구라고 해야지요, 젊고 아름답고 엄청나게 부자인 사람을 생각해 보시오."

나는 생각해 보았다. 나는 완전히 멍청하지는 않았기 때문에 짧게 생각했다.

"크램프 부인."

내가 말했다.

"맞아요. 그녀와 결혼하시오. 그게 다요."

"그것이 다요?"

"음, 실질적으로 다요."

"다시 자야겠어요."

23

오 슬프도다, 그대는 나와 함께 살 것인가
어쩌다 만난 애인이 아니라, 아내로.

— 인 메모리엄

사실을 말하자면, 그건 내가 길고 고요한 휴식을 즐겼던 시간들 중 하나가 아니었다. 음, 자, 당신은 거의 알 수 없는 방식으로 전 남편을 살해한 것으로 확실시되는, 미치도록 아름답고, 성관계하고 싶은 여자 백만장자와 결혼한다는 조건으로, 계속 생명을 연장할있다고 마지막으로 들은 것을 기억하는가? 당신은 건강한 여덟 시간의 잠 속으로 들어갔는가?

천만에 실제 상황은 다르다. 나는 깨어나 앉아서 한두 시간 동안 손톱을 물어뜯고, 담배를 씹고, 스카치위스키를 마셨다. 꼭 그 순서는 아니지만 한두 시간을 그렇게 했다. 조크가 나에게 가장 좋은 위스키를 한 병 몰래 갖다 주었다.

잠시 후 나는 "개소리," "난 몰라," "그들을 봤어." 그 순서로 말을 했다. 그리고는 결국 다시 잠을 잤다. 나는 우선 왜 내가 괴롭게 깨어나야 하는지 정말 몰랐다. 왜냐하면 모데카이에 반대하는 모의가 여전히 진행되고 있던 것이 분명했기 때문이었다. "그들을 봤어."가 의심할 여지 없이 내가 그날 내뱉은 말 중 가장 좋은 말이었다.

"술병을 돌려받아야겠어요."

그 다음 날 조크는 내 침대 위에 앉아 퀴클리 간호사가 손질하지 않은 나의 발톱을 처리하는 것을 보면서 중얼거리듯 말했다.

"거기에 대해서는 염려하지 않아도 돼, 조크. 그들은 우리를 내일 디스트릭트 호수로 요양휴가를 보낼 거야. 산공기 좀 마시면 너는 사자만큼 투지만만해질 거야. 네 힘을 약화시킨 건 모두 저 간호사들이야."

그는 안절부절 못하며 자세를 바꿨다.

" '술병'에 대해 이해하지 못하고 있는 것 같네요, 찰리 씨. 그건 단지 용기가 아니라 용기 내는 것을 즐기려 한다는 것이라고 하는 것이 더 맞아요. 사람을 속일 때 웃는 것 같은 것 말이에요."

"알 것 같군."

퀴클리 간호사의 멋진 유방 중 하나를 새로 발톱을 깎은 큰 발로 가볍게 문지르며 내가 말했다. 표정 하나 변하지 않고 그녀는 가위 끝을 나의 다른 발에 반 인치를 찔러 넣었다. 나는 비명 지르지 않았다. 나한테는 약간의 용기가 있으니까.

잠시 후, 그녀가 발톱관리를 마치자, 조크는 그녀에게서 부드럽게 가위를 빼앗아 한 손으로 그걸 우그러뜨렸다. 그런 다음 그는 삽처럼 넓적한 손을 내밀더니 컵 모양으로 동그랗게 모아쥐었다. 퀴클리 간호사는 앞서 말했던 그 유방이 그의 손 안에 들어갈 때까지 몸을 앞으로 숙였다. 그는 조용히 으르릉거리듯 소리를 냈다.

그녀는 그가 손으로 움켜쥐기 시작하자 목에서 나오는 신음 소리를 냈다. 역겨워서 나는 그들로부터 어렵게 내 발을 끌고 나와 부루퉁하게 등을 돌렸다.

그들은 한 마디 말도 없이 린넨 제품을 넣어 두는 서랍방을 향해 함께 방을 나갔다.

'젊음, 불타는 젊음.'

나는 쓰라리게 생각했다.

24

강가에서 "티라 리라"
노래했네, 랜슬롯 경이.

— 귀부인 샬롯

우리는 거기에 있었다. 블러처와 조크와 나는 엽서에 그려진 듯
한 호수지방 산맥 아래 있는 한 호텔의 테라스 위 테이블에 둘러앉
아 있었다. 차를 마시면서 한 무리의 바보들이 그 산에 걸어 올라
갈 준비를 하고 있는 것을 보았다. 호수지방의 이른 11월 날씨로는
멋진 날이었다. 그때는 영국 어느 곳이나 날씨가 좋다. 하지만 땅
거미가 지려면 5시간 정도밖에 남아 있지 않았고 그들이 계획하고
있는 등산은 올라가고 내려오는데 각각 활기차게 걸어 세 시간씩
이나 걸리는 곳이었다. 산악구조원 한 사람이 거의 눈물을 흘리면
서 수신호로 우리에게 애원하고 있었다. 하지만 우리들은 재미있
다는 듯이 경멸하며 그를 바라보았다. 그 산악구조원 녀석은 마침
내 두 손을 들더니 최종이라는 몸짓으로 두 손을 떨어뜨렸다. 그는
그 무리에서 몸을 돌리더니, 소리가 들릴 정도로 이를 갈면서 우리
를 향해 걸어왔다. 그가 우리를 향해 걸어올 때 내가 공감하는 듯

얼굴을 찌푸렸더니, 그는 우리 테이블에서 멈추었다.

"저 녀석들 좀 봐요."

그가 삐걱거리는 소리를 냈다.

"샌들을 신다니!"

그냥 고약한 사고가 일어난 곳을 찾고 있는 거지. 밤 9시가 다됐다구. 나와 친구들이 어둠 속에서 전력을 다해 저 빌어먹을 산을 샅샅이 뒤질 테니까. 나는 한밤중 영화가 좋다구."

"애석하지 뭐."

웃음을 참고 진지한 표정을 지으며 내가 말했다.

"왜 그 일을 하시나요?"

블러처가 그에게 물었다.

"포크 겸용 스푼 때문이요."

그가 무슨 말인지 모르지만 으르렁거리듯 말하고는 성큼성큼 걸어갔다.

"장비를 점검하러 가겠죠."

블러처가 현명하게 말했다.

"아니면 아내를 때리러."

내가 말했다.

우리는 계속해서 차를 홀짝이며 마셨다. 조크가 윗입술의 멋진 움직임으로 자기 차를 뭐랄까, 진공청소기로 빨아들이는 것처럼 마시는 동안 블러처와 나는 홀짝거리며 마셨다. 나는 오후에 마시는 차는 그렇게 좋아하지 않는다. 아침에 조크가 침대로 가져다 주는 차는 나를 정말 행복하게 만든다. 그러나 오후에 차를 마시면 악어들이 짝짓기를 하는 갠지스강의 진흙이 생각났다.

"자, 이제."

블러처가 말했다.

나는 똑똑하고 제안을 잘 받아들이는 표정을 지었다. 그 표정은 부자 고객이 수표책 위에 펜으로 쓰려는 자세를 유지한 채, 예술품 수집에 대한 자기 철학을 말하기 시작할 때 내가 짓는 표정이었다.

"모데카이 씨, 왜 당신은 나와 상관들이 매우 어렵게 아주 돈을 많이 들여 당신을 죽음에서 구했다고 생각하세요?"

"당신이 말했지요. 당신은 내가 조한나 크램프와 결혼하기를 바라지요. 왜 그런지는 이해할 수 없고요. 그런데, 마트랜드의 시체는 어떻게 했나요?"

"템즈 강에서 건져졌다는 건 알고 있어요. 해양 유기체들이 훌륭히 임무를 완수했고, 사인은 '불명확한' 것으로 기록되었어요. 경찰은 복수에 의한 살인이 아닌가 하는 의혹을 갖고 있고요."

"저런, 그 사람들의 머리라고는!"

나는 조바심이 나서 가만히 있지 못했다. 나는 적합한 질문을 하고 있지 않았다. 블러처 같은 녀석들은 정보를 자발적으로 주고 싶어하지 않는다. 그들은 감언으로 구슬려 말하게 하는 것을 좋아한다. 나는 한숨을 쉬었다.

"좋아요."

내가 말했다.

"왜 내가 크램프 부인과 결혼해야 하나요? 그녀가 미합중국 헌법을 전복하려고 하나요?"

"찰리."

그가 천천히 큰 소리로 말했다.

"친근한 척하지 마세요. 나를 아는 사람들은 나를 모데카이 씨라고 불러요."

"모데카이."

그는 양보했다.

"당신에게 결점이 있다면, 그건 유감스럽게도 경솔한 경향이 있다는 것이오. 나는 유머 없는 인간이라서 그걸 알지. 내가 당신 명줄을 쥐고 있다는 것을 명심하기 바라오."

"혐오스러운 가위를 들고 있는 눈 먼 분노의 신처럼 말이지요."

내가 쯧쯧 혀 차는 소리를 냈다. 그가 한숨 쉴 차례였다.

"아, 제기랄."

그가 한숨 쉬며 말했다.

"보시오. 나는 당신이 죽음을 두려워하지 않는다는 것을 아주 잘 알고 있지요. 당신 나름의 농땡이 치는 방식으로 당신은 꽤 용감한 사람이라고 믿어요. 하지만 필연적인 상황에 의한 죽음은 고통에 의해 천천히 죽음을 맞는 것보다 아주 다르지요."

그는 뭐랄까, 그 마지막 말을 내질렀다. 그런 다음 마음을 가라앉히고 나를 향해 테이블 위로 몸을 기대더니 상냥하게 말을 했다.

"모데카이, 내가 속한 기관은 단지 승리에만 관심이 있어. 우리는 어떤 의미에서도 정상적인 사람들이 아니야. 우리에게는 낮의 햇빛을 견딜 만한 행동규범이 없어. 워싱턴 포스트 신문이 하는 면밀한 조사는 말할 것도 없고. 우리한테 있는 것은 고통을 가하는데 기술이 있는 많은 숫자의 전문적인 정보원들이지. 그들 중 많은 사람들이 여러 해 동안 일을 해왔지. 그들은 그것에 대해 항상 생각하고 있지. 그들 중 몇 명은 어느 정도 그 일을 좋아하고 있어. 말계속 해도 되나?"

나는 의자에서 자세를 똑바로 하였다. 밝게 보이고, 도움이 되고, 경솔하지 않게 보이도록.

"나는 당신에게 완전히 집중하고 있어요."

내가 그에게 확신시켜 주었다. 그는 의미심장한 눈길로 조크를 바라보았다. 나는 힌트를 얻어 우리가 그를 따분하게 만들고 있으며 호텔에는 엉덩이를 꼬집어줘야 하는 객실청소부들이 우글거린다고 조크에게 넌지시 말했다. 그는 어슬렁 어슬렁 사라졌다.

"맞아요."

블러처가 말했다.

"자, 크램프 부인은 뭐랄까 당신한테 빠져 있는 것 같아요. 왜 당신이 그녀 주변에 있기를 원하는지에 대해선 어떤 명쾌한 생각도 지금 당장은 없어요. 뭔가 있음에 틀림없다는 것을 알고 있다는 것만 빼고요. 큰 거지요. 그녀의 남편이 죽기 몇달 전에 우리 회계업무부서에서는 크램프 제국으로 아주 큰 액수의 현금이 들어갔다 나온 은밀한 움직임을 포착했어요. 그가 사망한 후 우리는 이 움직임들이 멈추기를 바랐지요. 하지만 그러지 않았어요. 사실 더 증가했어요. 이해하시겠어요? 우리는 심각하지 않은 마이너리그에 해당되는 자금이동에 대해 말하고 있는 게 아니어요. 그건 IRS(미국국세청)나 통화를 조절하는 사람들 얘기지요. 우리는 하룻밤 사이에 중앙아메리카공화국이나 두 개의 아프리카공화국을 사고도 여전히 여행경비가 남을 만큼의 돈 액수에 대해 얘기하고 있는 거예요. 그게 뭔지는 우리도 몰라요. 그러니까 크램프 부인과 결혼해서 알아내세요."

"좋습니다."

내가 쾌활하게 일상적인 대화체로 말했다.

"내일 아침 제일 먼저 그녀에게 전보를 쳐서 좋은 소식을 슬며시 넣어 주지요."

"그렇게 할 필요 없어요, 모데카이. 그녀는 이미 여기 있어요."

"여기에요?"

나는 내 주변을 미친 듯이 둘러보며 소리를 질렀다.

"무슨 말인가요? '여기'라니."

"바로 여기 이 호텔이라는 말이오. 아마도 당신 방 안에. 당신 침대 속을 찾아보시오."

나는 일종의 애원하는 소리를 냈다. 그는 보이스카우트 단장이 하듯이 내 어깨를 톡톡 두드렸다.

"당신은 점심으로 18개의 굴을 먹었소, 모데카이. 나는 당신을 믿소. 저기 안에 들어가서 승리하시오."

나는 순수한 증오의 표정으로 그를 보았다. 그리고는 훌쩍이며 호텔로 살금살금 움직여 가서 내 방으로 올라갔다.

그녀는 거기 있었다. 됐다. 하지만 침대 속에 있지 않았다. 세상에, 벗고 있지도 않았다. 그녀는 구멍이 세 개 나 있는 크림색 비단 베개 커버처럼 보이는 것을 입고 있었다. 아마도 수백 파운드 나가겠지. 스폰 부인이라면 한눈에 값을 매길 것이다. 그걸 입으니 그녀는 벗은 것 이상으로 보였다. 나는 얼굴을 붉혔다고 생각한다. 그녀는 멈춰서 일이 초 동안 자세를 취하고는 워즈워드가 노란 수선화가 핀 들판을 빨아들이듯이 보았던 것처럼 나를 넋을 잃고 바라보았다. 그런 다음 그녀는 앞으로 돌진해서 더 작은 사람이었다면 쓰러뜨렸을 충격을 주며 내 품에 뛰어들었다.

"오, 찰리, 찰리, 찰리."

그녀가 소리쳤다.

"찰리, 찰리, 찰리!"

"그래요, 그래요, 그래요."

내가 대답했다.

"자, 자, 자."

그녀의 매력적인 왼쪽 엉덩이를 서투르게 살짝 두드리면서. 그렇다고 하여 다른 오른쪽 엉덩이가 똑같이 굉장하지 않다는 것은 아니다. 그녀는 내 품에서 황홀해 하며 몸을 꿈틀댔다. 굉장히 다행스럽게 18개의 굴들이 활동을 중단한 모데카이 분비샘에서 일에 착수했다는 것을 느꼈다.

굴들이여, 정말로 훌륭하고 이기심이라곤 하나도 없는 귀여운 놈들이여. 나는 언제나 생각한다. 그 놈들은 당신에게 한마디 항의의 말도 없이 자신들을 삼키게 한다. 그리고 심술궂은 순무처럼 뱃속에서 복수를 하는 대신, 그 놈들은 이렇게 빛나는 성적흥분이라는 수익을 준다. 정말로 얼마나 아름다운 삶이라고 이야기할 수 있는가!

"음, 자, 간다."

그리고는 존 던(영국의 시인)이 '사랑의 옳고 진실된 끝'이라고 부르는 것을 향하여 거리낌없이 움직여 갔다. 하지만 놀랍게도 그녀는 나를 완강하게 밀치더니 뭐랄까, 그녀의 드레스의 등을 꿈틀꿈틀 움직여 제자리에 갔다.

"안 돼요. 찰리. 결혼할 때까지는. 당신은 나를 어떻게 생각하는 거예요?"

나는 실망해서 입을 쩍 벌렸다. 하지만 당신도 내 의미를 잘 알겠지만, 나는 형벌이 잠시 유예되었다고 느꼈다는 것도 시인해야겠다. 이것은 내가 능력있는 훈련사의 손에 나를 맡기기 전에 여유 시간을 갖게 되었다는 의미이다. 매일 아침 작은 방목장을 보통구보로 승마하고, 쇠고기 스테이크와 굴, 그리고 기네스를 먹으면 곧 나는 말을 파는 판매대 위에 최적의 좋은 상태로 올라갈 것이다.

"찰리, 자기, 당신 나하고 결혼할 거잖아요, 응? 당신의 멋진 의사가 결혼을 하면 당신 치료에 많은 도움이 될 거라고 말했어요."

"팔브스타인이 그렇게 말했다고?"

나는 고약하게 물어 보았다.

"아니, 여보, 팔브스타인이 누구야? 여기서 당신을 돌보고 있는 그 귀여운 미국 의사, 블뤼처 박사 말이야?"

그녀는 그 이름을 옛날 비엔나의 말씨로 아름답게 발음했다.

"아, 그래, 블뤼처. 블뤼처 박사. 그래, 물론이지. '귀여운'이라는 말은 바로 그를 위한 말이었다. 하지만 그가 당신이 그의 이름을 그런 방식으로 발음하는 것을 좋아하지 않을 거라고 생각해. 그는 그게 뭐랄까, 크라우트(독일놈)로 들린다고 생각할 걸. 그는, 자기 이름을 '블러처'라고 말하는 걸 좋아해. '버처(정육점 주인)하고 라임을 이루도록 말이야."

"고마워요, 여보. 하지만 당신은 내 질문에 대답하지 않았어요."

예쁘게 입술을 뿌루퉁 내밀며 그녀가 말했다.

입술을 뿌루퉁하는 것은 이미 사라져가고 있는 기술이다. 스폰 여사도 그것을 할 수 있다. 내 셔츠를 봐주는 꼬마도 그것을 할 수 있다. 하지만 그것은 지금도 여자가 킥킥거리거나 숨죽여 낄낄거리는 기술만큼 희귀하기도 하다.

"정말로 사랑하는 조한나, 물론 나는 당신하고 결혼할 거야. 그리고 가능한 빨리 말야. 다음 달로 하자. 사람들은 말하겠지, 물론…"

"찰리, 여보, 나는 내일로 생각하고 있었어요, 정말이에요. 나에게는 결혼을 위한 말도 안 되는 영국 특별허가증이 있어요. 아뇨. 쉬웠어요. 단지 미국 대사관 직원이 나를 데리고 당신네 대주교들 중 한 명을 만나러 가게 했을 뿐이에요. 그는 정말 다정하고 우스꽝스러운 늙은이더군요. 나는 당신 종교가 '무신론자'일 거라고 말했어요. 그랬더니 그가 음, 대부분의 주교들도 그렇다고 했어요. 그래서 그는 서류에 '영국성공회신자'라고 썼지요. 그거 괜찮죠, 찰리?"

"좋아."

나는 웃음을 참고 진지한 표정을 지었다.

"그리고 찰리, 당신한테 좋은 소식이 있어요. 당신이 기뻐하길 바래요. 나는 당신이 사는 마을의 교구 목사에게 전화를 했어요. 여기서 40마일밖에 안 떨어진 것 같았어요. 그랬더니 그가 뭐랄까, 당신이 교회에 출석한 기록에 대해서 처음에는 아주 망설였어요. 그는 삼십 년 전에 당신한테 확인해 준 이후로 당신을 본 기억을 해낼 수가 없다고 말했어요. 하지만 그에게 대주교가 어떻게 공식적으로 당신을 성공회신자로 써 주었는지를 말해주었지요. 그랬더니 그가 마침내 생각을 바꾸더니 오케이라고 말했어요. 위험을 무릅쓰겠다고요."

"그가 그렇게 말했어?"

"음, 아니에요, 그가 말한 것은 라틴어인지 그리스어인지 약간 슬프고 체념한 어떤 거였어요. 그렇지만 그것이 그가 의미한 것이었어요."

"그렇군."

나는 내 교구 목사가 위트가 많기 때문에 라틴어, 아니면 그리스어로 많은 것을 들리도록 해주었다고 조한나에게 이야기할 수 있었다.

"오, 그래요, 그리고 그가 들러리는 어떠냐고 말했어요. 그래서 내가 '오 저런' 이라고 말했지요. 그랬더니 그는 당신 형 모데카이 경이 그걸 하도록 불러오겠다고 했어요. 근사하지 않아요?"

"아주 근사하군."

내가 무겁게 말했다.

"당신 화난 거 아니지요, 찰리? 그리고 그는 평일 아침에 합창단을 모이게 할 수 없다고 했어요. 거기에 대해서 정말 미안해하고 있어요. 당신 몹시 언짢아요?"

"나는 불굴의 용기로 참을 수 있지."

"아, 하지만 그의 부인한테는 바하의 노래를 부르는 부인들 패거리가 있대요. 그래서 '좋아요. 정말 좋아요.' 라고 말했어요."

"정말 훌륭해."

마침내 진지하게 내가 말했다.

"그리고 오르간 연주자는 결혼식 전에 '양이여, 안전하게 풀뜯으라' 를 연주할 거예요. 그리고 우리가 나갈 때는 피가로의 결혼에서 나오는 '아만티 코스탄티' 를 연주할 거고요. 어때요?"

"조한나, 당신 훌륭해. 당신을 엄청 사랑해. 당신과 몇년 전에 결혼했어야 했는데."

그녀가 내 무릎 위에 앉았다. 우리는 코를 비비고 서로의 얼굴을 상당히 물어뜯었다. 그리고 우리는 아무것도 아닌 달콤한 말을 서로 중얼거렸다. 얼마 동안은 기분 좋지만 남자에게는 그 일이 점점 조금씩 괴로운 일이 된다. 당신도 알지?

조한나는 일찍 자고 싶다고 했고 샌드위치를 자기 방으로 올려달라고 했다. 나는 그녀를 에스코트했다.

'시간 전에는 안돼요.'라고 지나가던 한 객실담당 청소부의 얼굴 표정이 말해 주는 듯했다. 다시 내 방으로 돌아와서 나는 녹초가 되어 의자에 털썩 앉았다. 그리고는 전화기를 들었다.

"룸서비스지요? 호텔에 굴이 몇 개나 있나요?"

25

아직도 나는 머지않아 내가 해방될 거라고 생각해요.
그 좋으신 분, 목사님께서 평화의 말을 해주셨어요.
— 오월의 여왕

예정된 그 결혼은, 신문에 나온 것처럼, 그 다음날 정오에, 그것
역시 신문에 나왔는데 거행되었다. 교구 목사는 원숙하고 짧게 설
교했다. 부인들의 바흐 모임은 어린 천사수탉들처럼 노래했다. 오
르간 연주자는 오르간이 크게 울리게 했고, 내 형은 나를 거의 토
하게 만들었다. 그의 아침 복장이 코르크 거리의 천재가 만든 작품
이고, 내 옷은 한때 캠브리지 공작을 위해 부츠를 만들었던 회사로
부터 빌린 것 때문이 아니었다. 나를 역겹게 한 건 그의 번지르르
한 행동이었다.

결혼식 후에 그는 내 결혼식 날을 잘 망쳤는지 확인하기 위해,
나를 자기 옆으로 잡아당겨 엄청 교묘하게 물었다. 내가 그렇게 옷
잘 입는 아내를 부양할 능력이 정말 있다고 확신하고 있는지, 그리
고 자기가 도와줄까를 물었다. 이걸 물어 보는 동안에 형은 내 어
깨 위의 소위 코트라고 불리는 세트 위로 연민의 눈길을 잽싸게 던

졌다.

"오, 그래, 할 수 있어, 물어봐 줘서 고마워."

"그러면 그녀는 밀튼 큐 크램프의 과부임에 틀림없구나. 그는 지난 달 이상한 상황에서 죽었지, 흠?

"그게 그의 이름이었다고 생각해요. 왜?"

"아무것도 아니야, 아무것도. 하지만 너에게는 집이 있다는 것을 항상 기억할 거지."

"고마워. 로빈."

마음속으로 이를 갈며, 내가 말했다. 어떻게 나같이 좋은 녀석한테 저런 형이 있을 수 있지?

그런 다음 형은 우리 모두가 샴페인과 다른 것들을 위해 연회장에 가기를 원했다. 하지만 나는 단호하게 거절했다. 나는 하루종일 충분한 양을 이미 얻어맞았다. 그리고 나는 더 이상 얻어맞기 위해 내 엉덩이를 드러내지 않을 것이었다. 그래서 우리는 길 건너편에 있는 술집으로 갔다. 거기에서 올드 패션드(조한나), 로에더러(로빈), 버번 온 더 락(블러처), 우유 한 잔(나) 그리고 비터 멜론 절반 (교구 목사)을 시켰다. 우리 뒤에 있는 사람들이, 은퇴한 놈, 실업자 놈, 몇 명의 유리창닦이 놈들, 그리고 관짜는 놈들이 '루밥, 루밥' 하고 중얼거렸다. 술집 주인 여자는 비터 브랜디 절반 이상을 시킬 때만 제외하고 그 놈들을 받지 않는다고 말했다. 결국 우리는 브랜디와 소다를 모두에게 돌렸다. 맙소사, 당신은 싸구려 브랜디를 맛본 적이 있는가? 절대 하지 말아라, 절대로. 로빈이 술값을 내겠다고 우겼다. 그는 그런 걸 좋아한다. 그는 그리곤 잔돈 세는 것을 매우 좋아한다. 그는 그렇게 하면 행복해진다.

그런 다음 나는 화장실에 가서 옷을 갈아입었다. 그리고 고용된 사람한테 옷을 주어 블러처로 하여금 켄달에 있는 그 정직한 장인에게 돌려주도록 했다. 나는 블러처에게 이렇게 시키는 것을 즐긴다. 곧 우리는 스파게티처럼 마구 엉켰다가 다시 헤어졌다. 물론 거기에는 우리 모두가 좋은 사람들이라고 믿기 위해 그의 기독교적인 최선을 다한 교구 목사는 제외한다. 그리고 나서 우리는 각자의 길을 갔다.

분리된 나의 길은 조한나가 '귀여운 작은 영국 자동차'라고 부르는 얀센 요격기를 타고 런던까지 이백 마일 남짓하게 차로 가는 것이었다. 그녀는 길의 왼쪽을 사용하는 영국의 불합리한 위선을 참을 수 없었다. 아마도 나는 이 네 시간 동안 그랑프리 시즌에서 니키 라우더(당시 그랑프리 자동차 경주 우승자)가 사용하는 것보다 더 많은 양의 아드레날린을 분비한 것 같다.

얼굴이 하얗게 되고 떨면서 나는 WI, 런던의 브라운 호텔로 옮겨졌다. 거기서 조한나는 반 갤론(2리터)의 브랜디와 소다수 한 병을 마신 후 낮잠을 자라고 단호하게 나를 침대로 보냈다. 물론 이번에는 좋은 브랜디와 소다수였다. 수면, 자연의 친절한 간호사가 걱정의 소매를 저녁시간까지 걷어올려 주었다. 내가 일어났을 때는 신경말단이 대략 적절히 회복되었다. 우리는 호텔에서 저녁식사를 했다. 그래서 저녁이 얼마나 맛있었는지 말하는 나의 수고를 덜어주었다. 그 웨이터는 겨자를 추천하겠다고 내 귀에다 속삭였고, 그 말은 나를 확 끌어당겼다.

그런 다음 우리는 리버룸인지 새들룸인지 하는 나이트클럽에 갔다. 내 마음은 거기 있지 않았다. 나는 내가 아는 지나가는 무용수들에게 던질 순무 한 접시를 침울하게 주문했다. 하지만 내 목표물이 안 맞았다. 프로레슬링 선수가 내 다리를 찢어버리고 젖은 엉덩이로 나를 쥐어팬다고 하길래 거절했다. 조한나는 째질듯이 기분이 좋아서 즐겁게 웃었다. 그녀는 거의 나를 매혹시켜 파멸과 부적응에 대한 나의 감각을 빼앗아갔다.

다시 호텔에 돌아왔는데, 그녀는 피곤한 기색을 전혀 보이지 않았다. 그녀가 나에게 보여준 것은 우체국 직인만 찍을 자리가 있다면 우편으로 그림엽서로 보낼 수 있는 크기의 잠옷이었다.

겨우 굴 몇 개가 자기 역할을 다하는 것처럼 보였지만 나는 처음으로 아주 좋았다.

내 정신의 시계는 놀라울 정도로 좋다. 10시 31분에 나는 심통 사나운 눈을 떴고, 조크에게 낮고 거친 소리로 꺽꺽거리며 불평했다. 정확히 10시 30분에 "이 세상에 있는 모데카이들에게 인간들의 일들에 참여할 수 있도록 하는 향유, 생기를 주는 찻잔은 어디 있나? 조크!" 하고 필사적으로 다시 목이 쉰 것 같은 목소리를 냈다. 내 옆에서 목이 쉰 듯한, 여자의 목소리가 중얼거렸다. 조크는 없다고. 나는 핏발이 선 눈동자를 돌려서 나의 신부를 쳐다보았다. 그녀는 또 그 말도 안 되는 잠옷을 입고 있었다. 어깨끈은 없어진 것 같다. 그녀는 일어나 앉아 있었는데, 타임스의 크로스워드 퍼즐을 하며 놀고 있었다. 문제의 그 옷은 단지 얌전함을 제공해 주었다. 왜냐하면 그녀의 젖꼭지가 마치 예배당의 모자걸이 한 쌍처럼 그 옷을 받치고 있었기 때문이었다. 나는 굳게 눈을 감았다.

"찰리, 여보?"

"툴툴툴툴"

나는 말이 안 되는 소리를 했다.

"사랑하는 찰리, 당신 엠(m)으로 시작하고 두 개의 이(e)로 끝나

297

고, '오후의 추가적인 만만찮은 일'이라는 의미의 일곱 개의 철자
로 된 단어 생각해 볼 수 있어요?

"마티네."

나는 중얼거렸다.

"하지만 '마틴'은 아침이라는 의미 아니예요, 찰리?"

"그래, 음, 마티네의 원래 의미는 '아침에 스스로 즐기는 방법'
이었지."

나는 박식하게 말했다. 잠시 후 나는 내 혀를 물어 끊을 뻔했다.

다행히, 지능있고, 기개가 있는 굴 하나가 비축되어 있다가 이러
한 비상사태에 출동준비를 하고 있었다.

섹스가 어떻게 남성과 여성에 영향을 미치는 지는 정말 상당히
놀랍다. 무슨 말인가 하면, 섹스를 하고 나면 남자들은 보통 주위
를 휘청거리며 다니고, 소각로를 찾고 있는 일회용 행주처럼 느낀
다. 반면에 그 그림의 반에 해당되는 여성은 기뻐하는 소리를 지르
고 주위를 깡충깡충 뛰어다닌다. 그리고 눈 밑에는 기분 좋은 얼룩
만 보이게 되는데, 이것을 수석웨이터들은 귀신같이 알아차린다.
여자들에게 있어서 그 원시행위의 또 하나의 부작용은 열렬히 쇼
핑하고 싶어하는 욕망을 드러내게 한다는 것이다.

"찰리, 여보."

조한나가 말했다.

"쇼핑 가려고요. 여기 런던에는 본드 가라고 불리는 멋진 작은
거리가 있다면서요? 가난한 남자의 루 드 리볼리 같은 거 말이에
요."

"오히려 부자가 가는 마르셰 데 퓌스라고나 할까."

298

내가 말했다.

"하지만 대강 어떻다는 것은 알고 있지. 거의 아무 택시 기사나 거기 가는 길을 알고 있을 걸. 220야드(201m)야. 지나치게 많은 팁은 주지 마. 재미있게 보내. 나는 은행에 가려고."

이곳이 내가 건강을 위해 걸어간 곳이었다. 이 길을 가다 보면 소호의 중국인들이 사는 곳을 많이 지나간다. 곧 명확히 밝혀질 이유가 있기 때문이다. 가다가 우연히 특히 잘 갖춰진 한 음식점의 유리창 안을 들여다보게 되었다. 놀랍게도 거기에 조한나가 앉아 있었는데, 그녀는 그 식당의 주인처럼 보이는 약간 뚱뚱한 사람과 함께 대화에 열중하고 있었다.

자, 그렇다고 그렇게 걱정할 필요가 있겠는가. 당신의 신부가 본드 가에서 쇼핑을 한다고 말해놓고 소호가의 식당주인과 깊은 대화를 하고 있는 모습을 보고 말이야. 또는 그러한 신부가 그런 식당주인과 무엇을 논의한다 해서 질투하거나 의심할 필요가 있겠는가. 내가 말하는 것은 조한나가 나의 사랑스러운 와이프라는 것을 증명하는 서류를 내가 가지고 있다는 말이다. 그래서 나는 그녀가 본드 가에 있다는 말을 액면 그대로 받아들였다. 그녀가 야생 밍크 등등에 대해 우연히 거래를 할 수도 있으니까.

맙소사 그렇다고 내가 중국 사람들을 싫어한다고 결코 생각하지 마라. 내 가장 가까운 친구 몇몇은 굴소스 양념으로 구어진 갈비를 먹으면서 행복해 하는 녀석들도 있다. 그리고 오븐에서 구워진 오리요리는 말할 것도 없고 말이다. 그러나, 나를 불안하게 만든 것은 이 상황이 뭔가 잘못되었다는 것이었다. 이것이 내 발뒤꿈치에 너무나 익숙한 씰룩거리는 아픔을 주었다. 당신도 알다시피, 조한나는 평범한 아내들이 거짓말을 하는 방식으로 거짓말을 하는 사람이 아니었다. 비록 이제까지 내가 그녀를 알게 된 것이 짧았고 열렬했지만, 나는 그녀가 너무나 부자이고, 자신만만하며, 영리해서 일상사의 문제들에 있어서 거짓말을 할 필요가 없다는 생각을 갖게 되었다.

왜, 그렇다면, 그녀는 본드 가에 있지 않았을까? 나한테 광고한 대로, 여행자 수표에 사인을 휘갈기고 에메랄드 장신구와 물건들을 퍼 담으면서.

내가 항상 의심을 하게 되면 하는 일인데, 조크에게 전화를 건 것이다.

"조크."

그것이 그의 이름이라 할 수 없었다. 내가 조크라는 단어를 가지고 말장난하는 것이다.

"자네, 소호광장의 그 출판사들에서 일하는 그 거칠고, 추하고, 귀머거리에 벙어리인 야간 경비원하고 아직도 친하게 지내나?

"예."

그가 간단명료하게 말했다.

"그러면, 조크, 자네, 큰 오토바이에 올라타고 이 다부지고, 귀머거리에 벙어리인 친구를 태운 다음 제라르 가에 떨궈 놓게. 그 사람에게 노틴퍽이라는 음식점에 들어가서 간단한 식사를 주문하라고 하게. 이 대가로 돈을 좀 주고. 그가 일하는 저 출판업자는 확실히 현찰을 부족하게 줄 테니까. 음식점에 들어가면, M부인이라고 불리는 아름다운 금발머리의 부인, 그래, 내가 결혼한 사람을 조심스럽게 지켜보고 입술을 읽는 기술을 쓰게 하게. 그녀는 몸집 좋은 중국 신사하고 이야기하고 있을 걸세. 그녀가 무슨 말을 하고 있는지 정말로 알고 싶네."

"그래요. 찰리 씨."

"황급히 서두르게, 조크, 제발."

"그 모퉁이를 돌아오는 소리를 들으시면 그게 우리인 줄 아세요."

나는 수화기를 다시 정중하게 내려놓은 후 궁금해하며 은행쪽으로 빨리 걸어갔다. 이건 진짜 은행이 아니었다. 여기는 내가 당좌대월을 하는 곳으로, 저축은행이라고 부른다. 그건 어떤 일반적인 의미에서든 저축은행은 아니다. 그건 런던에서 가장 박학한 판화상인이며 알 수 없는 이유로 나를 인정하지 않는 어떤 나이 많은 사람이 오랫동안 확실히 자리를 잡은 건물이 딸린 부지이다. 왜 내가 그를 나의 저축은행이라고 부르는지는 다음과 같다. 나에게는 〈렘브란트 반 레인의 동판화 전집(The complete Etchings of Rembrandt van Rijn)〉이라는 크고 호화롭게 만들어진 책이 한 권 있다. 렘. 반 레(R. van R)의 모든 동판화가 똑같은 크기로 복사되어 있었고, 너무나 정교하게 복사되어 진품이 아니라고 믿기 어려웠다. 더욱이 이 삽화들은 각각 인쇄되어서 페이지들 한쪽 끝에 단지 가볍게 풀칠이 되어 있을 뿐이었다. 내 호주머니에 쓸 돈이 몇 푼 생길 때마다 나는 앞서 말한 판화상인한테 느릿느릿 걸어가서 그에게서 렘브란트 동판화를 산다. 물론 진짜다. 그는 가짜는 안 팔기 때문이다. 이 매매에는 시간이 좀 걸린다. 왜냐하면, 그는 정직한 사람인데, 정직한 사람은 실제 가격을 끈질기게 요구하기 때문이다. 내가 이름을 거론할 수 있는 어떤 사람들과는 달리.

나는 그런 동판화를 사면 집에 가서 그 〈동판화 전집〉에서 동일한 삽화를 찢어 내고는 그 자리에 방금 산 진짜 동판화를 넣어두었다. 보통 강도라면 이런 책을 훔쳐갈 꿈도 꾸지 못할 것이다. 하지만 그건, 오늘날 현재 상태 그대로, 어떤 대도시에서도 이십 오만 파운드의 가치가 있다. 나같이 점잖은 사람들은 살기 위해 도망갈 일이 없다. 그러나 만약 그렇게 해야 한다면, 그 저축은행 책을 가지고 가는 것이 좋다. 일반적인 세관원이라면, 뚱뚱하고 둔하게 생긴 미술상이 가지고 있는 포르노 내용도 없는 두껍고 둔하게 생긴 미술책을 쳐다보려고도 하지 않을 것이다.

나이가 아주 많은 이 상인은 이번에는 〈나무 세 그루〉의 아주 좋은 두 번째 쇄를 가지고 있다는 것을 마지못해 인정했다. 그리고는 당신이 문제의 예술품을 살 돈이 없다는 것을 상당히 확신할 때 미술품 상인이 당신에게 짓는 그런 종류의 표정을 지었다. 그러나 나는, 미국의 범죄행위로부터 나온 돈이 있었기 때문에 화가 났다. 그래서 내가 정말 염두에 두고 있는 것은 그 동판화의 첫 번째 쇄라고 경멸하며 말했다. 그는 나에게 그것은 막달레나 대학이라고 불리는 곳의 도서관에 있는 사무엘 피피의 스크랩 북에 하나뿐이 없다고 말했다. 그리고 그 대학은 불건전한 학문으로 유명한 캠브리지에 있다고 알려주었다. 사십 분 뒤에 그는 동판화를 건네주고는 나에게 아주 좋은 셰리주 한 잔을 주었다. 그러는 동안 나는 크고 천박한 한 뭉치의 지폐를 내주었다. 그의 제일 큰 판화 캐비닛 위에는 마호가니로 만든 명판이 있었는데, 거기에는 내가 가장 좋아하는 작가들 중 한 명의 말이 새겨져 있었다. 시편 20장 14절의 '그건 아무 가치가 없다. 아무 가치가 없다고 구매자가 말한다. 하지만 자기 길을 갈 때 그는 그것을 자랑하리라.'

다시 어퍼 브룩 가(WI) 4층에 있는 나의 근거지(이 건물은 이층집인데 나는 아직도 집세로 일주일에 275파운드씩 강도질당한다고 생각한다.)에서 내가 기뻐하며 새로 구매한 것을 〈동판화 전집〉 속에 넣고 있을 때 조크가 쭈뼛쭈뼛 들어왔다.

"조크."

나는 엄격하게 말했다.

"내가 자네에게 쭈뼛쭈뼛 들어오지 말라고 신신당부했지. 이렇게 쭈뼛거리는 거 못 참겠네. 범죄자 부류의 기미가 있어. 출세하고 싶으면 희미하게 빛나는 법을 배워야 해. 본드 가 피카딜리 끝에 있는 해군복점 친구들 이름이 뭐지?"

"기브즈?"

"바로 그거야. 그래야 돼."

완전히 정당성이 입증되어 내가 말했다. 조크는 이런 것들에 능숙하지 못했다. 조크는 내가 나의 정당성 입증을 충분히 음미할 때까지 기다렸다. 그런 다음 말했다.

"저는 그가 쓴 말다툼 내용을 갖고 왔어요."

나는 그 녀석을 빤히 쳐다보았다.

"무슨 말다툼을 누가 썼다고?"

"로지라구요. 제 귀머거리에 벙어리인 친구요. 그게 그 녀석 이름이에요."

"맙소사, 그도 그들과 한패인가? 장애가 있어서 얼마나 불편할까?

"아니오. 그의 이름은 로젠스타인 또는 로진블룸이나 이탈리아식 이름들 중 하나예요. 하지만 그는 외국인들을 아주 싫어하기 때문에 그 이름을 부르는 것을 좋아하지 않아요."

"그래. 자, 한번 보자."

그는 나에게 스포츠 면이 보이게 접은 신문을 건네주었다. 여백 주위에는 로지가 받아쓰기를 한 내용이 있었다.

이것이 그가 쓴 것이다. '나는 그 짱깨의 입이 보이는 곳에 앉을 수가 없었다. 하지만 나는 그 부인을 볼 수 있었다. 좋아. 그녀의 입술은 아름답다.' 여기서 나는 눈살을 찌푸렸다. '나는 그녀가 말한 모든 말을 읽을 수 있었다.' 나는 이맛살을 폈다. '그녀가 말하길, 아니요, 나는 백만 파운드를 원하지 않는다고 전에 설명했는데요. 이미 백만 파운드가 있어요. 나는 당신 조직을 이용하고 싶어요. 나한테는 여자들이 있고 당신한테는 조직이 있어요. 내 몫의 일부를 팔고 싶지 않아요. 당신은 그 작전의 역할에서 많은 이익을 얻을 거예요. 나는 나 자신한테 자금을 댈 수 있어요. 자, 마지막으로 거래가 성사되었나요, 안 되었나요? 좋아요, 이제 쇼핑 가야 해요. 남편에게 줄 선물을 사서 기분 좋게 해주려고요. 왜냐하면 그 여자들에 대해서 남편한테 해달라고 부탁할 게 있거든요.'

나는 읽고 또 읽었다. '경악했다'는 표현밖에! 물론 나에게는 조한나가 성자라는 것에 대한 환상은 없었다. 그녀는 아주 부자이지 않나? 하지만 여자 매춘 거래라니! 조한나는 명백히 내가 생각했던 것보다 훨씬 더 영악했다. 내 양심을 괴롭힌 유일한 부분은 내가 관여하게 되어 있다는 암시였다. 아내는 자유로워야 한다, 아니, 자신의 일을 하도록 격려받아야 한다. 하지만 배우자인 나는 거기에 끼어서는 안 된다는 것이 나의 방침이다. 와이프들에게 술이 다 떨어질 때까지 칵테일 파티를 하도록 해라, 하지만 나에게 와이프들의 끔찍한 친구들에게 공손하도록 하게는 하지 마라. 와이프들에게 뜨게질이나 그러한 건강한 운동을 하도록 하라, 하지만 나에게 실을 잡고 있도록 기대하지는 마라. 무엇보다도 와이프들이 조그만 수익나는 불법적인 일에 끼어들도록 해라, 하지만 무슨 이유로든 찰리 모데카이한테 참여하라고 하지 마라. 그 사람의

잘 알려진 좋은 취향으로 돈을 쓰도록 도와달라는 것을 제외하고
는.

여자 매춘거래는 알다시피, 엄격하게 법에 어긋난다. 그건 잘 알
려져 있다. 나는 잡힐 수도 있다. 내 친구들이 어떻게 낄낄 댈지 생
각해봐라. 맙소사, 만약 내가 그렇게 알 수 없는 범죄행위에서 살
아남았음에도, 결국, 내가 음란한 여자들의 부도덕한 수입을 뜯어
내며 살았다는 죄로 '교수대로 보내진다면' 친구들이 얼마나 낄낄
댈 것인가.

사람들은 나와 새로 결혼한 아내가 매춘무역의 있어서 거물이라
는 것을 알게 된 몇 시간 동안 내가 엄청 생각에 잠긴 것에 대해 어
떻게 반응할지 모르겠다. 어떤 사람은 조그만 호주머니 계산기를
꺼내 이익으로 떨어지는 퍼센트를 계산할지도 모른다. 어떤 사람
은 가방을 챙겨 걸음아 나 살려라 하고 도망갈지도 모르겠다. 나는
블러처 대령에게 전화해서 모든 것을 말할 수도 있었다. 하지만 그
는 나에게 당분간 연락할 어떤 절차도 주기를 거절했었다. 이건 더
있다가요, 그는 나에게 약속했다. 하지만 그러는 동안 나는 '그때
그때 봐서 일을 처리' 해야 했다.

전화가 거부되었기 때문에, 나는 플랜 B라는 대체 방법을 선택
하였다. 그것은 스카치위스키 한 병을 굳게 잡고서는, 죽은 P. G.
우드하우스가 말한 대로, 멀리너라고 불리는 사람들의 모험을 몇
페이지 읽는 것이었다. 잠시 후 조한나가 쇼핑에서 약탈한 물건들
이 든 박스를 배달하는 녀석들이 초인종을 울리고 또 울려 집중 할
수 없었다. 그러나 조한나가 마침내 몸소 나타났을 때는 나는 멀리
너 이야기를 읽고 부드러워지고, 위안을 주는 스카치위스키에 의
해 적지 않게 누그러져 있었다. 나한테 없는 것은 신혼의 마음상태

305

였다.

그녀는 낯 뜨거운 어떤 말도 하지 않고, 신부의 순진한 열정을 가지고 나를 껴안았다. 그녀는 값비싼 상자들을 찢어 열고는 그 내용물들을 걸치고 내 앞에서 과시하며, 침실을 뛰어들어 갔다왔다 했다. 나는 거기에 적합한 소리를 냈으나 마음에는 전혀 없는 말이었다. 솔직히 말하면, 내 양심은, 내가 이십 년 동안 말 한마디 나눠 본 적이 없는데, 나에게 중얼거리고 있었다. 저 박스들만 해도 굶주리는 증권업자가 일주일 동안 담배를 피워 물며 고민해야 하는 것이라고. 마지막으로 그녀는 잠옷을 입고 나타났는데, 그걸 입으니 전날 밤 그녀가 입었던 잠옷은 은퇴한 여자 교장이 북극권 한 계선에서나 입을 것 같은 생각이 들었다. 나는 움츠렸다.

"조한나."

그녀가 내 무릎 위에 앉을 때 내가 말했다.

"음?"

나는 헛기침을 했다.

"조한나, 여보, 오늘 밤 텔레비전에서 좋은 거 하나?"

"아니요."

"어떻게 그렇게 확신하지?"

"그런 적이 없으니까요."

"하지만 우리 확실히 하게 신문 좀 볼까? 음, 우리가 늙은 게리 쿠퍼나 험프리 보가트를 놓칠 수도 있으니까 …."

"오늘 밤에는."

그녀는 단호하지만 사랑스런 목소리로 말했다.

"도대체 텔레비전에는 아무것도 없다니까요. 아니라면…."

그녀는 커다랗고 튼튼한 텔레비전에 눈길을 던졌다.

"글쎄요, 내가 그 위에 기대서 숙일 수 있을 거예요! 무슨 말이냐하면, 당신이 정말로 티비 위에서 하는 어떤 것을 원한다면 말이에요."

"제발, 그만!"

나는 거리를 두는, 다소 영국인의 목소리로 말했다.

"당신이 말하려고 하는 건, 분명히, 텔레비전에는 아무것도 없으니까 영화관에서 저녁을 보내는 것이 더 좋겠다는 거야?"

"영화관은 다 닫았어요."

나는 그녀가 거짓말을 하고 있다고 해도 사실대로 말할 수 없었다, 그렇지 않은가? 내가 아무리 많은 말을 한다고 해도, 그녀에게 〈못된 놈들〉이나 〈십대 유리청소부의 모험〉 같은 것을 한두 시간 보면 그녀가 나까지 끌어들이려 하는 처녀 팔아먹기 같은 무시무시한 일을 잊을 수 있고, 욕정에 미친 신랑 역할을 할 수 있다고 설명할 수는 없지 않은가.

나는 그녀에게 두 잔이었던가, 세 잔이었던가, 센 술을, 졸리기를 바라면서 마시게 했다. 그런 다음 그녀를 따라 침대로 갔다.

26

가장 높은 사람을 사랑하는 것이 나의 의무였다.
내가 알았더라면 확실히 내게 이익이었을 텐데.

— 귀네비어

그날 저녁 늦게, 비타민 E와 비타민 B12가 주는 기력이 전부 소
진되었다. 나는 당연히 정신없이 잠에 빠져들고 있었다. 그때 조한
나가 내 곁으로 다가와 나를 콕 찌르며 말했다.

"찰리, 내 작은 종마, 나를 위해 해줘야 될 것이 있어요…."

"여보, 우리 방금…, 내 말은, 난 젊은이가 아니잖아. 그 전에도
설명했지만…, 아침에 합시다, 응?"

"바보 같은 말하지 말아요, 그런 말을 하는 게 아니에요. 날 뭐라
고 생각하는 거예요? 내가 섹스광이나 뭐 그런 사람인 줄 아나 봐
요?"

나는 뭐라고 중얼중얼하면서 그녀의 따뜻하고 축축한 가슴 사이
로 다시 몸을 기대었다.

"내가 원하는 것은 그것과는 상당히 다른 거예요."

나는 몸을 뒤척였다. 그녀의 말 때문에 긴장이 되고 불안감이 목

구멍에서부터 올라왔다. 나는 거의 이가 떨리는 걸 느낄 수 있었다.

"조한나, 내 사랑."

나는 내가 낼 수 있는 가장 차분한 목소리로 말했다.

"내일 밤이 뭔가를 부탁하기에 더 좋은 시간이지 않을까, 음, 혹시 말하는 게 너무 과격한 내용인가? 내 말은…."

그녀가 낄낄대며 웃었다.

"맞아요, 내 사랑 찰리, 나도 당신이 더 이상 젊은이가 아닌 걸 알아요. 물론 다른 사람들은 속일 수 있을지라도. 특히 밤에 말이죠."

그녀가 실실 웃으며 말을 이어나갔다.

"난 당신의 아름다운 분비샘에 세금 붙이고 싶지는 않구요. 특히 아드레날린 분비샘에 말이죠. 난 단지 당신이 나 대신 누군가를 죽여주길 바랄 뿐이에요, 알겠어요?"

"누군가를 죽이라고?"

난 잠결에 지껄여댔다.

"물론. 언제든지. 용 한두 마리쯤은 기꺼이 죽여주지, 언제든지 말이야. 아침 이후에 언제든지 말이지, 내 말은. 지금은 좀 자고 말이야, 알겠지."

그녀는 내 어깨를 흔들어댔다. 그리고 내가 더 깊이 잠들려고 결심하자 더 격렬하게 내 약한 팔다리를 흔들어 댔다. 나는 화가 나서 일어났다.

"내가 말하지 않았어. 하지 말라고! 사람한테 해가 될 수도 있다고. 당신은 어떻게 될 거라고 생각해? 응? 신혼을 망치려고 하는 거야? 이제 잠 좀 자자고! 잘 자."

그녀는 침대 위에 위압적인 분위기로 앉아 있었다. 그녀는 이미 잠옷을 거의 다 입은 상태였다. 나는 잠에서 깰 수밖에 없었다. 기분이 괜찮은 척할 수도 없는 상태였다.

"여보 조한나, 지금은 떼를 부릴 때가 아니야. 하루가 끝났고 당신의 부탁을 내일 들어주겠다는데 동의했잖아. 그게 뭐였는지는 기억이 안 나지만 당신의 가벼운 부탁은 들어줄 의향이 있다고 했어. 내일 말이야. 뭐든지 간에."

"오, 찰리, 벌써 잊어버린 거예요? 난 단지 나를 위해 누군가를 죽여 달라고 부탁했었어요. 신혼 밤에 신랑한테 이런 걸 부탁하는 건 그렇게 큰 부탁이 아니라고 생각해요. 근데 만일 그게 곤란하다면…."

"전혀 곤란하지 않아. 조급해하지 마, 여보. 금방 해치울 수 있는 일인 걸. 금방 해치우는 일 말이야. 그냥 조크한테 그 사람의 이름이랑 주소를 말하면 낼 모레 처리할 거야. 그러니까 잘 자, 내 사랑."

"찰리, 죽어야 되는 사람은 그러니까, 저기 남자가 아니에요. 사실 그 여자를 사람이라고 부르는 것도 적절하지 않다고 생각할 거예요."

"말을 참 어렵게 하는군, 조한나."

나는 한숨을 쉬었다.

"그럼 그 위엄 넘치는 '그녀'는 대체 누군데, 영국의 블러디 메리 여왕이라도 되는 거야?"

그녀는 박수를 치며 소녀처럼 좋아했다.

"오, 찰리, 당신이 알아맞혔어요, 알아맞혔다고요!"

나는 다음 날 아침 조크에게 '좋은 아침'이라고 인사한 걸 기억한다.

"좋은 아침이야, 조크"라는 말을 선택해서 말했다. 그 말은 그를 항상 기쁘게 해주는 말이니까.

"좋은 아침이에요, 찰리 씨."

그가 떨리는 내 손이 닿을 수 있게 쟁반을 내려놓았다.

"아침 식사 하시겠어요?"

"버터 두른 계란이 좋겠네."

"네, 찰리 씨. 스크램블 에그요."

"버터 두른 계란 말이야."

내가 반복해서 말했다.

"그리고 아주 무르게. 너무 휘젓지 말라고. 버터 두른 계란의 어감이 뭔가 크고, 부드럽고, 크림 같은 덩어리처럼 보여야지. 마치 로딘 여학생들처럼 말이지, 자네 알잖아."

"토스트 드실래요?"

이 말이 그의 반응 전부였다.

"당연히 토스트는 줘야지. 자네가 가진 몇 가지 안 되는 재능 중 하나가 토스트 굽기니까 말이야. 자네 온 몸의 기능을 내가 아직도 소유한 이상 나는 그 재능으로 단단히 이익을 볼 거야."

조크는 철벽수비를 했다. 그의 반응은 마치 한순간에 치는 벼락 같았다.

"알카셀쳐(소화제)도요, 제 예상으로?"

그가 말했다. 게임은 끝났고, 언제나처럼 그가 이겼다.

"그나저나 말이야, 조크."

나는 가볍게 말했다.

"모데카이 부인이 여왕을 저격하길 바라네."

"알겠어요, 찰리 씨. 계란은 두 개로 할까요, 세 개로 할까요?"

"여왕 말이야, 조크. 나는 엘리자베스 II세 여왕폐하를 말하는 거야. 신의 가호가 있고 그 위에서는 태양이 지지 않는다는 분 말이야."

그는 조용해졌다.

"그녀는 아주 사랑스러운 여성이죠, 그렇지 않아요? 제게 맥주를 사 준 적은 없지만 아무런 해도 가하지 않았잖아요, 그렇죠?"

"무슨 백작을 죽일 수…."

"아니!"

"아니면 공주님이나. 제 말은 아무도 그렇게는…."

"여왕이야."

나는 단호하게 말했다.

"두려움, 공포, 그리고 애국심 등등 개인적인 이유로, 나도 자네처럼 이런 악랄한 행동을 하는 것이 망설여진다고. 하지만 국제 정치에 의하면 꼭 실행되어야 하네. 내 아내 또한 그렇게 말하고 말이야. 계란은 두 개로 해주게."

"계란 두 개요."

그가 방 밖으로 빠져나가면서 웅얼거렸다.

조크는 내가 음식이 차가워지게 두면 부루퉁해진다. 나는 조크가 가져온 계란을 먹었다. 비록 완벽하지는 않았지만 나는 한 조각까지 다 먹었다. 먹으면서, 나는 계획을 짰다.

한 시간 뒤, 대충 옷을 입고, 일부러 수염도 깎지 않고, 나는 내 총기제작자를 만나러 갔다. 물론 나의 진짜 총기제작자를 말하는 것은 아니다. 그는 주교같이 어두침침하고 조용한 세인트 제임스 궁전 근처 지역을 관장하는 인물이었다. 또한, 그는 신사와 일반인을 구별할 줄 아는 사람이었다. 내가 만나려는 다른 총기제작자라고 부르는 자는 불법총기를 일반인들에게 파는 굉장히 부정직한 작자이다. 그는 나를 시골집 보석도둑 신사 짐 같은 인물로 여기는 것 같았는데 그는 자연스럽게도 내 이름을 몰랐다.

그는 평소처럼 무뚝뚝하게 나를 맞았다. 불법총기 거래를 하는 자들은 대부분 거의 웃지 않았다. 그는 더러운 와이셔츠와 바지를 입고 있었다. 그의 머리는 붉은색이었는데 땀으로 엉겨붙어 있었다. 그는 '대외적으로는' 사과 토피 사탕을 팔았다, 그래서 그가 나를 들어오라고 한 비좁고 어두운 방은 지독하게 더웠고 끓는 설탕과 썩은 과일 그리고 총 윤활유 악취가 그득했다.

"안녕, 진지!"

"오, 친구."

"이것 보게나, 진지, 우리 다른 방으로 가는 건 어때? 지금 실크 속옷을 입고 있는데, 자네도 알다시피 땀이라도 나면 아주 끔찍하거든."

그는 마지못해, 비좁고 어두운 응접실로 나를 데려갔다. 작업실이 열대지방처럼 더웠기 때문에 응접실은 추울 지경이었다.

"내 친구 하나가 말이야….."

나는 말을 꺼냈다.

"아, 그래."

그가 비웃듯 말했다.

"내 친구 하나가 말이야. 용감한 스코틀랜드 고산지대에서 약간의 이윤을 남길 목적으로 사슴밀렵을 하는데 말이지. 내가 이름은 잊어버린 것 같은데, 어떤 호텔로부터 많은 양의 사슴고기를 주문받았다고 하더군. 경찰이 그 친구의 라이플총을 압류했는데 돌려주는 것에 대해서 고리타분하게 굴고 있어. 그래서 총이 또 하나 있어야겠어. 뭐가 있나, 진지?"

"없어."

"내 친구가 총에 대해서는 좀 까다로워서 말이야. 그 친구는 좀 고급스러운 걸 좋아해. 스토퍼가 있어야 하고, 빠른 속도의 것으로 정말 센 것이어야 한다고."

"나한테 그딴 건 없어."

"그리고 탄약은 아주 신선해야 하네. 케케묵고 오래된 군대에서 쓰던 쓰레기 따위가 아니라!"

"난 이제 그만 가봐야겠네, 친구."

"그리고 물론 멀리까지 볼 수 있어야 돼.'

"꺼져."

지금까지 대화는 아주 잘 흘러가고 있었다. 대화방식은 최고의 전통에 따르고 있었다. 진지 같은 녀석들과 협상하는 것은 특별히 러시아 무역 대표단과 협상하는 것 같았다. 나는 납작한 위스키 반 병을 꺼내 그에게 던졌다. 그는 더러운 개처럼 병째로 마셨다. 그가 나에게 위스키를 돌려주는 일은 없었다. 그는 트림을 하더니, 팬티 속으로 손을 집어넣고 생각에 잠겨 벅벅 긁어댔다.

"만리커(수렵용 라이플총)는 가지고 있어."

그가 다시 한 번 벌컥벌컥 들이킨 뒤 툴툴거렸다.

"전쟁 전 거야."

"안 돼."

"장전된 총알 한 세트가 세 개라고."

"쓸모없어."

"백작 거였어."

"누구 거였다고?"

"백작. 사람들이 말하는 백작 말이야. 총의 발사장치에 문장도 새겨져 있다고. 모두 금 같은 것으로 되어 있어."

"점점 나빠지는군."

"한 번도 불발한 적이 없었다고, 보장할게."

"점점 시시해지는군, 진지."

"이백팔십 파운드야, 현금으로 말이지."

"골동품상에게 팔면 한 재산 마련하겠군."

"근데 내 친구는 진짜로 사용할 수 있는 총이 필요하다고. 괴링이 원시 늪을 돌아다니던 이후로 그딴 장난감을 쓰는 사람은 아무도 없단 말이지."

"그럼 이백칠십오 파운드만 줘. 더 이상은 안 돼."

이십분 뒤, 진지가 성질을 두 번 부리고, 스카치 반 병을 마신 다음, 나는 이백 파운드를 지불한 라이플을 소유하고 자리를 떴다. 물론 우리 둘은 대화 내내 내가 얼마를 지불할 것인지를 알고 있었다.

"저 낡은 잡동사니는 왜 산 거예요?"

내가 그걸 집으로 가져가니까 조크가 퉁명스럽게 물었다.

"그걸로 그 일을 하려고."

"하실 수 있지요. 저는 아니에요."

"조크!"

"전 영국인이에요. 그나저나, 전 오늘 쉬는 날이라고요. 이제 도미노 게임하러 갈 거예요. 냉장고 안에 차가운 돼지고기가 좀 있어요. 사모님은 외출하셨어요. 클래런스 하우스라는 어떤 술집에 갔어요."

나는 차갑고 무신경하게 손을 흔들었다. 국왕시해와 같이 오래된 영국의 관행에 너그러운 주인과 동참하는 충성심을 가질 수 없는 건방진 하인과 논쟁을 하지 않아도 될 만큼 상황은 이미 충분히 나빴다.

냉장고 안에 있는 차가운 돼지고기는 끝부분이 상해가고 있었다. 나는 좀 더 말쑥한 옷으로 갈아입고 아이소우의 가게에 갔다. 그리고 그곳에서 내가 원래 먹던 양보다 더 많이 먹었다.

나는 일찍 집으로 와 내 옷방에 있는 좁은 침대로 가서 누웠다. 나에게는 음식을 소화시키고, 생각하고, 그리고 계획할 시간이 필요했기 때문이다. 나는 조한나가 방문을 살짝 여는 소리를 들었다. 나는 그럴 듯하게 코 고는 소리를 냈고, 그녀는 살금살금 지나갔다. 그녀가 작은 티아라를 보석함에 넣을 때 그저 달그락거리고 쨍그랑거리는 것에 불과한 소리를 들었다. 그리고는 모든 것이 고요해졌다.

나는 계속해서 생각하고 계획했다. 그리고 잠들 무렵에는 3부로 구성된 계획을 만들어냈다.

(1) 알아볼 수 없는 변장을 한다.

(2) 저격할 자리를 고른다.

(3) 도망갈 노선을 짠다.

무언가를 시도했고, 무언가를 해서, 하룻밤 수면으로 내가 얻은 것이었다. 음, 고약한 꿈을 꾸기도 했다. 하지만 꿈을 무언가에 연관 짓는 것은 아주 시시한 남자가 할 수 있는 세 가지 중 하나라고 생각한다. 나머지 두 가지는 무엇인지 말할 필요가 없다.

316

27

우리 중 얼마나 많은 자들이 바로 이 시각
스스로 평생 동안의 골칫거리를 만들고 있는지,
진실을 거짓으로, 거짓을 진실로 받아들임으로써!

— 지레인트와 에니드

그 양복은 끔찍했다, 아주 끔찍했다. 분명히 그건 1940년대에 색맹인 루마니아의 포주나 아마도 기둥서방을 위해 만들어진 거다. 양복의 파란색과 주황색 체크무늬는 꼭 담배 한 갑 크기만 했다. 아마도 그 포주나 기둥서방은 눈에 잘 안 띄는 효과를 노렸던 것 같다. 양복 호주머니 안에 더러운 그림엽서 따위는 없었다. 이걸 보니 이 양복은 최소한 드라이클리닝을 한 것이라는 확신이 들었다. 나는 그 양복을 '신사 옷 구매'라는 가게에서 샀다. 그 가게는 또한 나에게 양복에 어울리는 신발 한 켤레를 팔았다. 갈색과 흰색으로 된 화려한 이 신발이 그 끔찍한 양복보다 훨씬 더 이전에 만들어진 것처럼 촌스러웠다.

탈의실 거울에 비친 내 모습을 단지 한 번 힐끗 보았다. 양복이 꼭 끼어 움츠러들 수 있었겠지만 맹세코 크게 소리 내어 울지 않았다.

"이쪽으로 걸어보세요. 발밑을 조심하세요. 우리는 악기 케이스가 좀 명물입니다. 자, 이제, 이 작은 무더기 가운데서 손님의 꿈의 상자를 찾으실 것이라 확신합니다."

나는 별 볼일 없는 정장과 그것에 어울리는 촌스런 신발을 악기 케이스에 쑤셔 넣고 집을 향해 침울한 길을 터벅터벅 걸어갔다. 몹시 지쳐 체크무늬가 있는 그런 골프모자를 사려고 릴리화이트네에서만 잠시 멈추었다. 나는 릴리화이트네에서 요크셔 말씨를 썼다. 단서가 될 냄새를 없애려는 거였다.

내가 아파트에 도착하자 조크는 악기 케이스에 심술궂은 한쪽 눈을 깜박였다. 다른 한쪽 심술이 없는 눈인 유리 눈은 말을 할 수 있다면, '오, 맙소사' 라고 말하는 듯이 천장을 향하고 있었다.

"이 밴조 넣는 관을 내 옷방의 장롱 속에 넣어 두게."

나는 위엄있는 주인의 어조로 말했다.

"그리고 안을 들여다보지 말게. 그 내용물을 보면 나조차 충격받으니까. 자네같이 정직한 대지의 아둘한테 그 효과란….."

"'대지의 아들' 이겠지요, 찰리 씨."

"아마도, 아마도. 그건 그렇고, 이제 얘기해 보게. 회피하지 말고, 자네야말로. 아무리 하찮더라도 세세한 것도 빠뜨리지 말고. 오늘 밤 저녁식사로 뭘 먹지?"

"사모님께서 나가시던데요."

그는 잘난 체하며 말했다.

"브리지 게임 하시려고요."

"그래?"

나는 오만하게 말했다.

"자네는 내가 배달시키거나, 맙소사, 저녁식사하러 나가야 한다

고 말하려는 건가? 식료품 저장실에 아무것도 없나? 조크, 자네는
치즈 곁들인 빵을 저녁밥으로 먹고 있나? 믿을 수가 없군. 자네는
언제나 사회적 지위를 잊고 먹으려는 사람이었으니까.”

그의 눈이 노려보았다. 한쪽은 마루를 향해, 다른 한쪽은 평생
자기 위치 위에 있는 천장의 돌림띠를 향해 있었다.

“저는 단지 간단하게 뭘 좀 먹으려고 했는데요.”

그는 낼 수 있는 만큼 공손한 목소리로 중얼거렸다.

“응?”

나는 상냥하게 말을 유도했다.

“예, 음, 캐비어가 들어 있는 블린츠(치즈·과일 등을 넣어서 구운
팬케이크)하고 사워크림 남은 거, 제 돈으로 제가 샀다는 것을 증
명할 수 있는 와인에 푹 담근, 뼈를 발라낸 훈제 청어 몇 조각, 그
런 다음, 그저 제대로 이용 못하고 버릴 얇게 저민 스테이크요.”

“자네는 자네가 겨우 먹을 만큼만 있다고 말하려는 건가?”

내가 차분하게 말했다. 그는 잠시 충성스럽게 생각해 보았다.

“캐비어 쪽이 부족한데요.”

마침내 그가 말했다. 나는 그에게 열쇠를 건네주었다.

“십 분이면 족해요, 찰리 씨!”

“음료를 쟁반에 담은 다음에 십분이라는 거지?”

“그럼요.”

“그럼, 좋아, 조크.”

“좋아요, 찰리.”

조한나가 돌아왔을 때, 나는 유익한 책 한 권을 들고 침대 속에
있었다. 그녀는 브리지 게임에서 이겼다. 그녀는 항상 이긴다. 그
래서 우쭐댔다. 그녀는 환하게 빛났다. 그녀는 여기저기 옷을 흩뿌

리면서 방을 돌아다니며 춤을 추고 노래를 불렀다.

굴과 기네스 흑맥주를 모두 살 여유가 없을 땐, 이십 파운드 가격의 작은 벨루가 캐비어 한 병이 훌륭하게 그 간극을 채울 수 있다고 장담할 수 있다.

다음 날 조크는 식료품 저장실에서 일하고 있고, 조한나가 샤워하고 있는 동안 나는 새 '옷'을 급히 걸치고 아무도 모르게 아파트에서 살금살금 빠져나오려고 했다. 조한나가 내가 살금살금 빠져나가는 나를 현장에서 붙잡았는데 무지개 빛깔의 내 옷을 보더니 미친듯이 웃어대며 이리저리 비틀거렸다. 그녀의 웃음은 잔물결을 일으키는 은쟁반에 옥구슬 굴러가는 듯한 웃음이었는데, 그 웃음이 다른 사람에게는 상당히 매력적이었다.

"쉿! 만약 조크가 이 옷을 입은 나를 보면 사직서를 제출할 거야. 있잖아, 조크에게는 나름 자부심이 있다고."

"하지만 찰리, 여보."

그녀는 은쟁반에 옥구슬 굴러가는 듯한 잔물결들 사이에서 중얼거렸다.

"왜 당신 장의사처럼 옷 입었어요? 중요한 검정색 상자에는 당신의 방부처리 장비가 들어 있나요?"

"웃을 거 없는데."

나는 완고하게 대답했다.

"영국인의 의견으로 더 나은 판단력에 반하여 자기 국왕을 암살하려고 진짜 준비하고 있는 것에 대해서."

"미안해요, 찰리."

그녀가 진지하게 말했다.

"난 당신이 변장할 줄은 몰랐어요."

"음, 나도 괜찮아."

부엌을 지날 때 조크의 소리라고 하기에는 너무나 고음인, 소리를 죽인, 속이 부글거리는 소리가 났다.

"조크."

내가 엄하게 말했다.

"카나리아가 또 변비 걸렸네. 새 수의사는 안 믿네. 동물원에 전화해서 조언을 구하게."

"네. 찰리 씨."

그리고는 소리를 낮추어 다음과 같은 말을 했다.

"새 양복을 입은 그를 보라고."

나는 걸었다. 아니 살금살금 눈치보며 움직였다. 몇 마일처럼 보이는 거리를, 내 친구들 중 그 누구라도 거주할 가능성 있는 런던의 그런 지역에서 멀리 떨어질 때까지. 그런 다음 택시를 잡아 런던의 심장부에 해당되는 구역으로 향했다. 그곳에서는 나의 증권 중개인이나 로이드 보험회사 사장을 만날 실낱 같은 가능성만 있을 뿐이었다. 내 주머니에는 조크의 신문에서 찢어온 로얄 루트의 지도가 있었다. 내가 읽은 타임스에는 '궁정기사'가 명시되어 있지 않았다. 어떤 종류의 운송수단을 여왕폐하가 탈 것인지에 대해 아마도 행사가 끝날 때까지 말하지 않겠지만. 하지만 이건 국가적인 행사여서 나는 여왕 일행이 차 지붕이 열린 국영 랜도마차들 중 하나에 타기를 바랬다. 모든 아마추어 암살자들이 방탄이라고 알고 있는 그런 크고 무거운 다임러나 롤스로이스들 중 하나가 아닌. 내가 가진 신문의 노선도에서는 여왕의 행차는 코드웽글러의 홀로 가는 길에 불쾌한 한 작은 시티 길을 짧게 통과하게 되어 있었다. 내가 택시를 타고 간 곳이 바로 그 길이었는데, 그곳에서 차를 내렸다. 내가 런던 토박이가 아니라는 인상을 줄 만큼, 하지만 나를 기억하게 만들 정도로 충분하지는 않게, 택시 운전사에게 팁을 주었다.

그 불쾌한 거리를 위, 아래로 아장아장 걸었는데, 악기 케이스가 잔인하게 내 허벅지에 부딪쳤다. 아침식사를 제공하는 숙박시설 간판을 하나도 볼 수 없었다. 세 번째로 걷다가 내가 보게 된 것은 1층 창문에 변호사 사무소의 이름이 붙어 있고, 위층 창문에는 여러 가지 더러운 레이스 커튼이 걸려 있는, 어깨가 좁고, 지저분한, 높은 건물이었다. 머리에 롤을 만 깡마른 한 허튼 계집이 예전에는 빗자루였던 것을 가지고 주변의 먼지를 무기력하게 쓸면서 지하구역에서 구부정하니 앉아 있었다.

"좋은 아침!"

골프모자를 대륙식으로 들어올리고 상냥하게 히죽히죽 웃으며 내가 말했다. 그녀는 그 '구역'에서 나를 올려다보았다. 그녀의 눈은 자신의 일을 결코 즐긴 적이 없는 은퇴한 지 오래된 창녀의 눈빛이었다.

"나갔어요."

그녀가 오만하게 말했다.

"저… 궁금한 게 있는데요…."

"나갔어."

그녀는 반복해서 말했다. 분위기는 기한이 지난 할부구입 지불금 냄새만큼 무거웠다.

"저녁때 쓸 작은 방이 있는지요…."

"엉, 뭐요?"

"예, 제 악기를 연주하려고요, 아시겠어요?"

"엉, 뭐라고?"

그녀의 위치가 아래쪽에 있어 색소폰 케이스를 볼 수 없었다. 나는 그녀가 나를 좀 오해할 수도 있다는 것을 깨달았다.

"제 아내는 집에서 더 이상 제가 이걸 연주하는 걸 원치 않아요. 그렇게 하면 화를 내요."

"화를 내?"

"예."

내가 말했다.

"화내요. 그러고 나면 그녀는 너무 많이 먹어요. 아시겠어요. 그래서 뚱뚱해지고 그래서 우리 애정생활을 망쳐요. 왜냐하면 저는 뚱뚱한 여자들을 참아줄 수 없으니까요."

나는 아부하며 그녀를 쳐다보았다. 그녀는 말라빠진 모습 위에 걸친 추레한 실내복을 매만졌다.

10분 후, 나는 비교적 비싸지 않은 임대료 한 달 치를 선불로 주고, 아래층 변호사들이 일하지 않는 시간에만 악기를 연습해야 하고, 방에서 친구들을 접대하지 않아야 하고, 화장실을 사용하지 않아야 한다는 데 동의하고, 거리가 내려다보이는 이층의 방 하나에 세들게 되었다. 알다시피, 그 방 안에는 어떤 급한 대소변도 받아낼 수 있는 세면통이 있었다.

그날 밤 방에서 나는 녹음기와 1940년대 초의 어느 많은 보수를 받은 색소폰 연주자의 한 앨범을 가지고 지긋지긋한 몇 시간을 보냈다. 그 친구의 기량이 뛰어난 예술 부분들을 녹음하고 색소폰 연주자가 완벽이라고 할 만한 것을 이루려고 애쓰는 것처럼 다시, 또 다시, 구절을 반복하면서.

　다음 며칠 동안 나는 그 역할을 했다. 스파이 활동. 가면을 썼다.
더 나쁜 것은 나는 양복을 입었고, 맙소사, 바로 그 신발을 신었다.
저녁마다 나는 창피스러운 옷을 입고 시티의 그 허름한 거리에 있
는 그 비좁은 집으로 살금살금 들어가고는 했다. 그리고 그 하숙집
여주인을 향해 속눈썹을 한두 차례 선정적으로 가볍게 떨고는 계
단을 올라갔다. 영양섭취가 불량한 쥐 냄새를 맡으며, 그 누추한
방에 안락하게 자리 잡고는, 나는 그 이름 없는 색소폰 연주자의
테이프를 틀으며 연주를 하곤 했다. 그러는 동안 그 빌어먹을 색소
폰소리를 더 이상 참지 못하게 될 때까지 각도와 거리, 그리고 사
정범위들을 재면서 창문을 통해 자세히 보았다. 그러고 나서 나는
아래층으로 발을 질질 끌며 내려가곤 했다. 여전히 깡마른 하숙집
여주인을 회피하곤, 택시 타는 곳을 향해 그 거리를 침울하게 걸어
내려가곤 했다.

　보라, 내가 이걸 전혀, 조금도 좋아하지 않았다는 것을 명확하게
하자. 나는 그 모든 것이 썩어빠졌다는 것을 이번만은 진지하게 이
야기한다. 이 나라는 내 가족을 받아들였으며, 우리에게 잘해 주
었고, 우리가 적당히 부자가 되는 것을 허용하였으며, 결코 조롱
의 손가락질을 하지 않았다. 그렇다면 내가 왜 이 나라의 국왕을 때
도 안 되었는데 무덤으로 보내기 위해 내 모든 묘수를 짜내고 있는
가? 음, 그렇다. 내 아내가 나에게 그렇게 하라고 말했기 때문이었
다. 그것은 대부분의 녀석들이 대부분의 일을 하는 이유인 것이다.
특히, 이 경우처럼, 만일 결과가 만족스럽지 않으면 내가 죽을 수도
있다는 강한 암시가 있다면 말이다. 또한 두려운 블러처 대령도 있

었다. 그는 달리 지시할 때까지는 내가 조한나가 계획하는 일에 협력해야 한다는 것을 명확하게 했다. 그 어떤 것도 내 행위에 대해 기분이 나아지게 만들지 못했다. 나는 조크의 가치관이 내 가치관보다 더 낫다는 것을 깨닫고 있었다.

그렇지만, 그 당시에 나는 살아야 했었다. 그것은 지금보면 참으로 보잘것 없지만 당시에는 합리적인 것이었다. 살아 있는 것은 너무나 중요한 것이었다. 생과 사의 선택에 직면해 본 적이 있는 그 누구에게라도 물어 보라.

그래서 나는 라이플에 기름칠을 했고, 그 끔찍한 집을 방문했으며, 그 하숙집 여주인에게 능글맞게 웃었고, 색소폰 테이프들을 틀었고, 그 양복을 입었고, 그 신발을 신었다. 아니, 그 골프모자, 그것도 썼던 것이다. 좋아, 나는 분명했다.

"조크."

어느 날 아침 내가 조크에게 말했다.

"조크, 도움이 좀 필요해."

"찰리 씨."

그가 무겁게 말했다.

"만약 그게 며칠 전, 우리가 논의했던 문제에 관한 거라면, 말씀 더 하시기 전에 대답은 '아니오' 예요. 저는 주인님을 일러바치진 않을 거예요. 아시잖아요. 하지만 도울 순 없어요. 그건 안 돼요."

"그 일이 있은 후 운전 조금도 안 돼?"

"죄송해요. 찰리 씨. 저는 그런 상황에서는 잼 병도 돌릴 수 없어요."

"좋아, 조크. 아마도 나는 혼자 용케 해낼 거야. 나는 자네의 원칙을 존중하고 자네한테 어떤 책망도 안 하네. 하지만 만약 내가,

아, 내가 체포되면 그 구제할 길 없는 감방에 있는 날 자네가 보러 올 걸 믿어도 되겠나?"

"물론이죠."

"교도소장이 막 사형당할 녀석에게 '따뜻한 아침'을 갖다준다는… 무시무시한 이야기를 들었는데….”

"그런 걱정하지 마세요, 찰리 씨. 바로 뵈러 갈게요. 거기에도 친구들이 있거든요. 어쨌든, 사형은 폐지됐잖아요?"

"이봐, 조크."

나는 상냥하게 말했다.

"사형폐지 얘기에 대해서는 자네가 옳아. 하지만 아직도 교수대로 보낼 수 있는 한 가지가 있지."

"정말요?"

"그래."

"그게 뭐예요?"

"대역죄."

28

그녀의 태도에는 그러한 편안함이 없었다.
그것이 비어 드비어의 계급을 보여주었다.

— 레이디 클라라 비어 드비어

그 두려운 날이 되었다. 내가 아파트를 나갈 때, 조크는 내 모자
와 우산을 말없이 내게 건네주었다. 나는 우산은 거절했다. 암살자
를 신사로 느끼게 하려면 그깟 우산보다 더한 것이 필요하니까. 어
쨌든, 엘리베이터를 기다리면서 나는 내가 애국가의 한 구절, '여
왕이여, 만세토록 통치하시길'의 부분을 흥얼거리고 있다는 것을
알게 되었다.

나는 시티에 있는 내 하숙집에서 가장 가까운 역까지 지하철로
갔다. 그리고는 공중화장실에 들어갔다. 그다음 그 양복으로 갈아
입고, 그 신발을 신고 그 모자를 썼다.

몇 분 뒤, 음, 나는 그 창가에 있었다. 망원조준기를 만리커총 위
에 슬며시 넣고, 내 손가락들은 내가 막 행하려는 그 혐오스런 행
위 때문에 떨려서 경련이 일었다.

그렇게 나는 거기 있었다. 라이플의 멋진 스페인풍의 마호가니

개머리판은 땀으로 점점 더 미끄러워지고 있었다. 나는 그 지긋지 긋한 양복 바지 위에 죄책감이 드는 두 손을 닦았다. 내 손목시계가 훨씬 더 느리게 째깍거렸다.

마침내 멀리서 만세를 환호하는 소리가 들렸다. 그런 다음 왕족들과 손님으로 온 국가원수들이 잔뜩 타고 있는 마차들이 뭐랄까, 투박하게 움직이는 소음이 들렸다. 나는 라이플 총부리가 일이 인치 더 튀어 나오게 하고서, 다시 한 번 두 손을 닦았다. 그리고는 망원경의 접안렌즈를 눈물이 흐르는 눈에 대고, 개머리판을 내 어깨에 놓고 꼭 껴안았다. 여기 그들이 왔다. 확실히 나는 그렇게 할 수 없었다. 살인 말이다.

그럼에도 불구하고, 국왕을 시해하려는 내 비열한 오른손이 살아 있기라도 한 것 같았다. 그 손이 만리커총의 볼트를 뒤로 당겼다가 탄약을 약실로 보내기 위해 앞으로 밀쳤다. 그런데 그게 걸려서 꼼짝도 하지 않았다. 볼트 아니면 탄약통이. 나는 그 일그러진 탄약이 자유롭게 튀어오르고 씽 소리를 내며 날아 내 귀를 스쳐 지나가서 반 고흐의 〈꽃병에 꽂힌 팬지 두 송이〉의 고상한 컬러 사진을 맞출 때까지 그 볼트를 사납게 다시 확 비틀었다. 나는 그 볼트를 다시 앞으로 억지로 밀어 넣었는데 다시 걸려서 꼼짝도 하지 않았다. 그 말들의 대열이 내 사정범위가 무력해지는 지점을 막 지나가려고 했다. 나는 애정과 존경으로 조크를 욕했다. 그 탄약통을 바로 그날 아침 내가 점검했는데 다른 누가 그 탄약통을 볼 수 있었겠는가? 하지만 생존해야 한다는 생각으로, 내가 시도했다는 것을 보여줄 단 한 방을 발사할 수 있도록 그 볼트와 맞붙어 싸우고 있었다.

내가 왜 길 건너 지붕 위에서 바보 같은 보안요원들이 아무도 느

릿느릿 움직이지 않고 있는지 알게 된 것은 내가 막 세 번째 탄약
통을 제거하고 새로 장전된 총알 한 세트를 꽝하고 집어넣었을 때
였다. 왜냐하면 그들은 내 지저분한 방문을 발로 차고 있었기 때문
이었다. 바로 내 뒤에서.

그들이 마침내 부서진 문을 통해 굴러떨어져 들어오자, 나는 그
들을 일으켜 큰 발로 서게 하고 공손하게 먼지를 털어주었다. 그
문은 잠겨 있지 않았지만 나는 이걸 그들에게 말하지 않았다. 나는
그런 날을 망치고 싶지 않았다. 그들 각각이 나를 또 체포하고, 또
체포했다. 나한테 불리한 증거로 사용될 수 있는 것들을 나한테 말
하라고 촉구하면서. 그리고 보이는 모든 곳에 증거표시를 붙이면
서. 그러는 동안 그 깡마른 하숙집여주인은 내내 내가 순수한 영국
인이 아니라는 것을 의심했다고 단언하면서, 그들 뒤에서 횡설수
설하며 시끄럽게 떠들었다.

경찰관들이 나를 때릴 수 없었지만 오 파운드짜리 지폐, 금으로
된 담뱃갑 등등과 같은 유죄를 입증하는 서류를 찾으려고 나를 샅
샅이 뒤졌다. 하지만 그들이 찾아낸 전부는 내가 입고 있는 양복
영수증뿐이었다.

내가 킥킥거리는 동안 키 큰 세 명의 남자가 발로 꼼꼼하게 잔해
를 털어내며 출입구에 어렴풋이 나타났다. 이들은 영국의 보통 경
찰관들이 아니었다. 바로 그 발이 그걸 말해 주었다. 그들은 사실
블러처 대령과 그의 충실한 한 쌍의 부하들이었다. 블러처는 중요
한 고무도장들이 찍힌 표시들이 잔뜩 붙어있는 플라스틱으로 된
세 폭짜리 그림을 휘둘러댔다. 경찰관들은 나를 체포하다 말고, 블
러처를 '님'이라고 부르기 시작했다. 누군가가 하숙집여주인에게
입 닥치라고 말했다. 그런 다음 블러처는 경찰관들에게 정중하게

고맙다고 말했지만 '꺼져 버려'라는 의미로 나지막한 목소리였다.

설명할 수 없지만, 블러처는 내가 마음에 든 것 같았다. 불가해하게, 그는 나의 국왕 시해의 계획에 대해 관심이 없어 보였다. 그럼에도 불구하고, 나는 그것에 관한 모든 것을 그에게 말했다. 왜냐하면 암살시도는 항상 사람을 지껄이게 만드니까. 모두가 그걸 알고 있다.

"저는 저 놈의 탄약통이 막혀서 꼼짝 못하게 만든 것이 당신네 소행이었다고 생각합니다."

"왜요? 아니오. 모데카이 씨. 전혀 아닌데요."

"아, 그럼 조크가 내가 죽 의심했던 것만큼 애국심이 대단했던 거군요."

"음, 아니오, 조크라고도 말하지 않겠소."

"그러면 누가?"

"나는 정말 말할 수 없소."

나는 그게 무슨 의미인지 알았다. 아니, 나는 그게 무슨 의미인지 알았다고 생각했다.

조크는 무표정한 얼굴로 문을 열었다. 그리고 내가 부엌을 통과해 지나갈 때 나와 비슷하게 감정이 결여된 채 내 손에 술을 찔러 넣어 주었다. 술을 첫 모금 마시고 보니 조크가 지금은 소다수 같은 것을 마실 때가 아니라는 것을 이해했다는 것을 알게 되었다.

조한나는 거실에 있었는데, 아름다운 눈이 텔레비전 수상기에 붙어 있었다. 거기서 한 녀석이 순수한 백금으로 만들어진 주석피리로 놀랄 만큼 지루한 뭔가를 연주하고 있었다.

"자, 조한나."

내가 변명하듯 말했다….

"쉬이이잇!"

그녀가 말했다.

나는 값비싼 스카치를 마시고 남은 것으로 나의 입을 적시고는 말했다.

"자, 조한나, 정말 미안해, 하지만….."

"괜찮아요. 찰리 여보, 제발 계속하지 마세요. 당신이 어떻게 나를 실망시켰는지 설명하는 걸 들을 수가 없어요."

"아, 음, 그래."

우리는 일찍 저녁을 먹었다.

"조한나, 여보, 초저녁이라, 싫어?"

내가 말하자 그녀는 그 일격에 대한 준비가 되어있었다. 아름다운 미소를 짓더니 조금도 싫지 않다고 하였다. 텔레비전에서는 공포영화가 막 시작하고 있었던 것이었다.

그녀가 내 옷방에 살금살금 들어와서 그 공포영화가 그녀를 굉장히 무섭게 만들었다는 말을 한 것이 두 시간 후였음에 틀림없다.

"저기, 저기."

나는 그녀의 잠옷이 있었어야 했던 그녀의 몸을 토닥거리며 졸려서 중얼거렸다. 그런 다음 그녀는 나에게 그 암살계획에서 뭐가 잘못되었는지 물었다. 그래서 나는 그녀에게 탄약통이 그저 약실로 슬며시 들어가려고 하지 않았다고 말했다. 그녀는 처음에는 이해하지 못하는 것처럼 보였다. 그래서 어느 정도 과정을 설명해주었다. 몇분 뒤에 그녀는 그 볼트 이야기를 빼고는 거의 이해했다고 말했다. 나는 아래층으로 내려가서 술 두 잔을 준비했다.

그녀는 삼십 분 뒤에 잠이 들었다.

새벽이 되기 조금 전 그녀는 나를 다시 흔들어 깨웠다. 나는 통명스러웠다. 항상 그 시간에는 그렇다.

"찰리, 여보, 이해 안 되는 게 한 가지 있어요."

나는 자는 척했지만 소용없었다.

"봐요, 찰리, 장전된 총알 한 세트에는 세 개의 탄약통이 있어야 하지 않았어요?"

"오, 좋아."

내가 말했다.

29

…그리고 그 잡목 숲이 닫혔다
그녀의 뒤에서 그리고 그 숲이 '바보'라고 메아리쳤다.

— 멀린과 비비안

"여보, 찰리,"

내가 아침식사 접시에 얇게 저민 베이컨을 밀어 넣자 그녀가 말했다.

"당신은, 끔찍하게도, 제대로 못했지요? 암살 말이에요?"

나는 입을 다물고 프라이된 달걀에 내 혀를 갖다댔다.

"그래서."

그녀가 말했다.

"당신이 쉽고 즐겁다고 생각할 조그만 일을 생각해냈어요."

나는 튀긴 빵을 우적우적 씹으면서 들릴 수도 안 들릴 수도 있는 조심스러우면서도 불신에 찬 소음을 냈다.

"당신이 해야 할 전부라고는 아름다운 한 젊은 여자와 친구가 되는 거예요. 그녀는 비밀스런 대규모 사업에 있어서 뭐랄까, 내 동업자예요. 그리고 그녀가 비밀을 유출하고 있다는 느낌이 들어요.

오, 여보, 그렇게 바보처럼 눈썹 찌푸리지 말아요. 당신도 그녀가
음, 우리 경쟁자들이랑 지나치게 자유롭게 이야기했다는 것을 의
미한다는 걸 알잖아요. 당신이 그녀에게 접근해서, 당신이 주변에
엄청나게 많은 돈을 뿌리고 다니는 게 싫증난 것처럼 돈을 마구 쓰
세요. 이렇게 하면, 그녀는 당신을 아주 사랑스럽게 쳐다볼 거예
요. 그런 다음, 그 여자를 구슬러내어 내가 의심하는 것처럼 입이
싼 여자인지 한번 떠보도록 하세요. 당신은 영국 일요신문에 기고
하는 전문가 언론인이라고 암시를 주면 돼요, 응?"

"세상에는 몇 가지가 있지."

내가 단호하게 말했다.

"남자가 들어줄 수 없는 일 말이야. 암살은 할 수 있어. 하지만
언론인 흉내를 내는 것은 할 수 없어."

"용서해요, 여보, 음, 당신한테 그걸 제안했을 때 어쩌면 내가 통
찰력이 좀 부족했었나 봐요. 그럼 이렇게 하도록 해요. 당신은 커
다란 투자자인데, 그녀가 당신이 좀 사고 싶어하는, 그런 작지만
훌륭한 거래에 관여하고 있다고 들었다고 말이에요. 그리고 당신
은 그 거래를 성사시킬 재력이 있는 사람이라고요. 하지만 먼저 그
여자에게 다가가고, 그 다음에 신뢰를 얻도록 해요. 나는 그녀가
당신을 아주 좋아할 거라고 확신해요. 음, 내가 당신을 좋아했듯
이?"

나는 다시 식탁에 앉았지만 더 이상 아침을 먹고 싶지 않았다.
식사는 칸딘스키 그림의 악랄한 패러디 같아 보였다.

"좋아, 그럼 언제 그리고 어떻게 이 숙녀하고 친해지지?"

"오늘 밤이에요, 여보. 이미 다 준비해 놨어요. 그 여자의 이름은
로레타예요. 당신은 오늘 환영연회에서 그녀의 파트너로 참가하면

돼요. 걸프 아랍 대사관들 연회 중 하나일 뿐이에요. 그러니까 흰 나비 넥타이에 연미복을 입을 필요는 없어요. 간소하게 턱시도만 입어도 될 거예요."

로레타는 꽃처럼 곱고, 연약해 보이는 얼굴을 가진 여인이었다. 그녀의 눈은 기쁨의 눈물로 넘쳐흐르는 것 같았으며 그녀의 너그러운 입술은 수천 개의 야만적인 키스를 받아온 것처럼 보였다. 나는 내 자신이 그녀를 보호하고 싶어한다는 것을 알게 되었다. 그리고 그것은 내가 해야 하는 일이었지? 나는 비록 새신랑이었지만, 그녀의 나머지 부분들이 그 사랑스러운 얼굴이 약속하는 것을 증명하는지 알고 싶어 안달이 났다.

환영연회가 끝나고, 그런 계급의 대사관에서 뷔페로 여겨지는 것을 먹은 뒤, 그녀는 나이트클럽을 가자는 나의 제안에 섬세하게 몸을 떨었다.

"나를 집으로 데려다 주세요."

그녀가 속삭였다. 그녀의 속삭임은 척추 아래에서부터 등쪽까지 미치도록 만드는 얼얼함을 주는 그런 종류의 것이었다. 나는 그녀를 데려갔다. 내 말은, 집으로 말이다. 그녀의 '집'은 컬존 가에서 떨어진 분별 있게 훌륭한 한 아파트였다.

문가에 다가서자, 그녀는 나에게 열쇠를 주었다. 나는 남자의 도움 없이 문을 딸 수도 있는 것처럼 구는 우두머리 행세를 하는 여자는 딱 질색이다. 그녀는 열쇠구멍을 찾으려고 그녀와 아주 가까이 서 있어야 하는 나를 마주보고 서 있었다. 그녀의 큰 보랏빛 눈은 나를 응시하고 있었다. 그녀의 눈은 이전에 언급했던 눈물로 가득 차 있었다. 그리고 그녀의 입술은 심하게 떨리고 있었다. 얼마

뒤, 그녀는 몇 가지 작은 신호를 보내고 있었다. 그 신호는 여자가 남자로부터 빨리 키스를 받고 싶어한다는 그런 류의 것이었다. 나는 의지를 갖고 그 일을 하기 시작했다. 그녀는 키스를 굉장히 잘했다. 그녀의 숨이 가빠지자, 나는 열쇠구멍을 찾아, 여전히 서로 꽉 껴안고 폭스트롯을 추듯이 그녀의 아파트로 들어갔다. 그녀는 잠시 사라지더니 아르마냑 한 병과 유리잔 두 개를 가지고 맨발로 돌아왔다.

대화를 시작하면서 나는 이것이 동상에 걸리는 확실한 방법으로 잘 알려져 있다는 것을 변변찮게 지적했다. 그랬더니, 이해할 수 없게, 그녀는 갑자기 큰 웃음을 터뜨렸다. 그리고 그녀는 내 위로 미친 듯이 몸을 던졌다. 우리의 입술이 포개졌다. 일이 분 뒤에, 혹은 삼 분 정도 뒤에, 얼굴을 씹고 빨아들이는 소리와 장작 타는 소리, 그리고 지퍼를 내리는 시끄러운 소리만이 들릴 뿐이었다.

갑자기 로레타가 나의 나쁜 심보를 고분고분하게 허락했다는 게 아주 명백해졌을 때 갑자기 나는 죄책감을 느끼며 그녀의 품에서 빠져나왔다. 나는 새신랑이 아니던가? 나는 나의 신부 조한나를 사랑하지 않았나? 그 대답은 '확실히'와 '맞아, 그런 것 같아' 순으로 떠올랐다. 나는 로레타와 '친해져라'라는 말을 들었다. 어쩌면 내가 내 업무를 넘어서는 게 아닐까? 로레타는 내가 확실히 내 업무를 넘어서고 있다는 것을 나른하게 명확하게 만들고 있었다.

"저, 음, 자기. 난 방금 최악의 생각을 했어요."

"괜찮아요."

그녀가 속삭였다.

"오늘 아침에 피임약을 먹었는 걸요."

"아뇨, 아뇨, 아뇨, 그런 의미가 아니에요. 제 말은 아까 내 사업

매니저한테 전화를 꼭 해주기로 약속했는데….”

나는 얼른 시계를 쳐다보았다.

“자정 전까지 말이에요. 그 사람이 꼭두새벽에 프랑크푸르트로 돌아간다고 했거든요. 혹시 내가 전화를 해도…?”

“서둘러요.”

그녀가 전화기를 쥐어주며 말했다. 나는 전화를 걸었다. 조한나의 시원하고 사랑스런 목소리가 전화를 받았다. 나는 남아있는 녹이 슨 독일어를 상기하고는 쉰 목소리로 그녀를 불렀다.

“자기, 벌써 취한 거예요?”

“아니, 아니.”

내가 독일어로 계속 말을 이어 나갔다.

“독일어 이해 잘 안 돼?”

“음, 알겠어요, 찰리 여보. 당신의 독일어는 제 독일어랑 조금 다르지만 이해할 수 있을 것 같아요.”

“좋아. 이해는 내게 필요할 거야. 여기 조금 어려운 게 있어. 우리 친구의 신뢰를 얻는데 내가 그녀를 침대로 데려가야 될 것 같아. 어떻게 하면 좋을까? 여보세요? 여보세요? 내 말 들려?”

“잘 들려요, 여보. 당신 말은 ‘그린 카드’가 필요하다는 거죠?”

“그게 뭐야? 아, 맞아….”

“알았어요, 이번 한 번만이에요. 하지만 찰리….”

“응, 요한 씨?”

“그걸 즐기면 안 돼요.”

“아니, 요한 씨. 잘 자.”

“오, 그리고 찰리?”

"응?"

"좀 남겨놓도록 해요, 응?"

"알았어요. 요한 씨."

내가 말했다. 나는 이마에 슬쩍 맺힌 땀방울을 닦아내고 전화를 끊었다. 로레타를 돌아보며 나는 말했다.

"미안해, 자기. 엄청나게 중요한 업무여서 말이죠. 당신도 이해할 거예요."

그녀는 독일어로 여러 마디를 싸늘하고 달콤한 어조로 말했다.

"뭐가 어떻다고요?"

나는 이성적으로 말했다.

"제 말은, 그 여자가 섹스해도 된다고 말해요?"

"오, 저런, 오 하나님."

나는 생각했다, '망할 전화기에 대고 진짜 이름을 말해버렸잖아.'

"하하."

나는 크고 능글맞게 웃었다. 그리고 재치있게 상황을 넘길 행동이나 말없이 그녀를 내 품에 안고 열정적으로 키스했다. 그녀는 이미 옷의 지퍼를 다 올렸다. 즉, 그 모든 우울한 일을 다시 했다는 것이다. 하지만 그녀의 옷을 벗기려 지퍼에 손을 댔을 때 그녀는 일어섰다.

" 잘 자요, 자기."

그녀가 말했다.

"무슨 말이에요? '잘 자요' 라니"

"말 그대로 '잘 자요' 라는 말이에요."

"하지만, 하지만, 하지만…."

338

"맞아요, 재미를 볼 수 있었을 거예요. 하지만 나도 살아야 일을 하잖아요."

"에?"

"제 말은 전 이번 주에 살해당하고 싶지 않다는 거예요. 아무 때라도 말이죠. 여기 당신 모자랑 우산이 있어요. 부디 저에 대해 너무 나쁘게 생각하지 마세요. 전 당신이 귀엽다고 생각해요. 아, 그리고 자기, 앞 단추를 잠그고 가요. 밤이 추워요. 거기에 동상 걸릴 수 있겠어요."

그 경비는 현관에 있는 책상에서 신문을 읽고 있었다. 그의 얼굴은 인자하게 무표정했지만 내가 그의 앞을 비틀거리며 지나치자 그가 눈썹을 약간 치켜올리는 것처럼 보였다.

"잘 자요."

나는 웅얼거렸다.

집에서, 조한나 또한 눈썹을 치켜올렸다. 물론 경비의 그것보다 훨씬 사랑스러우면서도 훨씬 무섭게 말이다.

"왜 이렇게 빨리 오는 거예요, 찰리?"

나는 소리를 낮춘 채 으르렁거리는 소리를 내며 위스키와 소다를 따랐다. 조한나는 말없이 작은 금색 사탕상자에서 비타민 E 캡슐 두 개를 주었다. 나는 부루퉁하게 그것들을 삼켰다.

"망했어."

마침내 내가 말했다.

"망했다니요, 찰리? 당신의 말은 로레타와…?"

"아니, 아니야. 내 말은 내 정체가 드러났다고. 로레타는 내가 누군지 알아. 그 개 같은 년이 독일어를 하더군. 사실, 나보다도 더 잘하더란 말이야."

조한나는 미소를 억제하는 것처럼 보였다.

"하지만 당연한 걸요, 여보. 그 여자는 독일인이에요."

"나한테 그걸 말했어야지."

"그걸 내게 물어봤어야지요."

"그나저나 말이야."

나는 위스키가 내 몸에 퍼지기 시작한 것을 느끼며 말했다.

"실패했어. 난 그녀에게서 아무것도 얻어내지 못했어."

"너무 답답해하지 마요, 찰리. 저도 그 여자가 지껄일 거라고 한
순간도 기대하지 않았어요. 그녀는 훈련을 아주 잘 받았으니까요.
사실, 그녀가 아니라 당신을 시험한 거였어요. 결단력 시험이랄까
요?"

난 위스키를 또 한 잔 마시며 이 말을 이해했다. 여자의 본성에
대해 씁쓸한 생각을 하는 동안 내 피는 원통함과 좌절감으로 끓어
올랐다.

"이제 자야겠어."

나는 아르마냐크와 스카치위스키에 취해, 열정적인 바로 그 만
남의 행위에서 좌절한 남자의 어조로 말했다.

"침대로요?"

그녀가 말했다.

"좋아요! 가도 돼요?"

나는 약간의 원한과 감탄이 섞인 모멸감을 느끼며 그녀를 꼼꼼
하게 살펴보았다.

"가도 돼요?"

그녀가 온순한 목소리로 다시 물어보았다.

"아주 확실히 할 수 있어."

그녀는 빨리 침실로 걸어갔다. 나는 음탕한 남자는 아니다. 하지만 아름다운 여자가 그런 잠옷을 입고 나보다 먼저 빨리 이층으로 가는 것을 보니 내 안에서 야수가 깨어 나오는 것 같았다. 나도 이유는 모르겠다.

"찰리?"

그녀가 조금 뒤에 나에게 말했다.

"찰리?"

"으응?"

나는 몰두하며 거친 숨을 내쉬었다.

"찰리, 지금 제가 로레타라고 생각하는 거예요?"

"당연히 아니지."

나는 거짓말을 했다.

"학교 다닐 때 만나던 동성 애인을 생각하고 있었어, 당신이 알고 싶다면 말이야."

"당신은 비도덕적이고 야비해요."

그녀가 행복하게 속삭였다.

"찰리."

그녀가 다음 날 아침에 말했다.

"꿀."

자신의 유방 사이에서 내 얼굴을 단호하게 빼내고 그녀는 다시 한 번 내 이름을 불렀다.

"잘 들어요, 찰리. 안 돼, 그만해요. 어쨌든 잠깐 동안만요. 말할 게 있어요. 어젯밤에 로레타와 한 데이트는 단지 두 번째 과제였어요. 그런데 당신은 그것을 망쳤다고 인정했지요?"

"교묘하게 말 바꾸지 마요."

나는 잠결에 투덜거렸다.

"당신도 내 말이 무슨 말인지 알 거예요. 자, 만약 당신이 나한테 진짜 도움이 되고 싶다면, 안 돼. 그만해요. 그런 말이 아니에요. 당신은 훈련을 받아야 해요."

"말 같지도 않은 소리 하지 마. 난 훈련받은 몸이라고. 전문가한 테 말이지. 전쟁터에서 말이야."

"나도 알아요. 아래층에 있는 책상 안에 육군성 기록서류 일체가 있는 걸요. 비무장 전투랑 방해공작, 사격에서 아주 높은 점수를 받았더군요. 그런데 그건 이십오 년 전 일이잖아요, 그렇죠?"

"잊어버려."

나는 말했다. 나는 오지도 않는 잠이 든 척을 하려고 했다.

"음, 당신 잊지 않았잖아요. 전쟁이 막 끝난 다음에 사람들은 당신을 그 현장에 들어가게 하려고 했어요. 그때 당신은 평발이랑 비겁에 관한 몇 가지 경박한 대답을 했지요."

"비겁한 부분은 맞는 말이었어."

"음, 여보, 바로 우리들의 훈련학교에서 오늘 밤부터 사격 과정을 시작하는 걸로 예약해 놓았어요."

"아냐, 나는 안 할 거야. 그나저나, '우리'는 무슨 말이야? 당신이 말하는 '우리'는 누구야?"

"당신은 할 거예요, 내 사랑. 그리고 내가 말하는 '우리'는 나랑 내 여자 친구 몇 명을 말하는 거예요. 조만간 그것에 대해 다 말해 줄 게요. 당신은 그 학교를 마음에 들어할 거예요, 찰리."

"아마 그럴 일 없을 걸, 왜냐하면 나는 절대 안 갈 거니까."

"레이턴 버자드 근처에 있는 아름다운 오래된 기관이죠."

"난 다시 잘 거야."

"확실해요? 여보, 다시 자겠다는 거 말이에요?"

결국, 나는 약 팔 분 정도 후에, 그녀가 나한테서 간신히 승낙을 받을 때까지는 다시 자지 못했다.

나는 거짓말할 수 있는 사람이 아니다. 내가 조한나와 결혼했을 때, 나는 그녀와 조크 사이에 권력을 두고 큰 싸움이 있을 것이라는 전망을 하고 짜릿하게 즐거워했다. 아아, 조크는 조한나의 마법에 걸려 이제는 그녀의 노리개에 불과하다. 총각시절에, 내가 정오가 지나 삼십 분에 아침을 달라고 했다면, 조크는 택시를 불러 나를 가장 가까운 라이온즈 코너 하우스로 보내곤 했다. 오늘날, 그는 콘플레이크, 훈제청어, 콩팥, 그리고 케저리(쌀, 생선, 달걀을 넣어 만든 음식)을 가지고 오면서, 유일하게 하는 말이란, 사모님이 언제 점심을 드실 건지에 대해 점잔 빼며 물어보는 것이었다.

"찰리, 왜 그런 이상한 으르렁거리는 소리를 내는 거예요?"

조한나가 물었다.

"당신이 내는 소리는 꼭 동물원에 있는 호랑이 우리에서 들리는 소리 같아요."

"이 훈제청어 냄새가 아마 그런 생각이 나게 만드는 걸 거야."

조크가 내 말을 듣고 조금이라도 괴로워하길 바라면서, 내가 말했다. 조금 뒤, 케저리와 진하고 달콤한 커피를 마신 뒤 나는 용기가 샘솟는 것 같았다. 그래서 젊은 여성들을 위한 훈련학교에 대한 주제를 다시 꺼냈다. 영국 법 아래서는 금발머리 여자의 영향아래 있는 동안 나한테서 쥐어짜낸 어떤 승낙도 인정할 수 없다는 것을 명확하게 하면서. 다시 말해, 내가 거기 가지 않겠다는 말이었다.

"찰리."

그녀가 부드럽게 말했다.

"우리 학교는 유도 야간반 같은 것들하고는 참 달라요. 거기 가면 알게 될 거예요."

"하지만 내 사랑, 나는 당신의 끔찍한 학교에 안 간다고 명확하게 말하지 않았나? 다시 말해야겠어? 나는 그 학교에 안 갈 거라고."

그날 밤, 학교에 가면서, 나는 세인트 알반즈에 들려 맥주를 조금 마시고, 혹시 그 학교가 금주하는 경우에 대비해서, 납작한 스카치위스키를 두 개 샀다. 또한, 나는 블러처에게 전화를 걸었다. 그 암살이 대실패로 돌아간 뒤, 그는 나에게 번호를 주고, 긴급상황에 그와 연락을 하는 '절차'를 밟는 것이 더 '안전'할 수 있다는데에 동의했다. 나는 외운 번호로 전화를 걸었다. 정한 대로 수신음이 열두 번쯤 울렸을 때 나는 전화를 끊었다. 그리고 삼십 초 정도 세고 다시 한 번 전화를 걸었다. 즉시 국내와 식민지 가게라고 말하면서, 따뜻한 목소리가 전화를 받았다. 그럴듯한 이야기였다.

"아빠와 이야기를 좀 할 수 있을까?"

나는 짜증나는 유치한 헛소리에다 대고 물었다.

"엄마 몸이 아주 안 좋아요."

"저런, 안 됐구나. 너 먼 데 있니?"

나는 그 여자아이에게 공중전화 번호를 주고 전화를 끊었다. 그리고 담배를 피웠다. 그때 전화기가 다시 울렸다.

"여보세요."

블러처의 목소리가 말했다.

"아빠 바꿨습니다. 누구세요?"

"윌리입니다."

나는 이를 악 물고 대답했다.

"이런, 안녕, 윌리. 지금 보안이 잘돼 있는 전화기로 거는 것 맞아?"

"오, 맙소사. 나는 훈련학교에 가는 중이에요. 믿기지 않겠지만 학교 이름이 딩리 델이에요. 가까운 곳에 있어요…."

"오, 음. 행운을 비네. 계속 연락하자고, 윌리."

그는 전화를 끊었다. 내 가슴은 여러 감정으로 들끓어 올랐지만, 즐거움이라는 건 없었다.

30

나는 읽었다, 내 눈꺼풀에 그림자를 드리우기 전에.
'착한 여자들의 전설'을, 오래 전에

— 아름다운 여자들의 꿈

딩리 델은 황혼 속에서 위풍당당한 웅장한 건물이었다. 내가 그 위풍당당한 길을 지도를 보며 가고 있을 때, 지나치게 많은 위풍당당한 투광조명등이 오십 만 와트의 밝기로 길과 나를 모두 비추었다. 반바지를 입은 땅딸막한 소녀가 나를 계단 맨 아래에서 맞이하였다.

"모데카이 씨? 오, 대단하네. 당신이 안전한 것을 확인했으니 개들을 풀어 놓을 수 있겠네요. 제 이름은 피오나예요. 그나저나 차 열쇠는 차 안에 두세요. 제가 그거 치울게요."

나는 내 가방들을 층계 위로 들고 갔는데, 거기에는 토실토실한 집사가 불빛을 등지고 실루엣으로 있었다.

"대학에 오신 걸 환영합니다. 모데카이 씨."

그 실루엣은 내가 여자 같은 어조라고 느끼도록 말했다.

"예."

"목욕할 시간만 있어요, 선생님. 우리는 저녁식사를 위해 옷을 갈아입지 않아요. 제가 선생님 모자와 코트를 받게 해주세요."

그는 그것들을 받았고, 또한 내 우산도 받았다. 나는 그의 환대를 감사히 여기며 그 홀의 벽난로에서 활활 불타고 있는 커다란 장작불 쪽으로 걸어갔다. 갑자기 그 집사가 내 아래 턱뼈를 향해 내 우산을 빙빙 돌리며 달려드는 것을 보았다. 나는 물론 머리를 휙 수그렸다. 왜냐하면 머리를 휙 수그리는 것이 내가 닦아 놓은 기술들 중 하나이니까. 그리고는 그 우산을 그 남자로부터 빼앗은 다음, 그 몸통을 들이받으면서 돌진해 쓰러졌다. 하지만, 아주 눈 깜짝할 순간에 놀랍게도, 나는 그 집사가 사실은 여자였고 그녀의 엉덩이 위로 지나가면서 내 돌출된 곳이 흔들렸다는 것을 알아차렸다. 그녀는 그걸 낚아채서 더 휙 당겼다. 그래서 나는 높이 올린 무릎을 받으려고 그녀를 향해 움직였다. 내 가슴으로 피해가 없게 그 무릎을 잡을 수 있었다. 그리고 그 여자의 발목을 잡고 그녀를 넘어뜨렸다. 그 발목을 잡고 세게 돌렸더니, 그녀는 빙글빙글 돌다가 징두리 벽판에 만족스러운 소음을 내면서 내동댕이쳐졌다. 나는 그녀의 등, 잘록한 허리 위를 밟고,

"꼼짝 마."

화가 났기에, 나는 으르렁거렸다.

"꼼짝 안 하면 콩팥이 썩은 토마토처럼 튀어나올 때까지 그 위에서 발로 짓밟을 거야."

"오, 잘했어요. 모데카이, 아주 잘했어요."

음유시인의 갤러리에서 목소리 하나가 우렁차게 들려왔다.

"에델, 이제 일어나도 돼요. 하지만 이번 주 내내 전투수업을 더 들으세요, 당신은 그 공격을 아주 잘 받아냈군요!"

그 목소리 주인은 그 커다란 계단을 내려오고 있었다. 그녀는 꼭 멀린가 어린 암소처럼 발목까지 모두 쇠고기인, 엄청나게 큰 생물이었다. 그녀는 나를 향해 앞으로 나오더니 아주 쾌활하게 손을 쭉 뻗었다. 나는 그 손을 잡았는데 순간 그녀의 손이 위로 미끄러지듯 올라가 내 엄지를 꽉 잡아서 그걸 잔인하게 뒤로 꺾었다. 나는 물론 그걸 어떻게 처리해야 할지 기억해 냈다. 앉아서 뒤로 구르고 양 발로 문제가 된 손을 차버리는 것이다.

"훌륭해, 훌륭해! 그 지랄 같은 전투수업에서는 가르칠 게 많이 없겠군. 오늘이 첫날밤이니까 내일 아침식사 이후까지는 더 이상 기습이 없을 거예요."

나는 긴장을 풀었다.

"레슨 1."

그녀는 상냥하게 말했다.

"그 누구도 믿지 마세요. 절대."

나는 조심하며 움직이려고 일어섰다.

"안 돼요. 모데카이 씨, 나를 때리는 것은 허용되지 않아요. 나는 교장이에요. 선생님이라고 부르세요. 총 가지고 있어요?"

"아니오. 저는 시골집에 초대받았을 때 보통 무장하고 오지는 않아요."

"어떤 무기를 좋아해요, 모데카이 씨?"

"스미스 앤 웨슨이요…, 38 스페셜 에어웨이트요."

그녀는 알았다고 고개를 끄덕이더니 전화기 쪽으로 성큼성큼 걸어갔다.

"무기담당? 아 낸시, 에어웨이트 하나, 그래파이트 탄약통 한 박스, 꽉 찬 장전된 총알 세트, 여유분 네 개, 청소용품 세트, 써스톤

348

주머니 권총집 하나."

"어깨 권총집으로요."

나는 저항하며 말했다.

"안 돼요. 모데카이, 당신은 전투복을 입을 거예요."

땅딸막한 귀여운 한 양호교사가 두 개의 판지 상자를 가지고 바삐 움직였다. 집사인 에델은 내 방으로 가는 길을 알려주었다.

그 방은 스파르타식이었다. 쇠로 된 야전침대, 딱딱한 매트리스, 요 위에 까는 천도 없고, 난방도 안 되고, 거친 담요 두 장, 송판으로 만든 탁자 하나, 그리고 부엌 의자 하나가 있었다. 나는 그래파이트 몇 개를 총알 세트에 장전했다. 하지만 신중하게, 우선, 견고한 실탄 하나를 탄창 세트 맨 아래 넣었다. 샤워하고 나오다가 어떤 숨겨진 확성기에서 나오는 귀에 거슬리는 우렁찬 소리를 들었다.

"모데카이, 창 밖으로 이동하는 목표가 있다. 쏴라!"

어깨를 으쓱하면서 나는 급히 에어웨이트를 내 베개 밑에서 꺼내, 커튼을 열어젖히고, 여닫이창을 확 열었다. 나는 잔디밭을 가로질러 그림자 같은 사람 크기의 목표물이 덜커덕거리며 느릿느릿 걷고 있는 것을 보았을 뿐이었다. 안전장치를 젖히고 방아쇠를 당겼다. 찰칵 소리만 울려퍼졌다.

"레슨 2, 모데카이."

확성기가 말했다.

"항상 권총을 장전하고 손 닿는 곳에 두라."

"빌어먹을, 장전되었었는데."

내가 으르렁거리듯 말했다.

"알아요. 샤워하는 동안 내가 총알 세트를 뺐어요. 당신은 부주의했어요. 아주."

"그럼 권총을 들고 샤워해야 한다는 거요?"

나는 소리를 질렀다.

"세면도구가방에요."

확성기가 간결하게 말했다.

저녁식사를 알리는 종이 울리자 나는 조심하며 아래층으로 내려
갔다. 내 거처의 험악함을 보아 나는 저녁식사를 두려워하고 있었
다. 하지만 나는 기분 좋게 놀랐다.

"훌륭해. 아주 맛있겠군."

그리고는 엄청나게 큰 튼튼하고 묵직한 다리가 달려있는 길쭉한
사각형 식탁 아래쪽을 보며 상냥하게 활짝 웃었다. 거기에는 두 세
명의 남자들이 말없이 앉아 있었다. 하지만 대부분의 교직원과 학
생들은 여자들이었다. 그 중 여섯 명에서 여덟 명은 확실히 성적
매력이 있었다. 내 눈길을 따라가더니, 교장이 무뚝뚝하게 말했다.

"여자 한 명이 오늘 밤 당신을 따뜻하게 해주면 좋겠어요?"

마시던 브랜디가 셔츠 앞으로 많이 흘러 내려갔다.

"아니요? 내일은 힘이 필요해요."

나는 시선을 내 오른쪽에 있는 중년 여성에게 필사적으로 돌렸
다. 그녀는 어디서나 점성술에 대해 말하는 지겨운 사람으로 나를
보자마자, 내가 어느 별자리에서 태어났는지를 물었다.

"생일이 언제예요?"

내 생일을 말해주자, 그 점성술사는 아주 흥분한 것 같았다.

"그럼 천칭자리군요. 얼마나 멋져! 내 별자리는 뭔지 맞춰 보세
요. 오, 해봐요!"

"처녀자리?"

내가 말했다.

"바보."

내 손목을 살짝 때리며, 그녀가 말했다.

"나는 숫양이에요. 양자리. 우리 숫양들은 천칭자리하고 맞아요."

"오, 자, 자."

내가 소심하게 말했다.

"아니오. 안 돼요. 저는 가야지요, 교장선생님? 잘 자요. 천칭자리님. 내 이름은 키티예요, 그나저나… 알고 싶다면요."

그렇게 말하고 나를 향해 미소 지으며, 그녀는 식탁을 떠났다. 그녀와 같은 이를 가진 사람들은 미소를 지어서는 안 되는데. 역겨워하며 한 순간, 나는 그녀가 내 침실로 건너가 거기서 나를 희생양처럼 기다리고 있을까봐 두려웠다.

"제발, 이 갈지 마세요. 모데카이 씨."

키티에게 말소리가 안 들릴 만큼 그녀가 멀리 가자 교장이 말했다.

"키티는 말도 안 되는 점성술만 빼면 정말 아주 능력있는 사람이에요."

나는 이 가는 것을 완전히 멈출 수 없었다. 나는 너무나 피곤해서 그 호화로운 잔치에서 나가게 해달라고 했다.

"힘내요, 모데카이. 여기 겨우 삼 주만 있으면 돼요. 처음 20일만 고통스럽지요!"

"하하."

내가 공손하게 말했다.

그날 내게 일어난 유일하게 좋은 일은 이 분 뒤 내 침실에는 아무도 없었다는 것이다. 그런데 누군가가 거기 왔다갔다. 왜냐하면 여행가방이 열려 있었기 때문이었다. 나는 걱정하지 않았다. 왜냐하면 더 작은 여행가방의 열쇠는 더 단단한 것으로 만들어져 있었기 때문이었다.

"틀렸어요. 모데카이."

내가 더 큰 여행가방에서 파자마 한 벌을 꺼내자 확성기가 꽥꽥거렸다.

"틀렸어요. 레슨 4."

"3."

내가 톡 쏘았다.

"아니, 4. 절대로 자기가 유죄가 될 수 있는 물건을 쉽게 열리는 짐 속에 두지 마세요."

나는 우쭐해 하면서 히죽히죽 웃었다.

"사적인 건 다른, 더 작은 여행가방에 있어요."

"다른, 더 작은 여행가방이 내가 말한 여행가방이에요."

확성기가 말했다. 나는 더 작고 쉽게 열 수 없는 여행가방을 보았다. 그것도 열려 있었다. 내가 입을 딱 벌리고 바라보자, 그 몹시 미운 목소리가 다시 꽥꽥거렸다.

"우리 연구에 의하면 중년기의 사람들은 무작위 숫자들을 외우는 것이 어렵다고 합니다. 만약 자물쇠를 생일날 숫자에 맞추게 된다면 아홉 번째, 30번째, 맞지요? 그러면 절대로 당신 생일 날짜를 키티 같은 사람한테 말하지 마세요. 그게 가르침 3이에요."

"나는 떠납니다."

내가 딱 잘라서 말했다.

"지금."

"아, 그래요, 음, 그건 정말 아주 쉬운 게 아니지요. 모든 학생들의 침실은 자동으로 시한장치가 된 자물쇠로 잠겨 있어서 기상나팔 소리가 날 때까지 다시 열릴 수가 없어요."

내 눈이 커다란 거울 위로 갔다. 그것은 내 침대와 침실 입구가 보이는 위치에 있었다. 나는 불을 딸깍 소리를 내며 끄고는 그 거울로 살금살금 가서 거기에 대고 내 코를 눌렀다. 의심할 여지없이 나이 먹은 여성 요원이 담뱃불을 뻐끔뻐끔 내뿜고 있었다.

"오, 잘했어요. 모데카이. 결국 당신도 잘하는 게 있네요."

확성기가 말했다.

"그게 레슨 5가 되려고 했어요. 여자들이 당신이 잠옷 입은 것을 본 후에요, 호호."

나는 편안하지 않은 침대 속에 웅크리고서 내가 배울 책자들 중 가장 얇은 것, 〈다섯 가지 간단한 자살방법 익히기〉를 살펴보았다. 이것이 당시 내 기분에 맞는 것 같았기 때문이었다. 구절을 읽으면서 떨고 있었는데 불이 꺼졌다.

"제길."

잠을 자려고 심란한 마음을 가라앉히면서, 나는 혼잣말을 했다.

31

동무여, 아직 이른 아침인 동안, 나를 여기 좀 내버려 두시오.
그리고 당신이 나를 원하면 기상나팔을 부시오.

— 록슬리 홀

아침 무렵, 반쯤 깬 상태로 악몽과 최고로 좋은 꿈을 번갈아 꾸었다. 그러나 여성 지배자들이 나오는 끔찍한 환영 때문에 잠을 설쳤다. 나는 마가렛 대처의 환영에서 위안을 받으려고 마음을 다지고 있었다. 왜냐하면 나는 항상 충실한 토리당 지지자였기 때문이었다. 내 방문의 시한장치가 되어 있는 자물쇠에서 윙 소리와 꽝 소리가 났다.

"기상, 모데카이."

밉살스러운 확성기가 꼬꼬댁 울었다.

"샤워하는데 3분, 이 닦는데 1분, 면도하는데 2분. 8분 후에 보급관으로부터 운동복을 찾으세요. 10분 후에는 체육관에 있어야 합니다."

"차는요?"

내가 힘없이 물었다.

"아니오. 모데카이. 체육은 당신에게 아주 좋아요. 원한다면 빼먹어도 좋아요. 하지만 아침식사 장소로 가는 유일한 입구는 체육관을 지나가는 거예요."

체육은 생지옥이었다. 사람들은 나를 터무니없이 껑충거리게 하고, 늑목 위 아래로 오르내리게 하고, 정말 싫은 뜀틀에 뛰어들게 하고, 팔굽혀펴기를 시켰다. 나는 그걸 하는 내내 헐떡이고, 신음소리를 냈다. 종이 울려서 우리 모두 샤워하러 무리를 지어 걸어갈 때까지. 샤워는 공동으로 했고, 남녀 차별이 없었다. 키티는 자신의 짐짝 같은 사체에 비누칠을 하면서 나를 보고 흥분하여 눈이 반짝거렸다. 그리고 더 젊은 여자들은 나에게 짓궂은 장난을 쳤다.

아침식사는, 비할 데가 없었다. 멋진 시골저택에서 나오는 아침식사였다. 나는 실컷 먹었다. 왜냐하면 원기를 유지해야 한다는 것을 알고 있었기 때문이었다.

"당신이 내 옆 식탁머리에 앉는 것이 이번이 마지막이에요."

교장선생님이 말했다. 나는 토스트 조각을 입에 물고 있다가 목이 메어 슬픈 소리를 냈다.

"그래요."

그녀는 말을 계속했다.

"점심식사 전에 손님이 또 한 분 올 건데, 내 오른쪽에 앉는 것은 가장 최근에 온 사람의 특권이거든요, 당연히."

"잘 알겠습니다."

"숙녀 여러분!"

식탁에 앉아있는 교장선생님이 거기 있는 몇 명의 남자는 무시하고 갑자기 소리를 질렀다.

"숙녀 여러분. 캡틴 모데카이는 5분 후에 새 권총을 잽싸게 다룰 수 있다는 것을 보고할 것입니다. 학교 관례에 따라 모데카이는 24시간 동안 동네북이 될 것입니다."

사람들은 웃으며 '만세'를 부르고 똑같은 말들을 했다. 토스트 조각이 모데카이의 소화기로 내려가다가 중간에 갑자기 덜컥 걸렸다.

"?"

나는 공손하게 물었다.

"동료 학생들이 당신을 불구가 될 정도로 심하게 다루지는 않을 거예요. 아마 적당히 조심할 거예요. 이건 순전히 재미로 하는 거거든요. 아시겠지만, 이전 학생들 중 몇 명은 이 한두 개가 빠진 정도로 동네북이 되고도 살아남았어요."

"행운이 있기를, 모데카이."

내 입에서는 아무런 항변도 나오지 않았다.

끔찍한 날, 썩은 날이었다.

나는 이 하나만 잃은 것이 아니었다. 하지만 내가 저녁식사 때 자랑스럽게 보인 멍든 눈에 대해 사람들은 천박한 음담패설을 하였다. 나는 그런 줄도 몰랐다. 왜냐하면 저녁식사가 대단히 훌륭했기 때문이었다. 모든 상처를 치유해 주는 것 같았다.

교장선생님 옆 영광의 자리는 저녁식사를 하는 내내 비어 있었다. 새로 온 손님, 아니면 희생자가 아직 도착했다는 보고를 명백히 하지 않은 것이었다. 나는 그 자리에 앉아서 교장선생님과 공손한 말을 주고받거나, 키티의 위험한 가슴에서부터 눈길을 돌릴 필요가 없어 기뻤다. 내가 앉은 식탁 중간에 있는 새 자리, 한쪽 옆에는 재미있고 학자 같은 미국인이 앉아 있었다. 그는 내가 자기를 뭐랄까, 중국연구가로 부를 거라고 생각했다고 말해주었다. 그리고 다른 옆쪽에는 그 학교에서 가장 성적 매력이 있는 여자가 앉아 있었다. 매력적으로 낄낄거리며 상상할 수 있는 기막히게 아름다운 유방을 블라우스에 꽉 채워 가지고 있었다. 그녀는 자기가 내 대신 설거지를 해주겠다고 약속했다. 그런 다음 그날 오후에 내가 그래파이트 총알로 그녀를 맞춰서 그녀가 주저앉았기 때문에 그녀의 몸에 나에게 보여줄 수 없는 끔찍한 멍이 하나 들었다고 털어놓았다.

브랜디 디캔터의 목으로 마개가 꽝 소리를 내며 들어가자, 나는 피로하다고 변명하였다. 그리고는 내 침실로 통통거리며 올라갔다. 내일 아침은 이론에 전념할 것이었다. 무슨 말이냐 하면, 내가 양 손을 포개 접고 앉아 졸기 전에 교육용 책자 한두 개를 완전히 익혀야 한다는 것을 의미한다.

30초 뒤에 확성기의 레즈비언 같은 목소리가 불이 꺼질 것이라고 말했다.

나는 저녁식사 때 내 옆에 앉았던 매력적인 여자의 멍이 그녀의 몸 어디에 있을까를 그려보며 잠이 들었다. 내가 조금만 더 젊고 덜 피로했다면, 이런 생각을 하면서 절대 잠들진 못했으리라.

32

학사감이 좋아하는 내숭쟁이와,
학장이 좋아하는 귀족 미망인과 함께
금발의 어여쁜 처녀는 졸업한다.

― 공주

이론 공부하는 날 아침은 순조롭게 진행되었다. 내 차례가 되었
을 때 나는 아주 설득력 있게 레반트 사람 흉내를 낼 수 있었다. 주
방에다 마늘 한 쪽을 부탁했기 때문이었다. 여자 강사는 내가 채소
의 왕자인 마늘의 지독한 향을 트림으로 내뱉자 손을 흔들고 뒤로
물러섰다.

점심 테이블 옆에 앉은 그 예쁜 여자도 기겁을 해 몸을 뒤로 젖
혔다. 이런 사태에 대비해 나는 마늘 한 쪼가리를 남겨두었고, 그
녀는 그것을 고분고분하게 씹었다.

"이제 당신한테 아무 냄새도 안 나요!"

나는 정중하게 타박상 입은 데가 어떤지 물어보았다. 그 부위는
여전히 통증이 심해 약물을 바르려고 했지만 손이 안 닿는다고 말
했다. 우리는 서로 의미있는 눈길을 주고받았다.

그럼에도 그녀는 그날 오후 '수색 섬멸' 훈련 때 나를 정신 못 차리게 공격하였다. 그녀는 짓궂게도 성기 보호대를 차는 곳에 내가 은밀하게 넣어두었던 털양말 뭉치 속으로 정확하게 흑연 총알 한 방을 날렸다.

"내가 꼭 갚아주지."

나는 전투복 바지의 가랑이에 튀긴 진홍색 자국을 바라보면서 중얼거렸다. 나는 이 전쟁연습에서 백군이었고 그녀는 홍군이었다. 총알은 그에 맞는 색깔로 돼 있었다. 나는 심판에게 본인사망이라고 보고했다. 심판은 킥킥거리며 붉은 훈장에 에어로졸 세제를 뿌려주고는 홍조를 띤 얼굴로 나를 다시 전쟁터로 돌려보냈다. 나는 이번에는 작은 덤불 속에 자리를 잡았다. 나는 오래 전 군대에 있을 때 몸 하나를 숨길 수 있는 가장 작은 엄폐물에 숨으라고 배웠다. 그런 곳에 있으면 공격대상이 될 가능성이 낮다. 요즘 같은 중성자탄 시대에는 병사들을 어떻게 가르치는지 모르겠다. 아마 기도를 가르칠 것이다.

나는 위치를 잘 잡았다. 한 시간 동안 한 명도 사정권을 지나가지 않았다. 그러다보니 마음이 편안해져 꾸벅꾸벅 졸기 시작했다. 도랑 쪽에서 아주 희미하게 긁는 소리가 났다.

"하하! 잡았다!"

이 소리가 그 예쁜 여자한테서 나는 소리라고 확신했다. 그녀가 항복하고 타박상 입은 데를 보여주든지 그게 아니면 그 타박상과 잘 어울리는 또 하나의 타박상을 내가 입힐 수 있게끔 모습을 드러낼 것이라고 생각했다.

그러나 도랑에서 나타난 학생은 작고 마르고 규정을 무시한 채 전투복장을 하지 않고 있었다. 그녀가 입고 있었던 것은 흐릿한 하늘색의 모자 달린 운동복이었다. 옛 프랑스군 야전복 색깔과 비슷했지만 짙은 녹색의 줄이 사선으로 그어져 있었다. 가슴을 겨냥해 쏘았다.

멋진 한 발이었다. 총알은 배꼽과 빗장뼈의 정확히 중간 지점을 맞추었다. 진짜 총알이었다면 흉골이 떨어져나가고 대동맥까지 파고들었을 것이다. 그랬다면 즉사하지는 않았다면 다른 진로를 택할 걸 잘못했구나 하고 후회할 시간이 1초 반 정도 있었을 것이다.

그녀의 반응은 굼벵이처럼 느렸다. 상처를 내려다보고 어쩔 줄 몰라 하며 흰 가루 자국을 만졌다. 그러더니 손가락을 입술로 가져가더니 맛을 보았다. 나는 흙더미 뒤에서 머리를 들어 당신은 죽었다고 알려주었다. 그녀는 나에게 총을 쐈다. 규칙위반이었다. 나는 항의했다. 그녀가 쏜 총알은 돌을 맞고 피융 하고 튀어나왔다. 그것도 흑연 총알이 아니었다.

"나쁜 계집애!"

나는 화가 나서 위장한 그녀의 얼굴에 두세 발을 더 발사했다. 이것도 규칙위반이었다. 그녀가 비명을 지르고 눈을 움켜잡은 걸 보면 그 중 한 발이 타격을 준 게 틀림없었다. 이상한 점은 그녀의 비명 소리가 내가 들어본 어떤 유럽어도 아니었고 테너 음정이었다. 남자의 목소리였다.

일어서는데 다른 곳에서 총알이 날아왔다. 위장한 다른 동양인이 도랑에서 모습을 드러내고 있었다. 나는 백동으로 코팅한 단단한 총알이 하나밖에 없다는 것을 알았다. 나는 나를 죽이려는 사람들보다 내 신변의 안전을 늘 중시해 왔다. 그의 머리를 쏘았다. 그는 아무 말도 남기지 않고 불만 없다는 듯이 죽었다.

비슷하게 위장한 세 번째 남자가 도랑에서 기어나왔다. 난처했다. 여분의 총알은 흑연으로 만든 것뿐이었다. 호주머니를 뒤적이고 있는데 우아한 소리가 내 뒤의 농장에서 들려왔다. 남자는 꼿꼿하게 일어서서 첫 번째 남자처럼 자기 가슴을 의아한 듯이 내려다보았다. 그리고는 숨을 거두었다. 나는 몸을 돌려 쳐다보았다.

조한나였다. 그녀는 내가 지금까지 본 적이 없는 종류의 피스톨을 들고 나무에서 모습을 드러냈다.

"우리 야옹이, 안녕?"

내가 떨면서 씩씩하게 말했다. 그녀는 내 뺨에 아내답지만 형식적인 키스를 한 뒤 그 녀석들이 더 있는지 찾아내려고 도랑으로 빠른 걸음을 옮겼다. 그녀는 아무것도 찾지 못했다. 우리는 눈을 다친 녀석을 데리고 군사학교로 돌아왔다.

교장실에서, 그녀는 아지트라고 불렀다. 차를 한잔 마시면서 우리는 이야기를 했다.

"보세요, 왜 저 흉악한 사람들이 날 죽이려 했을까요, 네?"

"그런 게 아니에요."

교장이 사무적으로 말했다.

"음, 당신들이 나를 속이려 했구만."

"찰리, 시빌의 말은 그 사람들이 당신만 표적삼아 죽이려 한 건 아니었다는 뜻이에요. 그래요, 이 분이 시빌인데 여기 있을 때는 늘 여사님이라고 불러야 돼요. 그 사람들은 지휘본부에 침투한 거였어요. 알겠죠."

나는 이해 못했다.

"본부가 어디 있어?"

"어디긴, 여기야. 여보."

"아냐, 아냐. 틀렸어. 여긴 딩글리 델 학교야."

"아, 그래, 여보. 그런데 좀 다른 것들도 있어. 사실은 뭐든지 다 있어."

나는 입을 닫았다.

"사실 그들이 죽이려고 했던 건 나일 거예요. 어느 정도 예상하고 있었어요. 그래서 어젯밤 저녁 자리에 안 간 거예요. 시빌의 오른쪽 자리가 내 자리인데. 난 동이 튼 직후 여기 도착했어요. 피오나가 개들을 가둬두고 농장에서 시간을 보내고 있을 때 온 거예요. 그리고 때마침 거기에서 당신 목숨을 구한 거예요."

"그랬었구나."

내가 씁쓸하게 말했다.

"그때 고맙다고 하지 못해 미안해. 가만있자, 이번이 벌써 몇 번째지?"

그녀는 나에게 길고 흔들림 없는 시선을 보냈다. 나는 사회생활하면서 그런 눈길을 많이 겪어봤기 때문에 무안해하지 않았다. 옛 거장들의 그림을 취급하는 미술품 거래상을 무안하게 만들려면 정말로 길고 흔들림 없는 눈길이 필요하다.

"그럼, 이 복수의 사자들은 누구지? 재산을 노린 구혼자? 버림받은 연인? 나도 알 권리가 있는 것 같아."

이번에는 그녀가 눈썹을 치켜올렸다. 나는 움찔했다.

"미안해."

"14K단 사람들예요."

"케도르세(프랑스 외무성 소재지) 14번가?"

내가 밝은 목소리로 물었다. 다들 나를 쳐다보았다. 나는 더욱더 움찔하였다.

"그런 게 아냐, 찰리. 그건 중국 광둥시 포와길 14호라는 뜻이야. 통이라는 일종의 비밀결사조직의 본부가 있던 곳이야. 지금은 신문에서 삼합회라고 불러. 옛 국민당 정부가 1945년 공산주의에 대항하기 위해 결성한 조직이고 정확히 말하면 쑨얏센의 손녀인 장 여사가 결성한 것이지. 아직도 반공을 내세우는데 최근 20년 동안에 활동을 다각화했어. 지금은 황금의 삼각지대에도 깊숙이 파고 든 상태야."

그녀는 다시 나를 쳐다보았다. 그 시선에는 다정함이라곤 찾아보기 어려웠다.

"찰리, 당신도 황금의 삼각지대라는 말은 들어봤지. 버마와 라오스, 태국의 구릉지대로 둘러싸인 아편재배 지역이야. 거기서 지저분한 작은 전쟁들이 왜 그렇게 많이 일어났는지 알고 있을 거야. 14K단은 무수 아세트산이 절대적으로 필요한데 우리가 유일한 공급원이야. 이제 알겠지? 구할 데라고는 우리밖에 없어. 이제 알겠어요?"

"모르겠는데"

내가 솔직하게 말했다.

"무수아세트산은 모르핀을 정제하는데 쓰는 거야. 아편을 모르핀으로 정제하면 부피는 줄어들고 값어치는 올라가는 거야. 모르핀을 헤로인으로 정제하는 것도 마찬가지야. 엄청나게 값이 뛰어. 방콕에 가면 3등급 1킬로를 2백 파운드에 살 수 있는데 홍콩에서 헤로인으로 팔면 도매가격이 6천 파운드야. 시중에서는 3만 파운드란 뜻이지. 암스테르담으로 가져가면 그 세 배는 받을 수 있어. 내연녀도 먹여 살려야 하고 주택담보 대출금도 갚아야 하는 마약 담당 경찰들에게 떡고물을 던져주고도 말이야. 뉴욕으로 가져가면…."

"그래, 그래, 알겠어. 매주 값이 뛰는 것 같기는 하지만 말이야. 통장이 56개나 되는 홍콩의 경찰 얘기도 알아. 내가 '노'라고 말한 건 '우리들'이라는 게 누군지 모르겠다는 뜻이야. 아세트산이란 걸 장악하고 있는 '우리들'이 누구냐는 거야. '우리들'이 누구야?"

그녀가 교장과 힐끗 시선을 주고받았다.

"아, 알았어."

그녀가 말했다.

"그래, 당신도 아마 알 거야. '우리들'이란 건 말이야. '우리들'은 중국에서 가장 오래된 삼합회 조직인 워싱워야."

"음."

내가 힘없이 말했다.

"그래, 우리는 그들하고 일종의 동맹관계야. 지금 설명하기는 좀 복잡한데…."

"백인 성노예?"

내가 쌀쌀맞게 물었다. 그녀가 나를 빤히 쳐다보았다. 그러더니 그 얄미운 낭랑한 소리로 키득거렸다.

"아냐, 찰리. 위 아래가 뒤바뀌었잖아."

"때로는 뭐 그렇잖아."

내가 쑥스럽게 말했다. 나는 내 섹스 취향이 공개적으로 거론되는 걸 탐탁하게 여기지 않기 때문이다.

"그렇지만 무슨 뜻이야? 당신들이 백인 성노예에 반대한다고?"

"음, 그렇지. 그렇게 말할 수 있어요. 그래, 좋아요. 찰리."

그녀가 다시 낭랑한 웃음을 터뜨렸다.

"자 이거 봐."

내가 모데카이 특유의 성질을 누르려고 애쓰며 말했다.

"나는 꼬치꼬치 캐기 좋아하는 사람은 아니지만 그냥 우리 세 사람 사이니까 얘기를 좀 해도…."

"네 사람."

그녀가 말했다. 나는 우리 머릿수를 세어보았다. 세 사람이었다.

"안 돼요, 멈춰."

내 뒤에서 목소리가 들렸다. 내 뒤에 비단 양복을 입은 육중한 체구의 중국 신사가 모습을 나타냈다.

"찰리, 내 친구 호 선생님이에요. 호 선생님, 제 남편이에요."

이 중국 사람은 정중하면서도 의심하는 투로 말을 했다. 나는 정신을 가다듬고 귀가 번쩍 뜨이는 말을 찾으려고 머릿속을 뒤적였다.

"잘 지내세요?"

이 말이 나왔을 뿐이다.

"그럭저럭 지냅니다."

그가 말했다. 나는 이를 드러내지 않고 웃었다.

침묵이 흘렀다. 호 선생은 앉지 않았다. 조한나와 교장은 자수라도 얹어 놓은 것처럼 자기들 무릎을 쳐다보았다. 내가 대화의 물꼬를 터야 했다.

"호, 하 선생님."

우리가 피부색이 다른 사람들에게 말을 걸 때 그러듯이 나는 쾌활하고 지나치게 공손한 태도로 입을 열었다.

"아네요, 호입니다."

그가 말했다.

"어?"

365

"어도 아니고 아도 아니고 호라는 말이올시다."

그가 힘주어 말했다. 나는 영어 학습 레코드에 나오는 들러리 역이 된 것 같은 기분이 들었다.

"그럼 하시는 일은 뭔가요, 호 선생님?"

내가 유쾌하게 물었다.

"헛(hut)."

그가 말했다. 내 질문에 대한 대답이라고는 할 수 없어서 그냥 가만히 있었다.

"여보, 찰리. 호 선생님은 사람을 해치는(hurt) 일을 한다고 말하고 있는 거예요. 그게 생업이라니까요."

"오, 그렇구나."

"찰리, '오, 아'라는 말은 광둥어에서는 아주 무례한 표현이에요."

"호 선생님, 죄수를 데리고 오시겠어요?"

교장이 말했다. 그는 대답을 하지 않았다. 나는 그를 힐끗 쳐다보았다. 그는 이미 거기에 없었다. 나도 모데카이 시신쯤이야 아주 조용히 옮길 수 있다고 생각한다. 그러나 이 사람은 정말 신출귀몰했다. 널리 알려진 대로 희미한 불빛 속에 사라지는 우스터(영국소설가 P. G. 우드하우스가 쓴 소설의 등장인물)의 하인보다도 더 능숙했다.

"호 선생은 영국 워싱워의 전위대예요."

조한나가 부리나케 말했다.

"말하자면 행동책이야."

그는 비치백을 들고 다니는 사람처럼 아무렇지도 않게 죄수를 어깨에 둘러메고 눈 깜박할 새에 다시 나타났다.

"취조하세요."

교장이 말했다.

"하지만 난장판을 만들진 말고요."

호 선생은 바닥에 남자를 아무렇게나 내려놓더니 호주머니에서 플라스틱 깔개를 꺼내 던져주었다. 남자는 깔개를 펴 그 위에 반듯하게 누웠다. 그는 내 총알에 맞은 얼굴 부위만 붕대를 감았을 뿐 벌거벗은 상태였다. 그러나 나머지 한 눈은 뜨고 있었고 눈빛이 초롱초롱했다. 그는 냉탕에서 방금 나온 것처럼 성기가 쪼그라든 걸 제외하고는 아무런 공포의 기색도 보이지 않았다.

"이 사람을 고문할 거라면."

"난, 나가 있을래요."

"필요없을 겁니다."

호 선생이 말했다.

"프로라면 내가 자백을 받아낼 수 있다는 걸 알 테고 시간낭비하지 않게 할 겁니다. 고문이라는 건 다 쓸데없는 짓이죠. 고문하는 사람만 기분 좋게 만드는 거예요. 죄 없는 사람은 허위자백하게 만들고 죄 있는 사람은 거짓말하게 만들죠. 멍청한 사람은 너무 빨리 죽게 만들고요. 게슈타포가 했던 허튼 짓거리죠."

"전문적 고문은 간단해요. 첫째, 처음에 골병들게 하는 겁니다. 대부분의 사람들은 고통이 얼마나 커야 골병드는지 잘 몰라요. 둘째, 남자의 성기를 잘라내는 겁니다. 대부분이 사람들은 그렇게 하기 전에 자백을 하죠. 셋째, 눈을 뽑는 겁니다. 넷째, 빨리 죽여주겠다고 약속하는 겁니다. 이게 다예요. 보세요."

그는 검은 색 의료기기 가방을 내놓았다. 나는 가방에서 꺼낼 무시무시한 도구들을 생각하고 부르르 떨었다. 그러나 그 내용물은 정말 소박했다. 하나는 평범한 전기다리미였는데 죄수 발밑에 반듯하게 놓았다. 플러그는 꽂지 않았다. 죄수는 한 쪽 팔꿈치에 의지해 몸을 일으켜 세우더니 차분하게 바라보았다. 그 다음 호는 치즈를 자를 때 식품점에서 쓰는 것 같은 양 끝에 나무손잡이가 달린 가느다란 철사 코일을 남자의 생식기에 올려놓았다. 남자의 얼굴은 별다른 감정을 드러내지 않았다. 그러나 성기는 조금 더 쪼그라든 것 같았다. 그리고 나서 호는 티스푼을 꺼내 남자의 남아있는 안구 위치에 맞게 카펫 위에 놓았다. 긴 못은 남자의 왼쪽 가슴 위에 올려놓았다.

남자는 이 평범한 물건들을 평가하는 듯했다. 죄가 될 만한 물건은 하나도 안 갖고 왔으니 호 선생이야말로 얼마나 양식있는 사람인가 그러더니 결론을 내렸다. 광둥어인 듯한 말로 예의 바르고 자책하는 어조로 말했다.

"자 보세요! 프로예요. 하나만 안다고 하네요. 단 하나만. 빨리만 죽여 달라는 거죠. 자, 됐죠?"

호 선생은 심장 위에 올려놓은 긴 못을 빼놓고는 다 치웠다. 남자는 아까와 마찬가지로 예의 바르고 침착한 어조로 몇 음절을 줄줄 읊었다. 호 선생은 종이 위에 뭔가를 쓰더니 교장에게 건네주었다.

"도대체 이게 무슨 뜻이에요?"

그녀가 소리를 질렀다. 조한나가 메모지를 집어들더니 고개를 가로저으며 나에게 넘겨주었다.

"지도의 참조번호예요."

내가 냉정하게 전쟁을 겪은 부관의 목소리로 말했다.

"LSE 64는 육지 측량부 상세지도의 페이지이죠. H6은 평방 킬로미터. 625975는 지상 참조번호이고."

교장이 종이를 잡아채더니 콘솔의 단추를 눌러 '도서관'을 호출했다. 그리고는 애니라는 사람에게 LSE 64 페이지를 신속하게 찾으라고 명했다. 우리는 침묵 속에서 정도의 차이는 있지만 걱정을하며 기다렸다. 호 선생은 제쳐두고 우리 다과회 참석자 중에서 가장 동요가 적은 사람은 중국인 죄수였다. 그는 교장의 스커트를 올려다보는데 몰두했다. 나는 그의 성기가 상당히 제 크기로 돌아온걸 보고 반가웠다.

사서인 애니가 지도를 갖고 들어왔다. 조한나와 교장은 지도를바라보았다.

"에이, 빌어먹을, 저들이 우리 사람들이 어디 있는지 알고 있네."

그녀는 6자리 참조번호로 위치를 찾으려고 애를 쓰더니 툴툴거렸다. 나는 첫 번째 숫자들은 가로를 나타내고 나머지 숫자들은 세로를 나타낸다고 설명해주었다. 두 사람은 나를 쏘아보았고 위치를 찾는 일은 내게 맡겼다. 그것은 요크셔 황야지역의 특색 없는폐허에 있는, 주요 도로를 굽어보는 '고대 요새'였다.

"모데카이 씨가 가야겠어요."

교장이 거침없이 말했다.

"소모품이잖아."

"여보시오!"

내가 반발했다.

"시빌은 그런 뜻으로 말한 게 아니야, 여보."

조한나가 걱정스레 말했다.

"또 꾀가 많고 잘 살아남는 데다 총도 좀 쏠 줄 알고."

교장이 나를 달래려는 생각으로 덧붙였다. 그녀가 호출 콘솔에

369

대고 다시 말했다.

"주방, 이틀 분 샌드위치 준비해줘. 번지르르한 달걀 샐러드 말고 고단백으로. 진한 블랙커피 1리터, 설탕 넣지 말고. 스카치위스키 1리터. 모데카이 선생님의 차가 정확히 5분 후에 현관에 대기할 테니까 거기 신도록."

"내가 설탕 안 넣는 건 어떻게 알았어요?"

"신사들은 커피에 설탕을 안 넣어요. 게다가 몸에도 나빠요. 선생의 볼품없는 허리선을 얘기하는 게 아녜요. 설탕과 알코올은 인슐린 분비를 촉발시켜 저혈당이 생겨요. 증상은 판단착오, 과도한 피로, 불안, 체내 떨림."

"외딴 요크셔 황야지역에 가서 거시기라는 사람을 찾으라는 통보를 5분 전에 받으면 마지막 두 가지 증상은 생길 수밖에 없지요."

내가 항변했다.

"어쨌든 내가 이 친구를 어떻게 알아보지요? 그리고 이 친구가 나를 어떻게 알아볼 것이며 찾으면 어떻게 해야 되는 거예요?"

"운이 좋다면 그 사람은 도보로 움직이겠죠."

그녀가 알쏭달쏭하게 말했다.

"프레디라고 부르면 대답할 거예요. 그동안 있었던 일을 얘기하면 선생이 진짜라는 걸 알 거예요."

"생면부지의 사람한테 접근해 달이 휘영청 밝다고 귓속말을 하고 상대방이 생선튀김과 감자튀김 값이 오르고 있다고 동문서답하는 걸 기다릴 필요는 없으니 그나마 다행이군요."

내가 빈정거렸다.

"횡설수설하지 말아요, 여보."

"가능하면 거기를 빨리 빠져나와 한걸음에 이리로 돌아오게 하세요. 오지 못한다면 그 사람 얘기를 구두로 전하세요. 어, 말을 할 수 없는 지경이면 몸수색을 하세요."

"뭘 수색한다는 말이요?"

"그건 몰라요."

그녀가 간단하게 말했다.

"알겠어요."

"자, 위층에 들러 따뜻한 옷하고 튼튼한 신발하고 총알을 챙겨요. 실탄으로요."

"저 사람은 어떻게 하는 거예요?"

내가 부상당한 죄수를 가리키며 물었다.

"지금 한 얘길 다 들었고 영어도 알아듣는 것 같은데. 그리고 눈 다친 것도 누가 좀 봐줘야 되는 거 아녜요?"

"상관없어요. 즉각 죽이기로 약속이 돼있어요. 정말 배려해주는 거예요. 우리가 풀어주면 이 사람 조직에서 천천히, 엄청 고약한 방법으로 죽일 거기 때문에. 호 선생님?"

그녀가 호에게 보드카 반잔을 주었고 호는 발가벗은 친구에게 건네주었다. 이 사람은 한 입에 털어 넣고 고맙다는 듯이 고개를 끄덕였다. 호 선생이 불붙인 담배를 주었다. 그는 두 모금을 깊고 기분 좋게 빨더니 카펫에 비벼 껐다. 나라면 물론 술, 담배 다 끊으려 한다고 말했을 것이다. 그런 기회를 놓칠 수는 없는 노릇이다. 그런 다음 그는 플라스틱 깔개 위에 다시 누웠다. 호가 옆에서 무릎을 꿇고 왼쪽 젖꼭지 아래로 한 뼘을 재고 적절한 갈비뼈 사이 공간을 찾아, 6인치 길이의 못 끝을 맞춰놓고 위치가 바뀌지 않게 집게손가락을 못대가리에 대고 있는 동안 그는 미동도 하지 않았다. 호는 내게로 몸을 돌려 정중하게 말했다.

"이 친구가 선생을 죽이려고 했는데 직접 죽이고 싶은가요?"

"아이고, 아녜요."

내가 빠르게 말했다.

"배려해줘서 대단히 감사하지만 난 오늘 이미 한 명을 죽였고 또…."

"호 선생님."

교장이 말했다.

"바깥에 가서 하시는 게 좋을 것 같아요. 개 사육장에 가면 피오나라는 여자애가 있을 거예요. 그 애가 무덤이 어디 있는지 안내해 줄 겁니다."

호 선생이 방을 나갔다. 좀 기분이 상한 것 같았다. 죄수는 깔개를 반듯하게 접더니 빠른 걸음으로 그 뒤를 따랐다.

"잘 다녀와요, 찰리."

조한나가 말했다.

"운전 조심하고요."

"행운을 빌어요, 모데카이 씨."

교장이 걸걸한 목소리로 말했다.

"그래요."

내가 말한 전부였다.

33

작은 새가 뭐라고 말하는가
먼동이 틀 때, 둥지에서?

                         — 바다의 꿈

　나는 갈매기가 마음에 든다. 요즘 잡범들은 대부분 자기 일을 형편없이 한다. 반면에 갈매기들은 주차 단속원처럼 자기 일에 전념하고 즐거운 마음으로 자기 직분을 다한다. 갈매기들은 새벽의 잿빛 여명 속에서 떼 지어 모여들어 서로 음탕한 농담을 큰 소리로 주고받으며 야한 웃음을 터뜨리고 여러분이나 나와 같은 늦잠꾸러기들을 깨운다. 그런 다음 그날 할 일을 결정하면 멀리 날아간다. 얼마나 멋지게 나는가. 조금의 에너지도 낭비하지 않고 공짜로 얻어먹고 훔치고 죽이고 생태계에서 맡은 소임을 완수한다. 이 녀석들은 배에 탄 바보들이 싸구려 샌드위치를 산 다음 맛이 없어 한 입 먹고 배 밖으로 내던지기를 기다리며, 카페리를 뒤쫓아 선회하고 급강하하는데 그 모습을 지켜보노라면 흥이 절로 난다! 그 동작은 한 편의 시다!
　내가 젊었던 시절에는 갈매기들이란 바다에 있는 녀석들이었다.

그저 이따금씩 해변에서 새로 산 멋진 모자에 똥을 싸서 욕 얻어 먹은 게 다였다. 그런데 요즘은 어딜 가나 볼 수 있다. 바다에 유출된 기름을 뒤집어쓴 청어내장을 먹어치우는 대신에 쓰레기통을 뒤지고 생선과 감자 튀김집 밖에서 줄을 서 있다.

'고대 요새'의 발치에 모인 갈매기들은 한 편의 시 같은 동작도 보여주지 않았고 빈둥거리지도 않았고 버릇없는 녀석처럼 소리도 지르지도 않았다. 내가 가까이 다가가자 모두 허공으로 날아올랐다. 덩치가 크고 등이 검은 라루스 마리누스 한 마리만이 누더기 더미 위에 자리를 잡고 뭔가를 찾고 있었다. 나는 달리기 시작했다. 그 놈의 부리가 꾀죄죄한 남자의 얼굴로부터 모습을 드러냈는데 진홍색 리본이 매달려 있던 희고 빛나는 물체를 꿀컥 삼키고 있었다. 그 놈은 한쪽 눈으로 살벌하고 노란 테를 두른 시선을 내게 보내더니 날개를 퍼드덕거리며 날아갔다.

나는 구토를 멈추고 꾀죄죄한 남자를 얼굴 쪽으로 돌려놓았다. 그리고 언덕을 타고 도로를 향해 달렸다. 나는 물론 지시받은 대로 몸수색을 했어야 했다. 그러나 사실 나는 그가 아직 살아있을지도 모른다는 생각을 하니 소름이 끼쳤다. 나는 몇 마일 떨어진 곳에 차를 세워두고 걸어서 황야 지역을 가로질러 고대 요새의 꾀죄죄한 남자에게로 갔다. 나는 지나가는 차를 손을 흔들어 세웠다. TV에 넋을 잃은 운전자에게 몰래 카메라를 찍은 게 아니라는 걸 납득시키느라 진땀을 뺐다. 결국 그는 한 남자가 죽어가고 있거나 죽었으며 나를 가장 가까운 공중전화로 데려다줘야 한다는 점을 마지못해 받아들였다. 거기서 나는 블러처의 비서에게 전화를 걸어 자초지종을 다 얘기해 주었다.

"거기서 기다리세요."

그녀가 지시했다. 나는 아직 샌드위치가 한 개 반 남아있고 술병에도 손을 안 댔기 때문에 그녀가 하라는 대로 했다. 또 어둠이 내렸다. 백 년하고도 술 한 병을 거의 다 마실 만한 시간이 지난 뒤 장 콕토 같은 사이드카 경찰관이 어스름을 뚫고 요란하게 나타났다. 그 뒤를 경찰차와 앰뷸런스가 따라왔다. 나는 그들 모두를 '고대 요새'로 데리고 갔다. 가는 길에 여러 번 쉬었다. 형사는 내가 그 꾀죄죄한 남자를 얼굴 쪽으로 돌려놓은 것을 가지고 '증거를 인멸했을 수 있다'며 나를 질책해 가벼운 언쟁이 몇 차례 있었다. 나는 날개 달린 녀석들이 더 효과적으로 이미 증거를 인멸해 놓았을 것이라고 설명해주었다. 그는 내 말을 못 믿는 것 같았다. 겁 없는 사이드카 경찰관은 형사의 새 신발을 보고 기분이 언짢아졌는지 또 다시 언쟁이 있었다. 여기에다 연장근무에 대한 앰뷸런스 직원들의 가시 돋친 토론까지 더해져 정말 시끄러웠다.

나는 슬며시 자리를 피했다. 샌드위치 거의 반쪽을 공중전화 박스에 놓고 온 것이다. 이번에는 직접 통화가 되겠지 하는 기대감에 블러처에게 다시 전화를 해야겠다는 생각이 떠올랐다. 그는 조금도 즐거워하지 않았다. 그 남자를 몸수색했는지? 왜 안 했는지? 죽은 상태였는지? 잘 모르겠다는 건 무슨 뜻인지? 경찰들의 일거수일투족을 지켜보며 현장에 있지 않은 이유는 무엇인지? 등을 따졌다. 나는 제 2막 2장에서 '의지가 약도하다. 단검을 이리 주시오.'라며 부인에게 야단맞는 맥베스가 된 듯한 기분이 들었다. 그때 공중전화 박스의 문이 확 열렸다. 형사는 내가 통화하는 상대방이 누군지 말하라고 다그쳤다.

"달콤하고 포옹하고 싶은 꿈, 내 사랑스럽고 귀여운 복슬 고양이."

나는 품위 있게 수화기를 내려놓으면서 이렇게 얘기했다. 그러고 나서 형사에게 몸을 돌려 얼음처럼 차갑게 눈썹을 치켜올렸다. 눈썹을 치켜올리는 것이라면 나는 누구에게도 안 진다. 아버지에게 배운 것이다. 형사는 주눅이 약간 들었다. 내가 블러처의 얼음여왕 같은 목소리에 주눅이 든 것처럼. 나는 그가 주눅 들어있는 동안 블러처가 어떤 압력을 누구에게 넣을 수 있었는지 그리고 나는 뭘 해야 되고 뭐가 되어야 하는지를 생각했다.

우리는 서둘러 영안실을 다녀온 뒤 요크셔 주 수도의 경찰서에 도착했다. 그 이름이 기억나지는 않지만 헤크몬드와이크 경찰서로 해두겠다. 여기서 나는 지성있고 잘 꾸민 친절이 흘러넘치는 형사 반장을 만났다. 그는 나에게 당연하고 뻔한 질문만 던지고 나서 현지 호텔 두 곳 중 더 깨끗한 데로 방을 잡아놨으며 형사가 나를 안내할 것이라고 정중하게 알려주었다. 그리고 영안실에서 같이 모일 수 있게 아침에 차를 보내주겠다고 했다.

"형사반장은 별 관심이 없어 보이던데 아닌가요?"

호텔에 형사가 나를 내려주었을 때 내가 태연하게 물었다.

"글쎄요, 그저 늙은 부랑자라서."

저녁은 물론 '끝났다' 였다. 저녁 8시가 다 되었기 때문이다. 그러나 내가 팁을 듬뿍 집어주었더니 시큰둥해 하던 할멈이 수프 한 그릇과 앰 앤 에그라는 걸 만들어주었다. 수프는 맛이 별로 없었고, 앰 앤 에그는 말을 안 하는 게 좋겠다.

잠을 푹 잔 척해봐야 소용없을 것이다.

다음 날 아침 우리는 모였다. 습관이라는 건 주머니 사정이 허락하는 만큼 돈이 든다. 사실 경찰의 경우 돈이 좀 더 많이 든다. 값비싼 양복을 입는 경찰을 보면 더욱 걱정이 된다. 시체 처리대 위에 올려놓은 더럽고 오래된 시신을 쳐다보는 건 끔찍했다. 냉동보관은 시신에서 나는 온갖 냄새를 조금 경감시켜줄 뿐이었다. 입은 조롱하는 투로 벌려져 있었고 이는 몇 개 없었다. 그리고 위아래의 아귀가 맞지 않았다. 형사반장은 꼼꼼하게 이를 쳐다보고 있었다.

"아무리 부랑자라 해도."

내가 심통맞게 말했다.

"국립 보건원에서 틀니 한 벌은 받을 수 있었을 텐데. 별 꼴 다 보네요."

"그러게요."

형사반장이 썩은 이를 들여다보다가 일어서며 말했다.

우리는 부랑자의 남루한 옷과 소지품들이 목록과 함께 탁자 위에 펼쳐져 있는 방으로 들어갔다. 라벤더 향이 나는 공기 정화제의 지독한 냄새가 코를 찔렀다. 형사반장은 정복을 입은 책임자에게 호통을 쳤다.

"이 물건들 냄새를 맡고 싶었을 지도 모르는데 말이야."

그는 이렇게 말했다.

"죄송합니다, 반장님."

탁자 위에 펼쳐진 물건들은 토하기 잘하는 사람들이 볼 만한 것은 아니었다. 속옷들은 여러 겹이었고 현지 경찰은 이것들을 하나하나 떼어내 줄 자원자를 구하지 못했다. 반장이 마음을 추스르고 직접 작업에 착수했다. 그는 강철 같은 사나이였다. 그는 시신의 호주머니와 배낭에서 나온 초라한 부랑자의 소지품들을 목록과 대조하며 확인했다. 그는 특별검사가 닉슨 대통령의 크리스마스 선물 목록을 살피듯이 소지품들을 하나하나 세심하게 확인했다.

한때는 식량이었을 오래되고 이름 모를 쪼가리들이 있었다. 양옆에 구멍을 뚫어 철사줄 고리를 꿴 낡은 구운 콩 깡통이 보였다. 안에는 홍차가 잔뜩 들러붙어 있었고 바깥은 검댕투성이였다. 씹는 담배가 눈에 띄었는데 이빨자국이 나 있었다. 사람의 것인지 짐승의 것인지는 분간하기 어려웠다. 날이 무디고 셀룰로이드 손잡이가 달린 싸구려 손칼도 발견됐다. 남학생들이 쓰는 것이다. 비누 조각도 있었다. 빨간 황이 달린 한 묶음의 성냥과 짧은 양초가 들어있는 주석통도 나왔다. 여성 잡지에서 뜯어낸 컬러사진이 발견됐는데 다리를 벌려 성기를 드러낸 사진이었다. 많이 구겨지고 손때가 탔다. 양파 하나와 물기가 스며 나온 치즈 한 조각, 그리고 찬 감자튀김이 중국식 테이크아웃 식당에서 쓰는 알루미늄 포장재로 안을 댄 박스에 담겨 있었다.

아 그렇다, 멋지고 깨끗한 10파운드 지폐도 있었다.

마침내 반장이 세세하게 소지품을 확인한 뒤 일어섰다.

"부랑자가 아니야."

그의 목소리는 매우 침착했다.

"아니라고요?"

내가 잠시 후 물었다.

"하지만…."

형사가 한참 뒤에 말했다.

"반장님!"

경찰이 씩씩거렸다.

"눈으로 확인해, 이 친구야."

반장이 말했다.

"사실들은 네 얼굴의 코만큼이나 명백한 거야."

378

냄새 맡는 데 재주가 있는 형사는 입을 다물었다. 내가 반장을 달리 본 것은 바로 이 순간이었다.

수령증에 서명하고 어깨를 으쓱하여 부하들을 내보낸 뒤 그는 나를 경찰서 구내식당으로 데려갔다. 여기서 그는 맛있는 차와 내가 지금까지 먹은 햄롤 중에서 가장 훌륭하고 바삭바삭한 것을 대접했다.

햄롤 껍질을 먹는 소리가 잦아든 뒤 내가 말했다.

"저한테 얘기를 해주실 건가요, 아닌가요?"

"이와 발톱이요."

그가 알쏭달쏭하게 대답했다.

"예?"

"그럼요. 그걸 알아채지 못하셨다고 탓하는 건 아녜요. 하지만 아까 그 멍청이들은 눈으로 보고 확인하라는 걸 배웠을 거예요."

나는 입을 닫고 있었다. 나 역시 오래 전에 그렇게 배웠기 때문이다. 그러나 내 인생역정을 그에게 얘기해봤자 좋을 게 없을 것이다. 어쨌든 나는 죄 없는 행인에 대한 그의 생각을 자세하게 듣고 싶었다. 자기 일에 정말 정통한 사람의 얘기를 듣는 것보다 보람 있는 일은 없기 때문이다. 이 사람은 일처리가 정말 뛰어났다.

"첫째."

그가 엄지손가락에 남아 있는 겨자 흔적을 핥으며 말했다.

"영국의 진짜 구식 도보 부랑자를 마지막으로 본 게 언젭니까?"

"글쎄요, 생각해 보니 아주 오랫동안 못 본 것 같은데요. 익숙한 풍경의 일부였는데 말이죠, 하지만 언제부터인지는⋯."

"좋습니다. 나는 집시와 캐러밴은 배제하기 위해 '도보부랑

자'라고 한 거예요. 요즘 영국의 도로를 걸어다니는 진짜 부랑자
는 여섯 명도 안 될 겁니다. 대략 1960년 이후로는 없어요. 부랑자
임시 수용소는 다 문을 닫았고 여인숙도 마찬가지예요. 노동자용
호스텔은 상업 호텔로 다 바뀌고 있고요. 와일드 웨일즈를 터벅터
벅 걷는 베테랑들이 아직 있다고 그러는데 그게 다예요."

"더군다나 백전노장 형사들은 약 2백 마일의 관할구역이 있어
서 여름에 한 번 그리고 겨울에 세 번 정도는 어떤 구역을 통과하
곤 하지요. 나는 형사입네 하는 바보천치들도 관할구역을 지나간
도보 부랑자는 다 알 거예요."

"가짜 술을 마신 사람인가요?"

내가 물었다.

"아녜요. 그런 흔적은 없어요. 가짜 술을 마신 사람은 걸을 수 있
는 기력이 없어요. 그리고 체포 당할 경우에 대비해 보통 허리의
잘록한 부분에 반 병 정도를 테이프로 붙이고 다녀요. 먹지도 않지
요. 이 사람은 먹는 걸 좋아하는 사람이에요. 그것도 먹는 것이라
고 부를 수 있다면."

"그래서요?"

"그래서 둘째."

그가 겨자가 남아있나 싶어 집게손가락을 살피며 말했다.

"선생께서 국립 보건원에서 틀니도 못 받았느냐고 걱정한 건 정
확히 보신 거예요. 사실 이 사람의 잇몸과 송곳니를 쓱 훑어보면,
제대로 된 경찰관이라면 보건원 것이 아니라 값비싼 의치를 했었
고 불과 몇 달 전에 떨어져 나갔다는 걸 알 수 있지요. 마지막 목욕
을 했을 때 그렇게 된 겁니다."

"셋째는요?"

"셋째는."

그가 이탈리아에서는 저속하다고 생각되는 제스처로 가운데 손가락을 쳐들고 말했다.

"셋째는 가위가 없다는 거예요."

"가위가 없다."

내가 뭘 알기라도 하는 듯한 목소리로 따라했다.

"가위가 없어요. 내가 형사 초년병 시절에 도랑에서 변사체로 발견된 부랑자의 소지품을 훑어봤지요. 개중에는 길바닥에 나앉게 만든 여자의 사진도 있었고, 묵주도 있었고, 조그만 금화가방도 있었어요. 그리스어로 된 신약 성경책을 발견한 기억도 있지요. 그런데 한 가지 공통점은 품질 좋고 튼튼한 가위를 갖고 있었다는 거예요. 발톱을 깎지 못하면 오랫동안 길을 걸을 수가 없거든요. 부랑자의 발톱은 살림밑천이라고 할 수도 있어요. 이 사람은 튼튼하고 날카로운 칼조차 없었어요, 안 그런가요? 틀림없이 부랑자가 아녜요."

나는 기하 선생이 의기양양하게 '증명할 수 있음'이라고 말할 때 학생들이 내지르는 것과 같은 탄성을 내질렀다.

"까놓고 말하면."

그가 계속했다.

"형사와 경찰 앞에서 이 사람은 부랑자가 아니라고 얘기한 게 후회돼요. 하지만 선생님께서는 절대 발설하지 않을 분이라는 걸 알죠."

나는 '선생님'이라는 말에 좀 움찔했다.

"우리 두 사람은 어떤 사람이 하필이면 영국의 이 지역에서 부랑자로 위장하고 죽었는지 다른 사람들이 그 이유를 알게 되는 걸 원치 않기 때문이죠."

그는 '이 지역'이라고 말하면서 나를 유심히 살폈다. 나는 속을 보여주지 않기 위해 최선을 다했다. 내가 '이 지역'의 비밀을 잘 알고 있고 평범한 경찰관에게 보여주기에는 너무나 거창한, 아주 특별한 신분증을 왼쪽 장화 속에 넣어두고 있을지도 모른다는 인상을 심어주려고 했다.

"몸에 지니고 있는 빳빳한 10파운드 지폐가 재미있어요."

반장이 혼잣말을 했다.

"조폐국에서 바로 찍어낸 것 같던데, 안 그런가요?"

"네, 맞아요."

"접혀 있지도 않고요, 그렇죠?"

"네."

"번호가 뭐였는지 혹시 보셨나요?"

"네."

내가 멍하니 있다가, 바보처럼 말했다.

"JZ9833672, 아닌가요?"

"아, 맞아요. 그 번호였어요. 재미있어요."

"재미있다는 말씀은?"

내가 물었다.

"제가 번호를 기억하고 있는 게 재미있다는 뜻인가요? 저는 숫자는 직관적으로 기억해요. 어쩔 수 없어요. 태생이 그래서."

그는 내 말을 확인하려고 일부러 애쓰지는 않았다. 그는 자기 일에 정통했다. 내가 거짓말을 하고 있다는 걸 다 알았다.

"아닙니다."

그가 말했다.

"런던에서 유통된 지 한 달도 안 됐다고 생각되는 완벽한 진짜 신권 지폐하고 같은 일련번호라는 게 재미있다는 뜻이었어요. 싱가포르 같은 데서 흘러들어온 거예요. 재미있네요."

"정말 재미있네요."

"네, 그럼 이 정도로 하시지요, 선생님. 더 이상 붙잡혀 있으면 정말 안 되니까요."

"아 그렇지만 제가 더 도움이 된다면야…."

"아닙니다, 선생님. 제 말씀은 더 이상 붙잡고 있을 수 없어 유감이라는 뜻입니다. 세상에서 얘기하는 구금상태 말이죠. 예를 들어 한 이틀 동안 격리실에 가둬놓고 두세 명한테 두들겨 패라고 시켜서 이런 못된 수작에 대해 이실직고하게 만드는 것이 좋았을 텐데 말이죠."

그가 생각에 잠긴 듯이 말했다.

"아시다시피 흥미롭죠. 우리 경찰들은 꼬치꼬치 캐는 팔자예요. 아시죠?"

나는 이 순간에 침을 좀 꿀떡 삼켰는지도 모른다.

"하지만 선생님께선 아주 대단한 친구 분들이 있는 것 같아서 우호적으로 작별을 하겠습니다. 이번만큼은."

그는 나와 따뜻하게 악수를 나누었다. 바깥에는 경찰들만이 이용할 수 있는 멋진 검은 색 승용차가 대기하고 있었다. 제복을 입은 운전사는 내게 문을 열어주었다.

"어디로 가십니까, 선생님?"

반장이 물었다.

"어, 사실 저는 여기서 한 20마일 정도 떨어진 곳에 내 차가 있어요. 어디냐면…."

"차가 어디 있는지 압니다, 선생님."

34

그러나 금화의 짤랑거리는 소리가
명예가 느끼는 상처를 보듬어준다

— 록슬리 홀

내가 지금 말하려는 건 군사학교든 지휘본부든 무엇이든 그리로
귀환하는 과정에서 쇠약해진 모데카이의 두뇌상태이다.

"아, 모데카이 씨."

교장이 걸걸한 목소리로 으르렁거렸다.

"찰리, 여보."

조한나가 소리를 질렀다.

"술 한 잔!"

내가 안락의자에 주저앉으면서 중얼거렸다.

조한나가 넋을 잃고 말하였다. 교장이 벌떡 일어나 술 찬장 쪽으
로 가더니 놀랄 만큼 민첩하게 술을 만들어주었다. 소다수를 너무
많이 탔다. 나는 이 놀랄 만한 민첩성을 내 머릿속 한곳에 정리해
두었다. 그런 다음 위스키와 소다수를 모데카이 몸의 가장 은밀한
부위에 정리해 놓고 한 잔을 더 청했다.

"그래서 그 사람을 찾았어요, 찰리 여보?"

"응."

어떤 생각이 머릿속에서 꿈틀거렸다.

'어떻게 알았지?' 나는 블러처 대령 말고는 누구한테도 전화를 안 했다.

"그냥 짐작으로요, 여보. 아직도 그 사람을 찾고 있었다면 이렇게 빨리 돌아오지 못했겠지, 안 그래요?"

'청산유수야, 청산유수.'

나는 여자들이 말하는 걸 듣고 나서 '청산유수' 같은 말을 씁쓸하게 자주 떠올린다. 나만 그러는 게 아닐 것이다.

"잘 다녀온 거예요, 찰리 끔찍한 경험은 안 했겠죠?"

"전혀."

내가 씁쓸하게 대답했다.

"근사하게 기분전환했지. 해변에서 일주일을 보낸 느낌이야. 자극이 되고 활력소가 됐어."

내가 조금 더 술로 입 안을 헹구었다.

"자초지종을 얘기해 봐요."

시끄러운 소리가 잦아들자 그녀가 소곤거렸다. 나는 있었던 일을 거의 다 얘기해 주었다. 말하자면 X는 빼고 A부터 W까지.

"멋지고 빳빳한 10파운드 신권 지폐번호는 물론 적어놓았겠지요, 찰리?"

"당연하지."

내가 말했다. 뒤통수를 맞은 듯한 두 사람의 노려보는 눈길이 나에게 꽂혔다.

"하지만 오로지."

385

내가 우쭐해 하며 덧붙였다.

"내 기억의 칠판에만 적어두었지."

두 여성의 숨이 내쉬어졌다. 나는 아침기도 때 목사들이 부적절한 설교를 하면 어머니가 늘 그랬듯이 눈썹을 치켜올렸다. 그들은 내가 기억을 더듬는 척하자 기대에 부풀어 나를 응시했다. 교장은 눈치 빠르게 내 잔을 채웠다. 나는 선물포장지를 천천히 벗기듯이 지폐의 일련번호를 알려주었다. 그들은 받아적었다. 교장은 자기 책상으로 가 우스꽝스러운 비밀서랍들을 뒤적거렸다. 책상에는 비밀서랍이 숨어 있을 만큼 공간이 많다. 그러더니 얇고 작은 책을 꺼내왔다. 그들은 내가 알려준 번호와 그 책에 적힌 허튼 숫자와 대조했다. 두 사람은 심통 맞은 표정을 짓더니 심각해졌다가 걱정스러운 표정으로 바뀌었다. 내가 더 이상 못 참고 일어섰다.

"자러 가겠소. 보다시피 피곤해. 자야 돼."

"안 돼, 찰리."

"어?"

"당신, 자러갈 게 아니라 중국으로 가야한다는 말예요."

나는 그런 허튼소리를 들으려고 하지도 않았다.

"쓸데없는 소리!"

내가 단호하게 소리를 질렀다. 미끄러지듯 방을 빠져나오면서 나는 위스키 술병을 낚아챘다. 나는 멀리 빠져나가지는 못했다. 조한나가 신부에게는 전혀 어울리지 않는 위압적인 어조로 나를 불렀기 때문이다.

"중국 가면 마음에 들 거예요, 찰리."

"아냐, 난 절대 안 가. 나를 한 번 쳐다보고는 후난성의 협동농장으로 쫓아내 사상 재교육을 받게 할 걸. 내가 알지."

"여보, 그게 아냐. 공산주의 중국이 아니고 마카오 쪽이야, 거대한 도박의 중심지야. 마음에 들거야."

"안 가."

"내가 단호하게 말했다.

"점보기 1등석 타는 거야. 바도 있고."

"안 가."

내가 말했다. 하지만 그녀는 내가 약해지고 있다는 걸 알아차렸다.

"최고급 호텔 스위트룸에다가 도박할 밑천도 대주고. 천 정도."

"달러야, 파운드야?"

"파운드."

"그래, 좋아. 그래도 먼저 잠을 자야겠어."

"그래요. 야, 신난다."

"신혼 잠자리에 초대하지 못해 미안해."

내가 딱딱하게 덧붙였다.

"내 침대는 폭이 2피트 6인치밖에 안 돼. 그리고 방에는 전염병을 일으킬 수 있는 전자 도청기들이 많아."

"그래요."

그녀가 애매하게 말했다.

내가 모데카이 특유의 배를 쓱쓱 타월로 닦으면서 샤워실에서 나오는데 조한나가 2피트 6인치의 침대에 누워 있었다.

"도청장치는 내가 껐어요, 찰리."

"아, 그래"

내가 미국식 영어로 말했다.

"그럼, 나도 이 건물에 지분이 있어, 알아요?"

"몰랐지."

내가 멋쩍게 말했다.

"그래도 침대가 두 사람이 들어갈 만한 여유는 없어."

"내기 할까, 당신?"

여유공간이 충분했다. 정말 진정으로 하는 얘기다.

"내 생각에는 조크를 같이 데리고 가는 게 좋을 것 같은데."

내가 나중에 간식을 먹으면서 말했다.

"어쨌든 눈 세 개가 두 개보다는 낫잖아, 안 그래?"

"아냐, 찰리. 조크는 너무 눈에 띄어. 사람들의 기억에 남을 거야. 반면에 당신은 눈에 잘 안 띄어. 배경 속으로 녹아드는 거지. 알겠어요?"

"아니, 난 몰랐는데."

내가 겸연쩍게 말했다. 뼈가 있는 말이기 때문이다.

"어쨌든 조크는 외국인 혐오증이 있어. 온갖 사람들 눈길을 다 끌게 될 것 같아."

"뭐, 좋아. 다시 용을 써야지."

내가 덧붙였다. 물론 크게 소리를 내지 않고 말이다.

조한나는 다음 날 아침 나를 차에 태워 런던으로 데려다주었다. 그녀는 운전을 기가 막히게 한다. 그러나 나는 꽤 여러 번 조수석 브레이크를 밟았다. 사실 차편을 이용한 여정은 나로서는 진절머리가 났다. 우리는 마침내 W1구역 어퍼 스트리트 부룩 거리에 무사히 도착했다. 기다리는 동안에 여권사진 만들어주는 데를 잠시 들렀다.

"근데 여권은 이미 갖고 있는데."

"여보, 난 자기가 근사한 새 여권을 갖고 싶어하는 줄 알았지."

조한나는 군사학교에서 온갖 사람들에게 조심스럽게 전화를 했었다. 그 결과 느지막한 오후에 나는 자랑스러운 보잉 747기 1등석 승객과 바티칸시 여권 소지자가 되었다. 필요한 모든 비자도 받고 이름은 예수회 소속 토마스 로젠탈 신부, 직업은 교황 보좌역으로 되어 있었다. 별로 탐탁치 않아 조한나에게 씩씩거렸다.

"여보."

그녀가 말했다.

"당신 나이에 아직도 신부라는 건 어울리지 않는다고 생각해. 하지만 몬시뇰이나 주교 같은 걸로 하면 항공사 사람들이 잘 모시겠다고 법석을 피울 것이고 그렇게 되면 안전하지가 않아. 안 그래요? 저 말이지, 여권을 다시 보내 수사신부로 승격시켜 놓을게요. 응? 수사신부 괜찮아요?"

"아, 그냥 내버려둬, 조한나. 삐친 거 정말 아냐. 로마에 수사신부라는 게 있는지, 몬시뇰은 자갈색 짧은 바지를 입어야 되는지도 잘 모르겠어."

"좋아요. 당신이 그냥 신부라 해도 마다하지 않을 걸로 알았어요. 당신은 놀라울 정도로 겸손해서…."

나는 못마땅하다는 듯이 손을 치켜들었다.

"묵주하고 기도서 한두 권은 물론 있어야겠지. 그 정도는 분명히 생각했겠지."

"찰리, 당신은 예수회 신부가 되는 거예요. 알겠어요? 그 사람들은 그런 거 안 해요."

"물론 안 하지."

까놓고 얘기하면 비행기 여행은 즐거웠다. 내가 유일한 1등석 승객이었고 스튜어디스는 세심하게 신경을 썼다. 정말로 세심했다. 내 말귀를 알아듣는다면 전날 밤 조한나가 왜 그렇게 수고를 아끼지 않았는지 이해가 되기 시작했다. 내 말뜻을 알지 못한다면 당신의 그 깨끗한 마음에 찬사를 보낸다.

내가 투숙한 호텔은 놀랄 만큼 호사스러웠다. 현대식 쾌적함 정도의 표현으로는 턱없이 부족하다. 어린 소녀들을 침대 밖으로 내보내기 위해 매일 밤 시트를 털어야 하는 방콕의 호텔과는 아주 달랐다. 물론 방콕 호텔도 경영진이 최선을 다했지만 말이다.

아침에 나는 즐거운 비명과 함께 침대를 박차고 나왔다가 킹킹거리며 곧바로 다시 침대로 들어갔다. 나는 소년 시절에도 튼튼했던 적이 없었다. 그리고 그날 아침 나는 몸과 마음이 다 쇠약해져 그 무서운 동양인들과 첩보전을 펼칠 만한 상태가 아니었다.

점심때가 되자 레스토랑으로 비틀거리며 내려가 기운을 회복하려고 하였다. 인어의 음모가 확실한 초록색의 바삭바삭하고 맛있는 것을 먹었는데, 웨이터의 말로는 해초튀김이었다. 잼 같은 것으로 요리한 오리요리와 희한한 물고기의 부레로 만든 쫀득쫀득한 요리도 나왔다. 크고 촉촉한 새우가 들어있는 경단튀김도 나왔다. 음식에 대한 기발한 아이디어는 끝이 없었다.

쌀을 증류해 만들었다는 술도 나왔다. 언뜻 봐서는 맛이 담백했다. 맛이 핌스 넘버 원(진에 과일 주스를 탄 음료)같이 느껴졌다. 그 술은 내가 대학 다닐 때 여자애들을 유혹하는 데 써먹은 음료였다. 나는 아주 기분 좋아져 방으로 올라왔다. 그래서 별로 취하지 않았는데, 보이는 사람들에게 팁을 후하게 주었다. 나중에 보니 미국인 손님에게까지 지폐다발을 손에 쥐어주었다. 그는 말했다.

"아, 네. 뭘 원하세요, 신부님?"

나는 사제복차림인 것을 깨닫고 우아하게 손을 흔들며 내 대신 본인이 하고 싶은 일에 쓰라고 말해주었다.

오후 늦게 기운을 차린 후 조한나가 히스로 공항에서 건네준 내 미션 봉투를 열어보았다.

'로 팡 하이, 치과의사'라고 쓰여 있었다. 전화번호부를 찾아보았다. 우리가 이름을 쓰는 자리에 중국 사람들은 성을 쓴다는 걸 안다고 하더라도 중국의 전화번호부는 머리가 빠개진다. 그에게 전화를 걸었다. 날카롭고 불안한 목소리가 자신이 닥터 로라고 말했다. 내가 치약 세일즈맨이라고 이야기했다. 그렇게 하라고 들었기 때문이다. 그는 내가 편리한 시간에 찾아오면 된다면 말하면서 빨리 와주었으면 한다고 했다. 사제복의 칼라는 목을 아프게 했다. 또 사제복을 입은 치약 세일즈맨은 본 적이 거의 없는 것 같다는 생각이 들어 눈에 안 띄는 어두운 주황색의 가벼운 양복으로 갈아입었다.

주소는 카오룽 지역의 나탄 거리에 있었다. 이 거리는 런던 W1 지역의 위그모어 거리를 연상시키는 칙칙하고 가라앉은 분위기였다. 나는 나탄이라는 사람이 누구인지, 왜 그의 이름을 따 거리 명을 지었는지 모른다. 택시 운전사는 중국어 억양으로 미국 영어를 했다. 버스터 키튼의 통신강의를 들은 게 분명했다. 내가 카오룽 지역, 나탄 거리, 랭커스터 빌딩 18호로 가자고 했더니 그는 몸을 뒤로 젖히고 짜증스런 뜻 모를 표정으로 나를 쳐다보았다.

"거기는 못 갑니다, 손님."

"예? 왜요?"

"나탄 거리, 랭커스터 빌딩까지는 모실 수 있어도 18호는 안 돼요."

"왜 안 되는 거요?"

내가 떨리는 목소리로 물었다.

"18호는 3층인데 택시가 엘리베이터에 들어가지를 못해요."

"하하."

"경찰이신가요?"

"전혀요. 치약 세일즈맨이에요."

그는 노련하고 조용하게 나를 랭커스터 빌딩으로 데려다주었다. 목적지에 이르렀을 때 정확히 택시요금의 2배 반을 팁으로 주었다. 택시 운전사에게 귀한 손님을 상대로 농지거리를 해서는 안 된다는 걸 분명히 하기 위해서였다.

18호는 정말로 랭커스터 빌딩 3층에 있었다. 로 의사의 병원으로 들어가는 문에는 "벨을 누르고 들어오시오."라는 문구가 쓰여져 있었다. 나는 벨을 눌렀지만 들어갈 수가 없었다. 문이 잠겨 있었기 때문이다. 안에서 소리가 들려 성에가 낀 유리를 짜증스럽게 쾅쾅 두드렸다. 대답이 없어 더 크게 계속 두드리며 "어이!"라고 소리를 질렀다. 느닷없이 문이 홱 열리더니 큰 황갈색의 손이 내 양복의 앞섶을 움켜쥐었다. 그리고는 나를 안으로 데리고 들어가더니 불편한 의자에 내려놓았다. 황갈색 손의 주인은 또 다른 황갈색 손에 스테킨 자동권총을 쥐고 꾸짖듯이 흔들어댔다. 나는 즉시 그가 바라는 바를 이해하고 의자에 쥐 죽은 듯이 앉아 있었다.

치과의사의 시술의자에는 두 명의 의사가 돌보는 환자가 있었다. 치과의사 두 사람은 스테킨 권총을 가진 친구처럼 암청색 방수 레인코트를 입고 있었다. 반면에 환자는 흰 의사의 가운을 입고 있는 게 기이해 보였다. 나는 환자가 로 의사이고, 치과의사들은 치과하고는 거리가 먼 무자격자들이라는 것을 알아차렸다. 두 사람이 로 의사가 입을 벌리려 하지 않는데도 우격다짐으로 드릴을 쓰는 걸 보고 말이다. 로 의사가, 실제로 그가 분명히 의사였다. 세 번째인가 네 번째 기절하자 가해자들은 그의 의식을 회복시키지 못했다. 그는 코를 통해 이따금씩 찍찍거리는 소리를 냈지만 이를 악물고 한 마디도 말하지 않았다. 호 선생이었다면 이렇게 법석을 피우지 않고도 일을 잘 처리했을 것이라고 생각했다.

청색 방수 레인코트를 입은 친구들은 잠시 꽥꽥거리며 대화를 나누더니 내게로 몸을 돌렸다.

"당신은 누구야?"

그 중 하나가 물었다. 나는 애처롭게 손으로 턱을 탁탁 치며 치통을 앓는 환자의 고통을 흉내냈다. 그는 턱에서 내 손을 치우더니 육중한 권총의 옆면으로 턱을 세게 쳤다. 그러고 나서 마룻바닥에서 나를 들어올려 의자에 다시 앉혔다.

"치통이 가셨지?"

나는 씩씩하게 고개를 끄덕였다.

"다시 보면 우리를 알아보겠나?"

"맙소사, 아니요. 당신들은 다 생김새가 똑같아서… 내 말은 아니라는 거요. 나는 도무지 사람을 알아보는 머리가 없어서, 그는 큰 권총을 오른손으로 옮기고 다시 한 번 나를 세게 쳤다. 이제는 정말 치과치료가 필요해졌다. 사실 나는 기절하지는 않았지만 현실적인 목적을 위해 그런 체하기로 했다. 나는 머리를 축 늘어뜨렸다. 그는 다시 나를 때리지는 않았다.

반쯤 감은 눈으로 보니, 세 명의 방수 코트 입은 친구들이 기절한 로 의사의 옷을 벗기고 있었다. 치과의사들이 그렇듯이 그는 영양 상태가 좋은 의사였다. 놈들 중 하나가 코트 호주머니에서 뭔가를 꺼내더니 빈 포장을 어깨 너머로 집어던졌다. 그것이 내 발치에 떨어졌다. 상표명은 '불 스틱'이었다. 용해제가 없다는 무시무시한 의료용 접착제다. 손가락에 묻으면 만지면 안 된다. 수술을 해야 떨어진다. 세 친구 중 하나가 치과의사의 앉는 자리에 접착제를 다 바른 뒤 발가벗긴 로 의사를 다리를 쫙 벌려놓고 앉혔다. 그리고는 그걸 갖고 다른 못된 장난을 많이 쳤다. 여러분들도 읽고 싶지 않을 것이고 나도 기꺼이 잊어버리려 한다. 사실 나는 정말로 기절했다. 그걸 보고 충격을 받아서.

의식이 돌아와 봤더니 입 안에 조그맣고 딱딱한 자갈 부스러기가 한 가득 들어있었다. 전부 손에 뱉었다. 아니나 다를까 충치 메우는 재료 종합세트였다.

방수코트 입은 세 명의 친구들이 가고 나서 나는 로 의사가 앉아 있는 곳으로 비틀거리며 다가갔다. 그는 눈을 조금 뜨고 있었다.

"경찰?"

내가 물었다. 그는 아무런 반응이 없었다.

"이봐요. 앰뷸런스가 와야 돼요. 그러면 그 사람들이 경찰에 연락하게 돼 있어요. 곧바로 안 부르면 이상하게 보일 거예요."

그는 자기가 노인이라는 것을 막 깨달은 것처럼 천천히 조심스럽게 머리를 끄덕였다. 사실 그는 40대였다. 아니 그날 아침까지는 그랬다. 나 역시 노인이 된 느낌이었다.

"먼저."

내가 말했다. 이를 다쳐 나는 말을 잘할 수가 없었다. 그도 여러분들이 다 짐작할 만한 이유 때문에 말을 전혀 못했다.

"먼저, 내가 다른 데 갖다두어야 할 게 있나요?"

그의 머리가 천천히 돌다가 시선이 문 옆의 벽에 고정됐다. 나는 벽 쪽으로 갔다.

"이거예요?"

별 볼일 없는 족자를 가리키며 내가 물었다. 그가 고개를 가로저었다. 그 다음으로 나는 로 팡 하이가 치아를 괴롭히도록 허가받았음을 사람들에게 확인시켜 주는 여러 개의 자격증 액자를 가리켰다. 그는 계속 고개를 가로저으며 말없이 벽을 바라보았다. 벽에는 파리똥과 싸구려 치약 광고물밖에 없었다. 30센티 정도 팔과 다리가 있는 치약튜브로 된 광고물 말이다. 나는 치약튜브 아저씨를 벽에서 떼어놓았다. 그는 곱고 하얀 가루로 채워져 있었다.

나는 헤로인이나 코카인이 어떤 맛이 나는지 모른다. 그래서 TV에 나오듯이 손가락 끝으로 맛을 보는 일은 하지 않았다. 하지만 베이비파우더가 아니라는 건 분명했다.

나는 암산에 뛰어난 학생은 아니었다. 그러나 재빨리 겁에 질린 상태로 계산해보니 0.5킬로그램이 넘었다. 암스테르담에서는 8만 파운드 값어치의 양이다. 더 중요한 건 50년 징역형을 받을 양이다.

로 의사는 정신이 번쩍 들게 만드는 큰 소리를 냈다. 나는 늘 베푸는 사람이었지만 중국인 의사의 코를 풀어준 건 이번이 처음이었다. 그가 입으로 숨을 쉬지 못하였기 때문이었다. 나는 앰뷸런스와 경찰을 부르기 위해 전화를 하고 재빨리 도망갔다.

호텔로 돌아와 조한나에게 전화를 했다. 중국에서 런던으로 직통 다이얼을 돌리면 된다는 걸 아시는가? 그리고 조심스럽게 치과 의사는 일이 잘 안 풀렸다고 말했다. 그녀는 잔돈을 준비해 공중전화 박스에서 다시 전화하라고 했다. 시키는 대로 했다. 나는 늘 비위를 맞추려고 노심초사하기 때문이다. 곧 우리는 놀랄 만큼 깨끗한 회선으로 다시 통화를 했다.

"정말 쉬운 거예요, 찰리, 연필이나 펜 있어요?"

"그거야 있지."

내가 톡 쏘아붙였다.

"그런데 도대체…."

"그럼 적어요. 치약은 몸에 숨길 것. 내일 일찍 홍콩에서 델리로 가는 비행기를 탈 것. 델리에서 파리행 비행기를 탈 것. 그 다음 에어 프랑스 ZZ 690편으로 뉴욕 J.F. 케네디 공항으로 갈 것. 철자는 알죠? 좋아요, 비행기 타면 화장실로 갈 것. 그리고 변기통 뒤의 검사 번호판 나사를 풀 것. 물건을 숨길 것. 케네디 공항에서 세관을 통과해 시카고행 ZZ 887편 비행기를 예약할 것. 이건 국내선이라 세관이 없어요, 알죠? 비행기를 타면 치약을 회수할 것. 시카고에서 전화해요. 그럼 그 다음에 뭘 할지 알려줄 테니까. 됐죠?"

"아니."

"아니라니, 그게 무슨 말예요, 여보?"

"내 말은 좀 아니라는 거야. 아니라는 의미야. 못 하겠어. 샌 퀜턴 교도소 영화를 본 적이 있는데 하나부터 열까지 다 싫어. 안 하겠어. 호텔로 돌아가면 화장실 물을 내려 가루가 다 씻겨 내려가게 하겠어. 날 설득시키려 하지 마. 마음을 굳혔으니까."

"찰리?"

"왜?"

"우리 결혼하고 곧바로 내가 당신 구슬려서 정관수술 받게 한 거 기억 나?"

"응"

"그 앙증맞은 조그만 병원에서?"

"그래"

"거기서 정관수술 한 거 아냐."

"뭐라고!"

내가 소스라치게 놀라 소리를 질렀다.

"그럼, 애가 생길 수도 있었단 말이야!"

"그건 아니야, 여보. 거기서 한 건 당신 고환에 쿼츠 자연붕괴 시간 시스템이 갖춰진 조그만 폭발물 캡슐을 심어넣는 시술이었어. 보자, 열흘 있으면 폭발해. 시술한 사람만이 이중 안전장치를 가동하지 않고 꺼낼 수 있어. 그러니까 다른 사람한테 그거 건드리지 못하게 해. 나도 당신만큼 당신 좋아해, 알지? 여보세요, 찰리, 거기 있는 거야?"

"응."

내가 무거운 어조로 말했다.

"좋아. 항공편 번호들 다시 한 번 말해봐. 그리고 조한나?"

"응, 왜?"

"폭발물 심어놓은 친구한테 길 건널 때 조심하고 또 조심하라고 해. 응?"

35

토끼나 다른 사냥감, 더 좋은 것까지
신이 보내준 어떤 좋은 것이 있는가?

— 노련한 밀렵꾼

모든 것을 서류가방에 쑤셔 넣었다. 호텔비를 내고 야간 비행 편
예약을 위해 안내 데스크로 내려갔다. 호텔 직원은 나한테 줄 게
있다고 말했다. 도망갈 곳이 있었다면 나는 줄행랑을 쳤을 것이다.
실제로는 태연하게 "아, 그래요?" 라고 말했다. 직원은 금고 다이
얼을 빙빙 돌리더니 두툼한 봉투를 하나 꺼냈다. 휘갈겨 쓴 글씨체
로 '가난한 이웃의 친구' 앞으로 보낸 것이었다. 직원은 '술을 너
무 많이 마시는 과체중의 유태인 인상의 남자에게' 라고 적힌 클립
으로 끼운 종이까지 주었다. 슬쩍 빼놓는 걸 잊고서. 나는 봉투를
열었다. 그 안의 메모에 이렇게 쓰여 있었다. '신부님, 당신이 주신
돈으로 크랩(주사위 도박)을 했습니다. 다섯 번 연속해 주사위를 패
스한 다음에 두어 사람이 오즈 베팅을 하고 저도 똑같이 걸었는데
운이 좋았습니다. 제가 들인 시간과 수고비 5%를 제하고 나머지
돈을 돌려드리오니, 가난한 이웃들이 신부님에게 진심으로 감사의

기도를 올리게 되길 바랍니다. 봉투에 들어있는 다른 내용물은 희한하게 생긴 만국 지폐다발이었다. 내가 묵었던 데와 같은 호텔들은 24시간 은행업무 설비를 갖추고 있다. 나는 딴 돈과 천 파운드의 용돈 거의 대부분을 자기앞 수표로 바꾸고 양심이 명령하는 대로 가난한 이웃에게 보냈다. 그 당시 나에게 유일한 가난한 이웃은 W1 구역 어퍼 부룩 거리의 모데카이였다.

스크랩북에 넣어둘 램브란트 동판화 하나 값을 힘 안 들이고 수중에 넣으면 보통 말초신경이 진정되는 효과가 있었다. 그러나 택시 운전사가 나를 공항에 내려놓기 한참 전부터 다시 떨기 시작했다. 이게 꼭 나쁜 것만도 아니었다. 만일 내가 대담한 척했다면 분명히 악당으로 검거되었을 것이다. 내가 공포로 경련을 일으키자 세관 직원들과 보안 담당자들이 나를 파킨슨병에 걸린 환자로 단정하고 가볍게 통과시켜주었다. 이런 병은 교황 보좌역들이 잘 걸리는 직업병이다.

결혼식의 종소리처럼 모든 게 기분 좋게 술술 풀려갔다. 그러나 에어 프랑스로 파리에서 뉴욕으로 가는, 마지막에서 두 번째 여정에서 사단이 벌어졌다. 내가 좀 너무 기분을 냈다. 나는 이미 흐느적거리고 있었다. 스카치위스키 여러 코스를 거쳤으니 저녁으로서는 좀 과하게 마신 것이다. 그리고 화장실로 향하는 도중에 나도 모르게 여러 명의 다른 승객들 무릎에 주저앉았다. 그들의 반응은 "아아, 무례한 거 아녜요!"에서부터 "아아, 이 사제 양반"을 거쳐 "조심해서 걸어야죠!"까지 다양했다. 무표정한 중국 신사한 사람만이 자기 무릎은 어떤 모데카이와도 무관하다는 듯이 나를 철저하게 무시했다. 마침내 화장실 문을 잠그고 안에 들어갔는데 검사 번호판 나사를 풀 스크루 드라이버를 미처 준비하지 못한 것이 아닌가.

자리로 돌아와 나는 앞뒤로 몸을 흔들었다. 스튜어디스가 유심히 나를 살폈다. 그녀가 괜찮느냐고 물어오자 나는 꼼수를 썼다. 바지지퍼에 낀 모데카이의 배관 시스템이 풀려날 수 있게 스크루 드라이버가 필요하다고 호소할 생각이었다. 아, 슬펐다, 평소의 유창한 불어 실력이 도망을 가버렸다. 흐느적거릴 정도가 됐는데 스크루 드라이버를 불어로 뭐라고 하는지 기억이 나시는가? 나는 스크루 드라이버를 큰 소리로 몇 번 씩 외치며 바지지퍼를 열심히 가리켰고. 상당한 분량의 수화도 하였다. 그녀의 영어 실력은 나의 불어 실력보다 더 형편 없었다.

"스크루는 알겠는데요."

그녀가 얌전빼며 말했다.

"그런데 이 드래베르는 뭐예요?"

"드래베르."

나는 흥분해 말했다.

"드래베르는 그래, 꽁떼르와 비슷한 거라구!"

다시 나는 미친 듯이 내 개인용 피뢰침이 보관돼 있는 바지의 부위를 가리켰다. 그녀는 이해가 된 것처럼 매우 기뻐하며 손뼉을 쳤다.

"아! 이제 알았어요! 드골 장군이 프랑스 국민들에게 한 일을 그대로 해주겠다고 꽁떼르, 조종사한테 말해달라는 거지요, 아닌가요?"

"아, 다정한 예수님이시여, 감자 칩이여, 토마토 소스여."

내가 한숨을 쉬며 자리에 주저앉았다. 이 행동에 스튜어디스가 어쩔 줄 몰라했다. 그녀는 가버리더니 다른 스튜어디스를 데려왔는데 피부색이 가무잡잡하고 여러 언어를 구사한다고 하였다.

"이 사람보다는 영어를 쬐금 더 잘해요."

그녀가 말했다.

"찾는 게 뭔지 설명해보세요?"

하지만 그녀는 스크루 드라이버가 뭔지 알았다. 술 안 취한 사람은 다 알겠지만 불어로는 '뚜르네비'다. 5분 뒤 그 무시무시한 가루는 화장실 변기 뒤에 안전하게 보관되었다. 나는 화장실 바닥에서 정신을 차리고 있었다.

"정신 바짝 차려."

나는 나 자신에게 준엄하게 말했다.

"의심을 불러일으키면 절대 안 돼. 쿼츠 자연붕괴 시간 시스템이 수정관 옆에 자리 잡고 있는 판국에 외국의 교도소에 들어앉아 있을 여유가 없어. 눈에 안 띄게 저자세로 있어야 돼."

그래서 나는 주변 사람들이 내 목적이 무엇이었는지 이해할 수 있도록 바지지퍼를 교묘하게 벌려놓은 채 태연하게 '코지 판 투테,' 즉 모차르트의 오페라 〈여자는 다 그래〉 한두 소절을 휘파람으로 부르며 통로를 따라 내 자리로 갔다.

모든 일이 대단히 순조롭게 풀려갔다. 이윽고 나는 경이로운 시카고에 도착했다. 여행을 해서 더 나빠진 건 거의 없었다. 사람들이 호들갑을 떠는 '시차'라는 건 성교의 통상적인 후유증과 다를게 별로 없었다.

시카고가 바람이 세다는 것은 지나치게 과장된 것이다. 나 자신이 더 바람이 들었다. 호텔로 가는 길에 나는 갱 단원들이 지저분한 변절자들을 '타자기' 기관총으로 쓰러뜨리고 그들의 내연녀를 '파인애플' 수류탄으로 날려버리는 장면을 구경할 수 있지 않을까하여 눈을 부릅뜨고 택시 창문 밖을 내다보았다. 그러나 아무것도 보이지 않았다. 내가 택시 운전사에게 투덜대자 그는 우쭐해하며 껄껄 웃었다.

"닉슨이 있는데."

그가 어깨 너머로 말했다.

"왜 알 카포네가 필요하겠어요?"

나는 알아듣는 척했다. 나는 물론 알 카포네는 들어서 알고 있다. 그는 역사의 한 페이지를 장식할 것이다.

호텔은 높이가 조금 더 높다는 걸 빼놓고는 다른 나라에서 묵었던 호텔과 똑같았다. 프랑스 파리에 있는 브리스톨의 복층 펜트하우스 스위트룸은 고사하고 클라릿지나 코노트에도 견줄 수 없는 그런 호텔들이다. 그러나 적어도 이런 새 호텔에 묵으면 기본시설은 되어 있다. 침대의 크기와 탄성이 어떤지, 룸서비스가 어떤지를 정확히 알 수 있다.

나는 화장실을 구경했다. 안 그러는 사람 있나? 자기로 된 변기는 '위생종이'띠로 보호돼 있었다. 이렇게 해두면 미국인들은 안심하고 앉을 수 있다. 그들은 세균 공포증이 있다. 다들 알 것이다. 호텔 지배인들은 '비용 효율' 때문에 선호한다. 변기 둘레에 종이 한 장을 탁 두르고 에어로졸을 뿌리면 실제로 닦는 것보다 시간이 훨씬 덜 걸린다. 아랍인들만이 여기에 넘어가지 않는다. 그들은 변기 위에 올라앉는다. 그러고 나서 빨리 샤워를 했다. 샤워기는 샤워물에 화상을 입든지 아니면 얼어죽게 하든지 둘 중 하나로 프로그램이 돼 있었다. 그래서 샤워기 밑에 오래 서 있을 수가 없었다. 이것도 '비용 절감'을 위해서이다. 새옷을 한두 벌 입어보고나서 나는 나 자신과 실무적인 토론을 했다. 결론은 여러분들이 짐작할 수 있겠지만, 조한나에 앞서 블러처에게 전화를 하는 것이었다. 블러처는 아주 크게 웃는 듯했다.

"크게 웃는 것 같군요."

내가 못마땅해 말했다.

"어, 모데카이 선생님. 솔직히 말하면 방금 중국 신사한테 전화를 한 통 받았는데, 내 부하는 아니지만 이따금씩 그냥 웃자고 소식을 보내와요. 아시겠죠? 프랑스 파리를 떠난 지 40분 정도 됐을 때 선생님이 자기 무릎에 앉았다는 거예요."

"예기치 않게 에어포켓에 빠져서. 제대로 비행기를 몰지 못한다고, 조종사를 혼을 냈지요."

"3만 피트에서 에어포켓? 아무렴 그렇고말고요. 그리고 스크루드라이버가 있었죠. 변기 검사 번호판을 뜯었다고는 하지 않겠죠? 뜯었나요? 정말 그랬나요?"

그가 유머감각이 없는 사람이라는 걸 몰랐다면 나는 그가 웃음을 억지로 참고 있다고 생각할 뻔했다.

"보세요, 물건을 회수한 다음에 맛을 봤나요? 제 말은 진짜 치약 가루일 수도 있다는 거죠, 예?"

"아마 그랬을 가능성도 꽤 있어요."

"예? 그래요. 좋은 생각이에요. 어, 지금 마나님에게 전화를 해서 정확히 시키는 대로 하세요. 우리 쪽 사람들에게 가까운 곳에 대기하라고 조치해 놓을 테니까요. 눈에 띄지는 않을 겁니다. 그리고 도저히 감당할 수 없는 일이 생기기 전까지는 영국으로 돌아올 때까지 저한테 전화하지 마세요. 아시겠죠?"

"사망 같은 사태를 말하시는 거군요?"

"아이고, 그건 아녜요."

그가 심각하게 말했다.

"죽게 되면 절대 우리에게 연락하지 마세요. 우린 모르는 사람이라고 잡아뗄 수밖에 없어요. 그게 기본 원칙이죠. 맞지요?"

"그렇죠. 이번 일의 전모에 대해서 저한테 알려줄 생각이 없겠죠?"

"맞아요."

그가 말했다. 나는 전화를 끊었다. 그리고 조한나에게 전화를 했다.

"여보!"

내가 소식을 전해줬더니 그녀가 소리를 질렀다.

"훌륭해요! 자 술 한잔 하면서 전화 옆에 그냥 앉아 있어요. 사람을 보낼 테니까요."

"여기가 지금 몇 시인 줄 알아?"

내가 격분해 꽥 소리를 질렀다.

"여기가 지금 몇 시인지는 알아요, 찰리. 시카고는 지금 몇 시예요?"

"저녁 시간이야."

"어, 술 두 잔 하면서 기다려요, 여보. 찾아올 사람이 근사한 저녁을 살 거예요. 내가 약속해요."

"좋아."

내가 말했다. 또 조한나에게 졌다. 이나 닦기로 했다. 그리고 물론 술도 하기로 했다.

"왜, 왜, 왜, 모데카이?"

남아있는 이를 반짝반짝하게 닦으면서 자문했다.

"난 왜 이런 돌팔매질을 당하고만 있는가?"

대답은 간단했다. 질문이 그저 수사적이었기 때문이다. 나는 잘 못하여 죽은 그런 죽음에는 특별히 이의가 없다. 더 이상 갚을 것도 없다. 비밀문건이나 불법무기나 기소당할 수 있는 편지를 숨기는 잡일은 다른 사람들이 해줄 테니 말이다. 6피트의 잔디 밑에 누워 있으면 이런 것들은 다 의미가 없다. 반면에 죽음이라는 건 당시 내가 원하는 것이 아니었다. 우선 쿼츠 자연붕괴 캡슐 이식이라는 끔찍한 장난을 한 발칙한 조한나에게 복수를 하고야 말겠다는 욕망이 불타오르고 있었기 때문이다. 비행기에서 나는 스튜어디스에게 내 정관에 귀를 들이대 재깍거리는 소리가 들리는지 확인 좀 해달라고 부탁할까 생각했다. 그러나 또다시 불어 실력이 안 되었다. 아무튼 스튜어디스는 이상야릇한 부탁이라고 생각했을 것이다.

'그래, 좋아!'

나는 생각했다. 그리고는 내가 호텔 내 약국을 빠른 걸음으로 찾았다. 베이비파우더를 0.5킬로그램이나 사는 사람은 못 봤을 것이다. 나는 질긴 봉투와 우표도 같이 샀다. 우표는 많이 샀다. 방으로 잠시 돌아갔다가 우체국을 다녀와서 안락의자에 앉아 쉬었다. 시차는 들이부은 술치료법에 잘 반응했지만 허기는 누그러지지 않았다. 나는 조한나를 믿었다. 그녀가 곧 근사한 저녁식사가 있을 거라고 하면 실제로 그런 식사가 있다.

나를 초대한 사람을 기다리면서 불안감을 느꼈다. 나는 머릿속으로 여러가지 가능성을 생각해 보았다. 7대 3의 가능성은 양복 어깨에 심을 박아 넣은 마피아가 나타나 몸수색을 하고 스파게티에다 서양 애호박 튀김, 소시지 튀김이 수북이 나오는 요리를 대접하는 것이다. 반면에 열에 일곱은 착 달라붙는 옷을 입은 여자 새디스트가 나타나 경멸하는 눈초리로 몸수색을 한 뒤 이탈리아 레스토랑 같은 데로 가서 세상에서 가장 무미건조한 꿩 구이를 사달라고 하는 것이다.

내 짐작은 틀렸다. 벨 소리에 이어 내 스위트룸에 스며들어온 것은 다름 아닌 보잉 747기를 타고 왔을 때 내가 무릎에 잠시 앉아 있었던 통통한 중국 신사였다.

"해로우(안녕하세요)."

그가 정중히 말했다. 나는 그의 넥타이를 힐끗 쳐다보았다.

"해로우의 클리프튼 길 말씀이시죠? 아, 네, 미안합니다. 알았어요. 선생께서도 해로우(안녕)하신지요. 술 한잔 하시겠어요?"

"아닙니다. 고맙습니다. 배고프실 텐데요? 가시지요."

내가 대접받은 음식이 중국 음식이라는 걸 알고 놀라는 사람은 거의 없을 것이다. 그러나 여긴 다른 중국 음식점과 달랐다. 시카고에 대한 첫인상으로 인해 내가 예상했던 지저분함과는 거리가 멀었다. 내 가장 친한 친구들 몇몇은 시카고 출신이라고 서둘러 말해야겠다. 그러나 이 바람의 도시 중심부에서 아홉 개의 다리 밑에 기름이 둥둥 떠다니며 흐르는 시카고 강의 냄새를 맡아본 적이 있는가? 악어들이 향수를 뿌린 손수건을 코에 대고 도망갈 정도였다고 한다. 미시간 호에서 불어오는 썩은 바람에 대해 '푸우!' 라고 하는 건 지나치게 완곡한 말이다.

이 레스토랑은 메뉴가 따로 없었다. 이름 모를 자그마한 접시 요리를 연속적으로 가져와 한 번에 하나씩 간장 없이 먹도록 하는 몇 안 되는 고급 중국 음식점이었다. 나는 시중드는 웨이터들과 재주 많은 요리사들을 실망시키지 않으려고 열심히 먹었다. 그리고 북

중서부에서 젓가락질을 가장 잘하는 사람이라는 평가를 받으려고
도 했다.

나를 초대한 사람의 이름은 Ree 또는 Lee였다. 그의 이름이 긴
가민가한 것은 정말 진짜다. 옥스퍼드 다닐 때 한국인 교수가 한
사람 있었는데 언제나 혀를 굴려 자기 이름을 Ree라고 발음했다.
그러나 쓸 때는 꼭 Lee라고 썼다. 그는 아무런 모순도 느끼지 않는
것 같았다.

둘이서 핑거볼에 손을 씻고 있는데 이 중국인 신사가 정중하게
자기에게 줄 소포가 있지 않느냐고 속삭이듯 말했다. 나는 생각에
잠긴 채로 손을 씻었다.

"아마 그럴 겁니다."

내가 조심스럽게 말했다.

"아닐 수도 있고요."

그는 나를 정중하게 바라보았다. 나도 똑같이 정중하게 대답했
다.

"거 있잖습니까. 아무리 저녁식사가 맛있다 하더라도 치약 샘플
이나 가루치약을 모든 이들에게 펑펑 인심 쓰라는 지시를 받지는
못했습니다만."

"모데카이 선생님. 이 바닥에서는 질질 끄는 건 예의가 아닙니
다. 신변의 안전에 문제가 된다는 걸 경험으로 잘 아시겠지요. 우
리 나름대로의 대비책도 있습니다."

"아이고, 예."

내가 서둘러 말했다.

"예. 사실 저는 호 선생과 인사를 나누는 즐거움과 특권을 누렸
습니다. 제가 보험을 들어놓은 것이지요. 저는 단순한 사람입니다.

죽음에 대한 동경 같은 허튼 생각은 안 하고 삽니다. 자기 보존이
자기 파괴보다는 훨씬 더 좋은 거 아닌가요, 안 그렇습니까?”

“어떤 예방 조치를 취하신 겁니까, 모데카이 선생님?”

“아, 예. US 택배 메일에 치약을 맡겨놓았지요. 깨끗한 사람들이
라고 들었습니다. 서리나 진눈깨비가 내려도 노조가 파업을 해도
배달원들의 발을 묶지는 못한답니다. 그리고 안전한 주소로 보내
놓았습니다. 구식이긴 하지만 가장 나은 방법이라고 생각했죠. 이
해하시리라 믿습니다.”

“모데카이 선생님.”

그가 나한테 구수한 차를 한 잔 더 따라주면서 부드럽게 말했다.

“제 부하인 호 선생을 만났다면 제가 지금 말하는 데 걸리는 시
간보다 짧은 시간에 그 안전한 주소를 선생으로부터 받아낼 수 있
다는 걸 분명히 잘 아실 테지요.”

“오, 예. 잘 압니다. 그런데 그 주소는 전혀 숨길 게 못 됩니다.
알려드리지요. 워싱턴 영국 대사관의 상무관입니다. 그 친구는 요
즘은 어떤 용어를 쓰는지 모르지만 보안은 곱절로 합니다. 보안에
대해선 잘 아실 테지요. 저의 오랜 학교 친구이고 제 얼굴도 알지
요. 보안 문제라면 워낙 철두철미해서 그 소포를 저 말고 다른 사
람한테 건네줄 생각은 꿈에도 하지 않을 겁니다. 제 말씀은 동반자
없이 저 혼자일 경우라는 뜻입니다. 제가 정상적으로 말을 못하는
상태라면 제가 필요한 시간만큼 대사관의 아늑한 침실을 쓰게 해
줄 겁니다. 아시겠지요?”

“알겠습니다.”

그가 말했다. 영국인이라면 “예, 알겠습니다. 알겠습니다.”라고
할 텐데 동양인은 말을 경제적으로 한다.

"얼마를 원하십니까?"

"돈 말이요?"

내가 내뱉듯이 말했다.

"전혀 필요 없습니다. 더구나 그 비싼 치약을 내가 갖고 있는 것은 천부당만부당하지요. 다른 사람들이 눈독을 들이는 물건을 갖고 있으면 어떻게 되는지 알고 있습니다. 돈은 필요 없고요, 제가 원하는 것은 작은 정보입니다. 저는 아무것도 모르는 일에 앞잡이 노릇을 해왔는데 이제 지치고 짜증도 납니다. 천지사방에서 독촉을 해대는데 제 지성을 모독하는 일이죠. 저는 돈이 된다면 어떤 깃발 아래서도 싸울 용의가 있어요. 하지만 먼저 깃발을 흘끔 보기라도 해야죠."

그가 이 문제를 놓고 생각에 잠긴 걸 보고는 영리한 사람이라는 걸 알 수 있었다. 물론 그가 나보다 얼마나 더 영리한 지는 두고 볼 일이었다.

"충분히 이해가 되는 말입니다, 모데카이 선생님."

그가 이윽고 말했다.

"공작원이 선생의 지성과 다른 자질을 충분히 고려하지 않고 일을 시킨 것 같군요. 어느 깃발 아래서 싸우는 지를 알아야 된다는 말씀에는 동감을 합니다. 하지만 먼저 내부적으로 정리를 좀 해둬야겠습니다."

"예."

내가 동의했다. 그는 나를 자기 사무실로 안내했다. 간단해 보이지만 비밀리에 활동을 하는 중국 신사의 사무실에 들어가는 것은 복잡했다. 작은 구멍을 통해 누군가에 의해 관찰을 당하고 금속 탐지기를 통과하고 사무실 주인이 음성 인식 자물쇠에 대고 뭔가 소

곤거리는 절차를 거쳐야 한다. 그는 내게 진짜 글렌리벳 위스키를
한 잔 따라주었다. 자신은 아주 먼 곳으로 연락을 하는 듯 자릿수
가 많은 번호의 다이얼을 돌렸다. 그가 전화 연결을 기다리며 내게
보낸 시선은 아무런 적대감의 흔적이 없었다. 다만 내가 집과 사랑
하는 사람들로부터 멀리, 아주 멀리 떨어져 있다는 느낌이 들게 만
들었다. 그가 내 나무관 값이 얼마나 들지, 또는 콘크리트와 철사
줄 값이 얼마나 들지 계산하고 있을 수도 있다. 나는 내가 그러한
비용이 많이 드는 것처럼 보이기 위해 배를 한껏 불룩 튀어나오게
했다. 전화벨이 마침내 울렸다.

"해로우(여보세요)!"

그가 말했다.

"더 시끄러운 소리를 낼지도 몰라요."

내가 중얼거렸다. 나는 따옴표 안을 완성하지 못하는 건 견딜 수
없다. 그가 나를 쳐다보는 시선이 날카로워지더니 웨일즈 뉴스 앵
커를 악의적으로 흉내 내는 듯한 말을 내뱉었다. 하지만 수많은 중
국어 방언 중 하나인 것 같았다. 그는 잠시 주절거리고 툴툴거리고
피리 부는 듯한 소리를 내다가 주의를 집중해 들었다. 상대방의 시
끄러운 소리는 그의 손 안에 있는 전화기를 진동시킬 정도였다. 대
화가 한동안 이어지다가 억양은 멋들어졌지만 옛날식 불어로 "동
감이오, 친구." 라고 말했다. 아마 과시용이었을 것이다. 그는 전
화기를 제자리에 놓고 내게 말했다.

"손을 씻으시겠습니까, 모데카이 선생님?"

나는 방금 상대가 말한 손을 살펴보았다. 정말 비 오듯 땀을 흘
리고 있었다. 고급스럽지만 희한하게 꾸며놓은 화장실에서 돌아와
나는 공격에 나섰다.

"저, 리 선생님?"

"고맙습니다, 네."

그가 대답했다. 내 공격은 무참하게 실패했다. 나는 깜빡 잊고 지도에 미처 표시해 놓지 못한 기관총 배치지점에 소대를 내던진 육군 중위가 된 기분이었다. 나중에 대령의 질책을 듣는 것은, 가까운 일가친척에게 스무 통의 편지를 쓰려고 앉아 있는데 중대 본부 사람들이 아예 아는 체도 안 하는 것만큼 불쾌하지는 않다. 더 치욕적인 것은 당번병이 "소대장님, 오늘 저녁을 장교식당에서 하기엔 너무 피곤하실 것 같아서요."라고 하면서 개인 참호나 천막으로 저녁을 가져다주는 일이다. 지난 시절의 추억이다.

'고맙습니다, 네.'라는 말로 나의 기를 완전히 꺾어놓은 리 선생은 나를 찬찬히 살피며 침묵에 빠졌다. 나는 침묵을 깨지 않았다. 그의 차례라고 생각했기 때문이다.

"모데카이 선생님."

내가 주눅 들기 충분한 시간이 흐른 뒤 그가 말했다.

"신중하신 분입니까? 아닙니다. 대답할 필요 없어요. 질문이 아니라 경고였으니까요. 글렌리벳을 조금 더 하실까요? 좋습니다. 특별한 때에 쓰려고 보관해두고 있죠."

특별한 때라는 말이 두 사람 사이의 허공에 묘하게 떠 있었다.

"자, 큰돈이 되는 물건을 갖고 선생이 더 이상 장난을 치지 못하게 우리 일에 대해 설명을 좀 해주는 걸 우리 동지가 동의했어요. 단, 선생의 근사한 부인에게 이 대화내용을 발설하면 안 됩니다. 혹시 알지 모를 미국 대령들에게도 말하면 안 되고. 그래요, 우리는 그걸 다 압니다. 부인께서는 모르겠지만. 그리고 물론 워싱턴에 있는 대사관 친구, 미안하지만 우리가 보기에 바보인 그 분에게도 얘기하면 안 됩니다. 그의 사무실은 도청장치가 돼 있지요."

"허, 참."

내가 인상을 찡그리며 말했다. 그가 손을 들어올렸다.

"우리가 그런 건 아닙니다. 미국에서 해놓은 거예요. 영국 사람들보다 더 바보 같은 사람들이죠. 미국이 설치해 놓은 도청장치를 우리가 도청합니다. 훨씬 값이 싸게 먹히죠."

"자, 이제 정신 바짝 차리고 들으세요. 지금부터 하는 얘기를 아까 그 사람들한테 발설하면 막강한 세 개의 조직이 선생을 불쾌하게 생각할 겁니다."

"계속하시죠."

내가 태연하게 중얼거렸다. 내 손은 땀으로 다시 끈적거렸다.

"먼저, 부인께서는 선생을 대단히 좋아하지만 그런 상황이 되면 선생에 대해 '불안정' 판정을 내려 아랫사람들한테 처리하라고 맡길 겁니다. 군사학교의 피오나가 선생을 파묻겠지요. 부인께서는 묻기 전에 반드시 죽이도록 명령할 정도의 힘은 충분히 있을 겁니다. 모르긴 해도."

나는 몸서리를 치지 않았다. 난 절대로 외국인들 앞에서 몸서리 치는 모습을 보여주지 않는다. 하지만 그는 탁구공만한 땀방울이 내 앞이마에 송골송골 맺히는 것을 분명히 보았을 것이다.

"그 다음으로, 미국의 어느 대령에게 이 정보를 주면 선생은 이제 쓸모없는 소모품이 됩니다. 대령은 선생을 살려두고 있는 걸 못마땅하게 여기는 윗사람들 비위를 맞추려고 그의 표현대로 '극도의 적대감을 갖고 끝장내버릴' 겁니다. 자연히 선생은 먼저 취조를 당하는데 골병이 들게 되지요."

"그렇겠지요."

나는 부르르 떨었다. 딱 까놓고 말해서 나는 골병들기는 싫다.

"마지막으로, 선생은 우리 조직의 제 3등급 적이 되는 겁니다."

"겨우 3등급입니까?"

빅토리아 여왕이 2급 아비시니아 정조 훈장을 받았을 때 그런 것처럼 흥분되어 내가 물었다.

"3등급이라는 게 무슨 뜻이죠?"

"선생을 죽이지 않겠다는 말입니다."

"아, 좋군요."

그의 얼굴 근육이 씰룩거렸다. 누가 농담을 했는데, 웃어야 할지 말아야 할지를 놓고 머리를 싸매는 영국 기병대 장교 같았다.

"아닙니다."

그가 미소 지을 생각이 전혀없는 듯했다.

"우리는 선생을 죽이지 않습니다. 우리는 3등급 적은 안 죽이죠. 하지만 조금만 지나면 아주 공손한 태도로 죽여 달라고 부탁할 겁니다. 그 부탁을 들어주지는 못하겠지만, 이삼일 뒤 선생의 체력과 원기에 달려있겠지만, 이틀이라고 합시다. 우리는 선생을 철길 다리 가까운 데로 편하게 풀어줍니다. 흰 지팡이를 들려주고, 물론 그 때쯤이면 시력을 잃게 될 테죠. 남은 손은 테이프로 붙들어 매고 10달러 지폐를 이 사이에 물고 있게 되지요. 미안해요, 네, 잇몸이죠. 당연히 남아 있는 이가 없을 테니까요."

"당연히."

내가 용감하게 말했다.

"10달러 지폐를 가난한 행인에게 주면 선생을 부축해 철길 다리 위의 편리한 위치로 데려다줄 겁니다. 그 때쯤이면 그런 도움이 절실해지겠지요. 이해가 되시나요?"

"리 선생님."

내가 최대한 사무적으로 말했다.

"하나 알려주세요. 중국 사람들은 매일 하루 두 번 배변을 하지 않으면 변비로 생각한다는 게 맞는 얘깁니까? 어디서 읽었는데 맞는 얘기인지 정말 알고 싶어서요."

그는 속내를 드러내지 않는 사람이었다. 하지만 당황해 하는 기색을 내비치며 30초 가량 생각했다.

"맞습니다."

그가 30초 뒤에 말했다.

"맞아요, 사실이죠. 그러나 왜 그런 걸 묻지요. 그렇게 중요한 일이 없다는 얘깁니까?"

"제가 묻는 건."

내가 영국인의 사무적인 태도를 유지하며 말했다.

"리 선생의 건강이 염려돼서 그러는 겁니다. 요 몇 분 동안에 선생의 입에서 상당한 양의 노폐물이 빠져나온 것 같습니다. 그래서 소화관이 거꾸로 흐르나 해서요. 간단히 말해 미안하지만 선생의 말씀이 따분해지기 시작한다는 얘깁니다."

"아."

그가 말했다.

"반면에 선생의 말씀 요지는 잘 알겠습니다. 사실 약 10분 동안 저와 당신은 의견의 일치를 봤지요. 선생이 윗사람한테 허락받은 한도 내에서 직접 진실을 얘기해 주신다면 저는 누구에게도 그 내용을 발설하지 않을 것입니다. 그건 믿으셔도 됩니다. 첫째 저는 약속을 지키는 사람이고 둘째 저는 용기가 없는 사람입니다."

"아, 그렇다면 모데카이 선생님, 우리가 갖고 있는 자료가 틀린

게 분명하군요. 자료에는 창녀처럼 거짓말을 잘하고 때로는 터무니없는 만용을 부린다고 돼있는데 말이죠. 또 비겁함으로 종종 오해받는 덕목인 분별력이 있다고 적혀 있어요."

"리 선생님, 선생은 의도한 대로 저에게 겁을 주었습니다. 하지만 진즉에 겁을 먹었기 때문에 더 이상 필요가 없지요. 갖고 계신 자료는 한 가지 면에서는 맞습니다. 제가 분별력은 있습니다. 진실을 좀 얘기해 주세요. 우리 두 사람은 선생이 그렇게 하기로 마음 먹는다면 나중에 저를 죽일 수 있고 죽일 거라는 걸 압니다. 제가 먼저 선생을 죽이려고 꾀를 쓰지 않는다면 말이죠. 하지만 그럴 생각이 현재로서는 없습니다. 그 동안에 그 맛있는 몰트 위스키를 좀 더 맛보았으면 합니다만? 그리고 치약에서 손을 떼게끔 그럴듯한 정보도 주시고요, 예?"

얼마나 내가 용감했는가. 리 선생은 내게 클리넥스 한 장을 건네주었다. 나는 이마의 땀을 닦았다. 그가 말하기 시작했다.

"선생의 부인은 조한나 모데카이죠."

그가 내게 말했다. 나는 물론 알았다. 그러나 난 조심스러워 고개를 끄덕이지도 않았다.

"부인은 여성지배협회 수석재무관이죠. 또한 부회장이기도 하고요."

"여성해방 말씀하시는 거 아닌가요?"

내가 말을 잘 못 알아듣는 외국인에게 그러는 것처럼 민망한 어조로 말했다.

"아닙니다. 모데카이 선생님. 여성해방이라는 것은 수온을 체크하고 실제 운동을 감추기 위해 물에 띄워놓은 치기어린 짓에 불과하지요. 그것 때문에 얼마나 많은 어리석은 여자들이 브래지어 끈을 자를 준비가 돼있는 지를 알게 되니 유익했습니다."

그가 농담을 했다. 나는 이를 드러내지 않고 웃었다.

"동감입니다."

"여성지배협회는 아주 만만치가 않죠. 전세계에서 가장 돈이 많은 민간조직일 겁니다. 팔레스타인 인민해방전선보다 돈이 더 많지요. 두 조직이 우호관계를 맺고 있어요."

팔레스타인 인민해방전선의 재력과 살상 능력에 대해서는 관심이 거의 없다고 딱 잘라 말하려 했다. 그런데 40년 전에 내가 나이 지긋한 숙모에게 거짓말하지 않겠다고 약속했던 생각이 났다. 그래서 입을 다물었다.

"그 사람들의 생각은 세계를 지배하겠다는 겁니다."

나는 거울 앞에서 자주 연습해 본 시선을 그에게 던졌다. 내가 네 번째 카드에서 다시 배팅을 하는 스터드 포커 파트너들에게 던지는 시선이다.

"어떻게 안 이길 수가 있겠어요?"

그가 물었다.

"첫째, 그 무시무시한 미국의 중년 부인들이 전세계에서 가장 부자인 나라의 재산 5분의 3을 주무르고 있지요. 둘째, 이슬람 국가들의 후궁에 기거하는 장막 뒤의 여인들이 스위스 은행조차 셀 수 없는 막대한 재산을 보유하고 있고요. 셋째, 이스라엘과 인도의 여성 지식인들이 엄청난 정치적 영향력을 행사하고 있습니다. 넷째 여성들은 거세 콤플렉스가 무분별한 정도로 강해요. 작은 남자들을 폭군으로 만드는 열등감하고 같은 거지요. 알렉산더 대왕은 여자들하고 성관계를 못했고요. 훈족의 아티라 왕은 발기를 시키려고 용을 쓰다 죽었지요. 나폴레옹은 터무니없을 정도로 성기가 작았습니다. 3.6센티미터로 몇년 전에 소더비 경매에서 팔렸어요. 그리고 아돌프 히틀러는 온 세상 사람들이 아는 바와 같이 고환이 하나밖에 없었어요."

나는 불편해 의자에 앉은 채 자세를 바꾸었다. 그가 미친 소리를 하고 있다고 생각했다.

"다섯째, 누가 여자들에게 반대할 수 있습니까? 위부터 아래까지 썩지 않은 나라가 하나라도 있습니까? 진짜 강한 남자라고 할 만한 현직 정치인을 한 명이라도 댈 수 있습니까?"

이건 수사적인 질문이 아니었다. 그는 내게 대답할 시간을 주기 위해 말을 멈추었다. 나는 그 시간을 썼다.

"없습니다."

이것이 내가 마침내 한 말이었다. 그는 몇 밀리미터라고 할 정도로 고개를 살짝 끄덕였다.

"여섯째, 이게 마지막입니다만 이 여성조직은 제가 말한 대로 친구가 있어요. 무엇보다 우리가 있지요."

"우리가 누굽니까?"

"이시부(Issyvoo)."

나는 평생 그래본 적이 없었는데… 머뭇머뭇댔다. '이시부'는 분명 베를린 사람들이 영국 소설가 크리스토퍼 이셔우드를 부르는 이름이었다. 그는 '수전노 중 수전노'에 관해 농담을 한 사람으로 후세에 명성이 전해질 사람이었다. 나는 눈썹을 치켜올렸다. 그는 나에게 철자를 말해주었다.

"ICWU. 국제중국웨이터조합. 아니, 웃지 마세요. 우리 조합은 우린 그렇게 부르지 않지만 본래 이름에는 관심이 없으실 테지요. 전세계에서 유일한 국제조직입니다. 또한 터무니없이 정치권과 연계돼 있지 않은 유일한 조합이구요. 또 고용주와 종업원이 동등한 자격의 회원으로 있는 유일한 조합이지요. 그래야 하겠지만, 가장 중요한 건 노조 반대파와 갈등이 없는 유일한 조합이라는 겁니다. 그런 사람들에게는 조합이 그들의 어머니이고 아버지라는 걸 이해할 수 있게 1시간짜리 교육을 시키지요. 영리한 친구들은 한 시간도 채 안 돼 이해합니다. 미련한 친구들에겐 그 가정에 돈 봉투와 기념품을 보내줍니다."

"말하자면 귀 같은 겁니까?"

내가 조심스럽게 말했다.

"뭐, 그런 종류이죠. 하지만 그런 성가신 일은 요즘엔 잘 안 하지요. 세상이 다 알듯이 우리 중국 사람들은 도박꾼 체질이에요. 좋아하시는 중국 음식점에 갔는데 주인이 바뀌어 있으면 그건 주인이 도박판에서 재산을 탕진했다는 뜻이죠."

"알고 있습니다."

"새 주인은 지배인에 불과하죠. 아시겠어요. 그 사람은 조합에 큰돈을 빚고 있지요. 웨이터들이 다 그렇듯이 신분에 따라 조합에 빚이 있지요. 이 모든 것은 조합비 가지곤 어림없는 막대한 자금이 필요하다는 걸 아시겠지요. 선생의 매력적인 부인께서는 자기 조직을 통해 자금을 조달해주고 있어요. 한편으론 우리의 현금 유동성을 지원해주기도 하고 한편으론 유능한 젊은 여자들을 운반원으로 보내줘 우리가 국제적으로 약 공급을 조절할 수 있게 해주는 것이지요. 그것만 알면 된다고 생각합니다만?"

"아름다움이 진리요, 진리가 아름다움이나니 그것이 전부다…. 그것만 알면 된다.(영국 시인 존 키츠의 〈그리스 항아리에 부치는 노래〉의 마지막 구절)"

418

내가 그리스 항아리에 깊게 손을 담그며 말했다.

"네?"

"키츠예요."

"키츠요?"

"네, 야옹이라는 뜻이죠."

"아, 그건 제가 준비할 수…."

"고생스럽게 그러실 필요는 전혀 없어요. 저는 그저 허용 가능한 범위 내에서 주신 정보를 받아들인다는 뜻이었으니까요."

"솔직하게 말씀드린 겁니다, 모데카이 선생님. 믿으시기 바랍니다."

"물론입니다. 가루 설탕을 드려야죠. 내일 워싱턴에서 만나실까요?"

36

남자는 머리를, 여자는 가슴을,
다른 모든 것은 혼란.

— 공주

"야, 이게 누구야, 찰리!"

다음 날 내가 안내를 받아 운치있게 장식된 그의 사무실에 들어서자 험프리가 외쳤다.

"야, 이게 누구야, 이게 누구야, 험프리!"

내가 정중하게 대꾸했다. 우리는 '야, 이게 누구야.'라는 쓸모있는 말을 맘껏 써가며 안부인사를 나눴다. 이런 말은 생각을 안 하고 넘어가게 해주고 상대방이 결혼했는지, 이혼했는지, 호모인지 어떤지를 기억하려고 애쓰는 수고를 덜어준다. 가장 좋은 건 상대방 부모의 안부를 묻지 않아도 된다. 험프리는 꽤 오래된 아일랜드 명문가의 후손이다. 이 말은 적어도 그의 가장 가깝고 소중한 사람 중의 하나가 쇠사슬에 묶인 채로 지하실에 갇혀 마른 빵으로 연명하며 심심풀이로 쥐새끼와 싸움을 하고 있다는 뜻이다.

게다가 '이게 누구야'는 험프리에게 '이 곳은 도청장치가 되어 있다.'는 문구가 깔끔하게 새겨진 명함을 호주머니에서 꺼낼 기회를 주었다. 나는 열심히 고개를 끄덕였다. 그는 이걸 알아차렸다는 표시로 받아들였지만 나는 이미 알고 있다는 뜻으로 그렇게 하였다.

"술 한잔 하기엔 너무 이르지?

그가 시계를 힐끗 보며 물었다.

"그 반대야. 너무 늦었어."

괜히 내 시계를 힐끗 보면서 말했다.

"생명수를 냉큼 가져와야지."

그는 눈썹을 치켜올리고 "스카치로 할 거야, 버번으로 할 거야?"라고 말하면서 벽장으로 가 자물쇠를 열고 내가 보내준 두둑한 봉투 2개를 꺼냈다.

"둘 다."

나는 재치있게 받아넘겼다.

"욕심 많은 놈."

그가 내게 봉투 두 개를 건네주며 웃었다. 그리고 큰 브랜디 한 병과 소다수를 갖고 왔다. 그는 하루 이맘때에 내게 그것들이 필요하다는 걸 알고 있었다.

우리는 잠시 우스터 얘기를 하며 시간을 보냈다. 이 우스터 얘기를 한가롭게 주고받는 동안 그는 메모 용지철을 책상 위로 내게 밀어주었다. 나는 그의 배려에 보답하기 위해 이런저런 소식을 휘갈겨 썼다. 정확히 말해 내가 블러처를 알고 있고, 알고 있는 바를 그대로 적었다. 그리고 그가 첩보전에서 한 발 앞서서 블러처와 거래를 할 수 있도록 다른 두세 가지 정보도 제공해주었다. 몇 가지 얘기는 조심스럽게 생략했다. 아마 믿지도 않았을 테고 여하튼 내 신변안전에 관련된 사항들이었다. '빈둥거리고 총명하고 엉큼한 끝까지 살아남는' 내 마지막 성적 통지서의 성품란에는 그렇게 쓰여 있었다. 나는 조금도 변하지 않았다.

기운이 샘솟게 하는 브랜디를 한 잔 더 하고 나서 우리는 헤어졌다. 그는 나를 친절하게 문 쪽으로 안내하다가 도청장치가 되어 있는 걸로 알고 있는 스탠드 옆에 잠시 멈춰섰다. 그리고 걸걸한 목소리로 속삭였다.

"찰리, 늙은 멀리너(P. G. 우드하우스 소설의 작중 인물)의 말은 한 마디도 믿지 마."

나는 숨이 막혔지만 들리지 않게 씩 웃으며 그러겠노라고 중얼거렸다.

리 선생은 머릿속으로 긴 나눗셈을 하는 사람처럼 점잖게 허공을 바라보며 만날 장소에서 기다리고 있었다. 그는 내게 술을 권했지만 마음은 거기에 있지 않았다. 나 역시 마시기보다는 일을 빨리 처리하고 싶었다. 솔직히 헤로인 꾸러미를 갖고 다니느니 아일랜드에서 만든 시한폭탄을 들고 거리를 돌아다니겠다는 생각이 들었다.

우리는 그 거리를 돌아 영국 정보기관의 멍청한 친구들의 감시를 피할 수 있을 것으로 리 선생이 믿고 선택한 지점까지 걸어갔다. 우리는 입구로 옆걸음질을 쳐 들어갔다. 그가 큼직한 서류가방을 열었다. 나는 두툼한 봉투를 그 안에 밀어넣었다. 그는 내게 살짝 목례를 하면서 길고 흔들림 없는 시선을 보냈다. 그리고는 경찰관의 묵인 아래 소화전 옆에서 대기하던 천박한 검은 리무진에 올라탔다. 나는 리 선생의 길고 흔들림 없는 시선이 별로 마음에 들지 않았다. 그것은 마치 '모테카이, 물건이 틀림없어야 돼. 당신 비명 지르게 만드는 방법은 많아.' 라고 말하는 듯한 눈길이었다. 나는 그가 내 손에 쥐어준 쪽지를 살펴보았다. 그것은 내가 기대했던 후한 용돈이 아니었다. 더 좋은 것이었다. 훨씬 더 좋았다. 메모 내용은 이랬다. '부인으로부터의 메시지는 쿼츠 자연붕괴 이식은 그저 농담이었다는 말로 시작한다, 걱정하지 마시길, 심통 부리지 마세요, 당신의 사랑하는 조한나, 끝.'

"정말로 끝이야."

내가 으르렁거렸다.

리무진이 시야에서 사라지기 전에 한 대의 훨씬 천박한 검은 리무진이 도로 경계석으로 미끄러져 왔다. 나는 잠깐 쳐다봤을 뿐 지나가는 택시들을 향해 택시를 붙잡는 척했다. 택시 운전사들은 나의 영국식 제스처를 이해하지 못하는 듯했다. 두려움이 짜증으로 변해가고 있을 때, 그 리무진에서 점잖아 보이는 남자들이 내리는 걸 보았다. 나는 조금도 개의치 않았다. 지나가는 택시들에 손짓을 계속 하고 있었다. 바로 그 순간 나는 뒤통수를 맞아 기절했다.

여러분은 뒤통수를 맞아 기절한다는 것이 어떤 느낌인지를 묘사한 글을 많이 읽어봤을 것이다. 별이 번쩍번쩍 한다, 파랑새가 지저귄다, 폭죽이 터지는 것 같다, 초인종이 울린다 등등. 그러나 어느 것도 그런 일을 직접 당해본 사람이 쓴 글이 아니다.

그러한 경험을 한두 번도 아니고 여러 번 당해 본 사람으로서 말하겠다. 나는 그러한 현상들을 과학논문 형식으로 쓰면 정통 의학저널에서 게재해 주겠다고 할 만큼의 경험이 많다. 순서는 이러하다.

(1) 당사자는 머리, 두개골의 뒷부분에 강한 충격을 받은 뚜렷한 감각을 느낀다. 일순간의 고통을 겪는다.

(2) 이로 인해 처음 경험한 사람들은 자기가 속한 인종 집단에

따라 '아!' 소리를 지르거나 그와 비슷한 말을 한다. 여러 번 당해본 사람은 한 번 더 맞지 않기 위해 조용히 주저앉는다.

(3) 그리고는 사춘기 이래 가장 편안하고 꿈이 없는 잠에 빠져든다.

(4) 그는 마지못해 깨어나 깨지는 듯한 두통과 심한 갈증을 느낀다. 게다가 깨어난 모습을 냉랭하게 바라보는 덩치 크고 못생긴 사내들이 자신을 에워싸고 있다. 이 친구들은 카드게임에 푹 빠져있다. 그는 다시 잠이 든다. 이번엔 경련을 일으키며 잔다.

(5) 그는 다시 눈을 뜬다. 이번엔 거칠고 못생긴 사내들이 깨우는 것이다. 가정 독서용으로 쓰는 이런 책에서는 설명할 수 없는 아주 거친 방식으로.

(6) 화가 나서 가해자에게 주먹을 날려보지만 전문가가 뒤통수를 때린 것이 얼마나 기력을 빼앗아갔는지 모르고서 하는 짓이다. 주먹은 몇 인치 차이로 힘없이 빗나간다. 못생긴 사내는 웃지도 않는다. 그는 솥뚜껑만한 손으로 주먹을 피해가며 피해자를 후려갈긴다. 브루클린에서는 '후려치고 갈기고 제압한다.' 라고 표현한다.

(7) 수치심과 분노로 몹시 울다가 카펫 위로 쓰러진다. 못생긴 사내는 머리를 한 움큼 움켜쥐고 안 됐다는 듯이 일으켜 세운다.

이 모든 일이 열거된 순서대로 내게 일어났다. 나는 미국에서는 배쓰룸이라고 불리는 화장실(영국에서는 lavatory 또는 toilet으로 씀)로 끌려갔다. 그리고는 토하고 얼굴을 씻고 우리 할머니 표현대로 '베일을 반듯하게 펴도록' 허락받았다.

나의 몸 상태는 조금 나아졌다. 하지만 울분은 전혀 풀리지 않았다. 머리를 얻어맞는 일을 평정한 마음으로 받아들이는 사람들도 많을 것이다. 어떤 사람들은 그런 일격을 명상에 도움을 주는 수단으로 환영하기도 한다. 또 어떤 사람들은 같은 인간을 사랑하지 못했다고 스스로 자책하기도 한다. 나는 그런 류의 사람이 아니다. 곤봉으로 맞으면 아주 마구 짜증이 용솟음친다. 중년나이 초반의 우리 비만한 겁쟁이들에겐 돈 안 드는 레크리에이션이 별로 없다. 혈압이 120/80보다 나빠지지 않는 한 격분하는 것이 가장 돈이 적게 들고 만족감이 크다.

덩치 크고 못생긴 사내들에 의해 얼굴의 물기가 닦여지고 바지를 고쳐 입혀진 채 어두운 방으로 질질 끌려가 놀라울 만큼 편안한 의자에 내던져졌다. 나 모데카이는 정말 분해서 용서할 마음이 없었다. 나는 잠깐동안 격분했다. 그런데 슬그머니 잠이 검은 팬더처럼 다가오더니 그 부드러운 송곳니를 모데카이의 남아있는 뇌에 찔러넣었다. 너무나 성숙한 여학생이 등장하는 묘하게 달콤한 꿈이 뒤를 이었다. 여러분이 읽는 이렇게 순결한 책에는 아주 어울리지 않는 꿈이었다. 전쟁터나 교수대에서 죽음을 목전에 둔 사람들은 섹스 행위에서 미친 듯이 위안을 찾는다고들 한다.

묘하게 달콤한 꿈은 강렬한 조명과 누군가가 어깨를 흔들어 깨우면서 갑자기 끊겼다. 나는 마지못해 눈을 뜨고 앉았다. 어깨를 흔든 사람에게 시선을 돌렸다. 우락부락한 놈들 중에서 가장 키가 작고 뚱뚱한 친구였다. 그는 기분이 나빠 보였다. 나는 그를 매섭게 쳐다보고는 앞쪽의 책상 너머로 어른거리며 미안해하는 형체를 응시했다. 눈의 초점이 모아지자 그 미안해하는 형체는 블러처 대령이었다.

"보세요, 모데카이 선생님, 괜찮으신가요?"

그가 걱정스런 어조로 물었다.

"크르르."

내가 으르렁거렸다. 예스나 노우는 합당한 것 같지 않았다.

"자, 모데카이 선생님. 폭행을 약간 당하셔서 정말, 정말 유감입니다…."

"크르르."

내가 이번에는 독기를 좀더 넣어서 그 말을 반복했다.

"…하지만 선생을 빨리 길거리에서 눈에 띄지 않게 해야 했어요. 차에 태우는 사람들이 같은 편이 아닌 것처럼 위장해야 될 상황이었구요. 이 지역은 우리 조직의 전문적인 지원을 받을 수 있는 형편도 못 돼서요. 그런데 이 친구들이 지시를 간접적으로 받은 데다 적대적이라…."

"뭐라고요?"

"…적대적인데다 어, 이런 친구들은 사람을 낚아챌 때는 인정사정 보지 않는 친구들이라."

"이 사람들이 지시받은 것보다 더 과잉으로 했다는 말씀이신가요?"

"물론 이 친구들을 혼내실 거지요?"

"그럼요, 그렇게 해야죠. 이봐 엘머."

그 친구는 내 의자 옆에 있던 못생긴 녀석이었다.

"엘머, 가서 뭐 좀 먹지 그래?"

엘머가 문쪽으로 방향을 돌렸다. 나는 일어나 군대시절 국방경비대 부관을 할 때 그랬던 것처럼 고약하고 귀에 거슬리는 어조로 "엘머?"라고 거칠게 불렀다.

그가 시계방향으로 몸을 돌렸다. 그의 간 부위에 나의 왼팔 훅이 한 방 날아들어갔다. 제대로 꽂혔다. '불과 4인치밖에 날아가지 않은' 기적의 펀치 얘기는 다들 들어봤을 것이다. 내 펀치는 20인치는 족히 날아갔고 180파운드에 달하는 모데카이의 근육과 지방 뒤에 도사린 앙심이 실려 있었다. 못생긴 이 녀석은 "어어어어" 비슷한 소리를 질렀다. 그리고는 몸이 완전히 접혀졌다. 조크는 오래 전에 "주먹 한 방을 배에 날릴 때는 배를 생각하지도 말고 앞쪽에서 척추까지를 친다고 생각하세요, 아시겠어요?" 라고 알려줬다. 조크는 이것이 무엇인지 정말로 '안다.'

블러처가 부저를 누른 것 같았다. 다른 두 명의 못생긴 친구들이 들어왔다. 그리고 블러처의 새끼손가락 제스처에 따라 카펫을 완전히 망쳐놓기 전에 그 괴로워하는 녀석을 끌고 나갔다.

기분이 조금은 풀린 상태로 의자에 주저앉았다. 블러처 대령의 입 가장자리가 씰룩거리는 것이 보였다. 나는 흐뭇한 표정을 지은 것으로 간주했지만 그는 어떤 찬성이나 책망의 기색도 보이지 않았다.

"여기는 어디죠?"

내가 편안하게 물었다.

37

모두 거짓인 것은 거리낌 없이 마주 싸울 수 있지만
일부 진실이 담긴 거짓은 싸우기 힘들다.

— 할머니

블러처는 열심히 귀를 기울였다. 모든 것을 듣겠다는 정중한 태도를 보였다. 나는 사무실을 둘러보았다. 그의 사무실이 아니고 어떤 엄청난 부자 사업가한테 빌린 사무실인 게 분명했다. 뭉크와 브라크, 피카소, 레제 같은 거장들의 엄청나게 비싼 그래픽 장식들이 벽을 도배하다시피 했다. 호사를 좋아한다 해도 블러처 대령이 받는 봉급으로는 도저히 손에 쥘 수 없는 것이었다. 또 그의 소속기관의 사무실 설비기준을 초과하는 것이었다. 그럼에도 불구하고 워싱턴의 사무실은 대부분 도청장치가 되어있다. 나는 내 수중에 남아있는 또 하나의 무거운 가루소포를 매끈한 책상 위로 밀어주었다. 만족스럽게 쿵 소리와 함께 소포가 그의 무릎에 떨어졌다. 이어서 블러처 대령의 입에서 끙 하는 소리가 났다.

"모든 이야기를 하겠습니다."

내가 그에게 중얼거렸다.

"하지만 이 벽들 사이에서는 못합니다. 아시다시피 난 지금까지 살아남은 생존자죠. 옛날에 교장 선생한테 받은 증명서도 있어요. 바람 쐬러 나갑시다. 맑은 공기를 좀 마시면 우리한테 좋을 거예요."

그는 나를 심드렁하게 바라보았다. 이것은 그가 열심히 생각하고 있다는 뜻이다. 그의 뇌신경 부위가 아침에 먹는 시리얼처럼 치직거리다 펑 터지는 듯한 소리가 들렸다. '부하들을 시켜 나를 두들겨 패 얻을 수 있는 거짓말이 더 나을까? 아니면 내가 자진해서 털어놓을 준비가 되어 있는 절반의 진실이 더 나을까?' 하는 것이 그의 머릿속의 질문임에 틀림없었다. 그는 정확한 결정을 내렸다. 어차피 이런 사람들은 결정을 내리라고 봉급주는 것 아닌가.

"네, 좋은 생각이에요, 찰리! 갑시다."

바깥 사무실에서는 우람한 체구의 못생긴 두 녀석들이 카드게임을 하고 있었다. 화장실의 열린 문 틈에서 리드미컬하게 "억, 억" 하는 엘머의 소리가 들렸다. 나는 카드 테이블 옆에서 멈춰 서서 헛기침을 했다. 둘 중 누구도 나를 올려다보지 않았다.

"엘머에게 이야기해줘."

나는 돈을 두둑하게 받은 의사의 목소리로 말했다.

"운동 더 하고 술은 덜 마시라고. 유일하게 딱딱한 데가 간이야."

못생긴 한 친구는 카드에서 눈을 떼지 않았다. 누가 그를 탓할 수 있으랴. 그의 패를 얼른 봤더니 퀸 하나만 있으면 피노클 게임에서 '라운드 하우스'라고 부르는 멋진 조합을 만들 수 있었다. 그러나 다른 한 친구는 천천히 눈을 들어 내 눈과 마주치더니 에드워드 G. 로빈슨(조폭 역으로 유명한 미국 배우) 같은 냉혹한 시선을 내게 보냈다. 철사줄로 콘크리트와 도로포장용 석재를 발목에 묶어 포토맥 강에 던지는 장면을 생각나게 하는 시선이었다.

"자, 젊은이들, 잘 있어."

내가 정중하게 이들의 사투리를 써가며 말했다. 피노클 게임을 하는 두 친구는 아무런 반응을 보이지 않았다. 엘머는 화장실에서 계속 "어어억" 하는 소리를 냈다.

워싱턴 DC에서 맑은 공기를 쐬기 위해 돌아다니는 방법은 에어컨이 갖춰진 택시를 타는 것이다. 나는 그렇게 했다. 내 앞에 온 첫 번째 택시에 올라탔더니 블러처가 화가 난 표정을 지었다. 분명히 그는 내가 첫 번째 택시를 잡아탈 정도로 똑똑하지는 않을 걸로 생각했다. 자기와 계약이 돼 있는 택시는 두 번째 택시였을 것이다. 그래서 나는 첫 번째 택시를 잡은 것이다. 아이고, 그 때만 해도 내가 얼마나 똑똑했는가, 불과 1년 전이다!

운전사는 유리와 쇠그물로 보호막이 쳐진 운전석에 앉아 눈을 가늘게 뜨고 우리를 쳐다보았다. 일격을 당하는 것은 택시 운전사들도 싫어하는 직업에 따른 위험이다. 그러더니 우리에게 정중하게 어디로 모시면 좋을지를 물었다. 뭐, 그가 실제로 말한 건 '예?' 였다.

"그냥 구경할 데를 돌아다녀요, 알았죠?"

블러처가 말했다.

"그랜트 장군 묘역 같은 데 말인가요?"

"그리고 국립미술관도요."

내가 끼어들었다.

"톡 까놓고 미술관부터 먼저요. 아 그리고 토치 하나 살 수 있는

가게에서 잠깐 세워주세요."

"잡화점에서 플래시 하나 사겠다는 말이요."

블러처가 설명했다. 운전사는 어깨를 으쓱거리지도 않았다. 하루 종일 바보들을 태우고 돌아다녀서 우리 같은 사람은 기억거리 축에도 못 낄 것이다.

"지금 얘기해줄 수 있나요?"

블러처가 내게 물었다. 나는 상황을 장악하고 있다는 느낌이 들기 시작했다. 난 누구보다도 주눅이 잘 든다. 하지만 조금이라도 주도적인 역할을 해야 기분이 좋다.

"먼저 미술관에 가보고 싶어요. 둘째 아까 사무실에서 끔찍한 그래픽 장식들을 많이 봤더니 훌륭한 작품으로 눈을 헹구고 싶은 마음이 간절하네요. 셋째 그 위풍당당한 미술관이 이 도시에서 도청 장치가 안 돼 있는 유일한 곳일 거예요. 넷째 조르조네 다 카스텔프랑코라는 사람과 오래 전에 한 약속이 있어요. 욕심도 나고 미심쩍기도 한 그 사람의 그림 한 점이 지금 국립미술관에 있지요. 오케이?"

"그래요, 베니스에서 벨리니의 문하생으로 있던 사람 말이죠. 콜럼버스가 미국을 발견했을 때 활동했던? 네? 우리 같은 문외한이 조르조네라고 부르는 사람 말이죠?"

"그 사람 맞을 거예요."

내가 쓸쓸하게 말했다.

"그 이름은 안 쓰는 게 좋아요."

"작년에 '미술 저널'에서 그 사람에 대해 글 쓰신 거 잘 읽었어요. 베렌슨(탁월한 감정 능력으로 유명한 미국의 미술역사가)이란 사람이 찰리를 닮았다는 느낌이 들었어요. 아이쿠, 미안해요, 찰리…."

"괜찮아요, 더 형편없는 이름으로 불리는 경우도 있으니까요."

나는 국립미술관 가는 길 내내 시큰둥해 있었다. 택시비는 내가 내겠다고 우겼다. 그는 내 팁을 찬찬히 흥미롭게 살피더니 자선을 베푸는 표정으로 다시 건네주었다.

미술관 안에서 더빈 경이 잘 나가던 시절 크레스나 와이드너 같은 사람에게 팔았던 멋진 작품들에게 한눈 팔지 않고 성큼성큼 지나쳤다. 그 당시엔 우리 아버지 모데카이 경이 유럽의 지위가 낮은 왕족들에게 하찮은 모작들을 팔러 다녔다. 나는 조르조네 그림 앞에서 젠체하며 멈춰서 플래시를 비췄다. 순식간에 여자 경비원이 독수리처럼 시끄럽게 떠들며 덤벼들어 손에서 플래시를 낚아챘다. 나는 미술역사가라는 자격증이 보이게끔 지갑을 건네주고는 큐레이터에게 보여주라고 하였다. 그녀는 금세 돌아와 사과를 늘어놓더니 '모데카이 박사' 라는 호칭을 쓰며 어떤 것이든지 플래시를 비추어도 된다고 말했다.

"고맙습니다."

나는 더 긴말하지 않고 대답했다. 나는 그림 여기저기에 플래시를 비추고는 '아', '음', '이런', 미술역사가에 어울리게 몇 마디를 했다. 블러처는 안절부절 못했다.

"보세요, 모데카이 선생님, 무얼 찾고 있는 건지 얘기를 좀 해주겠습니까? 내 말은 우리가…."

나는 어깨 너머로 그에게 아랫사람 대하듯이 시선을 보냈다.

"나는 지금."

내가 거들먹거리며 말했다.

"1510년경의 젊은 티치아노의 화법을 찾고 있어요. 내가 이 그림

432

에 대해 잘못 아는 것이 있는가 하는 생각이 들어서요."

"그렇지만 여기 명판에 이 작품은 조르조네 작품이라고 되어 있는데…."

"당분간은 그렇게 사람들이 말할 겁니다."

내가 가까이에 있는 쓰레기통에 플래시를 던져 넣으며 거들먹거리며 말했다.

블러처가 빤히 쳐다보았다. 킥킥거리는 13살 여학생들이 타고난 교사 체질인 듯한 여자의 극성스러운 안내를 받으며 박물관으로 쏟아져 들어왔다.

나는 그의 팔을 붙잡고 그 무리 속으로 들어갔다. 선생이 지껄이는 동안 여자애들이 킥킥거리며 우리를 더듬기까지 했다. 그러나 나는 그제야 안심이 됐다. 사춘기 소녀들의 재잘거림 속에서 음흉한 모데카이의 말을 구별해낼 도청기 마이크는 없기 때문이다. 그는 분명히 나의 예방 조치가 조금 지나치다고 생각했다. 하지만 곧 알아차렸다. 그는 미국 국방부가 생각하는 민주주의를 위해 기꺼이 목숨을 바칠 각오가 돼있는 사람이다. 반면에 나는 적자생존의 법칙을 믿는 단순한 사람이다.

"그래요."

그가 내년에 나올 오디오의 엄청난 소리를 넘어설 정도로 내 귀에 대고 으르렁거렸다.

"그래요, 가루를 넘겨줘요. 모데카이 선생님."

"나를 바보천치로 생각하는군요."

그는 나를 이상하다는 듯이 쳐다보았다.

"난 내 영혼을 지키기 위해 그런 쪽과는 선을 안 대요."

그가 말했다.

나는 못 들은 척했다.

"내가 비행기에서 회수한 저 가루는 말예요. 작은 생명보험 같은 걸 하나 들었어요. 베이비파우더를 가득 넣은 똑같은 소포를 하나 더 만들었죠. 잡화점에서 살 때 사람들이 빤히 저를 쳐다보았죠. 그리고 둘 다 봉투에 넣어서 속달로 안전한 곳에 부쳤어요. 나하고 접촉한 사람이 맞는 사람이라는 걸 확인하고 안전한 곳에서 꺼내 사전에 얘기된 대로 봉투 하나를 문제의 사람에게 준 거지요."

나는 블러처의 얼굴을 보고 있지 않았다. 그러나 그가 눈을 가늘게 뜨는 소리를 분명 들을 수 있었다.

"어느 소포예요?"

그가 뚫어지게 보는 듯한 어조로 물었다.

"그게 문제예요. 모르겠어요. A, B라고 표시를 해놓았는데 막상 상황이 되니까 어느 게 A인지, B인지 기억이 안 나는 거예요."

우리는 침묵에 빠졌다. 여선생이 학생들에게 설명하는 그림에 분명히 팔라 지오바니라는 라벨이 붙어있는데 팔마 베치오에 대해 계속 이야기하고 있었다. 그건 중요하지 않다. 아무도 듣고 있지 않았으니까. 매력이 넘치는 어린 소녀들이 무섭게 우리를 떼지어 공격하는 걸 보고 나는 대중가수가 된다는 게 얼마나 힘든 건지 실감하기 시작했다. 블러처는 한 손은 권총 케이스가 들어있는 상의를 누르고 다른 한 손은 바지지퍼에 갖다 대고 있었다.

"고약한 건."

내가 계속했다.

"지적하신 대로 원래 소포가 단순한 치약가루일 수도 있다는 점이죠. 가능성이 큰 얘기인데 내가 접촉한 사람이…."

"이 선생."

그가 끼어들어 거들었다.

"또는 리 선생이."

내가 동의했다.

"나를 아주, 아주 괘씸하게 생각할 것 같고 대령께서도 내가 반칙을 한 걸로 의심할 것 같네요."

"맞아요."

그는 이 말만 했다.

여선생은 어린 학생들에게 두 손 들었다는 시선을 던지며 또 다른 거장의 작품으로 옮겨갔다. 우리는 따라갔다. 나는 리 선생이 내게 해준 말을 거의 다 블러처의 귀에다 소곤거렸다. 그는 몸을 돌려 나를 빤히 쳐다보았다.

"그런데 그 말을 믿어요?"

그가 의아한 어조로 물었다.

"어, 지금까지는 사실관계가 다 맞아요. 하지만 좀 더 그럴듯한 각본이 있으면 기꺼이 듣겠습니다."

그는 생각하더니 커다란 통찰을 얻은 것처럼 허공 속으로 걷는 듯한 아니, 뛰어드는 표정을 지었다.

"짚이는 게 있나요?"

내가 예의 바른 어조로 물었다.

"아니, 여학생요. 여기에서 제발 빠져나갑시다. 제발!"

그는 잠시 주춤하더니 나가자는 말을 되풀이했다. 나는 그의 말에 따랐다. 우리는 나왔다. 또 택시를 잡아타고 이번에는 그가 택시를 잡도록 했다. 맛이 정말 없는 토스트를 내놓는 식당으로 향했다. 블러처는 음식 쓰레기를 먹으면서 생각에 잠겼다. 이런 식당의 커피는 보통 괜찮다. 음식과 함께 커피를 많이 마시면 궤양을 일으키지만 음식 맛없는 건 모르고 넘어갈 수 있다. 나 역시 누구 못지 않게 골똘히 생각에 잠겼다. 무시무시한 가위를 가진, 격한 분노를 가진 어떤 남자가 모데카이의 수명을 싹둑 자르려고 가위의 날을 갈고 있는 게 분명하게 느껴졌기 때문이다. 다시 한 번 말하지만 나는 죽음이 두렵지 않다. 권위 있는 정설에 따르면 죽음은 탄생보다 고통스럽지도 않고 품위가 떨어지지도 않는다. 다만 어디서 언제 어떻게 죽는가에 대해서는 한 마디 하고 싶을 따름이다. 특히 '어떻게'에 대해서는.

"블러처."

나는 맛이 없어 손을 거의 안 댄 접시를 치우면서 말했다.

"블러처 대령, 나를 살려두는데 관심이 있는 사람은 거의 없는 거 같아요. 좋은 수가 있다면…, 언제든 환영이에요."

그는 나를 쳐다보았다. 남아있던 음식을 마지막으로 넘기고는 나를 심각하게 바라보았다. 턱에 기름진 그레비 소스가 흘러내리고 있었다.

"그레비 소스가 흘러내리고 있어요."

내가 중얼거렸다. 그는 그걸 닦았다.

"다시 한 번 얘기해주실래요?"

그가 물었다.

"제 말은 죽지 않으면 좋겠으니 아이디어를 좀 달라는 얘기였어요."

이번엔 멍한 표정에서 친근감 있는 표정으로 바뀌었다. 그는 요리사에게 몸을 돌리더니 커피와 이쑤시개를 달라고 했다. 그런 다음 내게 몸을 돌렸다. 얼굴은 온화한 표정으로 바뀌어 있었다. 나는 어떻게 그가 그렇게 짧은 시간에 그렇게 많은 표정을 지을 수 있는지 꿈에도 생각지 못했다.

"알다시피, 모데카이 선생님, 나는 당신이 마음에 들어요. 진짜
예요. 이 나라에서는 선생 같은 사람들 수백 명을 활용할 수도 있
어요."

그렇게 말하고 그는 팔을 뻗어 형제처럼 어깨를 주물렀다. 그의
손은 크고 단단했다. 하지만 나는 움찔하지도 소리를 지르지도 않
았다.

"죽지 않고 사는 방법에 대해서 좀…?"

내가 물었다. 그의 얼굴이 다시 심각해지더니 천천히 측은하다
는 듯이 고개를 저었다.

"없어요."

그가 말했다.

38

서부의 우람한 체구의 딸이여,
우리는 홍수 너머로 그대에게 건배를 한다….

— 모두의 손

나는 징징대는 사람이 아니다. 그래봐야 아무 소용이 없다는 걸
알기 때문이다. 아무리 거센 공격을 받아도 오줌을 지리지도 않는
다. 나는 성냥개비 4개나 쓰고 귀한 실크 넥타이를 살짝 태운 끝에
태연하게 담배에 불을 붙였다. 영국인 특유의 침착성에 감동한 블
러처 대령은 위로의 말 한두 마디를 해주었다.

"우리 기관 감독관하고 연락해봐야 알겠지만, 선생을 종결처리
하라는 지시는 아직 못 받았어요. 나는 선생이 조금은 마음에 들어
요. 그런 지시가 떨어지기 전까지 8~90분 여유는 있을 거예요. 그
때까지 총을 겨누는 사람은 중국 삼합회 쪽 사람이라고 생각하면
돼요."

"행운을 빌어요."

그가 말했다.

밖으로 나오니 알몸이라는 이상한 느낌이 들었다. 지금까지 푸

438

른 색안경, 가짜 코, 커다란 붉은 수염에 대해 강렬한 욕구를 느껴본 적이 없었다. 이제 그런 초보적인 대비책에 대해 후회해봐야 너무 늦었다. 정중한 택시 운전사가 백 년같이 느껴지는 시간만에 나를 공항에 데려다주었다. 서류가방을 되찾아 런던행 비행기를 예약할 때쯤에는 내 머리가 뿌리 부분에서부터 눈에 띄게 하얗게 세었다.

비행기에는 단 한 명의 중국 사람도 없었다. 리 선생과 그의 젊은 동료가 탑승한 것은 비행기가 이륙하기 직전이 되어서였다. 두 사람은 나를 쳐다보지도 않았다. 나 역시 처음에 보고는 다시는 그들은 쳐다보지 않았다. 나는 과속으로 달리다가 걸렸는데 경찰관이 음주운전 체크를 하지 않았으면 하는 운전자처럼 앞을 똑바로 노려보았다.

나는 스스로에게 온갖 종류의 설명을 해보았다. 내가 어떤 항공편을 탈지 저들이 알 수 없었겠지, 알 수 있었을까? 조한나가 내 보디가드로 고용한 건가? 아니면 리 선생이 매일 이 비행기를 타고 다니는 건가? 그게 아니면 손자들한테 줄 맛있는 걸 가방에 채워넣고 중국 설을 쇠려고 소호로 급히 돌아가고 있는 건가? 그는 애지중지할 손자들이 몇이라도 있을 그런 연배의 남자인 게 확실했다. 아니면 리 선생이 아닐 수도 있다. 중국 사람들이 다 똑같이 생겼다는 건 잘 알려진 바이다. 후끈 달아오른 내 상상력은 비행기가 상공에 뜨고 기장이 기내 마이크를 통해 즐거운 여행이 되길 바란다고 말하는 소리가 들릴 때까지 온갖 헛생각을 해대고 있었다. '아.' 내가 씁쓸하게 한숨 쉬었다. 술은 안 마실 게 뻔한 옆자리의 여인이 불쾌하다는 듯이 나에게 눈총을 주었다. 기내 마이크에서 우리가 수천 피트 상공을 날고 있으며 비행속도는 굉장히 높은 mph(시속 마일 mile per hour)라고 알려주었다. 항공기 조종사는 미터법을 쓰지 않으려고 대항하는 마지막 보루이다. 나는 그 속도에 항의하고 싶었다. 급하게 종착지에 다다를 필요가 전혀 없었기 때문이다. 도착하는 것보다는 그냥 여기저기 날아다니는 게 나았다.

스튜어디스가 마실 음료의 주문을 받으러 왔다. 옆자리 여자가 얼음물 한 잔을 시켰다. 나는 얼음 없이 브랜디 큰 두 잔에다 진저에일 한 병을 시켜 그녀의 의심이 맞다는 걸 확인시켜 주었다. 나는 내 목소리에 떨리는 기미가 거의 없었다고 당당하게 말할 수 있었다. 스튜어디스가 생기나게 해주는 술을 갖고 왔다. 나는 그녀에게 중국의 설이 언제인지 아느냐고 물었다.

"왜요, 모르겠는데요, 선생님. 죄송합니다. 저쪽 앞에 중국 신사 두 분이 앉아계시니까 음료 나눠드리고 가서 여쭤보겠습니다."

"아냐, 아냐, 아냐, 아냐."

내가 소리를 질렀다.

"절대로 안돼요…."

"어려운 일 아녜요, 선생님. 기꺼이 알아봐드리죠."

곧 그녀가 중국 신사 두 명이 앉아있는 자리로 가서 몸을 수그리더니 내가 떨면서 앉아있는 곳을 훤하게 가리켰다. 그들은 돌아보지 않았다. 그녀가 다시 돌아와 말했다.

"어떡하죠, 선생님. 3주 전이었다고 그러네요. 아, 그리고 선생님이 설을 쉴 기회를 놓쳐 안타깝게 생각한다고 그러시네요."

"고마워요, 신경 써줘서."

"별 말씀을요."

주제넘은 스튜어디스. 나는 태연한 척하면서 타임스를 펼쳤다.

서류가방 위에 올려놓고 크로스워드 퍼즐에 전념했다. 나는 달걀이 반숙으로 익는 동안 퍼즐을 모두 푸는 사람이 못 된다. 그러나 일진이 좋은 날에는 약 30분 안에 중간 정도로 어려운 퍼즐을 다 풀기도 한다. 이 날이 그런 날이었다. 나는 '대중교통을 이용하는 사람, 표적, 제거된'을 쉽게 풀었다. 나는 공허한 웃음을 지었다. 집중할 수 없게 되자 표면이 평평해야 하는데 그렇지 못한 것 같은 서류가방 욕을 해댔다. 가방 표면은 전혀 평평하지 않은 듯했다. 가방을 짜증스럽게 만져보았다. 그 안에 원통형 물체가 비스듬하게 누워있어 툭 튀어나와 있는 것 같았다. 그런 형태의 물건은 가진 것이 없다고 확신했다. 그런 것이 서류가방에 들어있을 리는 만무하다고 생각했다. 가방 뚜껑을 열고 조심스럽게 손으로 안을 더듬었다. 탐색하는 내 손에 길이 약 18인치, 직경 4인치짜리 빳빳한 원통형의 판지가 느껴졌다. 가방을 닫고 이루 말할 수 없을 정도로 떨었다. 아직 남아있는 브랜디로 손을 뻗쳤다. 술은 내 목젖과 편도선과 후두와 인두를 쏜살같이 지나갔다. 그런 다음 뒤로 젖힌 의자에 몸을 기대고 호흡을 조절하였다. 걷잡을 수 없는 생각에 빠져들었다. 폭탄이나 모데카이를 해치려는 비슷한 장치인가? 분명 아닐 것이다. 리 선생은 이 비행기에 같이 타고 있다. 공항 보안요원들의 금속 탐지기가 그런 물건은 탐지해냈을 것이다. 독지가가 보낸 커다란 스마티 초콜릿 튜브인가? 하지만 나에게 독지가가 있을 리 만무했다.

천박한 호기심과 죽음에 대한 동경에 휩싸였다. 가방을 다시 열어 원통형의 물체를 꺼냈다. 가벼웠다. 판지로 되어 있었고 인쇄물이나 그림 같은 걸 넣어 발송하는 원통 같았다. 한쪽 끝을 눈 가까이 들어올렸다. 그리고 창문 쪽을 향하게 하고 들여다보았다. 술을 안 마시는 옆자리 여자 승객의 왼쪽 가슴 부위가 빤히 보였다. 그녀는 손으로 그것을 탁 치며 소다수 거품내는 소리를 냈다. 나는 '아이고'라는 소리를 냈던 것 같다.

원통 안에는 두꺼운 종이 두루마리 말고는 아무것도 없는 듯했다. 나는 손가락 두 개를 집어넣은 뒤 능숙하게 두루마리를 끄집어 냈다. 펼쳐보니 조르주 루오(프랑스 화가, 판화가)의 구아슈 그림을 멋지게 컬러 인쇄한 것 같았다. 그러나 찬찬히 살펴보니 구아슈 그림을 교묘하게 일일이 손으로 베낀 것이었다. 원본은 〈광대의 오후〉라는 유명한 루오 작품이고, 구겐하임 미술관 같은 데 있기 때문에 베꼈다고 말하는 것이다. 멋지게 베껴 사본이라기보다는 위작이라는 느낌을 주었다. 베낀 사람은 엷은 흰 무명 뒤판에 경매 인장, 수집가의 표시, 그리고 박물관 참조번호까지 덧붙여놓았다. 그림이 있는 쪽을 안으로 해 잘못 말아놓아 나는 혀를 끌끌 찼다. 어떤 미술품 딜러라도 그렇게는 안 한다. 뚱뚱한 내 옆자리 여자는 다시 소다수 거품내는 소리를 냈다. 그제야 나는 그림이 좀 적나라할 수 있겠다고 느꼈다. 루오가 살았던 시대에 광대는 그들의 오후를 몹시 괴상한 방식으로 보낸 것 같았다. 나로서는 현대 미술에 대해 큰 관심이 없다. 다른 것보다 훨씬 적게 연구하면 되는 분야라고 생각한다. 구아슈 그림을 말아서 원통 안에 빙빙 돌려 넣고 있는데 반대편 끝에서 종이 쪼가리 하나가 떨어졌다. 타자기로 내용을 쳤는데 '히스로 공항에서 유용하게 써먹을 수도 있을 것'이라고 적혀 있었다. 나는 쪽지를 잘게 찢어버리면서 생각에 잠겼다. 루오의 유명한 구아슈 그림의 복제본이 감쪽같이 서류가방에 기어들어온 것도 흔치 않은 일이다. 그것을 공항에서 유용하게 써먹을 수 있을 거라는 얘기는 더욱 더 드문 일이다. 나는 화장실에 가고 싶었지만 그렇게 하면 리 선생과 그 동료를 지나쳐야 되고 돌아오는 길에 그들이 나를 볼 수도 있었다. 나는 그런 걸 감당할 수 있는 정신상태가 아니었다. 나는 겁쟁이처럼 빠져나가기로 했다. 호출버튼을 눌러 스튜어디스에게 진저 에일을 더 갖다주고 가능하면 브랜디도 좀 더 달라고 했다. 옆자리 여자는 캐리 네이션이라고 해두자. 스튜어디스에게 다급하게 소곤소곤 댔다. 스튜어디스는 얼떨떨한 표정으로 나를 쳐다보았다. 나는 스튜어디스를 미소 띤 채 쳐다보았다. 추파를 던졌다고 하는 게 맞을 것이다. 잠시 후 캐리 네이션은 다른 자리로 옮겨갔다. 그 여자가 없으니 브랜디가 더 손쉽게 전달되었다.

나는 홀짝거리다 생각에 잠기고 다시 홀짝거렸다. 도무지 어떤 것도 말이 되지 않았다. 다시 크로스워드 퍼즐에 도전했다. 'tedding(풀을 널어 말림)' 이란 단어를 항상 문제에 넣으려고 애쓴 편집자가 낸 것이다. 아마 아드리안 벨이란 사람일 거다. 나는 '토리 우두머리에게 아첨하다, 해가 있을 때 건초를 만들어라' 는 전혀 힘들이지 않고 풀었다. 그러나 나머지는 손을 못 댔다. 나는 생존, 살아남기 같은 것을 계속 생각하고 있었다. 생각을 해보니 공항 보안요원들이 금속 탐지기로 내 서류가방에 든 루오 그림 복제본은 탐지하지 못했다. 하지만 은으로 된 휴대용 술병은 금세 잡아냈다. 이 말은 두 명의 중국인 신사가 판지로 된 단검보다 더 치명적인 걸 소지하고 있을 가능성은 없다는 뜻이다. 총이나 다른 살상장비는 그들의 가방 안에, 비행기의 짐칸에 있는 게 분명하다. 그렇다면 런던의 히스로 공항에 도착해서 내가 할 일은 가방이 수화물 컨베이어에서 삐걱거리며 나오기를 기다리는 게 아니다. 모든 걸 포기하고 서류가방만 챙겨 세관을 빠져나와 월섬스토(영국 남동

443

부 에식스의 옛 도시명)나 친구가 있을지도 모를 다른 모르는 곳으로 택시를 타고 전속력으로 달리는 것이다. 그러는 동안 중국 신사 두 명은 그들의 살인도구가 나오기를 초조하게 기다리며 짐 찾는 구역에서 안절부절 못하고 있을 것이다.

나는 확실히 브랜디를 적당한 양보다 좀 더 마셨을 때 명료하게 생각할 수 있다. 나는 간보다 약간 남쪽에 있는 상체 부위에 의기 양양하게 손깍지를 끼고 잠깐 풋잠을 잤다. 다시 눈을 떴을 때도 여전히 우쭐한 기분이 남아있었다. 나는 크로스워드 퍼즐을 붙잡고 다시 노려보아 20분이 지나자 퍼즐이 살려달라고 애원하였다.

나는 잘 자란 사람으로서 비행기 엔진이 꺼지자마자 애들과 다른 손가방을 움켜쥐고 까탈스러운 승무원이 문을 열 때까지 10분 가까이 서 있는 바보들을 비웃어왔다. 그러나 이번에는 내가 전면에 나서서 다른 사람들보다 훨씬 앞서 램프를 서둘러 내려왔다. 만일 여기가 뉴마켓(경마 도시)이고 쌍안경과 스톱워치를 갖춘 어떤 이가 이 광경을 보았더라면 가장 가까운 공중전화 박스로 부리나케 달려가 마권 판매인에게 이야기하여 나한테 배팅했을 것이다.

짐을 찾을 곳을 알려주는 안내 표지판을 무시하고 곧바로 세관 구역과 택시라고 쓰인 고마운 간판 쪽으로 가며 서류가방을 세관원을 향해 흔들었다. 그는 위압적으로 내게 손가락을 구부렸다. 나는 미끄러지다 멈춰 섰다.

"신고할 게 없습니다."

내가 명랑한 목소리로 말했다.

"오래된 서류만 잔뜩 들어있는 낡은 가방이에요. 됐죠? 지체시켜드리면 안 되지. 세관업무로 바쁘실 텐데."

"여세요, 선생님."

"물론이죠, 물론, 물론."

내가 익살스럽게 말했다.

"하지만 제발 빨리 좀 해주세요. 좋은 분이신 것 같은데. 안 그러면 택시 놓칩니다. 분명히 말씀 드리지만 아무것도 없어요."

살다보면 이따금씩 자신을 마음에 들어하지 않는 사람과 맞닥뜨린다. 이 세관원이 바로 그런 사람이었다. 서류가방에 들어있는 시시콜콜한 것까지 모두 유심히 살펴보았다. 그는 판지로 된 원통만 따로 남겨놓았다.

"이게 뭐지요, 선생님?"

그가 물었다.

"사진 내지는 그림이에요."

동료 여행객이 짐을 기다리고 있는 수하물 찾는 구역을 힐끗힐끗 쳐다보며 초조하게 말했다.

"단순한 복제본이에요. 상업적 가치도 없고 팔 수도 없는 거예요."

"그런가요, 한 번 볼 수 있을까요?"

내가 안절부절 못하며 미술품을 끄집어내 펼쳐놓았다.

"자, 이건 루오의 〈광대의 오후〉라는 작품이에요. 진품은 구겐하임이든가 그런 곳에 있어요."

"벨취머쩌 재단이요?"

그가 대답을 유도했다.

"맞아요, 맞아요. 아주 좋아요. 원본은 분명히 시카고의 벨취머쩌에 있어요."

"아, 아닙니다. 없어요, 선생님."

"?"

"지난 주 수요일까지만 해도 거기 있었지요. 그런데 어떤 절도범이 침입해 백만 달러 가치가 있다는 이 허접쓰레기를 갖고 달아났어요."

내 입은 열렸다가 닫히고 열렸다가 닫혔다. 마치 물을 갈아주었으면 하고 바라는 금붕어가 입을 벙긋거리는 걸 흉내내는 것처럼. 뭔가 설명을 하려고 하는데 왼쪽 어깨 너머에서 누가 조심스럽게 기침을 했다. 뒤로 고개를 돌려 힐끗 쳐다봤더니 매킨토시 레인코트를 입은 덩치 크고 정중한 남자가 보였다. 빠른 속도로 약 270도 회전을 하니 오른쪽 어깨 너머로도 온화한 표정을 한 비슷한 남자가 눈에 띄었다.

독자들은 잠깐 옆길로 새는 걸 용서하시길. 전문적인 절도단은 범행을 기획하는 '브레인'이 있고 자금을 대는 '매니저'가 있다. 또 장물이 주인에게서 떨어져 나오기도 전에 사고파는 걸 맡아하는 '장물아비'가 있고, 아무리 최신식으로 해놓았더라도 경보 시스템을 무력화시키고 자물쇠를 여는 방법을 아는 '기술자'가 있다. '금고 전문가'는 금고에 열 감지 창을 들이대거나 소량의 액체 폭발물을 주입해 종달새가 자면서 방귀 뀌는 것만큼만 소리내고 금고를 폭파시킬 수 있다. '건달'은 필요하다면 기웃거리는 행인을 쇠막대로 치는 일을 한다. '부정한' 순찰경찰이나 경비업체 직원은 5백 파운드와 수입의 몇 퍼센트만 떼어주면 회까닥할 태세가 돼 있다. 그리고 여러분이 잘 몰랐겠지만 '등대'가 있다. '등대'는 실제 어디에 침입하는 과정에는 참여하지 않는다. 그저 호주머니에 손을 집어넣고 어슬렁거린다. 하지만 한 가지 단순하면서도 신이 내린 솜씨를 갖고 있다. 경찰 나부랭이들이 아무리 사복을 입고 있고 깜깜한 밤에 2백 미터 정도 떨어져 있다 해도 '등대'는 알아본다. '등대' 자신은 말할 것도 없고 아무도, 어떻게 알아보는지 모르지만 여하튼 해낸다. 런던을 통틀어 믿을 만한 등대는 셋밖에 없고 건달과 똑같은 보수를 받는다.

내가 하고 싶은 말은 만일 내가 다른 사회적 신분으로 태어났다면 '등대'로서 잘 살았을 것이라는 얘기다. 내 어깨 뒤에서 얼쩡거리는 두 남자는 틀림없이 '짭새'였다.

"안녕하세요."

내가 말했다.

"전 재거드 형사반장입니다."

왼쪽의 사내가 말했다.

"이 사람은 블랙웰 경사이구요. 미술품 수사반입니다."

나는 다시 수화물 찾는 구역을 힐끗 쳐다보았다. 컨베이어가 돌아가기 시작했고 나의 동료 여행객들이 그 주위로 몰려들고 있었다. 갑자기 나는 익명의 은인이 왜 루오의 작품을 갖고 있으면 히스로 공항에서 도움이 될 거라는 알쏭달쏭한 말을 했는지 깨달았다.

"그 주석에 플래시를 비춰보세요."

내가 배우 험프리 보카트의 어조로 말했다.

"뭐라고요."

형사반장이 말했다.

"경찰 배지 좀 봅시다."

그들은 미소를 지으며 서로 쳐다보았다.

"형사들은 번쩍거리는 금박 배지를 안 갖고 다니죠."

형사반장이 설명했다.

"하지만 배지만큼 그럴듯한 신분증이 여기 있어요. 선생이 말하는 '딱지' 하고는 달리 장난감 가게에서 살 수 없는 겁니다."

그건 아주 확실한 신분증 같았다.

"진짜 경찰이시네요."

내가 기분 좋게 말했다.

"가장 가까운 지하 감옥으로 데려가 주세요. 아, 그래요. 반장님하고 제가 호송차로 가는 동안 블랙웰 경사께서 제 여행가방 좀 챙겨주시면 고맙겠습니다. 돼지가죽으로 된 구찌가방이고 제 이니셜이 있어요. 잘못 찾을 수가 없어요."

"찰리 모데카이의 약자 C. M.이죠. 맞습니까, 선생님?"

경사가 말했다.

"맞아요."

"그런데 왜."

형사반장이 물었다.

"여권에는 예수회 소속 T. 로젠탈로 돼 있지요?"

그는 대답을 기다리지 않고 지위가 높은 경찰들이 이용하는 커다란 검정색 승용차로 나를 데리고 갔다. 잠시 후 내 여행가방을 찾아온 경사가 합류했다. 그는 가방을 내게 주지 않았다. 보통 스코틀랜드 야드라고 불리며, 경찰들 사이에서는 '본부'라고 하는 경시청으로 차를 몰지 않았다. 그들은 배터씨 다리를 건너 사우쓰 뱅크에 있는 신축청사로 향했다. 이 건물은 열차강도 사건이 터지고 나서 강력반의 사무실로 지은 것이다. 지금은 온갖 비밀스러운 경찰조직이 다 입주해 있다. 예를 들어 범인들보다 먼저 범죄를 생각해내고 범인들에게 계단에 앉아 자기들을 기다리게 하는 CII도 있고, 못된 경찰관들을 감시하는 '탐정'이라는 애칭으로 불리는 CI라는 조직도 있다. 마틀랜드가 소속되었던 특수 파워 그룹, SOGPU도 입주해 있다. 물론 미술품 수사반도 여기 있다. 그들은 고도로 훈련받은 조직이라 피카소 그림은 어디를 위로 해 걸어놓아야 하는지도 안다. 런던의 택시 운전사들이라면 누구나 실수 없이 거기로 데려다 준다. 하지만 그걸 빼놓고는 건물 전체가 안전하고 비밀스러운 곳이다.

　1층의 아늑한 방에서 아침에 정식으로 기소할 수 있도록 우선 나에게 불법입국 같은 애매한 혐의를 씌웠다. 그리고는 큰 승강기로 세 층을 올라가 CCTV가 감시를 하고 있는 육중한 철문을 통과한 뒤 다시 작은 승강기로 여덟 개 층을 내려갔다. 나는 땅 속을 좋아하는 사람은 아니다. 그러나 지금은 이 땅 속이 내가 가장 있고 싶은 곳이다. 거기에는 덩치 큰 영국인 남자 경찰관들로 가득 차 있었다. 미국인은 없었고 중국인 웨이터도 없었고, 여전사도 보이지 않았다. 그들은 나를 간소하게 꾸며놓은 밝은 조명의 방으로 안내했다. 그리고는 전화기를 잭 플러그에 꽂고 거기에 녹음기를 부착해놓았다. 그러더니 필요한 '특별 전화'를 하라고 권했다. 나는 누구한테 전화를 걸지 망설임이 없었다. 스폰 여사에게 다이얼을 돌렸다. 그녀는 런던 제일의 실내장식 전문가이고 내가 아는 유일한 철두철미한 사람이다. 내가 처한 곤경의 큰 줄기를 얘기해주고 내 '브리프', 암흑세계에서는 변호사를 이렇게 부른다. 그리고 조한나에게 연락을 취해줄 것과 조크에게는 24시간 전화기 옆에서 대기하게끔 해달라고 부탁했다.

　"그 친구한테는."

　내가 신신당부했다.

　"저나 여사님의 구두 지시가 아니면 절대 밖에 나가서는 안 된다고 전해주세요. 도미노를 해야 된다면 친구들을 집으로 불러들이고 적당한 양 내에서 제 맥주를 마셔도 된다고 해주세요. 아, 그리고 스폰 여사님, 변호사에게는 제가 급하게 여기서 빠져나가지 않아도 되고, 법원 출두 영장도 없으니까 다시 자유로운 공기를 마시기 전에 이 더러운 누명을 벗고 싶어한다는 뜻을 분명히 전해주세요."

"알겠어요."

그녀가 말했다. 나는 약간 우쭐해하며 전화기를 내려놓았다. 스폰 여사가 알겠다고 말할 때는 실제로 알아들은 것이다. 나는 그녀가 하사관의 지시를 받고 10분 뒤 영국 해군의 대함대를 움직일 수 있다고 믿는다. 그녀는 그런 사람이다. 놀라울 정도로 고가의 옷을 입고 다니며 얼굴은 사용되지 않는 채석장 같다.

"자, 이제."

내가 두 명의 체포자들에게 말했다.

"취조를 좀 하셔야 하겠지요, 네?"

그들은 서로 쳐다보더니 나에게 고개를 가로저었다.

"변호사를 기다려보시죠, 선생님."

재거드 형사반장이 말했다.

"선생님 자신을 위해서요."

블랙웰 경사가 말했다. 그들은 나에게 겁을 주지도 않았다. 바닥에는 내 여행가방과 서류가방, 그리고 면세품 브랜디와 담배가 들어있는 비닐백이 놓여 있었다. 나는 비닐백으로 팔을 뻗쳤다. 그들은 나를 때리지 않았다. 나는 옆의 화장실에서 두 개의 플라스틱 칫솔 통을 갖고왔다. 내 브랜디 한 잔을 급히 따르고 그들에게도 두 잔을 따라주었다.

"저희들은 근무 중인데요. 안 그래, 경사?"

블랙웰은 자기 시계를 쳐다보았다.

"그렇다고 말하기 어려운데요, 반장님."

나는 면세품 담배 세 갑을 재거드의 잔 옆에 그리고 두 갑을 블랙웰 잔 옆에 두고는 눈치껏 다시 화장실을 찾았다.

돌아왔더니 잔은 비어 있었고 담배는 그들의 호주머니에 들어가 있었다. 그러나 나는 착각하지 않았다. 이들과 같은 경찰은 공짜 브랜디 술 한 잔과 값싼 담배 한 갑에 목마른 사람들이 아니다. 나를 안심시켜 자기들이 편안한 사람이라는 걸 믿게끔 하기 위해 받아둔 것이다. 나는 이미 그들의 눈을 관찰했다. 매수가능한 경찰의 사나운 눈매와는 다른 전문 경찰관의 눈을 하고 있었다. 나는 그들에게 여행가방 열쇠를 건넸다. 가방 안을 뒤질 생각이 있다면 뒤지라고, 나도 비누나 깨끗한 속옷 같은 일상용품을 꺼내 쓰는데 그 편이 편리할 것이라고 말했다. 블랙웰은 형식적으로 뒤져보았고 재거드는 들여다보려고도 안 했다. 모두 그 안에 불법적인 것이 없다는 걸 알았기 때문이다. 나는 눕고 싶다고 했다. 그들은 근무시간이 끝났고 내 변호사가 도착하면 형사과장이 내려와 얘기를 나눌 것이라고 말해주었다. 그러더니 나를 가두었다. 나는 개의치 않았다. 갇혀있는 게 편할 때가 있다. 나는 유크릴 사의 스모커 가루 치약으로 고갈된 상아의 성을 재빨리 문지르고 나서 침대에 몸을 던져 잠의 신 모페우스의 품에 안겼다. 깨어있을 때 마지막에 든 생각은 그들이 여행가방의 안감을 뜯어내지 않았다는 즐거운 생각이었다. 이건 아주 비싼 가방이다. 더군다나 나는 갑자기 증기 요트를 사야 될 경우에 대비해 액수가 크고 천박한 지폐 몇 장을 안감에 넣어두는 습관이 있다.

한 시간 정도 잤을까 자물쇠를 따는 소리가 들려 벌떡 일어났다. 개죽음을 당하지 않으려고 바지를 입지 않은 채 있었다. 알고 보니 저녁식사를 뭘로 하겠는지 물어보려고 들어온, 정복 입은 인자한 경찰이었다.

"저 아랫길에 잘하는 중국집이 있는데 테이크아웃이 돼요. 괜찮으신가요, 선생님?"

"고맙습니다. 좋습니다. 그런데 제가 중국 음식에는 알레르기가 있어서. 구내식당에서 아무거나 먹겠습니다."

"오늘 저녁은 내장 파이 튀김인데요."

그가 주의를 주었다.

"좋습니다. 좋습니다. 그만하면 최고죠. 얼른 갖다 주세요. 아, 그리고 HP 소스나 그 비슷한 게 있으면 좀 갖다주시겠어요?

"그거 하고 토마토 소스가 있습니다. 선생님."

"아, 경사님."

그가 문 밖으로 나가려하는데 내가 불렀다.

"네."

"구내식당에서 일하는 사람들 중에 중국 사람들이 많습니까?"

"없어요. 직원들은 모두 경찰관 미망인들이에요. 때로는 좀 좌파적인 태도를 보이지만 일에 전념할 때는 템스 강 이남에서 가장 맛있는 어묵을 만들지요. 내일 저녁은 어묵이에요, 선생님. 내일도 여기 계시나요?"

"그러길 바랍니다. 저는 어묵을 무척 좋아합니다."

내장 파이 튀김은 맛있었다. HP소스와 토마토 소스는 말할 것도 없고 냉동 프랑스 콩과 잘 으깬 감자가 곁들여져 나왔다. 버터 바른 빵도 푸짐하게 나왔고 조크만이 만들 수 있다고 생각했던 오렌지 색깔의 진한 홍차가 커다란 주석 잔에 담겨 있었다. 면세품 담배 한 갑을 친절한 '나이 든 경찰'의 호주머니에 슬쩍 넣어주었더니 눈물을 왈칵 쏟았다.

이제 속을 채우고 해서 다시 침대로 몸을 던지려고 하는데 재거드와 블랙웰이 아무렇게나 내 방에 놓고 간 전화기에 눈길이 갔다. 나는 수화기를 들어 귀에 갖다 댔다. 신호음이 가는 걸로 봐서는 회선을 열어놓고 간 게 틀림없었다.

'아, 정말…' 내 말은 국제적인 미술품 절도범의 방에 무심코 통화가능한 전화기를 놔두고 간다면 형사반장도 안 되고 경사 계급에도 못 오른다는 뜻이다. 나는 이 상황을 어떻게 잘 이용할 수 있을까를 생각했다. 마침내 웨일즈 사람인 피트에게 전화를 걸어 수사를 교란시키기로 했다. 내 밑에서 자주 일하는 친구다. 미술품 딜러 밑에서 일하는 사람들, 캔버스 뒷면 교체사, 복원사, 대지 절단사, 액자 제작사 등은 타고난 거짓말쟁이고 도둑놈들이다. 그들은 주인이 때로는 진실과 거리가 있다는 것을 알고도 거짓말과 착복만 하면 한 밑천 잡을 수 있다고 생각하고 금방 믿어버리게 된다. 얼마나 잘못 생각하는 것인가. 피트도 웨일즈 사람이고 열렬한 비국교도이다. 그런 면에서 아주 탁월하다. 그의 전화번호로 다이얼을 돌렸다.

"안녕, 피트"

내가 말했다.

"누군지 알지, 몰라?"

"도대체 지금이 밤 몇 시인지 알아요?"

그가 딱딱거렸다.

"이봐, 서로 인사는 생략하고 본론으로 들어가자구. 자네 그 큰 건 알지?"

그가 거리낌 없이 거짓말을 했다.

"그거 버려."

내가 말했다.

"잊어버리라구. 본 적 없잖아, 그렇지?"

"맞아요."

그가 말했다. 이 대화를 우연히 들은 사람이라면, 나는 여러 명 있으리라는 걸 안다. 피트가 내가 하는 말을 알고 있으려니 생각했을 것이다. 그들은 오해를 할 것이다. 나는 전화를 끊었다.

나는 이 대화가 적어도 24시간을 이 견고한 감방에서 지낼 수 있게 보장해줄 것으로 생각했다. 나는 소화를 시키기 위해 한숨 자기로 했다. 내일 어묵 먹는 꿈을 꾸려고 나는 잠에 빠졌다.

39

이 광기는 우리의 죄로 인해 우리를 덮친 것이다.

— 성배

변호사가 나를 깨워 아무도 그날 밤은 나를 취조할 생각이 없다고 알려주었다. 다른 필요한 게 있느냐고 물었다. 반쯤 깨어난 상태로 내가 원하는 건 다른 무엇보다 이 방에서 오래 머무는 것이라고 경솔하게 말해주었다. 운명의 짓궂은 손가락이 내 엉덩이를 더듬고 있고, 어느 누구도 내 편이 아니라는 것이 확실한 상황에서 풀려나기 전에 누가 누구 편인지를 알아내야 하기 때문이라고 말했다. 이 말을 경솔하게 했다는 것은 이곳이 다른 어디보다 많은 도청장치가 되어 있다는 걸 알아차렸을 것이라는 뜻이다. 그는 눈썹으로 의미심장하게 신호를 보냈다. 요즘은 변호사들만이 눈썹을 기르는 것 같다. 은행 간부들도 그 기술을 잃어버린 듯하다. 나는 입을 닫았다. 그는 내일 아침에 법정에 출두할 것이라면서 몇 주일이고 구류 상태로 지낼 수도 있다고 안타깝게 크게 눈을 껌뻑이며 알려주었다. 그러고 나서 잘 자라고 인사를 했다. 나는 파자마로 갈아입고 꺼림직해 하며 잠을 잤다. 마음에 거리낌이 있는 사람도 침대맡 테이블에 레드 해클 위스키 1리터만 있으면 거리낌이 없는 사람처럼 꿈도 안 꾸고 푹 잘 수 있다.

나는 오렌지 색깔의 홍차가 담긴 큰 잔과 달걀, 베이컨 접시가 도착하는 소리에 잠에서 깨어났다. 달걀과 베이컨이 에곤 로네이(영국의 저명한 음식 평론가)의 얼굴에 미소를 가져다 줄 만큼 훌륭하지는 않았다. 그러나 나는 체력을 유지해야 한다는 걸 알았기 때문에 부지런히 나이프와 포크를 놀렸다. 물론 치안판사 법정으로 가는 여정이 마음에 걸렸다. 그리로 가는 길은 중국인 암살범들이 장사진을 치고 있을 게 분명했다.

나중에 보니 그런 두려움은 근거가 없었다. 이 호화 경찰서 안에 치안판사와 미니법정이 있었다. 법정 안은 오붓했다. 친절한 간수의 안내를 받은 수염이 텁수룩한 모데카이, 잠을 제대로 못 잔 기색이 역력한 치안판사, '입 다물고 나한테 맡기라'는 뜻으로 멍한 표정을 지어 보이는 변호사, 수첩이 자기에게 무례한 짓을 한 양 수첩을 노려보고 있는 초췌한 재거드 형사반장, 세상만사가 귀찮은 한 명의 서기, 그리고 담황색 정장에 모자로 멋지게 치장한 조한나가 거기 있었다.

서기는 잠시 법률용어로 중얼거렸다. 재거드는 들어온 정보를 토대로 이곳에서 저곳으로 돌아다닌 경위 등에 대해 수첩의 몇 대목을 읽으면서 유머러스한 경찰관 목소리를 흉내냈다. 그가 한 말을 시시콜콜하게 소개하지는 않겠다. 여러분도 법정을 직접 경험했을 것이다. 죄수 모데카이는 사람을 미칠 지경으로 만드는 삼합회에서 멀리 떨어져 어묵을 신나게 즐기고 싶었다. 그래서 몇 주 동안 유치장에 구류시킨다는 축복의 말을 기대하고 있었는데 일격을 당했다. 망할 놈의 내 변호사가 일어나 죄수의 부인인 모데카이 여사에게 전날 밤 늦게 예수회 소속 T. 로젠탈 신부라는 사람이 찾아와서는 입국 심사대에서 일이 뒤죽박죽되면서 모데카이 이름으로 된 여권을 소지하게 되었노라고 설명했다고 말했다. 그러면서 자기 여권을 되찾을 수 있겠느냐고 물어보았다는 것이다. 헤이쓰롭으로 피정에 들어가는데 속죄는 말할 것도 없고 예비 고해성사만 해도 약 12시간이 걸리기 때문에 법정 출석은 힘들다는 것이었다.

"어이없는 혼동이 생긴 것입니다."

변호사는 내 눈길을 피하며 말했다.

"경찰의 근무 태세에는 찬사를 보냅니다."

분명히 내가 국제적인 미술품 절도범이며 그에 걸맞는 예우를 받아야 마땅하다고 주장하기 위해 입을 열었다. 그러나 여왕폐하의 영지에 불법 입국했다는 혐의밖에 없다는 것이 생각났다. 루오나 그의 구아슈 그림에 대해선 어느 누구도 입을 뻥긋하지 않았다.

치안판사는 내게 사과하고 큰 불편을 겪지 않았기를 바란다며 내 인격에 털끝만큼의 오점도 남기지 않고 돌아가게 했다. 나는 자유의 몸이 되었다.

나는 미친 듯이 주위를 둘러보았다. 간수는 나에게 다정하게 고개를 끄덕였고 재거드는 비웃었고 조한나는 더없이 아내다운 미소를 짓고 있었다. 나는 거리의 자유 속으로 발걸음을 내딛는 순간 죽은 사람이라는 걸 알았다. 신기하게도 그 어묵에 대한 생각이 밀려왔다. 나는 이런 것들을 하루나 이틀 동안 검토하길 좋아한다. 그러나 검토할 시간이 없는 것이 분명했다. 나는 프레드 아스테어(미국 뮤지컬 배우)처럼 발을 급하게 끌며 간수 뒤를 돌아 오른손을 쭉 편 채 치안판사를 향해 계단을 성큼성큼 올라갔다. 치안판사의 표정은 감정표현을 받아들일 시간이 없다는 뜻을 분명히 했다. 그는 한 손을 내밀었다. 나는 그 손을 붙잡고 그의 연약한 몸을 판사석에서 끌어내 손바닥으로 그의 매부리 코를 한 대 쳤다. 그는 아까도 잠이 덜 깬 듯했지만 이제는 정말로 잠이 들었다. 한 무리의 사람들이 나무로 된 문과 의자에서 뛰어나와 나를 제지했다. 제지했다는 건 때렸다는 뜻이다. 나는 그들의 주먹질에 개의치 않았다. 눈 깜박할 새에 편안한 유치장에 다시 갇혔다. 유급 치안판사의 외모를 고의적으로 변경시키는 자들에게 보석신청이 받아들여지는 경우가 드물다는 것을 알고 있으므로 안전했다. 위스키를 조금 홀짝거린 뒤 나머지는 면세품 비닐백에 부었다. 앙심을 품은 경찰관이 비닐백을 뺏어가지 못하게 말이다.

나는 스트레스 받을 때 침대 끄트머리에 앉아 손톱을 깨물며 온갖 욕을 해대는 사람이 아니다. 오히려 침대에 누워 한숨 낮잠을 자는 쪽이다. 점심때가 되어서 문이 열렸을 때 눈을 질끈 감고 있었다. 사나운 젊은 경찰관에게서 나올 법한 목소리가 '점심'을 알렸지만 나는 묵묵부답했다. 빈 위스키 병을 들어올려 흔들어보고 불쾌하다는 듯이 쾅 하고 테이블 위에 내려놓는 소리가 들렸다. 그가 문을 잠그고 나갔다. 나는 열까지 세고 눈을 떴다. 가져온 점심은 테이크아웃 중국집에서 파는 것처럼 은박지로 뚜껑을 덮은 세 개의 작은 흰색 곽에 들어 있었다. 나는 비닐 쇼핑백에서 약간의 위스키를 따라낸 뒤 물을 타 마시고 다시 잠을 청했다. 콩나물과 간장이 곁들여져 나온 점심보다는 차라리 죽은 쥐가 침샘의 반응을 더 빨리 이끌어낼 수 있었을 것이다.

블랙웰 경사가 잠시 후 나를 보러 왔다. 손도 안 댄 점심을 보고는 말했다. '웨이스트(Waste 쓰레기)!' 라고 말했는데 모데카이는

'Waist 허리'라고 말장난하고 있었다.

"39인치."

내가 재치있게 받아넘겼다.

"가슴, 42."

"재미있지도 그럴듯하지도 않네요."

그가 말했다. 물론 둘 다 맞는 얘기다. 그런 다음 위층 조사실로 데려가 일반폭행, 신체상해, 법정모독, 그리고 내가 어렸을 때 고개를 숙이며 받았던 무미건조한 대소변 훈련을 포함한 다른 여러 가지 혐의를 씌웠다.

유치장의 방으로 돌아와 나는 읽을거리를 달라고 부탁했다. 그는 너덜너덜한 성경 책 한 권을 들고 10분 뒤에 나타났다.

"그건 읽은 거 같은데요."

내가 말했다.

"이거밖에 없어서요."

그가 대꾸했다.

"에니드 블라이튼 책은 모범수들한테만 주기 때문에."

성경은 고운 인도 종이에 인쇄되어 있었고 앞의 몇 페이지는 불경한 친구들이 담배를 말아 피우는 데 써버렸다. 그래서 창세기는 카인이 이렇게 말하는 데서 시작됐다. '내 벌은 감당하지 못할 정도구나. 보라, 그대는 오늘 나를 이 지구상에서 내쫓았다. 나는 도망자가 되고 방랑자가 되고 나를 찾아내는 자들은 다 나를 죽이려 들 것이다.' 나는 카인이 에덴의 동쪽인 놉의 땅으로 갔다는 걸 빼놓고는 그에게 무슨 일이 일어났는지 확인해보지 못한 채 잠이 들었다.

도저히 숙면을 취할 수 없는 그런 날이었다. 눈을 감기가 무섭게 어젯밤 왔던 '나이 든 경찰'이 6시 재판이 있으니까 면도를 하라고 알려주었다. 내가 1회용 면도기를 부지런히 놀리고 있는데 그는 감탄한 듯한 눈길로 나를 쳐다보았다. 많은 범죄자들이 그 치안판사의 아구창을 돌려버리겠다고 이를 악물었지만 어느 누구도 지금까지 협박을 행동으로 옮기지 못했다는 것이다. 내 유일한 동기가 그 전설적인 어묵을 먹어 보겠다는 의지라는 게 도저히 믿기지 않는 듯했다.

친숙해진 법정에 다시 나갔더니 출연진은 전날 아침과 거의 비슷했다. 다만 간수가 '나이 든 경찰'로 바뀌어 있었고 치안판사는 피고인이 결손가정에서 자라나 어린 시절을 불우하게 보냈다는 얘기를 듣고 싶어하는 눈물 많고 성실한 부류의 판사였다. 조한나는 회사원이 평생 모은 상품권 갖고는 도저히 살 수 없는, 착 달라붙는 계피색 드레스를 입고 있어 섹시해 보였다. 그리고 한번도 본 적이 없는 얼굴이 크고 근육이 축 늘어진 남자가 보였다. 장거리 바다여행을 다니고 운동을 더 열심히 하라고 말해준 대가로 50파운드를 청구하는 런던 할리 거리의 의사임이 분명했다.

재거드 형사반장은 어제 아침 나의 수치스러운 행동과 관련된 사실들을 담담하게 열거했다. 재거드가 그 판사의 코 주위가 제 모습을 되찾기 어렵게 됐다고 말하자 치안판사는 엷은 미소를 짓는 듯했다. 변호사는 조한나를 증인석으로 불렀다. 그녀는 내가 얼마나 꿋꿋하게 무서운 장애와 싸워왔는지, 그리고 자신은 내가 장애를 극복할 때까지 곁에 있을 것이라고 말하면서 손바닥만 한 얇은 손수건으로 눈물 젖은 눈을 톡톡 두드렸다. 나는 입이 딱 벌어졌다. 근육이 축 늘어진 의사가 들어왔다. 나는 그를 잘못 알고 있었다. 주소가 할리 거리가 아니라 위그모어 거리였다.

그는 나를 1년 이상 치료했는데 증세가 호전되고 있다는 식으로 말했다. 나로서는 이름도 기억나지 않는 온갖 정신질환을 자신의 치료요법으로 굴복시켰다고 말했다. 공권력에 대해 경미하게 남아 있는 적대적 지향성이 급속히 사라지고 있으며, 어제 아침의 작은 감정의 분출은 초월적인 성적 극치감의 승화로 아주 좋은 현상이며 치유되고 있다는 뜻이라는 데 대해 자기명예를 걸겠다고 말했다. 또한 내가 매우 죄송하게 생각하고 있으며 코 치료비는 변상할 것이라는 확약을 부인으로부터 받았다고 말했다.

나는 그의 말에 감탄해 머리를 흔들었다. 이토록 훌륭한 거짓말쟁이가 위그모어 거리에서 썩고 있다니. 그의 진술을 들으며 나 자신이 얘기하고 있는 게 아닐까 여러 번 착각할 정도였다.

대부분의 치안판사들은 거드름을 피울 때 안경을 코에 걸치고 그 너머로 쳐다보는 경향이 있다는 것을 알 것이다. 이 판사는 첨단을 걸었다. 안경을 이마로 젖히고 그 아래로 쳐다봤다. 그는 허위진술을 하는 의사에게 다른 감경사유, 이를테면 결손가정이었다든지 불우한 어린 시절을 보냈다든지 하는 게 있느냐고 물었다.

"아, 예, 그렇구 말구요."

거짓말쟁이 의사가 자기생각 이상으로 진심어린 어조로 말했다.

"하지만 이 단계에서는, 제 말씀을 다 아시겠지만…."

그러면서 머리를 내가 있는 쪽으로 돌렸다.

"그렇군요, 그렇군요."

인자한 유급판사가 말했다. 그는 나를 보고 환히 웃으면서 코 치료비로 백 파운드를 변상하도록 명령했다. 나는 그것이 최소한의 벌이라는 걸 알았다. 그리고는 법정 모독죄로 몇 실링의 벌금을 추가로 부과하고 치안을 어지럽히지 않겠다는 서약을 하도록 했다. 또 여느 아버지처럼 어떻게 해주는 게 내게 가장 좋은지를 아는 의사와 사랑하는 가족의 말을 잘 들으라고 신신당부했다. 그는 담배 끊으라는 얘기는 하지 않았다.

새처럼 자유롭고 비둘기처럼 겁을 집어먹은 채로 계단을 내려오면서 나는 재거드 형사반장에게 다가가 말을 걸었다.

"루오 그림을 훔친 걸로 혐의를 씌워주시죠."

내가 징징거렸다.

"유죄를 인정할 테니까요. 합법적인 체포예요."

그는 형사반장만이 지을 수 있는 음울한 표정으로 나를 빤히 쳐다보았다.

"불행하게도 말입니다, 선생님."

그가 말했다. '선생님'이란 말이 그의 목에서 약간 걸렸다.

"강도사건이 일어나기 전에 사모님께서 루오 그림을 게르투르트 벨취머쩌에게서 사들여 선생님에게 주기로 한 것 같습니다. 결혼선물로요. 제가 미스 벨취머쩌한테 국제전화를 했더니 확인해준 겁니다."

그는 '법과 질서'가 더러운 구호가 되어버린 세상에서 일하고 살아야 하는 경찰관의 씁쓸한 어조로 말했다. 나는 진심으로 그가 안됐다는 생각이 들었다.

"좋아요, 좋아요."

내가 주절거렸다.

"아내가 잘한 거지요. 사실 저는 아내에게 골동품 목걸이를 사주려고 그러거든요."

"예비용으로 말이죠?"

그가 말했다. 나는 그가 안 됐다는 생각을 버렸다.

아래층에서 소지품을 챙기고 위스키가 든 비닐백과 면세품 담배 중 남은 것을 친절한 '나이 든 경찰'에게 주었다. 언제 경찰 친구가 필요할지 누가 알겠는가? 그리고 조한나를 만나 그녀의 깜찍하고 작은 젠센 인터셉터(영국의 젠센 모터회사에서 제작된 스포츠카)에 올라탔다. 그녀가 차를 어퍼 브룩 거리로 모는 동안 한 발의 총알도 날아오지 않았다. 스포츠카 운전대를 잡은 멋진 여자들이 다 그렇듯이 운전대에 앉은 그녀 모습이 아름다웠다. 그녀가 말한 건 이게 다였다.

"오, 찰리, 찰리, 찰리."

내가 말한 건 이게 다였다.

"응."

조크는 집에 있었다. 내가 미국 만화책을 사다준다는 걸 잊어버렸지만 골을 내지는 않았다. 나는 그를 한쪽으로 데려가 저녁식사에 대해 한두 가지 지침을 조용히 내려주었다. 나와 조한나와의 대화는 두서가 없었다.

"찰리, 피곤하게 당신 모험 이야기 나한테 안 해줘도 돼요. 대부분 알고 있고 나머지도 짐작할 수 있어요."

"여보, 찰리. 왜 그렇게 겁먹고 창문에서 떨어져 있는 거예요?"

"찰리, 당신 지금 먹고 있는 그 이상한 갈색 물건은 도대체 뭐예요?"

"어묵이야."

내가 한입 가득 물고, 가슴엔 더 크게 물고 웅얼거렸다.

"경찰관의 미망인들이 만든 거야."

"알겠어요⋯."
"찰리, 당신 많이 피곤하죠?"
"많이."
"너무 피곤해요?"
"그렇다고는 안 했는데, 그랬나?"

40

그 더러운 간호사, 그녀의 경험이
나를 더럽혔다.

— 마지막 토너먼트

나는 다음 날 아침 평소보다 이른 시간에 눈을 떴다.

"조한나."

내가 말했다.

"지금 하는 거 잠깐 중단할 수 있겠어?"

"슈룸블레쉴리."

그녀가 분명하지 않게 말했다.

"위그모어 거리에서 온 그 정신과 의사는 비용이 얼마나 들었어?"

"천 파운드요."

그녀가 목을 가다듬으며 말했다.

"루오 그림은?"

"전혀. 정말 전혀 안 들었어요. 거티 벨춰머쩌가 전 전 남편에게 돈을 줘 회고록을 쓰지 못하게 만들려고 하는데 정말 큰돈을 구해야 할 형편이라는 얘기를 듣고 전화를 했어요. '편리한' 도난 사건 을 당해 축하한다고 했죠. 그리고 얘가 가입한 보험사의 사장 이름 을 흘려줬는데 이 사람은 내 옛날 친구예요. 얘가 돈 많은 여자들 이 그러듯이 시끄럽게 떠든 거야. 알잖아요, 이렇게….″

"나중에."

내가 말했다.

"이야기부터 듣자구."

"어디까지 얘기했죠? 아, 맞다. 고블러, 미국에서는 칠면조를 그 렇게 불러요. 얘가 시끄러운 소리를 멈춰서 내가 단단히 일러두었 어요. 루오 그림은 이틀 전 나한테 판 거니까 도난당할 수가 없는 거라구요. 얘가 좀 맹해서 잠시 생각하더라고요, 알죠? 그러더니 이런, '확실하게' 기억이 난다는 거예요. 그러면서 남편 맘에 들었 으면 좋겠다는 거야. 그게 다야. 내 남편 마음에 드는 지는 내가 확 인해봐야겠다는 걸 빼놓고는 말이에요."

내가 말한 대로 아주 젊잖지 않은 이른 아침이었지만 여하튼 그 그림을 정말로 즐겼다.

조크가 문이 떨어질 정도로 크게 예의상 기침을 해 곧 들어갈 것 임을 알렸다. 나는 그에게 좋은 하인은 노크를 안 하는 거라고 가 르쳐줬다. 여러분과 나는 저녁을 먹고 마시지만 혁명의 딸들은 새 벽에 커피가 가득한 쟁반을 조한나에게 가져왔다. 미국 식민지들 이 최초로 독립을 쟁취했다는 것은 놀랄 일이 아니다. 내가 꾸벅 꾸벅 졸기 전에 내 쟁반이 들어왔다. 달걀 몇 개에 토스트 대여섯 조각 그리고 잘 우려낸 김이 나는 홍차 포트였다. 조크는 하인으 로 태어나지는 않았지만 젊은 주인이 차에 관해 무엇을 요구할지는 천부적으로 알고 있었다. 차로 하는 처방이라면 조크를 위그모어 거리의 의사들과 겨루게 할 용의가 있다. 여러분도 다 아시겠지만 이런 것들이 중요할 때가 있다. 소더비에서 한바탕 호가전쟁을 치루는 것 말고는 그날 할 일이 없는 미술품 중개상은 속을 달래주는 우롱차만 있으면 된다. 크리스티에서의 아침은 랍상소총 차이다. 예를 들어 다른 한 명의 중개상이 찍은 파테르(프랑스 화가, A. 와토의 제자로 로코코풍의 연회화와 궁정 풍속화를 그림)의 작품을 놓고 본햄에서 일전을 치루는 날에는 오렌지 페코 가루 홍차가 제격이다. 아니, 얼 그레이도 괜찮다. 죽음의 공포를 느끼는 미술품 중개상과 중년 초반에 두 번째 신혼여행에 나선 사람에게는 두 종류만 시중에 나와 있다. 트와이닝의 퀸 메리 블렌드 또는 포트넘의 로열 홍차이다. 말 두 마리만 참가한 경마라고 할 수 있다. 둘 중 어느 것인지는 잊어버렸다. 기억나는 것은 내가 슬그머니 침대에서 빠져나와 마셨는데, 이제 더 이상 젊은이가 아니라는 사실을 잊게 해줄 정도로 원기회복 효과가 뛰어났다.

조크는 한번 마음을 쏟으면 정말 애틋한 정을 주는 친구다. 내가 바야흐로 샤워를 하려는데 그가 나쁜 소식을 가져왔다.

"찰리 선생님, 아래층에 두 명의 신사분이 선생님을 만나려고 기다리고 있어요."

"두 명의 신사?"

내가 팔이 닿는 부위를 거침없이 비누칠하면서 말했다.

"두 명이라? 말이 안 돼, 조크. 내가 아는 신사들은 합쳐서 세 명이야. 한 사람은 마음에 들지 않는 내연녀를 살해해 무기징역을 살고 있고 다른 한 명은 옥스퍼드에서 희귀장서를 취급하는 사람이고 세 번째 사람은 출판 같은 데로 빠졌는데."

그는 참을성 있게 내 말을 끝까지 들었다. 그는 그냥 지껄이는 것과 명령의 차이를 안다. 그러더니 말했다.

"제가 신사라는 건 진짜 신사란 뜻이 아니구요, 찰리 선생님. 듣기 싫어하실 거 같아서 신사라고 그런 거예요."

"아주 좋아, 조크"

내가 비누 묻은 손을 들어 올리며 말했다.

"미술품 중개상이라고 말하려는 거지?"

그는 유감스럽다는 듯이 고개를 흔들었다.

"아녜요, 경찰들이에요. 계급이 높은 경찰들요."

나는 샤워기를 찬물로 바꿨다. 이렇게 하면 반드시 지성이 물밀듯 밀려온다.

"주방에 티백 좀 있어? 있어? 정말로? 어, 차를 좀 내오고 내가 금방 내려간다 그래."

"아, 재거드, 블랙웰!"

잠시 후 거실로 뛰어들며 소리를 질렀다.

"차 좀 드셨어요?"

두 사람은 돌아서더니 나를 쳐다보았다. 두 사람 앞에는 차도 없었고 재거드와 블랙웰도 아니었다. 자리에서 일어나지도 않았다. 덩치가 크고 무표정한 얼굴에 공허한 눈을 한 경찰들이었다. 그러나 어떤 이유로 내 '등대'가 깜박거리기 시작했다. 그들은 경찰 비슷했으나 아주 경찰 같지는 않았다.

"모데카이 선생님?"

그 중 하나가 물었다.

"맞습니다."

내가 말했다.

"인터폴 런던 주재 로빈슨입니다."

그가 다른 친구를 가리켰다.

"암스테르담 주재 호멜입니다."

앞뒤가 맞았다. 내 등대 불은 꺼졌다. 인터폴은 다른 사람들하고는 다르고 네덜란드 경찰은 영국 경찰과 생김새가 다르다.

"뭘 도와드릴까요?"

"모자 가져오시죠."

나는 생각을 했다.

"신분증 있나요?"

내가 쭈뼛거리며 말했다. 그들은 스릴러물을 너무 많이 읽은 의뢰인에게 경찰이 그러듯이 세상만사 귀찮다는 눈길을 보냈다. 나는 네덜란드 경찰의 재킷을 한 번 훑어볼 때까지 어슬렁거렸다. 권총 차는 견대를 두르고 있었는데 1935년식의 성능 좋은 브라우닝 HPM 같은 게 들어있어 터질 듯했다. 구경 9밀리 파라벨럼 탄환이 14발 들어있고 장전하지 않을 경우 무게가 2파운드 가량 되는 권총이다. 사람들 옆통수를 치기에는 더할 나위 없이 좋지만 누가 쳐들어올 것으로 예상하지 않는 사람이 갖고 다니기에는 아무래도 힘든 무기이다.

"저도 갖고 있어요."

영국 쪽 인터폴이 말했다.

"날 체포하는 겁니까."

내가 물었다.

"그렇다면 이유는 뭐죠?"

네덜란드 쪽이 한숨을 내쉬었다. 또는 하품이었는지도 모른다.

"모자 챙기시지요, 모데카이 선생님, 아무쪼록."

그때 조한나가 방에 들어와 방문객들을 소스라치게 놀라 쳐다보았다. 알아보는 표정이었다고 해야겠다.

“이 사람들 따라가지 말아요, 찰리”

그녀가 날카롭게 말했다.

“무장하고 있어.”

내가 설명했다.

“저도 마찬가지예요.”

맞은편 문간에서 조크가 으르렁거렸다. 그의 두툼한 손에는 루거 권총이 들려 있었다.

“고마워, 조크. 하지만 이제 내려놔. 소파에 앉아있는 신사 분은 레인코트 속에 총을 쥐고 있고 내 배를 겨누고 있는 것 같아. 그리고 모데카이 여사가 있잖아.”

조크가 천천히 머릿속으로 계산을 하는 걸 지켜보면서 그가 올바른 결정을 내리기를 기도했다. 나는 죽는 걸 특별히 두려워하지 않는다는 걸 자주 과시한다. 반면에 나는 사는 것에도 지독하게 중독되어 있다. 결국 조크는 루거를 바닥에 내려놓았다. 자동권총은 떨어뜨리는 게 아니다. 그리고는 네덜란드 쪽의 제스처에 카펫을 가로질러 발로 총을 찼다. 총이 책장 밑으로 한참 미끄러져 들어갈 정도로 찼다. 조크는 못생긴 얼굴 때문에 무시해버릴 수 있는 사람이 아니다.

그들 중 하나가 조한나와 조크를 주방으로 데리고 들어가 문을 잠궈버렸다. 다른 한 명은 전화선을 뜯지 않고 전화기의 통화하는 부분을 열어 진동판을 꺼내더니 호주머니에 넣었다.

“내선입니까?”

그가 물었다.

"아뇨."

"전화 어디 있어요?"

"침실에요."

그는 나를 그리로 데려가더니 똑같은 과정을 밟았다. 그는 실력이 좋았다. 그들의 승용차는 로버 같은 실용적인 차량이었다. 나는 운전하는 네덜란드 쪽 옆의 조수석에 앉게 되었다. 영국 쪽은, 아직도 그가 영국 경찰이 아니라고 확신하지 못 하겠다. 앞으로 몸을 수그리더니 자기 권총이 내 왼쪽 콩팥을 겨누고 있으니 허튼 짓 할 생각은 하지 말라고 했다. 요즘은 쏘겠다고 하면 바로 그 자리에서 주저하지 않고 쏴버린다는 걸 누구나 다 안다. 그들이 나를 살려둘 생각이라는 건 분명하다. 따라서 협박은 여유로운 것이었다. 그것은 나만의 바람이었다. 문제의 무기를 한 번 힐끗 보려고 어깨 너머로 목을 길게 뺐다. 그는 앞만 보라고 호통을 쳤다. 권총은 거기에 있었다. 벽돌담에 구멍을 낼 만큼 무시무시한 미국 정부용의 콜트 45구경 자동권총이라는 걸 알 수 있었다. 이 무기의 한 가지 좋은 점은 소음기가 달려있지 않다는 것이었다. 차 안에서 빵 하고 쏘면 몇 마일에 걸쳐 차들이 멈춰서는 사태가 벌어질 것이다. 이것이 그들의 세 번째 실수였다.

"어디로 데려가는 겁니까?"

내가 여유있게 물었다.

"집이오."

네덜란드 경찰이 말했다. 농담으로 던진 말이었다. 우리는 동쪽으로 달렸다. 바울 성당을 지나면서 내가 정중하게 네덜란드 친구에게 뛰어난 그 건축미를 손으로 가리켰다.

"입 닥쳐."

그가 말했다.

우리는 더욱 동쪽으로 달렸다. 이제 런던이라 해도 나에게는 생소한 지역으로 들어왔다.

"죄송하지만 집이 어딥니까?"

내가 물었다.

이번에는 영국 친구가 대답했다.

"집은 가슴이 있는 곳이지."

그가 큰 권총을 들고 있는 덩치 큰 남자답게 희희낙락 으스대며 말했다.

"선생을 조용한 곳으로 데려가는 중이요. 거기 가면 사람들이 몇 가지 질문을 할 텐데 선생 부인이 리 선생을 24시간 이내에 게라드 거리로 데려오면 풀어주겠소, 안 그런가?"

"입 닥쳐!"

네덜란드 친구가 말했다. 그가 책임자인 것 같았다. 하지만 그 몇 마디가 나를 기분 좋게 만들어 주었다. 그들도 내가 아는 바를 알고 싶어하는 또 다른 '그들'의 졸개였고 나는 귀중한 인질이라는 사실이 분명해졌기 때문이다. 지금은 누구도 모데카이의 콩팥에 구멍을 낼 때가 아니라는 걸 그 어느 때보다도 확신했다.

차들로 꽉 차 있고 정복경찰이 많이 깔린 복잡한 교차로에 접어들었을 때 네덜란드 친구에게 영국에서는 좌측통행을 한다고 중얼거렸다. 사실 그는 좌측통행을 하고 있었다. 하지만 내 말을 듣고 멈칫해 운전대가 흔들렸다. 나는 자동차 키를 잽싸게 빼냈다. 차는 엄청난 교통량 속에서 꼼짝도 못하게 되었다. 나는 차 밖으로 튀어나갔다. 말할 것도 없이 그들은 나를 쏘지 못했다. 나는 가장 가까운 데 있는 '경찰'에게 달려가 운전자가 심장마비가 왔다면서 가장 가까운 공중전화 박스가 어디 있느냐고 속사포처럼 지껄였다. 그는 공중전화 박스를 손으로 가리키고는 차 쪽으로 성큼성큼 걸어갔다. 차는 이제 교통체증으로 인한 소란의 중심에 있었다.

공중전화 박스에서 나는 정신없이 집 전화번호를 돌리고 10펜스짜리 동전을 아까운 줄도 모르고 쑤셔 넣었다. 조한나는 그들이 미처 알아채지 못한 옷방의 내선전화로 받았다.

"이봐."

내가 말했다.

"여기 어느 모퉁이의 공중전화인데⋯."

내가 전화통에 적힌 대로 읽었다.

"이 친구들한테서 잠깐 빠져나왔는데 말이야. 어디냐면⋯."

나는 공중전화 박스 밖을 정신없이 둘러보다가 맞은편에 지저분한 창고 같은 큰 건물이 눈에 들어왔다. 간판이 붙어 있었다.

"마이콕의 농장에서 직접 만든 베이컨."

내가 소리 내어 읽었다.

"농담할 때가 아녜요, 찰리.(마이콕은 발음대로 하면 내 성기라는 뜻이 되기 때문에 하는 말임)"

"조크를 이리로 좀 보내, 빨리."

나는 수화기를 내려놓았다. 반환된 동전을 확인할 시간조차 아까웠다. 나는 훌륭한 마이콕 선생네로 달려갔다. 문 안에 들어서니 세제냄새가 나는 나이 든 아줌마가 주인장이 있을 만한 곳을 가리켰다.

"아마 저녁 드시고 계실 거예요."

그녀가 덧붙였다.

"술병에서 따라서요."

그녀가 시야에서 사라지자 나는 곧장 방향을 바꿔 도살장의 미로 속으로 몸을 던졌다. 불에 그슬린 돼지냄새가 코를 찔렀다. 세제냄새가 그리웠다. 기겁하게 만드는 날카로운 소리가 허공을 갈랐다. 저녁식사 시간을 알리는 호루라기였다. 나한테는 안 좋은 순간이었다. 나는 정신을 가다듬고 세균을 찾아내려는 보건성 관리의 거만한 걸음걸이를 흉내내었다. 나를 지나쳐 몰려나간 일꾼들은 힐끗 쳐다보기조차 안 했다. 파라티푸스에 걸릴 위험을 무릅쓰고 '포도송이' 식당에서 만든 쇠고기 파이를 먹으러 나간 것이다. 그들은 돼지고기 파이는 먹으려 하지 않았다. 만드는 과정을 다 보았기 때문이다. 나는 무슨 목적이 있는 것처럼 가끔씩 제멋대로 방향을 바꿔 통로를 따라 걸으면서 조크가 여기에 얼마나 빨리 도착할 수 있을지 열심히 계산을 하고 있었다. 영리하고 음흉한 것도 좋지만 이렇게 목숨이 왔다갔다 하는 상황에 처하면 깡패가 필요하다. 소년원에서 첫 번째 형기를 마치고 나서 비슷한 상황에 단련이 된 깡패 말이다. 조크는 그런 깡패다. 미술품 중개상 가운데 그를 밑에 둘 수 있는 사람은 거의 없다. 나는 그가 마이콕 돼지우리로 쏜살같이 달려올 것이며 손가락에는 놋쇠조각을 끼고 루거 권총 한 대와, 또 열쇠를 찾을 수 있다면 내 침대맡 테이블에 보관해두는 뱅커스 스페셜 리볼버도 준비해 완전무장을 하고 올 것이라고 확신하고 있었다. 20분은 내가 불리한 조건을 상정해 정한 시간이었다. 20분만 버티면 된다.

나는 '애완동물용 사료. 취급 후 손을 씻을 것'이라고 표시된 통들 틈새로 간신히 빠져나와 '아일랜드 및 벨기에 전용'이라고 적힌 다른 통들이 있는 구역을 뚫고 지나가려 했다. 바로 그때 30피트 정도 떨어진 곳에서 덩치 큰 친구가 두 손으로 권총을 붙잡고 있는 게 보였다. 네덜란드 친구였다. 권총은 나를 겨누고 있었다. 경찰 교본에는 두 손으로 붙잡고 쏘는 게 가장 확실한 방법이라고 나와 있다. 그러나 그가 총을 잘 다룬다면 그 거리 정도에서는 한 손으로 붙잡아도 될 것 같았다. 제정신이 있는 사람이라면 누구라도 그러듯이 그 자리에 얼어붙었다.

"이리 오시지, 모데카이 선생님."

그가 설득조로 말했다.

"이리 오셔. 연극은 그만하고. 손을 머리 뒤로 하고 오면 해치지 않을 테니까."

나는 숨을 깊이 들이마셨다. 들이마시고는 열을 세고 내쉬었다. 이렇게 하면 체내에 산소가 과다 공급된다고 한다. 혈관 속을 꿈틀거리며 돌아다니는 아드레날린과 맞물리면서 생각지도 않은 효과를 냈다. 캐시어스 클레이(미국의 전설적인 복서)와 맞서도 2라운드는 족히 버티겠다는 자신감이 생겼다.

나는 심호흡을 계속하며 산소를 공급시켰다. 네덜란드 친구의 권총이 내 성기와 이마 사이를 오르내렸다. 먼저 싫증을 낸 건 그 친구였다.

"모데카이 선생님."

그가 위해를 가할 듯한 목소리로 말했다.

"이제 이리 오시지? 그렇게 나오는 건 참을 수가 없지. 안 그렇소?"

"그런 게 아니고."

내가 말했다.

"그냥 열심히 숨 쉬고 있는 중이요."

그가 내 호흡의 의미를 생각하고 있는 걸 보았다. 나는 왼쪽으로 낙하하는 것처럼 속임수 동작을 쓴 뒤 있는 힘을 다해 오른쪽에 있는 사료 통 무더기 뒤로 뛰어들었다. '뚜두두두' 하고 총성이 울렸다. 한 발은 벽에 맞았고 나머지는 사료통을 뚫고 들어갔다. 그는 내가 생각한 것처럼 서투르지는 않았다. 하지만 자기가 생각한 것처럼 솜씨가 좋은 것도 아니었다. 두 손으로 총을 잡으면 첫 발은 기가 막히게 쏠 수 있다. 그러나 두 번째 표적이 옮겨가면 예외 없이 잘 안 맞게 된다. 권총을 잘 쏘는 사람은 두 번째 표적을 쫓을 땐 총을 낮춘다. 표적을 해치우고 나서야 들어올리는 법이다.

나는 탄창을 바꿀 시간을 주지 않고 재킷을 벗어 사료통 위로 집어던졌다. '뚜두두두' 브라우닝 총이 불을 뿜었다. 이제 7발을 쓰고 7발이 남았다. 나도 알 수 있었다. 바닥은 네덜란드 친구 쪽으로 완만하게 내리막 경사가 져 있었다. 나는 통을 두어 개 발로 걸어차 경사를 타고 굴러가게 했다. 돼지피 따위가 뚝뚝 떨어졌다. 거기에 대고 그가 총을 쏬다. 네덜란드 사람들은 결벽증이 있기 때문이다. 10발이 날아가고 이제 4발이 남았다. 나는 빈 깡통을 집어 들어 바닥에 내리쳤다. 그는 미친 듯이 2발을 더 쏬다.

내가 통을 발로 걸어차 버린 곳에 손잡이 대신 레버가 달린 육중한 철문이 보였다. 숨기에 안성맞춤이었다.

"잭슨!"

내가 고함을 질렀다. 그럴듯한 이름이었다.

"잭슨! 폭탄은 쓰면 안 돼. 내가 가서 붙잡을 테니까."

내가 육중한 철문을 열고 그 틈새를 비집고 들어가는 동안 나를 향해 총을 한 방도 쏘지 못했다. 당황한 게 분명했다. 문 안쪽의 방은 차가웠다. 사실 그 방은 고기 유통업자들이 냉장실이라고 부르는 곳이었다. 내 쪽의 문 레버는 '안전'이라고 붉은 페인트로 표시된 위치에 있었다. 두 개의 벽 높은 곳에는 병원에서 볼 수 있는 고무판을 늘어뜨린 것 같은 입구가 있었다. 그 사이와 그 너머에는 큼지막한 갈고리들이 달린 원형벨트가 걸려 있었다. 밖에서는 권총 굉음이났다. 총알이 견고하기 이를 데 없는 철문을 맞고 튕겨져 나갔다. 나는 문에 등을 대고 앉았다. 추워 떨렸다. 아시다시피 꼼수를 쓴다고 재킷을 벗어던졌기 때문이었다. 머리 옆의 안전레버가 흔들리고 찰칵 하는 소리가 났지만 출입을 허락하지는 않았다. 이어서 목소리들이 들렸다. 다급한 목소리였다. 네덜란드 친구는 이제 혼자가 아니었다. 윙윙거리고 삐걱거리는 꺼림칙한 소리가 들렸다. 전동공구를 손에 쥐고 문손잡이를 어떻게 하고 있는 게 분명했다. 내가 독실한 신자였다면 짤막한 한두 마디의 기도는 올렸어야 했을 것이다. 그러나 나는 자존심이 있다. 무슨 말이냐 하면 나는 아쉬운 것 하나 없을 때는 하느님을 칭송해본 적이 없다. 그러니 베이컨 공장에서 도움을 요청한다면 구차하게 보일 것이다.

문 반대쪽에서 나는 삐걱거리는 소리는 점점 더 커졌다. 나는 필사적으로 주위를 둘러보았다. 벽에는 미국 대통령이 마지막 세계대전을 일으키는 데 쓸 법한 커다란 전기 스위치가 있었다. 그걸 만지면 경보를 울릴 수도 있을 것이라고 생각했다. 아니면 마이콕 베이컨 공장 전체를 정전시킬 수도 있을 것이다. 분명히 사태를 지금보다 더 악화시키지는 않을 것이라고 생각했다. 나는 있는 힘껏 스위치를 들어올렸다.

그랬더니 돼지들이 방 안에서 터덜터덜 움직이기 시작했다. 혼자 힘으로 정확하게 방향을 읽고 움직이는 게 아니라는 사실은 아실 터이다. 이미 황천길을 떠났거나 거대한 변화를 겪은 녀석들이기 때문이다. 그들은 원형 벨트 갈고리에 걸려 있었다. 그 내장은 이미 말끔하게 꺼내져 '애완동물용 사료: 취급 후 손을 씻을 것'이라고 적힌 통에 들어가 있는 게 틀림없었다. 지금까지 이렇게 진정으로 행복한 돼지들은 처음 보았다.

여덟 번째, 아홉 번째 돼지였는지도 모른다. 돼지는 엄밀한 의미에서 진짜 돼지가 아니었다. 그것은 덩치 큰 네덜란드 친구였다. 암스테르담에서는 양복이라고 부를 정장 차림이었다. 그는 한 손으로 갈고리에 매달렸는데 내장은 다 들어있는 것 같았다. 다른 손은 1935년식 브라우닝 HPM 권총을 휘둘렀다. 그는 바닥으로 뛰어내리면서 나를 향해 총을 쏘았는데 이것이 그날 그의 네 번째 실수였다. 총알이 내 옆구리에서 살을 조금 떼어냈다. 내가 약간의 살은 빼도 여유가 있는 곳이었다. 그러고 나서 그는 내 명치를 정조준해 방아쇠를 다시 당겼다. 아무 일도 일어나지 않았다. 그가 빈 권총을 바보스럽게 내려다보자 나는 발로 총을 걷어차 손에서 떨어뜨렸다.

"14발짜리야."

내가 친절하게 알려주었다.

"숫자도 못 세나? 탄창 남은 게 없나?"

그가 멍하니 여분의 탄창이 있는 호주머니를 톡톡 쳤다. 그러는 사이 내가 브라우닝 권총을 집어들었다. 그리고는 그걸로 옆통수를 한 대 후려쳤다. 그는 아무런 말도 남기지 않고, 하룻밤의 휴식을 얻은 사람처럼 주저앉았다. 나는 여분의 탄창을 그의 호주머니에서 꺼내 챙기고, 빈 탄창은 오해의 소지가 있는 지문을 남기지 않기 위해 손수건을 이용해 총에서 빼내 그의 호주머니에 집어넣었다. 나는 그때 상황이 어땠는지 정확하게 기억도 안 나고 여러분들도 별로 알고 싶지 않을 것이다. 원형벨트는 갈고리를 단 채 계

478

속 돌아가고 있었고 그 때는 뭐 괜찮은 아이디어 같았다고 말하는 것으로 족할 것이다.

점점 더 추워지고 있었다. 나는 사시나무 떨 듯이 떨었다. 그러나 겁쟁이도 탄창을 가득 채운 브라우닝 HPM 권총을 손에 쥐고 있으면 약간의 온기를 느낀다. 나는 아주 좋은 재킷을 날려버렸다는 것만 후회하며 앞으로 어떤 일이 닥칠지 기다렸다. 또렷하지 않지만 외치는 목소리가 문을 통해 들렸다.

"예?"

내가 용감하게 외쳤다.

"문 여세요, 찰리 선생님"

조크가 외쳤다.

"약 10초 후면 경찰들이 몰려올 거예요."

우리는 헐레벌떡 그곳을 떠났다. 놀랍게도 통로 모퉁이에 총을 다룰 줄 아는 소녀처럼 조한나가 내 뱅커스 스페셜을 들고 서 있었다. 그녀는 무릎을 흐물흐물하게 만드는 미소를 보냈다. 입구 방향에서 웅성거리는 소리가 들렸다. 그 위로 경찰관에게서나 들을 수 있는 억제된 분노의 소리가 솟구쳤다. 누가 쿵쿵거리며 다가왔다. 우리는 가까운 방으로 몸을 숨겼다. 그 안에는 돼지가 없었다. 베이컨 공장에서 일하는 사람들의 작업복과 흰 가운들이 깨끗하게 세탁된 채 꾸러미로 묶여 있었다.

무리들이 우르르 지나가고 나서 우리는 흰 옷을 입은 모습으로 밖으로 나왔다. 나는 조크를 '잡역부'라 부르며 퉁명스럽게 들것과 관련한 지시를 내리고 '간호사'에게는 역삼각함수를 이용한 휴대용 주입기구 사용법을 아느냐고 물었다. 그녀는 안다고 했다. 그녀가 거짓말하는 건 이번이 처음이 아니었다. 입구의 경찰들은 우리에게 전혀 신경을 쓰지 않았다. 그들은 사람들을 들어오지 못하게 하느라 바빴다.

"바츠 병원이요."

내가 택시 운전사에게 빠르게 말했다.

"사고환자, 응급실로. 경적도 울리면서."

바츠 병원에서 우리는 흩어져 흰 옷을 벗어버리고 정문으로 나와 각자 택시를 타고 집으로 갔다. 내가 맨처음 도착했다. 마음을 어루만져줄 술이 필요했다.

"어."

다들 모이자 내가 퉁명스럽게 말했다.

"중요한 거부터 하자구."

내 목소리에는 병원 수련의의 거만함이 아직도 남아 있었다.

"다른 친구, 영국 친구는 어떻게 됐는지 두 사람 중 누가 아나?"

조크가 말했다.

"돼지 내장 집어넣은 큰 통에다 얼굴을 처박아 놓았어요."

"어이구 딱한 친구, 얼마나 끔찍한 일이야. 난 그 친구한테 도무지 정이 안 가지만 엄청나게 불편할 거란 얘기야."

"불편하지 않을 거예요, 찰리 선생님."

"어이구, 그렇다면 네 루거 권총을 다시 진지 총포상에 맡겨야 된다는 얘기네? 탄피는 주을 시간도 없었을 테고? 아냐, 별 수 없지."

여기서 문외한들을 위해 잠시 설명이 필요할 것 같다. 탄도 전문가들은 어느 총기에서 어느 총알이 발사됐는지를 족집게처럼 안다. 그들은 현미경을 쓴다. 탄피는 한층 더 확연하게 어느 총인지

480

를 드러내준다. 그래서 못된 일에 총기를 사용한 사람들은 대개 런던 다리 위에서 템스강으로 총을 던져버린다. 내 생각엔 그렇게 버려진 총기가 싸여 뱃길 안전을 위협할 정도가 되었다. 그러나 조크는 자필서명이 들어있는 셜리 템플 사진 만큼이나 루거 권총을 포기하지 않을 것이다. 이 말은 그가 그걸 갖고 누군가를 처분했다면 내가 큰돈을 주고 진지 총포상에 맡겨 '손을 보아야' 한다는 뜻이다. 연결 핀도 갈아야 하고 노리쇠 표면도 반들반들하게 닦아 긁힌 자국도 새로 내야 하고 선반으로 약실이나 총열에 작업도 해야 한다. 총포상에서 작업을 마무리하면 현미경도 심통이 나게 되고 탄도 전문가는 집에 가 마누라에게 화풀이를 하게 된다.

"이봐, 조한나."

내가 정색을 하고 말했다.

"그 두 사람 아는 것 같은데 누구야? 영국 친구하고 네덜란드 친구 말이야?

"둘 다 네덜란드 사람이야, 여보. 루빈스타인 경무관은 로빈슨이라고 부르는 걸 좋아해요. 영어를 완벽하게 구사하니까."

"응, 그런가?"

"두 사람 다 진짜 경찰인데 아주 썩은 경찰이에요. 알다시피 전 세계적으로 헤로인은 대부분 암스테르담을 거쳐 가는 거야. 돈으로 따지면 어마어마한 금액이지. 누가 부담 없이 일 년에 만 파운드씩 노바 스코티아 은행 서인도 지점에 돈을 넣어주는데 그걸 모르는 체하겠어요? 박봉의 경찰관을 탓할 수는 없어요. 프라이버시에 관한 한 스위스 은행은 상대가 안 돼요. 플레이보이 잡지 지난 호 같은 느낌이야."

"맞아, 그 친구들 탓할 수는 없어. 그런 상황이라면 나도 유혹을 느끼지 않을 수 없지. 나로서는 아직 수명이 남아있는 내 신체 중요 부위에 크고 아프게 구멍을 내려고 한 걸 탓하는 거지."

"응, 그건 그래요. 하지만 두 사람 다 결국 책임을 졌잖아요. 안 그래, 여보?"

"맞아, 맞아. 그런데 누가 이 손버릇 나쁜 경찰을 고용했는지 말해줬으면 좋겠어. 날 납치했을 때 말이야."

"당신 미국 영어 잘하네요, 찰리!"

"그건 신경 쓰지 말고 누가 그 친구들한테 나에 대해 '통지'를 했는지 말해줘."

"미국에서 말하는 '청부'와 같은 뜻인가?"

"에이, 염병할!"

내가 큰 소리를 쳤다. 내가 그녀에게 처음으로 목소리를 높인 것 같다.

"그 의미는 신경 쓰지 말고 그들의 배후에 누가 있는지 알고 싶다구."

"하인 앞에서는 안 돼."

그녀가 프랑스어로 중얼거렸다. 조크는 불만스럽게 방에서 나갔다. 그의 지적 능력은 누구한테도 뒤쳐진다. 하지만 프랑스어 문장 두 개를 안다. 하나는 '불리 부 꾸쉬'로 시작하는 문장이고 다른 하나는 지금 조한나가 말한 것이다. 마음에 상처를 받았을 것이다. 자존심이 있는 친구이기 때문이다.

"리 선생 밑에 있는 사람들이야."

조한나가 말했다.

"그럼 리 선생은 지금 어디 있는지 말해주겠어?"

그녀가 전화기를 들며 내게 알 수 없는 그 미소를 지어보였다.

다이얼을 돌리더니 내가 알아들을 수 없는 말로 뭐라고 말했다. 한 30초 듣더니 번호 같은 걸 말했다. 그러더니 다시 내게 한 군데만 빼놓고는 온 몸의 뼈를 녹일 듯한 미소를 지어보였다. 그녀가 전화를 끊었다.

"리 선생은 현재 존 F. 케네디 국제공항으로 가고 있어요. 약 50분 있으면 내릴 거예요. 큰 제트 여객기를 타고 있는데 일반 승객은 없고 리 선생의 못된 친구들 여남은 명에 여섯 명의 진짜 인터폴 요원, 미국 마약 단속국 직원 절반과 당신이 아는 교장이 탑승하고 있어요."

"그 무서운 군사학교 교장 말이야?"

내가 소리를 꽥 질렀다.

"그 여자가 늘 정의의 편에 서 있었다고 말하려는 거지? 조금 있으면 이런 웃기는 짓에 공로가 있다고 대영제국 훈장을 받게 될 거라고 얘기하겠네!"

"그건 당신이 군사학교 있을 때 받았어요, 찰리. 낙하산 타고 벨기에에 들어간 공로로. 대영제국 4등 훈장은 리예카라는 유고슬라비아의 작은 항구에서 헝가리 과학자들을 배에 실어 빼내온 공로로 받았어. 이번 일로는 최소한 여성들에게 주는 훈장을 받을 거야. 사실 나는 그 여자에게 종신 기사 작위를 주도록 부탁해놨어."

"종신 기사작위를…"

이 문제는 그걸로 된 것 같았다. 나는 다른 질문을 생각했다.

"이 일로 당신은 뭘 건지려고 그러는 거지, 조한나?"

"당신요."

나는 주위를 미친 듯이 둘러보았다. 방에 다른 사람은 아무도 없었다.

"나라고?"

"맞아."

음, 나는 우문우답이라고 생각했다. 블러처 대령은 조한나가 운영한다고 생각하는 모든 조직에 내가 침투하는 대가로 이 눈물의 계곡에서 살아갈 자리를 마련해주었다. 조한나는 이 사실을 거의 모르고 있었다. 블러처 대령도 내가 이 일을 하면서 얼마나 형편없이 죽을 쑤었는지를 거의 모르고 있었다. 나는 저민 거리의 줄스 바에서 사람을 만나봐야겠다고 자리에서 일어났다.

"응, 가서 좀 재미있게 놀다 와요, 여보. 오늘 밤은 내가 같이 안 가도 용서해 줄 거지."

늘 그랬듯이 이번에도 나의 완패였다.

41

아, 사심 없는 남자이며 흠결 없는 신사!

— 멀린과 비비안

사람이 가는 곳마다 다른 술을 마시게 되는 건 이상한 일이다. 예를 들어 나는 샴페인 칵테일을 싫어하지만 어떤 여주인이 만들어주는 건 두 잔을 받아 마신다. 누구라도 얘기하겠지만 샴페인 칵테일은 아주 신날 때 마시는 것이고 두 잔을 마시면 여주인의 괴상한 코는 안중에 없고 출중한 다른 매력에 집중하게 되기 때문이다. 또 다른 어떤 술집에 들르면 자연스럽게 기네스 맥주 한 잔과 아일랜드 위스키 반잔을 시킨다. 저지 섬에는 다른 손님들이 눈썹을 치켜올리든 말든 늘 시원한 오렌지 주스 반잔에 위스키를 듬뿍 넣어주는 집이 있다. 내가 1년 동안 들르지 않아도 주인이 미리 알고 최상급 맥주 5백cc와 볼펜을 놓고 가는 집도 있다. 내가 크로스워드 퍼즐을 그 술집에 풀려고 왔다는 걸 알기 때문이다. 옥스퍼드에 이탈리아 술집이 하나 있는데 아침나절 집에 가는 길에 불쑥 들르고는 했었다. 이 집은 눈치가 빨라 드러내놓고 환영하지 않고 그냥 큰 잔에 브랜디와 소다수를 섞고 술잔을 붙잡을 수 있게 성의껏

485

거들어준다. 꽤 먼 거리에 있는 술집이 있는데 여기 가면 마가리타라는 이름의 술을 마신다. 라벨도 없는 때 절은 병에 술을 담아 내온다. 140도 되는 토마토케첩 같다. 예를 들자면 한이 없지만 내가하고 싶은 얘기는 어쩌면 세계 최고의 술집이라고 할 수 있는 저민거리의 줄스에 가면 늘 캐나다 호밀 위스키에 진저 에일을 시킨다는 것이다. 그리고는 정중한 쪽지와 함께 와인 한 잔을 피아노 연주자에게 보낸다. 그는 정중한 시선을 내게 보내고 신청곡을 연주한다.

늘 해오던 절차를 거치고 두 잔째를 시켜놓고는 전화기로 가 블러처 대령의 '안전한' 번호를 돌렸다.

"홈 앤 콜로니얼 백화점입니다."

낯익은 목소리가 흘러나왔다.

"거기가 백화점이면 나는 전봇대로 이를 쑤시겠다."

내가 딱딱거렸다. 돌려 말할 기분이 아니었기 때문이다.

"정말이신가요?"

상대가 말했다.

"그럼 왕립 외과 대학에 연락해보시죠. 도움이 될 만한 정보를 얻으실 수 있을 겁니다."

"크르르."

내가 말했다. 상대 여자가 전화를 끊었다. 나는 동전을 하나 더 찾아 다시 다이얼을 돌렸다.

"아빠 좀 바꿔주실래요?"

내가 이를 악물고 귀에 거슬리는 어조로 말했다.

"왜요, 선생님?"

나는 터무니없는 암호의 나머지 부분을 기억했다.

"엄마가 편찮으세요."

철컥 소리와 잡음이 들리더니 블러처가 전화를 받았다.

"얘기 좀 해야겠어요. 이제 여기까지 왔으니까."

"여기가 어디죠?"

내가 알려주었다. 그는 5분도 채 안 돼 나타났다. 그의 소속 기관이 어디든 지나치게 미국 시민들이 낸 엄청난 세금을 주소 찾는 데 허비하고 있다는 반증이었다. 게다가 그는 우산까지 들고 있었다. 그래도 영국인 티는 조금도 나지 않았다.

나는 성미에는 맞지 않았지만 술을 한잔 시켜주었다. 어쨌든 그는 내 손님이었다.

"두 가지 질문만 하죠."

내가 힘없이 중얼거렸다.

"내가 정확하게 누굴 위해 일한 거지요? 이제 일은 끝난 건가요? 그리고 그렇다면 난 죽지 않고 사는 건가요?"

"세 가지 질문이네요, 모데카이 선생님."

우리가 만난 초기에 내 이름을 함부로 부른다고 그를 질책한 걸 기억하실 것이다.

"좋아요, 세 개예요."

내가 톡 쏘아붙였다.

"그럼 셋까지는 셀 수 있겠지요. 첫 번째 질문부터 시작해 선생의 표현법대로 서서히 리스트를 검토해 내려가자구요."

"밖에 차를 갖고 왔어요. 드라이브를 좀 하는 게 어떨지요?"

나는 잠시 생각하고는 그러자고 했다. 어쨌든 그의 소속 기관에 의해 죽음을 당하는 게 최소한 효율적이고 위생적일 것이다. 여자 테러 집단이나 앙심을 품은 중국 양반들의 노리갯감이 되는 것보다 훨씬 더 낫지 않겠느냐고 생각해 그에게 전화를 한 것이었기 때문이다.

그의 차는 사람들을 태워줄 때 이용하는 크고 검은 리무진 종류가 아니었다. 그것은 꺼림칙한 느낌은 없었지만 앞 유리에 주차위반 딱지가 붙어있는 작은 피아트였다. 그는 셰리주 푸딩을 두 그릇 먹고는 음주 측정기를 불라고 할까봐 겁을 내는 시골 주임사제처럼 조심스럽게 그로스베너 광장으로 차를 몰았다. 정확히는 그로스베너 광장 24호였다. 다름이 아니라 미국 대사관이다.

"안 들어가겠어요."

내가 말했다.

"나도 안 들어갈 겁니다. 책상에 서류가 산더미처럼 쌓여있는데다 '긴급' 표시가 돼있어요. 경찰이 귀찮게 하지 않을 테니까 여기 잠깐 세워두려고요. 이 차는 단속면제 차량이라서."

"정말 별천지에 사시는군."

내가 중얼거렸다.

"자, 모데카이 선생님. 질문에 대답을 하지요. 첫째 선생은 유엔을 위해 일해 온 겁니다. 괜찮아요, 웃고 즐기세요. 원래 그러셨지만. 제 소속 기관은 유엔의 특정 부문과 긴밀한 협력관계를 유지하고 있어요. 그리고 지난 몇 주 동안 아주 놀라운 성과를 거두었다고 자신 있게 말할 수 있지요."

나는 힘없이 '잘 했네요'라고 말한 것 같다. 그러나 그는 내 말은 못 들은 척하며 계속 말했다.

"두 번째 질문은 '이제 일은 끝난 거냐?'는 거였죠. 조건부로 '그렇다'라고밖에 말할 수가 없어요. 세 번째 질문은 죽지 않고 계속 살 수 있느냐 하는 건데 좀 어려운 질문이네요. 윗사람들에 관한 한 이제 아무 문제가 없다고 할 수 있을 것 같아요."

그는 나 같은 사람이 왜 죽지 않고 살기를 바라는지 알아내려는 듯이 몸을 돌려 나를 쳐다보았다. 나는 어깨를 펴고 조그만 피아트 조수석에 앉은 사람으로서는 가장 도도한 표정을 지었다.

"모데카이 선생님, 이렇게 복잡한 작전을 벌이게 되면 닦아내고 솎아내는데 시간이 좀 걸리죠. 최종 마무리 부분들이 보통 많은 게 아니고요, 앞으로 몇 달 동안 하루 24시간 선생을 보호하는데 드는 경비를 우리 예산으로 충당할 수도 없는 노릇이라는 걸 잘 아시리라 생각합니다. 아시겠지요."

"그건 잘 알고 있고요."

나는 그의 번지르르한 비유를 못 들은 척하며 말했다.

"인도양 서부의 세이셸 제도는 생각해보신 적 있나요?"

그가 물었다.

"서인도 제도의 앤틸리스 섬은? 사모아 섬은? 버진 아일랜드는 요?"

나는 돌처럼 차갑게 그를 노려보았다. 아마 석상이 많은 칠레 령 화산섬을 생각나게 만들었을 것이다.

"채널 제도(영국해협의 노르망디 해안에 위치)는 어떤가요? 선생의 부인이 절반의 지분을 갖고 있는 멋진 저택이 그 섬에 하나 있지요."

나는 그건 몰랐다. 하지만 당시에 조한나에 대해 모르는 건 그것 말고도 많았다.

"그걸 어떻게 알지요?"

내가 따졌다.

그는 사람들이 나를 단순한 사람이라고 판단 내렸을 때 그러듯이 딱하다는 표정을 지으며 나를 뚫어지게 쳐다보았다. 상황이 내게 유리하다면 조크가 '주먹 한 방'이라고 부르는 수단을 동원해 딱하다는 표정을 뭉개버리는 게 보통이다. 하지만 운전석이 오른쪽에 있는 피아트의 조수석은 유리한 여건이라고 말할 수 없다. 유일하게 가능한 한 방은 왼팔 휘둘러 치기인데 실내 백미러가 방해가 되었다. 더군다나 무절제한 생활로 30파운드나 몸이 불은 건 말한 것도 없고 15년이나 손을 놓고 있었다.

"늘 저지 섬을 한 번 가봤으면 했어요."

내가 말한 것은 그것이 고작이었다.

사람이나 심지어는 물건을 미워할 때도 조심해야 한다. 미워하는 것과 똑같아지기 쉽기 때문이다. 나는 그가 차로 집에 데려다주는 동안 그랬어야 했지만 블러처를 전혀 미워하지 않았다.

조한나는 집에 없었고 조크는 있었다. 그의 성한 눈이 블러처를 다정하게 쳐다보는 것 같았다. 내가 죽고사는 것 같은 일에 정신이 팔려있지 않았다면 이상하게 생각했을 광경이었다. 조크는 경찰에 대해 호감을 드러내는 사람이 아니었기 때문이다. 나는 블러처에게 의자를 이것저것 갖다주고 조크에게는 술이든 먹을 것이든 원하는 걸 갖다드리라고 분부했다. 그리고는 주인이 고양이를 바깥에 내놓을 때 그러는 것처럼 미안하다는 듯이 기분을 누그러뜨렸다. 내가 절실하게 원한 것은 샤워를 하고 깨끗하게 세탁한 속옷과 짧은 양말과 와이셔츠로 몸을 상쾌하게 만드는 일이었다.

나는 여느 때와 마찬가지로 하고 싶은 대로 했다. 30분은 족히 지나서야 나는 블러처가 자리를 털고 일어났을 것이라는 기대감 속에 깨끗한 옷을 차려입고 향긋한 냄새를 풍기며 거실에 다시 나타났다. 물론 내 기대는 어그러졌다. 그는 괘씸하게도 제멋대로 내 아내 조한나 옆에 바짝 붙어 프랑스제 소형 소파에 앉아있는 것이 었다. 이 소파는 두 사람이 어지간한 정도의 친밀함이나 히프와 허벅지의 따스한 밀착을 개의치 않는 경우에만 같이 앉을 수 있도록 만든 것이다. 두 사람은 조용히 웃고 있었다. 나는 또렷이 들었다. 보통 나는 아연실색하지 않지만 그때는 정말 그랬다.

"여보, 찰리."

조한나가 소리쳤다.

"우린 당신이 안 오는 줄 알았어. 앉아요, 여보. 뭘 좀 마셔요. 피곤할 텐데."

나는 거실에서 가장 불편한 의자에 앉아 내키지 않는 입술 사이로 술 한 잔을 밀어넣었다.

"아, 그래요, 블러처. 이제 보니 내 아내하고 잘 아는 사이가 되셨구만. 좋아요, 훌륭해요, 그래요."

"여보, 우리가 서로 알기 시작한 건 정말, 정말 오래 전이에요…."

블러처가 그녀를 쳐다보며 다 알고 있다는 듯이 다정하게 고개를 끄덕였다. 나는 위스키를 한 잔 더 들이켰다. 말문이 열리지 않았다. 그저 내 두 발 사이의 카펫 한 뼘을 노려볼 뿐이었다.

"여보, 찰리. 당신 오늘 밤은 주인 노릇을 제대로 못하는 것 같아. 손님한테 좀 재미있는 이야기 같은 거 해줄 수 없어요? 내 얘기는 이 분이 당신 목숨을 구해줬잖아요?"

나는 이 말에 더 이상 참지 못했다. 모든 게 물거품이 되어버렸다.

"이봐."

내가 쉰 듯한 목소리로 말했다.

"이 손님은, 우리 손님이라고 해야겠지. 나한테 내 목숨을 팔았어. 그 대가로 나는 당신하고 결혼한 것이고. 나는 한 5분 전까지만 해도 당신하고 결혼한 걸 잘했다고 생각했어. 정말로. 결혼 외적인 일들을 처리하느라고 좀 힘이 들긴 했지만. 이 사람은 내 목숨을 구한 게 아니라 사고판 거라구."

조한나는 육아법을 공부한 엄마가 세 번째로 침대에 오줌을 지린 아이에게 그러하듯이 다정하고 너그러운 표정을 지어보였다.

"잘못 알고 있는 거예요, 찰리. 사실 우리 손님은 당신을 오래 전에 해치우는 게 가장 깔끔할 거라고 생각했어요. 당신 목숨을 산 건 나였어요."

내 머리는 철사 쳇바퀴 안에서 쥐들이 기분 좋게 아무 생각 없이 뛰어다니는 철장 같다는 느낌이 들기 시작했다.

"물론."

나는 쓸쓸하게 말했다.

"물론, 물론. 당신이 내 목숨을 샀지. 꼭 잊지 말고 고맙다고 해야지. 왜냐고 물어봐야 소용없겠지?"

"당신을 사랑했기 때문이야. 대단하고 어리석고 자기도취에 빠져 잘난 체하는 당신을!"

그녀가 불같이 소리를 질렀다. 이럴 때는 무슨 말을 해야 할지 도무지 모르겠다. 나는 그저 발을 질질 끌며 바보 같은 표정을 짓고 만다.

"어, 지금 '잘난 체하는 인간'이라 그랬어, '돼지'라 그랬어?"

나는 달리 대답할 좋은 말이 생각나지 않아 이렇게 물었다. 그녀는 대답하지 않고 벼락 치는 얼굴을 하고 그냥 앉아 조그만 벌레라도 있는 듯이 카펫을 발로 톡톡 쳤다. 말하자면 모데카이 같은 벌레를. 블러처의 손이 그녀의 손을 잡고 다정하게 꼭 누르는 게 보였다.

"그럼 내 목숨 구하려고 돈을 얼마나 줬지?"

내가 물었다. 이루 말할 수 없는 두려움이 내 머리의 맨 앞부분으로 밀려와 야릇한 춤을 추기 시작했다. 그녀는 뜻밖에, 그것도 사람을 반하게 만들 정도로 킥킥 웃었다. 나는 그녀가 한번도 킥킥 웃는 걸 본 적이 없었다.

"우리한테 술 좀 만들어줘요, 찰리."

나는 마지못해 그렇게 했다. 내 잔을 따를 때는 좀 누그러지긴 했지만.

"자."

그녀가 편하게 말했다.

"프랜츨이 다 말해줄 거예요."

"프랜츨!"

내가 꽥 소리를 질렀다.

"프랜츨?"

"여보시게 찰리, 잘 됐어. 난 당신을 알고 있었고 결국은 허물없이 이름을 부르는 사이가 될 거요. 내가 처음에 얘기했듯이 당신을 살려주는 대가는 여기 있는 핸셴하고 결혼하는 거였지."

"핸셴?"

내가 꽥꽥거렸다.

"뭐, 그렇게 안 부르시나? 아니시라고? 어, 내가 분명히 밝히지 않은 건 그게 내 생각이 아니고 조한나의 생각이었다는 거요. 자기의 천생배필은 당신밖에 없다는 얼토당토 않은 생각을 한 거지. 정말 이상야릇한 환상에 빠져 있었던 건데, 아시유?"

"몰라요."

"이 여자는 알아. 어쨌든 이 여자의 조직이 곳곳에 침투해 들어간 거요. 중국 친구들도 무슨 큰일을 벌여 판을 키우기 전에는 자기들 카드를 더 이상 보여주지 않으려고 했어요. 체제전복보다는 은밀한 일에 능한 내 소속 기관 역시 벽에 부딪쳤고 형편없는 CIA 친구들은 우리 소화전 주위를 킁킁거리고 냄새 맡고 돌아다니기 시작한 거지. 가로등 기둥인가?"

"계속해요."

"어, 우리는 일종의 촉매제가 필요하다고 이론적으로 동의한 거요. 어슬렁어슬렁 돌아다니다 사슴을 튀어나오게 만들 신인을 투입해보자는 거였어요…."

"여보, 무슨 말이냐 하면 당신처럼 꾀가 많지만 각본은 모르는 그런 사람 말이야…."

"당신 말은, 내가 아무것도 모르니 고문해 봐야 나올 게 없다는 뜻이야?"

"여보, 그런 게 아니고. 선입견이 없는 사람 말이야…."

"훈련된 공작원의 패턴을 답습하지 않을 사람을 찾은 거야. 프로와는 거리가 멀고 적당히 똑똑한 사람을 작전에 투입해 그 사람들을 얼떨떨하게 만들어야 했었다는 거지…."

"이 양반 말은 영국의 럭비선수를 예일, 하버드 시합에 전격 기용한 거란 뜻이야. 난 당신한테 너무나도 위험한 일이라는 걸 알았어. 프랜츨은 당신이 첫 주에 살아남을 가능성을 2대 11로 봤지. 하지만 랭커셔의 그 고약한 사람들이 동굴 속에서 당신을 뼈도 못 추리게 하는 거보다는 낫다고 생각한 거야. 이제 알겠지, 여보?"

내가 알 수 있었던 것은 블러처의 손이 그녀의 손을 톡톡 치고 있다는 것과 시선을 휙 돌렸더니 내 주먹이 백짓장처럼 하얘졌다는 것뿐이었다. 블러처가 얘기를 다시 이어갔다.

"내가 말했던 것처럼 그 나쁜 친구들은 크게 한 건 하려고 준비하고 있었소. 정말 크게 한 건을. 그래서 우리가 여왕폐하 암살기도를 생각해낸 거지. 우리는 선생이 1루에 진출할 거라고는 생각도 못 했소. 그리고 어이쿠, 선생이 일을 말끔하게 해치워버릴 것 같아 걱정을 했지. 그때 현장에 조금 늦게 도착했소. 통행로가 변경되고 해서 탄약통이 개머리에 걸려 빠지지 않은 게 정말 다행이었지. 안 그랬으면 선생이 정말 일을 저질렀을 거야. 안 그래요?"

"솔직히 말해 그러지 못했을 거요. 조크가 그 일을 마음에 들어 하지 않았으니까. 하인 노릇 그만두겠다고 할 지경이었어요."

"뭐, 그럴 필요도 없었을 거요. 선생의 바로 맞은편 창가에 저격수가 있었는데 선생이 총을 쏘면 0.2초 만에 선생의 눈과 눈 사이를 정확히 맞췄을 테니까. 취조당하지 않게 하려고."

"정말 훌륭했어요, 찰리. 당신 너무나 대견스러웠어."

"여보시게 찰리, 정말 훌륭했어."

그는 내 아내의 어깨 위에 팔을 얹어놓고 소리나게 뺨에 키스를 했다. 이건 너무 했다. 내 주먹은 백짓장보다 더 하얘졌다. 그리고 훈련받은 관찰자가 있었다면 내 이마의 혈관이 소방대원의 호스처럼 툭 불거져 나와 있었다는 걸 관찰했을 것이다. 우리 모데카이 집안은 손님을 뼈도 못 추리게 만드는 전통이 없다. 특히 숙녀가 아무리 비열하고 믿기 어려운 사람이라 해도 그 앞에서는 안 그런다. 그러나 이 원칙을 깰 뻔했다. 그리고 자기 부인을 포옹하고 있으면서도 왼쪽 겨드랑이 아래가 노골적으로 튀어나온 자세를 하고 있어 누가 봐도 크고 투박한 자동권총을 숨기고 있는 손님을 공격하는 건 용납되지 않는다는 걸 깨닫지 못했다면 그렇게 했을 것이다.

나는 보란 듯이 거실에서 으스대며 걸어 나왔다. 발이 걸려 넘어지지도 않았고 문을 쾅 닫지도 않았다.

믿음직한 사내인 조크는 큰 장화를 위생 조리대 위에 세워놓은 채 주방에 있었다. 그는 만화책 너머로 나를 빤히 쳐다보았다. 나는 가까이 있는 파스텔 색깔의 붙박이 찬장을 발로 세게 걷어차 움푹 패이게 만들었다. 조크는 호주머니를 뒤적거려 의안을 찾더니 앞에 놓인 찻잔에 씻어 민첩하게 눈에 집어넣었다.

"괜찮아요, 찰리 선생님?"

"최상의 컨디션이지, 조크! 최고야, 이거보다 더 좋을 수 없지. 마누라가 바람피우는 남자들은 아픈 걸 모르잖아."

그는 내가 찬장을 아주 보기 좋게 다시 걷어차자 입을 딱 벌리고 바라보았다. 이번에는 발이 안으로 뚫고 들어가 플라스틱과 세 겹 판자의 갈라진 틈새에 끼었다. 조크가 주방 가위를 동원해 신발이 빠지도록 거들어주었다. 나는 발을 빼내 식탁으로 절뚝거리며 걸어갔다.

"처음에 발로 찬 게 도움이 많이 됐을 거예요. 해변가에서 일주일 지내는 것보다 낫죠, 찰리 선생님. 다른 거 뭐 하고 싶으신 거 있으세요?"

"카나리아는 어때?"

내가 대꾸했다.

"아직도 골이 안 풀렸나?"

"아뇨, 예쁜 목소리가 돌아왔어요. 이 놈 지저귀는 소리 들으면 정말 재미있어요. 입 다물라고 어쩔 수 없이 새장 위에 천을 얹어

놓았어요. 삶은 달걀에다가 모이에 매운 고추 좀 섞어주고 먹는 물에 럼주 조금 타줬더니 오는 사람들 다 맞아줘요. 이제 담배 피우는 콘서트도 예약이 돼요."

"나한테도 그런 처방을 해줘, 조크."

내가 울적하게 말했다.

"삶은 계란하고 매운 고추하고, 모이하고 먹는 물은 빼고."

"예, 찰리 선생님. 네이비 럼주 큰 걸로 하나 대령하겠습니다. 사모님도 뭐가 필요하실까요?"

"난 몰라. 블러처 대령하고 밀담을 나누고 있으니까."

"아, 네. 몇 달 동안 그 분 못 만났으니까요. 안 그런가요?"

"난 몰라."

"어, 오빠잖아요, 아닌가요?"

"조크, 지금 도대체 무슨 말 하는 거야?"

"어, 제 말은 모데카이 사모님이 그 분 여동생이란 거예요. 아닌가요?"

많은 일들이 분명해지기 시작했다. 가장 분명한 것 하나는 내 평생 단 한 번 멍청한 짓을 했다는 것이다.

"아, 그래?"

"네."

조크가 말했다. 나는 내 생각이라고 하는 것들을 다시 맞추었다.

"조크, 카나리아 천을 벗겨줘. 감미로운 소리 좀 듣고 싶어. 그렇다고 해서 90초 전에 주문한 네이비 럼주 큰 잔 갖고 오는 건 잊어버리지 말고."

이 정직한 친구가 식음료 저장실로 쿵쿵거리며 가는 동안 나는 온종일 마음 한구석에서 부글거리고 있던 걸 떠올렸다. 이 모든 상황의 핵심과 중심축, 모든 일의 토대를.

"조크!"

내가 고뇌에 찬 어조로 외쳤다. 그가 가던 길을 멈추더니 발뒤꿈
치로 돌아섰다.

"조크, 미안하지만 아까 주문한 거에다 잼 바른 샌드위치 큰 걸
로 하나 준비해줘."

"예, 찰리 선생님. 럼주 큰 거 하나에다가 잼 바른 샌드위치요."

"그리고 카나리아 하나."

"네, 찰리 선생님."

"그래. 조크."

"이 책보다 더 확실하고 재미있는 것을 가지고 이불 속으로 들어갈 수 없다"

이번 겨울은 모데카이 번역이 즐거움이고 위안이었다. 다른 일로 시달리다가도 이 작품을 번역하다 보면 그렇게 재미있을 수가 없었다. 유명한 평론들이 이 작품을 가리켜 2차 세계대전 이후 가장 재미있는 작품이라고 평가하는 것은 과장이 아니다. 독자들도 이 작품을 읽다보면 그러한 평가에 수긍하리라 본다.

이 작품은 1970년대에 5권의 시리즈로 나왔다. 당시 베스트셀러로 팬클럽까지 생겼을 정도로 인기를 끌었다. 이 작품은 최근 펭귄북스에서 재출간되어 문학성과 작품성을 인정받았다. 조니 뎁, 기네스 펠트로, 이완 맥그리거 등 할리우드의 쟁쟁한 배우들이 출연한 영화로 제작된 것도 이 작품의 가치를 증명해 주는 것이라 본다.

이러한 리바이벌은 이 작품이 단순한 추리소설이거나 스릴러물이 아니기 때문이다. 이 작품은 지금도 팬클럽이 있을 정도로 좋아하는 독자들이 많다. 그것은 이 작품이 재미를 넘어 여러 가지 측면에서 사람들에게 통찰을 주며, 문학적으로도 아주 흥미로운 작품이기 때문이다. 영국의 유명 평론지 스펙테이터(Spectator)는 "최근 수년 동안 일어난 리바이벌 작품 중 가장 훌륭한 작품"이라고 평가했다.

이 작품은 문장마다 유머와 위트가 넘쳐흐르는 화려한 말잔치의 향연이다. 그 위트는 주인공뿐만 아니라 등장인물, 더 나아가 사회와 인간의 본성에 대한 풍자이며 위트이기도 하다. 또한 이 작품의 주인공 모데카이에게 일반 추리소설에 나오는 근엄한 주인공을 기대하지 마시라. 그는 농담, 술, 여자, 맛있는 음식을 좋아하고 거짓말도 잘하는, 스스로가 말하듯 도덕적인 것과는 조금 거리가 있다. 이 작품에서는 모든 것이 참으로 솔직하게 표현된다. 이것을 통해 작가는 자기 혼자만 도덕적인 체하는 인간의 위선에 대해 풍자하고 있다.

소설 〈모데카이〉는 모데카이 트롤로지 중 첫 2권을 번역하여 묶은 것이다. 제 1권은 〈그것을 나에게 겨누지 마(Don't Point That Thing at Me)〉이며 제 2권은 〈피스톨을 가진 당신 뒤에(After You with Pistol)〉이다. 모데카이 시리즈는 연결되어 있으면서 각각 따로 1권씩 읽어도 될 정도로 완성도가 높다.

이 작품은 기발한 상상력으로 독자들을 생각지도 않는 곳으로 이끌어간다. 다음 사건이 어떻게 진행될 지 짐작하기 어렵게 작가의 상상력이 펼쳐진다. 이 작품은 진행될수록 경찰과 정계 인물로 커져가며, 배경도 영국을 넘어 미국, 그리고 마카오까지 확대된다. 처음에는 명화 도난사건에서 나중에는 억만장자의 죽음, 마약 밀

수, 국제 테러조직, 중국 삼합회, 여성 페미니스트 테러범까지 등장한다. 그리고 점잖던 위트는 외설스럽고 정말 배꼽잡고 웃을 수밖에 없는 위트로 발전된다. 이러한 점을 염두에 두고 읽으면 이 작품을 정말 재미있게 즐길 수 있을 것이다. 영국의 유명 배우는 이 작품을 가리켜 "이 책보다 더 확실하고 재미있는 것을 가지고 이불 속으로 들어갈 수 없다."라고 했다. 역자가 보기에는 웃느라고 잠을 이룰 수 없으니 차라리 기분 안 좋을 때 읽으라고 권하고 싶다.

이 작품은 추리소설을 넘어 문학적으로 볼 때도 아주 흥미로운 작품이다. 이 작품의 유머와 위트는 단순히 웃는 것을 넘어 기존에 있던 많은 권위들을 허물어뜨린다.

이 책 〈모데카이〉는 근엄하고 총명한 주인공을 기대했던 독자들의 기대를 일시에 무너뜨린다. 때때로 비겁하기까지 한 모데카이의 모습을 보라. 기존 추리소설이나 일반적인 소설의 주인공과는 거리가 멀어 처음에는 독자들을 당황하게 한다. 그러나 이것을 이해하고 이 작품을 보면 모데카이가 얼마나 흥미로운 인물인가를 알 수 있을 것이다. 그리고 작가가 모데카이를 통해 기존의 모든 추리소설 관례를 무너뜨리고 기존의 어떤 소설들보다 재미있는 작품을 만들어냈다는 것을 알 수 있다. 바로 이러한 기존 문학의 관례에 대한 전복은 이 작품의 포스트모던적인 성격을 잘 보여준다.

이것은 여자 주인공 조한나에서도 나타난다. 조한나가 하는 행동과 말을 보면 기존 소설의 여자 주인공과는 너무 다르다. 작가는 기존 소설에서 나타나는 여자 주인공들이, 남자 주인공도 마찬가지로 모두 허위이며 작가들의 거짓말이라고 말하는 듯싶다. 그래서 독자들은 조한나가 도대체 어떤 인물인지 끝까지 궁금해 할 수

밖에 없다. 처음에는 조한나가 뻔한 인물인 것 같은데, 정체는 끝내 쉽게 잡히지 않는다.

이 작품은 사회의 기존 권위에 대해서도 철저히 허물어 뜨린다. 비밀경찰 조직의 총수인 마트랜드는 우리가 알고 있는 정의의 경찰과는 거리가 멀고, 정말 우스꽝스럽기 짝이 없는 인물이다. 스토리에서 중요한 역할을 하는 높은 정치인-아마 수상인 것 같다-은 대학시절 동성애를 한 사진을 막기 위해 그의 권력을 마음대로 이용하고 마트랜드를 통해 상대방 및 관련된 모든 사람들을 살해하려고 한다.

이 작품의 문장 역시 그러하다. 작가는 문장 하나하나에서 독자들이 가진 상식에 대해 반문을 한다. 때때로 조롱하기까지 하면서 독자들이 가진 사회로부터 길들여진 위선과 가식, 그리고 살아가는 방식에 대해 의문을 던지게 한다. 이렇게 커다란 작업을 하면서 작가는 아무렇지도 않게 말을 던짐으로써 독자들이 그러한 과정을 즐기게 만든다.

또 하나 흥미로운 것은 작가가 독자들을 끊임없이 작품에 참여시키려 한다는 점이다. 많은 문장 속에서 작가는 독자들의 경험에 비추어 사건의 내용을 판단해 보게 한다. 심지어 작가는 "당신은 그렇지 않은가?" "이것에 대해 어떻게 생각하는가?" 하고 직접 묻기까지 한다. 어느 추리소설, 아니 소설에서 독자들을 작품 속에 이렇게 직접 참여하도록 하는가. 이것은 포스트모더니즘 문학에서 나타나는 문학적 기법으로 당시에는 참으로 낯선 것이었다.

이 작품이 1970년대에 나왔는데 어쩌면 21세기의 포스트모더니즘을 보여주고 있는 점에서 획기적이라고까지 말할 수 있을 것이다. 사실 21세기인 지금에도 낯설다. 그런데 작가는 이러한 것을 능숙하게 구사하면서 독자들을 흥미진진한 모험의 세계로 끌어들이고 있다.

이 작품을 번역하면서 문장에 나타나는 이러한 모든 점이 잘 반영되도록 노력했다. 그러나 작품의 내용 전개상 한국 독자들에게 너무 생경하여 작품의 흐름을 막는 것은 생략하기도 하였다. 문장도 추리소설에 맞게 경쾌하게 흘러가도록 했다. 만약 부족한 점이 있다면 모두 번역자들의 탓이다.

재미있게 폭소를 터뜨리며 흥미진진한 모험의 세계를 즐기시길 바라며.

성경준 · 김동섭

성경준

서울대 영문학 학사 및 석사. 뉴욕주립대학교 영어영문학 박사.
한국외국어대학교 영어대학 영문학과 교수. 한국영어영문학회 총무이사.
미국소설학회 회장. 마크 트웨인학회 회장. 한국외국어대학교
교수학습개발원 원장.

김동섭

서울대 영문학 학사 및 석사. MBC 국제부, 사회부, 정치부를 거쳐
도쿄 특파원, 정치국제 에디터, 뉴스데스크 부국장, 논설위원 역임.
현재 MBC 심의국 심의위원.

모데카이

초판 1쇄 발행 _ 2015년 2월 10일

지은이 _ 키릴 본피글리올리
옮긴이 _ 성경준 · 김동섭
펴낸이 _ 김성한
펴낸곳 _ 인빅투스
등록 _ 2014년 2월 28일(제2014-123호)
주소 _ 서울시 강남구 언주로 165길 7-10(신사동 624-19) 우)135-895
주문 및 문의 전화 _ 02-3446-6206 / 02-3446-6208
팩스 _ 02-3446-6209
ISBN 979-11-952755-4-0 03840
※값은 뒤표지에 있습니다. 잘못 만든 책은 교환해 드립니다.